Kinderen van het beloofde land

Van dezelfde auteur

Sultana
Sultana's dochters
Sultana's droom

Jean P. Sasson

Kinderen van het beloofde land

A.W. Bruna Uitgevers B.V., Utrecht

Oorspronkelijke titel
Ester's child

Vertaling
Lies van Twisk
Omslagontwerp
Hans van den Oord

ISBN 90 229 8656 X
NUR 302

Tweede druk, maart 2003

Voor Mike, de volmaakte vriend...

'Laat in de zoetheid van vriendschap een lach klinken,
en het delen van vreugde...
Laat vriendschap niets anders tot doel hebben
dan het verdiepen van de geest...'

Kahlil Gibran

Om vriendschap te vieren draag ik dit boek op aan mijn geliefde vriend Michael B. Schnapp

Proloog

Op 29 november 1947 was de toekomst van 1,3 miljoen Arabieren en 700.000 in Palestina woonachtige joden afhankelijk van de beslissing van 56 afgevaardigden van een speciale commissie van de Verenigde Naties. De joden begonnen aan een feest en voor de Arabieren brak de rouw aan op het moment dat die afgevaardigden hun stemmen uitbrachten ten gunste van de verdeling van het aloude land waarmee ze de tweeduizend jaar oude joodse droom terug te keren naar hun historische thuisland in vervulling brachten.
Vanaf die dag werd Jeruzalem een oorlogszone.

Jeruzalem, woensdag 7 januari 1948
Zigzaggend in een poging een sluipschutter te ontwijken naderde een gespannen Jozef Gale haastig de voordeur van zijn alledaagse woning in een huizenblok. Eenmaal binnen bleef hij zich haasten, wierp een waakzame blik op zijn slapende zoon voor hij de huiskamer doorsnelde de volle hal in, die was omgetoverd tot een verloskamer.
Ester had niet gemerkt dat haar man thuis was gekomen. Ze rolde heen en weer op de dunne matras waarbij ze een vochtige doek tegen haar borst gedrukt hield en kleine, dierlijke geluiden maakte die de stilte van de kamer doorbraken.
Rachel, Jozefs zuster, en Anna Taylor, een Amerikaanse vrouw die bevriend was geraakt met het echtpaar Gale toen ze in Palestina waren aangekomen, zaten naast Ester.
Jozef wierp een blik op zijn zuster en zag dat haar ogen met een hoopvolle blik op de deuropening waren gericht. Jozef schudde zijn hoofd en hield zijn armen uitgestrekt in een gebaar van verslagenheid. Hij fluisterde: ‘Ik kon niemand vinden. Zelfs geen verpleegster.’
Rachel haalde diep adem. Ze was opgelucht dat Jozef veilig was teruggekeerd, maar ontzet dat hij geen arts had weten te vinden. Rachel wisselde een gespannen blik met Anna voor ze mompelde: ‘Nou, we zullen ons best doen.’

'De geboorte is een natuurlijk gegeven,' antwoordde Anna. 'Ester zal een gezond kind ter wereld brengen.'
In een poging haar angst te verbergen stemde Rachel hiermee in. 'Toen ik in Drancy was,' fluisterde ze, 'heb ik een keer een vrouw bij de bevalling geholpen.' Drancy, dat aan de rand van Parijs ligt was een van de beruchtste kampen voor Franse joden die op transport werden gezet naar Auschwitz in Polen. Rachel, die terugdacht aan die vreselijke tijd, staarde in de verte en vertelde met opzet niet dat de vrouw tijdens de bevalling was gestorven.
Ester begon op de doek te kauwen en haar gezicht trok wit weg.
De dunne lippen van Rachel vertrokken tot een nog dunnere lijn terwijl ze vanuit haar mondhoek zei: 'Jozef, het is bijna zover.'
Jozef voelde zijn maag samenknijpen en een innerlijke stem fluisterde hem in dat hun overleving nutteloos was geweest als hij Ester zou verliezen. Hij boog zich over het tengere lichaam van zijn vrouw, raakte zacht met zijn lippen haar wang aan en zei tegen haar: 'Hou vol, liefste. Dit duurt niet lang meer.'
Ester kreunde haar ongeloof uit en sprak met een krakende, hese stem waarachter haar normale zachte stem verborgen ging: 'Nooit. Nooit. Jozef, deze pijn is een deel van mij geworden.' Ze beefde van ondraaglijke pijn.
Jozefs ogen vulden zich met tranen.
Anna stond op en begon Ester over de schouders te wrijven terwijl ze met haar hoofd gebaarde dat Jozef moest vertrekken. Ze bracht hem in herinnering: 'Het water. Kun je nu het water koken?'
'Ja, natuurlijk.' Jozef gaf Ester een kus voor hij de kamer verliet. Terwijl hij door de smalle zitkamer liep nam hij nog even de tijd om een tweede deken over Michel te leggen voor hij de keuken inging.
Met gebruik van het laatste beetje kostbare kerosine verhitte Jozef een kleine hoeveelheid water op een kleine brander. De burgers in het door oorlog verscheurde Jeruzalem hadden niet alleen een tekort aan voedsel. De watervoorraad was tot een kritiek laag niveau gedaald.
Jozef kromp zichtbaar ineen toen hij het geluid van de gedempte kreten van Ester hoorde. Hij begon hardop te bidden voor de veiligheid van zijn vrouw. 'Hoor mijn gebed, o God. Behoed haar voor het kwaad.' Hij sloot zijn ogen en wreef met zijn vingers over zijn voorhoofd. 'Ik vraag alleen om het leven van Ester.' Door emotie overspoeld aarzelde hij even en fluisterde toen: 'Beslist U maar over het kind.'
Michel Gale ontwaakte uit zijn dutje en begon te huilen en om zijn moeder te roepen.
Jozef nam zijn dierbare kind in zijn armen en bood aan een spelletje te

doen, maar niets van wat hij zei of deed kon de jongen troosten. Net toen Jozef begon te denken dat de situatie onmogelijk erger kon zijn klopte een vastberaden Ari Jawor op de deur om Jozef onaangenaam nieuws te brengen.

Ari Jawor was de beste vriend van Jozef en lid van de *Hagana*, de joodse verdedigingsorganisatie. Ari was een gedrongen man met brede schouders van het type ruwe bolster, blanke pit. En hij had de neiging te dramatisch te doen. Nu sprak hij zelfs nog luider dan gebruikelijk. Zonder de tijd te nemen zijn vriend te begroeten vulde Ari het huis met zijn onmiskenbare passie. 'Jozef, ze hebben het weer gedaan!' Hij sloeg met zijn handpalm tegen de muur. 'De oude man is woedend!'

Jozef deed snel de deur op slot voor hij zijn aandacht op Ari richtte. Hij wist niet zeker wie 'zij' waren, maar hij wist dat de 'oude man', zoals hij liefhebbend werd genoemd, David Ben-Goerion was, de leider van de joden in Palestina, en de man die ongetwijfeld de eerste minister-president van hun nieuwe land zou worden.

Jozef staarde naar Ari en barstte bijna hardop in lachen uit terwijl hij bedacht dat Ari er met zijn nerveuze blik, smerige gezicht, slecht zittende kleren en dikke rode haar, dat rechtop stond van het stof, op een duivel leek. Maar zijn onverwachte bezoek betekende duidelijk slecht nieuws. Jozef probeerde geen schrik in zijn stem te laten doorklinken. 'Ari, wat is er gebeurd?'

Ari balde zijn handen tot vuisten en het leek alsof hij erop los wilde slaan. Zijn gezicht, dat al rood was van de kou, werd nog roder. 'Er is een zware bomaanval geweest bij het busstation bij de poort van Jaffa. Nog maar net geleden. Alleen God weet hoeveel doden en gewonden er zijn.' Na een ogenblik van aarzeling voegde Ari eraan toe: 'Er is mij verteld dat de straat eruitzag als een slachthuis.'

Het gebied rond de poort van Jaffa was de hoofdader voor de handel van Jeruzalem en er bevond zich daar gewoonlijk een menigte van mensen. Jozef antwoordde zachtjes: 'God, wat is het makkelijk het ene moment levend en het volgende dood te zijn.' Sinds hij Europa had verlaten en naar Palestina was gekomen, had Jozef vaak gedacht dat de oude haat waarmee het door God aan de joden beloofde land was doordrongen nu ieder levend wezen bedreigde, zowel Arabier als jood.

Ari zette zijn M-1 geweer tegen de muur. 'Onze bronnen vertellen ons dat de bende van de *Irgoen* hiervoor verantwoordelijk is. Ze wisten een politiebusje te stelen. Toen hebben die honden twee vaten TNT een drukke Arabische straat opgerold. Vrouwen, kinderen, allemaal verscheurd tot stukken vlees.'

Jozef sprak met een lage stem en keek Ari niet in de ogen. 'Mijn god.'

Toen vroeg hij: 'Hebben ze de mannen te pakken gekregen?'
Ari knikte. 'Nadat ze een tweede bom hadden gegooid op de kruising tussen Mamillah Road en de Princess Mary Avenue reed de bende het busje in elkaar en probeerde te voet via de begraafplaats te ontsnappen. De Britse politie en een bewaker van het Amerikaanse consulaat gingen achter de mannen aan en doodden er drie.'
De Irgoen was een illegale militaire organisatie onder leiding van Menachem Begin, een man wiens bescheiden uiterlijk geen enkele indicatie gaf van zijn moordende woede. Zijn aanhangers bestonden uit geharde overlevenden van de holocaust die bereid waren een ieder te vermoorden die de vorming van een joods thuisland tegenhield. Deze mannen geloofden dat hun wonderbaarlijke terugkeer naar het Beloofde Land een teken was van Gods toewijding aan hun zaak en ze rechtvaardigden elke terreuractie met een bijbelvers. De Irgoen-bende was het hevig oneens met het idee van een compromis met de Britten, de Amerikanen of de Arabieren en hun roekeloze daden hadden Ben-Goerion vele slapeloze nachten bezorgd.
Plotseling schoot Jozef iets te binnen. 'Het water!' Hij snelde naar de keuken.
Ari keek hem niet-begrijpend aan maar volgde hem.
Michel Gale lette nauwelijks op de beide mannen en zat op de grond met een ijzeren soldaatje te spelen.
'Michel, Ari is er.'
Michel kneep zijn lippen op elkaar maar keek niet op. Hij wilde alleen zijn moeder. Niemand anders was goed genoeg.
Jozef stak zijn vinger in het water. 'Bijna.'
Ari hielp zichzelf aan een beetje van het kostbare water en slikte het genietend door.
De twee mannen zwegen een poosje, maar ze dachten hetzelfde: er zou ongetwijfeld een vergelding van de Arabieren volgen en Moesrara, waar het gezin Gale woonde, was met name kwetsbaar gebied wat Arabische sluipschutters betrof. De wijk grensde aan de oude stad Jeruzalem en lag precies tussen de oostelijke Arabische en de westelijke joodse kant van de stad. Hoewel hun straat werd bewoond door alleen joden, werd de straat nog geen huizenblok verder bewoond door alleen Arabieren. De weinige Arabische sluipschutters die nu in de wijk waren hadden hun joodse buren alleen geïrriteerd en geïsoleerd, maar dit was in het kwartier Sheik Jarra, dat op zeer korte afstand van Moesrara lag, geëscaleerd tot regelrechte gevechten.
De gedachte aan een nog grotere dreiging bracht Ari ertoe een handgebaar van ergernis in de richting van Michel te maken. 'Je moet aan het

kind denken, Jozef. Pak wat spullen. Ik probeer een vrachtwagen te regelen om je hier weg te halen.'
Jozef schudde langzaam zijn hoofd. 'Nee. Dat is onmogelijk.'
Ari keek hem vragend aan en wilde net in protest zijn mond openen toen Jozef uitlegde: 'Ester is de afgelopen zes uur bezig te bevallen.'
'Dat maakt alles anders.' Ari trok aan zijn dunne snor terwijl hij hun keuzen in overweging nam. 'Als je niet weg kunt,' zei hij ten slotte, 'dan moeten we een paar mannen naar de wijk brengen om je te beschermen.'
Jozef, die volledig op de hoogte was van het tekort aan joodse vechters, protesteerde: 'Ik kan voor mezelf zorgen.'
Ari grijnsde breed. 'Daar twijfel ik niet aan.' Tijdens de gevechten was er niemand feller dan Jozef Gale. Hij klopte zijn vriend op de arm. 'Er zijn andere joden in deze buurt om ons zorgen over te maken behalve het gezin Gale.'
Jozef keek een ogenblik bedachtzaam. Toen klaarde zijn gezicht op en veranderde hij van onderwerp. 'Hoe is het met Leah?'
Leah Rosner was de kersverse bruid van Ari en deed, net als Ari, volledig dienst in de Hagana. Hoewel de Arabieren tegen wie Leah vocht haar een blonde duivelin noemden zagen haar joodse kameraden haar als een buitengewone soldaat.
In haar aanwezigheid verrieden de rusteloze groene ogen van Leah de tragedies die haar leven hadden verstoord. Zij was de enige overlevende van een grote Tsjecho-Slowaaks-joodse familie. Toen de Tweede Wereldoorlog ten einde liep marcheerden de Duitsers met zesduizend gevangenen het concentratiekamp Auschwitz uit, weg van de Russische bevrijders. De zich terugtrekkende Gestapo hadden de gevangenen die niet mee konden komen doodgeschoten. Nadat de vader van Ari was geëxecuteerd en de laatste nog levende zuster van Leah de hongersdood was gestorven, hadden Ari en Leah kracht uit elkaar geput. Ze hadden tegen alle verwachtingen in overleefd en waren onafscheidelijk geworden en kort geleden getrouwd.
Ari glimlachte van genoegen en zijn stem galmde van trots. 'Leah is prachtig, Jozef. Ik ben de gelukkigste man ter wereld!'
Michel begon te jammeren en Ari vertrok net zo snel als hij was gekomen met achterlating van Jozef die nu iets had om zich zorgen over te maken: de wraak van de Arabieren op de lafhartige aanval van de Irgoen.
De deur van de hal ging krakend open en de schoenen van Rachel maakten een klikkend geluid terwijl ze over de betegelde vloer van de keuken liep. Ze had de deur niet achter zich dicht gedaan en de onderdrukte kreten van Ester ontsnapten uit de hal.
Michel, die doodsbang was, begon weer te huilen. Er gebeurde iets ver-

schrikkelijks met zijn moeder. Hij deed geen moeite het snot dat uit zijn neus op zijn lippen liep weg te vegen maar gebruikte in plaats daarvan zijn tong om zijn bovenlip af te likken en slikte de zoutige vloeistof door. Toen Rachel de keuken binnenkwam, greep Michel de zoom van haar jurk beet en weigerde die los te laten.
'Kom op, laat nu los!' Rachel trok aan haar jurk maar toen ze naar beneden keek en het verwrongen gezicht van de jongen zag verhief ze haar stem. 'Michel! Waar is je speelgoed?' Ze wierp haar broer een beschuldigende blik toe. 'Jozef, waarom zit hij niet te spelen?'
'Ik heb alles geprobeerd, Rachel. De jongen is niet tevreden tot hij zijn moeder ziet.' Jozef begon kokend water over het mes, de schaar en andere metalen voorwerpen te gieten die Anna hem had gegeven.
Michel drong met een ijle, hoge stem aan. 'Mammie! Ik wil mijn mammie! Nu!' Zijn angst maakte hem vastberaden.
Er kroop een ongeduldige toon in de stem van Rachel. 'O, Michel! Later, je kunt je mammie straks zien.' Ze veegde zijn gezicht schoon met de rand van haar rok en zei tegen hem: 'Vooruit. Je ziet je mammie zo meteen. Ik beloof het.'
Michel zag dat de deur open stond en snelde de verboden kamer binnen. Niemand zou hem van zijn moeder weghouden. 'Mammie!' schreeuwde Michel terwijl hij naar haar bed rende.
Rachel stak haar hoofd rond de deur. 'Sorry Ester, hij ontsnapte ons.'
Bij het zien van haar jonge zoon trok Ester Gale haar lippen in een glimlach, hoewel de pijnlijke grimas die als een schaduw over haar gezicht lag de glimlach neutraliseerde. 'Michel! Schat, kom hier.' Ze strekte zwakjes haar hand uit.
Michel hield haar hand stevig vast en keek met enige achterdocht naar haar dikke buik terwijl hij zich vaag herinnerde dat daar op de een of andere manier een baby in was gekomen. Verward over een wereld die niet langer om hem draaide wilde Michel bij zijn moeder op de matras klimmen, dicht tegen haar aan liggen, zoals ze dat gewend waren. Net toen hij een speelse sprong wilde maken boog zijn moeder zich achterover en uitte een hoge kreet.
Michel gilde het uit van schrik!
Anna Taylor sprong overeind en duwde Michel richting de deur en tante Rachel. 'Rachel! Het is zover!'
Michel hoorde zijn vader brullen op een toon die hij in al die twee jaar van zijn leven nog nooit had gehoord. 'Ester! Lieveling! Ik kom eraan!'
Nadat juffrouw Anna met een ongeduldige, scherpe stem 'Michel! Ga iets doen,' tegen hem had gezegd, ging hij achter de stoel van zijn vader liggen en viel hij in een onrustige slaap.

Een paar uur later werd hij wakker door de triomfantelijke stem van zijn vader.
'Gezegend zijt Gij, Heer onze God, Heerser over het universum, die goed is en goed doet.'
Michel wreef in zijn ogen en kwam achter de stoel vandaan.
Jozef keek zijn zoon liefdevol en stralend aan. 'Michel, heb je het goede nieuws gehoord? Je hebt een broertje!'
Het idee van een nieuw broertje kwam bij Michel niet als geweldig nieuws over. Alles was zo verwarrend. De donkere ogen van Michel vulden zich met tranen, maar zijn vader leek het niet te zien.
De wetenschap dat zijn geliefde vrouw in veiligheid was en dat ze het leven had geschonken aan een gezonde jongen deed de spanning wegvloeien en er kwamen tranen in de ogen van Jozef Gale. Hij zou Ester niet kwijtraken! God was eerlijk, soms. Jozef tilde Michel op in zijn armen en reciteerde opnieuw: 'Gezegend zijt Gij, Heer onze God, Heerser over het universum, die goed is en goed doet.'
Het geluid van een huilende baby bracht Michel in de greep van angst. Hij begon te jammeren door de catastrofale veranderingen om hem heen, wetend dat niets ooit meer helemaal hetzelfde zou zijn.
Tegen vrijdagavond voelde Michel zich iets vriendelijker ten opzichte van zijn nieuwe broertje. De baby lag in de oude wieg van Michel te slapen, die in een hoek van de middelste kamer was gezet. Hun nieuwe bedoeïenhulp Jihan, een vrouw die voor juffrouw Anna werkte maar nu dienst zou gaan doen bij het gezin Gale, zat gehurkt op de vloer naast de wieg met haar hand lichtjes tegen het ruggetje van de baby aan en wiegde hem zachtjes heen en weer. Jihan zong een droevige melodie.
Jozef, die met zijn rug tegen de muur naar de spelende Michel en zijn pasgeboren slapende zoon stond te kijken, voelde zich gelukkiger dan hij in lange tijd was geweest. Ondanks de aanval bij de poort van Jaffa hadden de Arabieren geen wraak genomen voor de dood van hun geliefden. Hij was verbaasd, maar voelde zich bemoedigd en hoopte dat het gezin Gale niet degenen zouden zijn die de prijs moesten betalen voor de nimmer eindigende cirkel van wraak. Hij vrolijkte zichzelf op met het idee dat het niet lang meer zou duren voor de joden de tijd achter zich konden laten waarin overleving niet onverwacht was en de dood geen gemeengoed. En sinds die morgen, toen drie mannen van de Hagana waren gekomen om het gebied te bewaken, hadden de sluipschutters niet meer geschoten.
Rachel onderbrak de gedachten van haar oudere broer. Ze keek met grimmige afkeuring naar Jihan. 'Echt, Jozef. Een blinde hulp?'
Jozef keek uitdrukkingsloos op zijn zuster neer. 'Ze is heel vaardig.'

'Vaardig? Hoe kan een blinde hulp vaardig zijn? Maak je een grapje? Hoe kan ze Ester helpen?' De stem van Rachel werd luider. Ze was woedend over het feit dat haar niets was gevraagd over de regeling. 'Anna is gek dat ze zoiets voorstelt!'
Jozef bleef geduldig. 'Rachel. Jihan heeft sinds ze een klein meisje was bij Anna gewoond. Ze kan fantastisch met kinderen overweg.'
'Nee! Dat kan ik niet geloven.' Rachel liet haar stem dalen. 'Het is duidelijk dat Anna er geen zin meer in heeft een nutteloze mond te voeren!'
In de stem van Jozef klonk vaag teleurstelling door. 'Rachel, doe niet zo onaardig. Dit is wat Ester wil. En ik.'
Rachel Gale was een koppig individu die het graag op haar manier gedaan wilde hebben. Buiten dat was ze een eenvoudige, kleine, dikke vrouw die was geboren in een gezin van lange, knappe mannen. Ze wist dat ze zonder zicht op een huwelijkskandidaat nooit een eigen gezin om te koesteren zou hebben. Rachel had ernaar uitgekeken een onmisbare rol te spelen in het grootbrengen van de kinderen van haar broer. Haar toon was bitter. 'Jozef, je begaat een vreselijke vergissing! Een blinde vrouw! Let op wat ik zeg, ze zal de kinderen nog kwaad doen!'
Terwijl hij naar het gezicht van zijn zuster keek, schoot het door Jozef heen dat ze onmogelijk begon te worden. Hij keek zijn zuster met een strenge blik aan en zijn rug verstijfde. Op boze toon zei hij tegen haar: 'Rachel, de beslissing is genomen! Hou nu verder je mond en laat me met rust!' Jozef liep weg.
Rachel keek haar broer stomverbaasd na. Jozef was een zachtmoedige man met een vriendelijke stem en ze had haar broer zelden zijn stem in boosheid horen verheffen. Zijn vriendelijke aard had de scherpe tong van Rachel zelfs aangesterkt. Terwijl ze met ingehouden adem 'blinde hulp!' mompelde, haastte ze zich de keuken in om het eten klaar te maken.
De duistere herinnering aan een tijd dat Rachel echt helemaal alleen was temperde de ruzie met haar broer. Rachel had zich als overlevende van Auschwitz in de vrouwenbarakken verborgen gehouden op de dag dat de nazi's het kamp leeghaalden. Nadat het Russische leger het kamp had bevrijd, was ze liftend van Polen naar Frankrijk gegaan waarbij ze in velden had geslapen en had overleefd door de vriendelijkheid van mensen die ze niet kende. Maanden later arriveerde ze met onbeschrijflijke vreugde in het bevrijde Parijs en wachtte vol verwachting op terugkerende leden van de familie Gale. In Parijs had Rachel zich in het hotel Lutetia bij honderden andere joden gevoegd die allen op zoek waren naar nieuws van geliefden van wie ze door de deportaties gescheiden waren geraakt. Er waren briefjes opgehangen en er werd gejaagd op

de uitwisselingen van informatie tussen overlevenden van de concentratiekampen. Week na eindeloze week wachtte Rachel, niet bereid te geloven dat zij de enige overlevende van haar familie was. Terwijl ze zich vastklampte aan wat anderen vergeefse hoop noemden, zat ze in de lobby van het hotel terwijl ze iedere jood met belangstelling nauwkeurig bestudeerde en iedere nieuwkomer bombardeerde met beschrijvingen van haar ouders en broers. Na een maand hoorde ze van een ooggetuige dat haar moeder en vader naar de gaskamers in Auschwitz waren gestuurd. Michel, haar oudste broer, was het laatst gezien in een werkkamp aan de rand van Auschwitz. Abbi, de christelijke vrouw van Michel, maakte haar gevoelens duidelijk toen ze het verzoek van Rachel om bij haar te verblijven afsloeg. Tijdens de lange bezetting van Frankrijk had Abbi spijt gekregen dat ze met een jood was getrouwd. En Jacques? Toen Rachel met haar ouders uit Drancy werd gedeporteerd, was Jacques als verzetsstrijder de gevangene van de Gestapo in Frankrijk. Het laatst bekende nieuws van Jozef, Ester en hun kind was dat ze in het voorjaar van 1942 nog altijd in het getto van Warschau woonden.
Rachel stond bijna op het punt alle hoop op te geven en om met haar aandringende joodse kennissen naar Palestina te vertrekken toen ze een bekend figuur herkende die de opgehangen briefjes in het hotel stond te lezen. Jozef was teruggekeerd! Na een hereniging vol tranen ging Rachel met haar broer en zijn vrouw mee op reis naar Palestina. In Europa was het niet langer veilig voor joden.
Pas nadat ze veilig in Palestina waren aangekomen hoorden ze welk lot Jacques had ondergaan.
Met een droevige trek op haar gelaat begon Rachel het eten in de schalen te doen.
Het huis vulde zich al snel met de geluiden van de viering van de nacht van de *Sjalom Zachar* (het welkom voor een mannelijk kind). Ongeacht de neergang van het leven in Jeruzalem vulden buren en vrienden van het gezin Gale het huis.
Ari en Leah Jawor kwamen op het laatste moment. Ze waren verrukt toen Jozef hun vroeg of ze de besnijdenisgetuigen van hun pasgeboren kind wilden zijn. Ze begonnen opgewonden de *Brit Mila* te bespreken, de traditionele ceremonie die acht dagen na de geboorte van een mannelijk kind wordt gehouden, waarbij het kind een naam krijgt en wordt besneden. Ari noch Leah wist welke naam voor het kind gekozen was. Dergelijke informatie zou tot aan de Brit Mila binnen de familie Gale blijven, maar ze wisten dat het kind genoemd zou worden naar een overleden lid uit de familie van Jozef of Ester. De traditie van de

asjkenaziem leerde dat de herinnering aan de overledene het leven van de pasgeborene zou leiden en door de holocaust hadden Jozef en Ester talloze mogelijkheden om uit te kiezen.
Plotseling klonk er een luid applaus. Rachel had drie flessen rode wijn tevoorschijn gehaald die ze in de kelder verborgen had gehouden voor de geboorte van het kind van haar broer. Voor de eerste keer in maanden stond de keukentafel vol eten. Iedere gast had een gulle contributie aan eten gedaan, dat ze hadden opgeslagen voor een speciale gelegenheid. Er waren gekookte bonen en erwten, een paar gekookte aardappelen en zelfs een doos vers fruit. Het fruit was de belegerde stad binnengesmokkeld door Ari Jawor. Er was zelfs een cake, die gevaarlijk scheef hing vanwege het gebrek aan bepaalde ingrediënten.
Terwijl hij heen en weer wiegde op het geluid van sonoor joods gezang pakte Jozef Michel in zijn armen en fluisterde: 'Je bent het licht in mijn leven! Jij bent perfectie!' Jozef liet Michel een slok wijn nemen terwijl hij zei: 'Mijn zoon! Op het leven!'
Er kwam een brede glimlach op de lippen van Jozef. Nieuw leven betekende joodse kracht!
Ester had de meest lieflijke glimlach op haar gezicht terwijl ze naar de vreugde van haar man keek over zijn oudste zoon. Ze liet haar hoofd tegen de schouder van Jozef leunen en sloot haar ogen waarbij ze zichzelf de prachtige werkelijkheid in herinnering bracht dat zij de moeder was van twee gezonde zoons.
De voorzanger bleef de zangers voorgaan in het gezang en iedereen glimlachte en was gelukkig, standvastig in hun voornemen van het moment te genieten en het geweld te vergeten dat over het kleine land golfde dat ze opeisten als het hunne. Toen het geluid van geweerschoten in de wijk losbarstte, bewapenden twee mannen zich en gingen naar buiten om het huis te bewaken. De resterende gasten verhieven hun stemmen en zongen nog luider om de chaos van Jeruzalem te overstemmen en het perfecte beeld te scheppen van mensen die in een tijd van vrede en harmonie leven.
Het was een bitterzoet moment voor Jozef. Het tafereel om hem heen vroeg om alle zelfbeheersing die hij bezat om zijn kalmte te bewaren. Nog maar kort geleden was hun toekomst onlosmakelijk verbonden geweest met grote en zorgzame families. De Tweede Wereldoorlog had dodelijke consequenties gehad voor degenen van wie ze hielden en er was een groter deel van het verleden van Jozef en Ester verloren gegaan dan gered. Nu, te snel, bevonden ze zich opnieuw in een gevecht om hun leven en de levens van hun twee jonge kinderen.
Jozef vocht tegen de drang in lachen en tegelijkertijd in huilen uit te bar-

sten. Zijn ogen vertoonden tranen van geluk over de veilige geboorte van zijn zoon en van leed bij de gedachte aan de geliefden die niet meer leefden om dit ontroerende moment mee te maken. Toch vond Jozef enige troost in de wetenschap dat de herinnering aan Esters meest geliefde broer Daniël Stein, een goed en dapper man, nu zou blijven leven in hun eigen zoon. Eerder die dag hadden Jozef en Ester besloten hun pasgeboren zoon Daniël te noemen. Daniël Gale.
Zijn gemoedstoestand sloeg over op zijn vrouw Ester, en zij knikte. Ze begreep het: alhoewel hun beide zoons de namen droegen van degenen die omgebracht waren, zouden ze nooit Jozefs broer Michel of haar eigen broer Daniël vergeten. Toen ze naar het gezicht van haar man keek, wist ze dat hij een andere plaats zag in een andere tijd en dat hij, ondanks de enorme vreugde die hij voelde over de geboorte van twee gezonde jongens, wanhopig verdrietig bleef.
De tradities van het joodse leven roepen om de grote families die ze nu hadden verloren in Treblinka en Auschwitz. Jozef en Ester hadden, als verminkte overlevenden van de holocaust, nooit gedroomd dat deze dag zou aanbreken waarop er weer reden tot een viering in hun leven zou zijn, net zoals ze in de jaren voor de holocaust zich nooit de leegte hadden kunnen voorstellen die zijn hoogtepunt zou bereiken bij hun meest belangrijke familiegebeurtenissen.
Jozef en Ester stonden zij aan zij en verborgen hun ware gedachten terwijl ze zongen en aangename gesprekken met hun vrienden voerden. Hun gasten zouden verbaasd hebben gestaan als ze hadden geweten dat Jozef en Ester Gale niemand voor hen zagen staan, absoluut niemand.

Deel een

Parijs-Warschau
1938-1942

Namenlijst

De familie Stein
Mozes Stein (vader)
Sara Stein (moeder)
Ester Stein (dochter)
Abraham Stein (zoon)
Eilam Stein (zoon)
Daniël Stein (zoon)
Israël Stein (zoon)
Gershom Stein (zoon)

De familie Gale
Benjamin Gale (vader)
Natalie Gale (moeder)
Michel Gale (zoon)
Jacques Gale (zoon)
Jozef Gale (zoon)
Rachel Gale (dochter)

Mirjam Gale (dochter van Jozef en Ester Gale)
David Stein (blinde kleinzoon van Mozes en Sara Stein)
Karl Drexler (nazi-commandant van het getto in Warschau)
Friedrich Kleist (SS-bewaker in het getto in Warschau)

Minder belangrijke personen
Noah Stein (vader van Mozes Stein)
Dr. Shoham (joodse arts in Warschau)
Noy (ontsnapte joodse gevangene)
Tolek Grinspan (joodse politieman in het getto in Warschau)
Edmund (Franse verzetsstrijder)
André (Franse verzetsstrijder)
Rudolf Drexler (vader van Karl Drexler)
Eva Kleist (vrouw van Friedrich Kleist)

1 Parijs, Frankrijk, zomer 1938

De Poolse moeder van Sara Stein had als een deugdzame oude vrouw op dezelfde manier over haar dochters gewaakt als haar eigen moeder over haar had gewaakt. Als gevolg hiervan was Sara op jonge leeftijd uitgehuwelijkt aan een harde man die ze niet kende en van wie ze niet hield. De eerste jaren van haar huwelijk had ze zich ellendig en ongelukkig gevoeld. Later was de zachte kant van haar man naar boven gekomen en was Sara's angst overgegaan in genegenheid. Toch hadden die eerste jaren de jonge moeder een plechtige gelofte doen afleggen: Sara had zichzelf beloofd dat iedere dochter die uit haar schoot werd geboren nooit gedwongen zou worden tegen haar wil te trouwen. Nadat ze het leven had geschonken aan vijf zoons begon ze de gelofte uit haar jeugd te vergeten. Dat was voordat ze haar laatste kind baarde, een tenger meisje.

Nu was dat kleine meisje een mooie jonge vrouw die de maand ervoor achttien jaar was geworden en ze schaarde zich aan de zijde van haar dochter tegen haar man in de keuze van een echtgenoot voor hun kind. Sara werd nu gekweld door twijfels. Ze smeekte: 'Mozes, ik maak me zorgen. Zal ons kind geluk vinden in deze verbintenis?'

Mozes Stein had geen zin in de nervositeit van zijn vrouw op dit laatste moment. 'Vrouw! Hoe kan ik de toekomst zien?' Hij staarde zijn vrouw aan en bracht haar in herinnering: 'Ik stel voor dat je afwacht wat God voor een dwaas meisje in petto heeft dat trouwt met iemand die niet van haar soort is.'

Zijn woorden kwamen bij zijn vrouw aan alsof hij haar had geslagen. Het was duidelijk dat Mozes haar de schuld gaf voor het aanstaande huwelijk.

Sara had gelijk. De diep religieuze vader van Mozes had hem gewaarschuwd: 'Breek nooit met de traditie, dat is altijd een vergissing.' Hun vijf zoons waren getrouwd met vrouwen die waren uitgekozen door een *sjadchen*, een koppelaar, maar Mozes was altijd toegeeflijker geweest als het aankwam op zijn jongste kind en enige dochter. Ester was zijn oogappel en hij zwichtte snel door zijn liefde voor dit kind. Mozes wreef met zijn vingers over zijn ogen en probeerde zichzelf te troosten. Het was meer dan waarschijnlijk dat het ongeluk hem zo kwetsbaar tegenover dit meisje maakte. Als kind was Ester geraakt door een op hol geslagen paard en had de kritieke verwondingen maar net overleefd. Sinds die tijd had de hele familie Stein het kind te veel verwend. Zijn dochter had altijd haar zin gekregen en nu was Ester Stein een eigenzinnige jonge vrouw die geen nee als antwoord duldde.

Het jaar daarvoor had Ester tijdens een gezinsvakantie in Parijs de jongste zoon van de familie Gale ontmoet, een knap uitziende jongeman die blijkbaar veel ervaring met vrouwen had. Het meisje had geen ervaring met mannen, maar had geloofd dat ze verliefd was en was vastbesloten geraakt hem te krijgen. Mozes had sterk bezwaar gemaakt en had gezegd dat een meisje uit Polen niets te zoeken had bij een Fransman, maar Ester en haar moeder hadden hun krachten tegen hem verenigd en nu was zijn kind vastbesloten met Jozef Gale te trouwen en ze zou in een land ver weg van haar ouders gaan wonen. Ze zouden Ester slechts één keer per jaar kunnen bezoeken.

Dat was nog niet het ergste. Mozes wist dat er moeilijke tijden voor de joden in het verschiet lagen. Er was geen profeet voor nodig om te voorspellen dat er opnieuw oorlog in Europa dreigde. Hitler had al het Rijnland en Oostenrijk opgeslokt. Nu had hij zijn zinnen gezet op de kleine republiek Tsjecho-Slowakije. Zou Polen op Tsjecho-Slowakije volgen? Mozes wist dat als de Duitsers Polen zouden binnenvallen de joden de eersten zouden zijn die de prijs moesten betalen. Zeven van zijn werknemers waren Poolse joden die in Duitsland waren gaan wonen, mannen die nu alles behalve hun leven hadden verloren sinds Hitler aan de macht was gekomen. Nog datzelfde jaar hadden de Duitsers alle joden bijeengedreven die niet van Duitse afkomst waren, waarbij ze families met geweld van elkaar hadden gescheiden, en de buitenlandse joden hadden ze teruggestuurd naar het land waar ze vandaan kwamen. Die mensen waren gescheiden geraakt van hun echtgenoten, of echtgenotes en kinderen (die Duitse joden waren), waren op een trein gezet en naar de Poolse grens in de buurt van Zbaszyn gestuurd. De Poolse regering wilde hen ook niet en de ongelukkige joden zaten vast in een niemandsland! Toen Mozes over de wandaad hoorde, had hij zijn invloed gebruikt om enkele mannen in te huren om hen zo te bevrijden uit hun hachelijke situatie. De mannen waren hun weldoener dankbaar en probeerden hem te waarschuwen voor de op handen zijnde plaag. Mozes had van de mannen uit de eerste hand vernomen hoe de nazi's met joden omgingen.

Mozes bereidde zich al voor op de onvermijdelijke pogroms. De Euro-

pese geschiedenis was bezoedeld met de vervolging van joden en het Poolse volk zelf was niet bepaald blij met de joden in hun land. Maar welk ander land zou de joden zich welkom doen voelen? Zijn eigen grootvader was naar Polen gevlucht vanuit de Tsjerta, een joods getto-gebied in Rusland. Noah, de vader van Mozes, was toen nog slechts een kind maar de schokkende herinnering was hem altijd bijgebleven. Toen Noah Stein op hoge leeftijd op zijn sterfbed lag had hij gehallucineerd. Hij had om zich heen geslagen en geschreeuwd door de nachtmerrie van zijn jeugdige vlucht voor de soldaten van de tsaar. Mozes had gerouwd over het feit dat zijn vader geen vrede had kunnen vinden, zelfs niet op zijn sterfbed, maar was tot de conclusie gekomen dat dit het geval was met alle joden in de diaspora.
Was er geen toevluchtsoord voor het uitverkoren volk van God? Mozes begon te denken van niet. Hij was al begonnen een deel van zijn rijkdom om te zetten in goud en diamanten.
Met een bezorgde zucht herinnerde hij zichzelf eraan dat Ester in de buurt moest worden gehouden, want wie zou haar anders beschermen? Hij had geprobeerd het echtpaar Gale te waarschuwen voor het op handen zijnde gevaar en nu werd zijn gezicht rood bij de herinnering aan dat gesprek.
Terwijl Sara Stein en Natalie Gale de trouwplannen zaten te bespreken, waren de mannen in een politieke discussie terechtgekomen die zich uiteraard toespitste op Hitler.
Mozes kwam met het laatste nieuws uit Berlijn. Het leek erop dat niets de barbaren ervan zou weerhouden Tsjecho-Slowakije in te lijven, zelfs niet de dreiging van oorlog. 'Zal Frankrijk zich erin mengen?' vroeg Mozes.
Benjamin Gale keek verbaasd bij deze vraag. 'Vechten, bedoel je?'
'Ja.'
Benjamin zei met klem: 'Nee, nee. De Franse burgers zullen weer een desastreuze oorlog nooit steunen.'
Jozef snoof. 'Beter de Duitsers een halt toeroepen in Praag dan bij de Arc de Triomphe.'
'Wees serieus.'
'Ik ben heel serieus,' wierp Mozes tegen. 'Bereid jij je al voor?'
Natalie Gale hoorde hun dialoog en onderbrak de beide mannen lachend bij de woorden van Mozes Stein en zei tegen hem: 'Mozes, je klinkt als de stem der verdoemenis!'
Mozes voelde zich gekwetst door het sarcasme van Natalie maar toonde uit beleefdheid een magere glimlach en gaf geen antwoord.
Benjamin, die zich zelfvoldaan voelde in zijn Frans-zijn, beantwoordde

de vraag van Mozes: 'De Franse burgers hoeven zich niet voor te bereiden, onze regering heeft de nodige voorzorgsmaatregelen getroffen. Als de Duitsers zo onwetend zijn dat ze een tweede poging wagen om Europa te veroveren, zal de Maginot-linie hen op veilige afstand van de Franse bevolking houden.'
Mozes fronste zijn wenkbrauwen. 'Ik zou daar niet zo zeker van zijn, Benjamin. Ik heb recent gelezen dat de meeste militaire experts de Maginot-linie beschouwen als niet meer dan een Franse dwaasheid.'
Benjamin wuifde die theorie met zijn hand weg.
'Nee, echt. Er is voorspeld dat de Duitsers de versterkingen zullen omzeilen door België binnen te vallen en Frankrijk vanuit dat land aan te vallen.'
'Nee!' beweerde Benjamin, ondanks het feit dat hij zelf niet zo lang daarvoor een artikel had gelezen waarin stond dat de Duitse militairen de Maginot-linie spottend de bijnaam 'staketsel' hadden gegeven.
Mozes wilde het niet opgeven. 'Hitler heeft er niet bepaald een geheim van gemaakt dat hij de Fransen slechts iets minder haat dan de joden.' Hij raakte opgewonden. 'Luister naar me! Wees niet blind in het aangezicht van zoveel haat!'
Beide mannen wisten dat de haat voortkwam uit de harde voorwaarden in het Verdrag van Versailles dat een verslagen Duitsland aan het einde van de Eerste Wereldoorlog was opgelegd.
Natalie Gale verschoof in haar stoel.
Benjamin wierp een blik op zijn vrouw en veranderde toen van onderwerp door te zeggen: 'We storen de dames, Mozes.'
Mozes probeerde hen te waarschuwen maar niets kon tot de opgewekte onbezorgdheid van het gezin Gale doordringen, die ze droegen als een schild. Mozes kon het nauwelijks verdragen dat zijn meest geliefde kind nu binnen een familie zou gaan leven die te dwaas was om te begrijpen dat het joodse vernuft en de joodse kracht de bescherming vormden tegen de plaag die eraan kwam.
Dit was onverdraaglijk!
Mozes keek nu met een boze blik naar zijn vrouw en toen ze op het punt stond iets te gaan zeggen, werd zijn gezicht donkerrood van woede.
Sara sloot haar mond en keek de andere kant op. In al de jaren dat ze met hem getrouwd was geweest, had ze hem nog nooit zo boos gezien.
Mozes dacht terug aan de woorden van zijn vrouw en beraamde hoe hij ze tegen haar zou kunnen gebruiken. Met behulp van vrouwelijke trucjes was ze tegen hem in gegaan en had met haar lieve glimlach zijn afkeuring omzeild. 'Mozes, de tijden zijn veranderd. Tegenwoordig trouwen veel meisjes uit liefde. Trouwens, hij is een aardige jongeman en

komt uit een rijke familie. Het zou moeilijk zijn in Polen een betere partij voor Ester te vinden.' Sara had haar neus opgetrokken, waardoor ze weer leek op de jonge vrouw met wie hij was getrouwd, terwijl ze niet goed wist hoe ze het nieuws moest brengen dat de familie Gale was vergeten dat ze joden waren. 'Naomi heeft gehoord dat iedereen hen mag en dat ze zeer worden gerespecteerd, al houden ze er geen kosjer huishouden op na.'
Nu wist Mozes dat zijn vrouw en zijn dochter tegen hem hadden samengezworen. Gods Wet stelt dat er voor elke misleiding betaald moet worden en Mozes was bang dat zijn dochter er zwaar voor zou moeten betalen.
Wat de familie Gale betrof had Mozes zelf op discrete wijze inlichtingen ingewonnen en hij was niet blij geweest met wat hij had ontdekt. De familie Gale, die al zes generaties lang in Frankrijk woonde, zag zichzelf als zijnde volledig Frans, een familie die haar joodse achtergrond was vergeten. Hij mompelde tegen niemand in het bijzonder: 'Ze vormen hun moraal naarmate ze voortgaan in het leven.' Hoe anders kon een ongelovige jood de richtlijnen in zijn leven bepalen?
De moderne levensstijl van de familie Gale beviel Mozes niet, die was grootgebracht in een rijke, maar religieuze joodse familie.
Nu, een jaar later, waren ze weer terug in Parijs voor een huwelijk waarvan Mozes niet wilde dat het zou plaatsvinden. Hij werd gek bij het idee dat het meisje erop had gestaan in Parijs te trouwen en de stad 'De stad der liefde' had genoemd!
Mozes kreunde. Het was nu te laat, de verloving was officieel gemaakt door de *t'naim*, het ondertekenen van het wettelijke document waarin wordt verklaard dat beide partijen verplicht zijn het huwelijk aan te gaan. Als hij op dit late tijdstip het huwelijk zou afblazen, zou dit een schande voor zijn familienaam betekenen.
Mozes werd het meest geplaagd door het feit dat hij nee had kunnen zeggen en een einde aan de romance had kunnen maken voordat deze ooit was begonnen. Hij begon zwaar te ademen toen hij aan deze domheid dacht. Hij sloeg zijn handen voor zijn gezicht en mompelde: 'O God! Waar zat ik met mijn gedachten?'
Maar vastberaden in zijn overtuiging dat het niet zijn schuld was, had hij nauwelijks tegen zijn vrouw gesproken sinds ze waren teruggekeerd van de lunch met de ouders van de jongen. Dit was hun derde ontmoeting geweest, maar de eerste gelegenheid dat ze langere tijd alleen met de familie Gale hadden doorgebracht en de lunch was al snel op een regelrechte ramp uitgelopen!
Het was goed begonnen, hoewel Mozes zich niet op zijn gemak voelde

in het chique restaurant dat hun gastheer en gastvrouw voor hun ontmoeting hadden uitgezocht. Mozes schoof ongemakkelijk op zijn stoel heen en weer terwijl hij de spiegelwanden en de weelderige fluwelen draperieën bestudeerde. Het restaurant deed hem aan een bordeel denken. Niet dat hij daar ooit was geweest, maar hij had verhalen gehoord van mannen die er wel waren geweest. Mozes keek uitgebreid om zich heen maar zag nergens een andere jood. Natuurlijk, zei hij tegen zichzelf, in Frankrijk weten de joden zich op wonderbaarlijke wijze te veranderen in Fransen die niet te identificeren zijn als joden.
Mozes was er trots op dat hij jood was, een van de uitverkorenen van God, en had zijn vader vaak horen zeggen dat de joden door hun unieke status waren geboren om te lijden. En ze leden, met zwijgende waardigheid en zonder te buigen voor hun vijanden.
Mozes begreep de wanhopige behoefte gewoon niet die sommige Fransen koesterden om hun joodse identiteit te verbergen. Een dergelijke houding bracht hem in verwarring en maakte hem boos.
Het echtpaar Gale was gepast laat, maar moeilijk niet op te merken toen ze arriveerden. Mozes bekeek hun gastheer en gastvrouw nauwkeurig terwijl ze op hem toeliepen. Hij moest toegeven dat Benjamin en Natalie Gale een indrukwekkend stel waren. Benjamin Gale was een lange, goedgebouwde man. Het was duidelijk dat hij intelligent was, aangezien Mozes had gehoord dat hij een zeer gerespecteerd advocaat was die met trots de namen en zaken van de grootste *gojim*, of niet-joden, tot zijn cliëntèle kon rekenen. Natalie Gale was nog altijd slank en aantrekkelijk na het leven te hebben geschonken aan vier kinderen. Van wat ze wisten over de vrouw, bleek dat zij een leider was binnen haar sociale kring.
Opnieuw begroetten Benjamin en Natalie het echtpaar Stein enthousiast en Mozes voelde een zekere mate van bevrediging. Als het het echtpaar Gale niet had aangestaan dat hun zoon met een meisje uit Polen trouwde, hadden ze hun emoties fantastisch weten te verbergen. Al was het bekend dat de Franse joden zich superieur voelden aan hun Oost-Europese broeders, had Mozes uit hun eerste ontmoeting begrepen dat de familie van de jongen wel enigszins op de hoogte was van de familie Stein uit Warschau. Anders zouden ze toch niet glimlachen en doen alsof Ester de schoondochter van hun dromen was?
De familie Stein was eens arm geweest, maar dat was niet langer het geval. De Russische grootvader van Mozes was met heel weinig begonnen. In Rusland was hij de rituele slager van het dorp geweest, hoewel hij de aanblik van bloed haatte. Maar in die tijd moest een zoon de vader opvolgen, ongeacht de ambities van de zoon. Na zijn ontsnapping naar

Polen was hij tot de gelukkige ontdekking gekomen dat de *Kehilla*, een gekozen joods lichaam, in Warschau een vergunning vereiste voor het ritueel slachten. Omdat hij geen vergunning wist te krijgen voor het hem bekende werk, besloot hij zelf een zaak op te zetten en begon met een kleine graanmolen. De zaken gingen voor de wind en vanuit dat nederige begin bouwde hij een enorme keten van graanmolens, voedsel- en textielwinkels op. Zijn zaak werd geërfd door zijn zoon Noah die gevoel voor zaken had. Noah breidde de zaken uit tot het verlenen van kredieten, die zijn hoogste verwachtingen te boven gingen. Mozes was de enige overlevende zoon van Noah Stein en hij was nu een rijk en machtig man die in hoog aanzien stond binnen de grote joodse gemeenschap in Warschau.
Nog voor de lunch voorbij was had Mozes begrepen dat zijn rijkdom niets te maken had met de ouderlijke goedkeuring van het echtpaar Gale. Benjamin en Natalie Gale waren door en door moderne ouders die niets in te brengen hadden in de partnerkeuze van hun kind en hier ook niet op stonden.
Dat werd helemaal duidelijk toen Natalie bekende: 'Weet je, ik zei gisteren nog tegen Benjamin hoe opgewonden ik ben! We hebben in vier jaar al geen huwelijk meer in de familie gehad! Niet sinds Michel, onze oudste, trouwde met dat lieve christelijke meisje Abbi.' Ze zei schalks: 'Ze hadden een enorme katholieke trouwerij. De priester die de dienst leidde heeft familie in Warschau!' Ze keek met een glimlach naar Mozes en interpreteerde zijn onbeweeglijke blik als belangstelling. 'Misschien heb je over de familie gehoord? De familie Chaillet? Uit Warschau?'
Mozes was met stomheid geslagen, niet in staat zich te herstellen van de schokkende onthulling dat zijn dierbare dochter in een familie terechtkwam die toestond dat hun kinderen trouwden met iemand van een ander geloof! Een katholieke trouwerij nog wel! Hij had gehoord dat deze dingen in Parijs of in Londen gebeurden, maar tot nu toe had Mozes nog geen joden ontmoet die het meest fundamentele joodse geloof de rug hadden toegekeerd: een gemengd huwelijk staat haaks op de joodse traditie.
Hij keek Sara geschrokken aan. Dit was een schandaal!
Benjamin wierp zijn vrouw een geïrriteerde blik toe en vroeg zich af waarom ze zo opzettelijk het echtpaar Stein probeerde te ergeren.
Er volgde een lange stilte.
Sara herstelde zich zichtbaar met moeite. Ze deed haar uiterste best de dialoog op gang te houden maar keek Natalie Gale vol ongeloof aan toen zij zei dat wat haar betrof de twee kinderen de een week durende scheiding voor het huwelijk konden overslaan!

De woorden van de dwaze vrouw klonken nog na in de oren van Mozes: 'Jozef en Ester zijn een jaar van elkaar gescheiden geweest. Het is wreed ze uit elkaar te houden. Jozef voelde zich totaal ellendig toen we gisteren terugkeerden en wilde alles over zijn geliefde horen.' Ze wendde haar gezicht naar Sara. 'Sara, laat Ester gaan winkelen, dan kan Jozef haar in een café ontmoeten. Laat het plan verder maar aan mij over.' Ze giechelde en knipoogde en klopte Sara op haar hand alsof de twee vrouwen samenzwoeren tegen alles wat respectvol in het joodse leven was.

Daarna zeiden Mozes en Sara nauwelijks meer iets en lieten Natalie Gale doorpraten tot ze niets meer kon bedenken.

De lunch verliep steeds slechter en het sociale samenzijn eindigde in gêne.

Benjamin Gale leek de oorzaak van het ongemak te begrijpen. Hij was gevoeliger van karakter dan zijn vrouw en hij probeerde de situatie te verlichten door de anderen ervan te verzekeren dat ze flexibel waren en dat de ouders van de bruid wat hem betrof de leiding over het geheel hadden. Hij lachte hartelijk en sloeg Mozes op de schouders. 'Zeg maar wanneer en waar ik moet verschijnen en ik ben er.'

'Benjamin, betekent dit dan zo weinig voor je? Het huwelijk van je zoon?'

Het gezicht van Benjamin werd knalrood, maar hij antwoordde Mozes niet. Hij vulde de gespannen stilte met een groots vertoon van het controleren van de rekening om vervolgens met zijn vingers naar de ober te knippen.

Natalie keek wantrouwend en hoopte dat het echtpaar Stein zijn conservatieve manieren niet te ver zou doortrekken. Alle intieme joodse vriendinnen van Natalie waren vrijzinnig. Ze kreeg steeds meer christelijke vrienden en moedigde haar man aan uit het westelijke deel van de stad te verhuizen, waar de meeste autochtone Franse joden woonden. Het was een trots moment geweest toen Michel met Abbi trouwde, een meisje uit een van de meest prominente katholieke families in Parijs. Natalie vond de oude gewoonten een vreselijke last en volgens haar deden ze de joden in de Franse maatschappij alleen maar kwaad. Ze vertelde haar kinderen vaak dat de joden er niet goed aan deden in een religieus en maatschappelijk isolement te leven. Aangezien Benjamin geen religieuze overtuigingen koesterde omdat hij lange tijd daarvoor zijn joodse geloof achter zich had gelaten, klaagde hij niet over de instructies van zijn vrouw aan hun kinderen.

Ze wees haar echtgenoot er vaak op met de woorden: 'Joden bezorgen zichzelf de meeste problemen door hoe ze zich kleden en gedragen.'

De waarheid was dat Natalie zich schaamde voor haar joodse afkomst en de hatelijke plagerijen die ze als kind had ondergaan, kwelden de volwassene die ze was geworden. Ze was opgegroeid in een strikt joods huis. Toen ze eenmaal was getrouwd met een vrijzinnige jood die haar redde van haar strenge vader, kwam ze in opstand tegen alles wat joods was. Ze had ertegen gevochten dat haar kinderen traditionele joodse namen zouden krijgen, maar alleen Jacques ontsnapte aan de smet. Benjamin had erop gestaan bij Michel, Jozef en Rachel. Ze ging ervan uit dat Benjamin erop had aangedrongen om zijn wanhopige moeder te kalmeren. Natalie putte enige troost uit het feit dat de twee kleine kinderen van Michel christelijke namen hadden gekregen en christelijk werden opgevoed.
Nu maakte Natalie Gale, als ze langs orthodoxe joden liep met hun zijlokken en vieze zwarte kaftans, er een punt van ze boos aan te kijken. Zoals ze eruit zagen was genoeg om mensen hen te doen haten. Ze wilde niet geassocieerd worden met die mensen. In de gedachten van Natalie was de familie Benjamin Gale uit Parijs Frans in plaats van joods. Ze had gehoopt dat de koppeling tussen de familie Gale en hun joodse afkomst doorgesneden kon worden, maar nu was Jozef verliefd geworden op een joods meisje!
Terwijl ze dacht aan de komende bruiloft troostte Natalie zichzelf met de dankbare gedachte dat Mozes Stein helemaal kaal was en dat slechts twee van zijn vijf zoons die beledigende zijkrullen droegen en dat die twee zich in Warschau met zaken bezighielden waardoor ze niet bij de bruiloft konden zijn. Eerlijk gezegd wilde ze niet dat haar zoon in die familie trouwde, maar Jozef had zijn eigen wil, al scheen hij deze om het meisje niet meer te bezitten. Ze troostte zichzelf met het feit dat als de ouders eenmaal waren teruggekeerd naar Polen, het meisje onder haar leiding stond. Volgens de redenatie van Natalie zou eenieder die de kans kreeg aan de besmetting joods te zijn te ontsnappen, deze met beide handen grijpen.
Bij het afscheid nodigde ze Mozes en Sara uit voor het diner en keek verbaasd toen ze het aanbod afsloegen. Enigszins uit haar doen zei ze tegen het echtpaar Stein: ‘Ik zal Jozef vertellen dat een ontmoeting met Ester niet mogelijk is.’
Benjamin en Natalie Gale verlieten vervolgens abrupt het restaurant als twee zorgeloze en gelukkige Fransen die net zo tevreden waren met en zich net zo veilig voelden in hun Franse staatsburgerschap als het echtpaar Stein in hun joodsheid.
Mozes had sinds de lunch geen beleefd woord tot Sara gericht.
Net toen Sara haar twijfels wilde opbiechten en haar man wilde vragen

haar verontschuldiging te accepteren voor het feit dat ze de verbintenis had aangemoedigd, hoorde ze het geluid van haar dochters voetstappen. Ester Stein kwam de kamer binnen.
De bezorgde uitdrukking op hun gezichten verzachtte onmiddellijk. Mozes en Sara hielden zielsveel van hun dochter.
Ester Stein was een ongewoon meisje voor die tijd. Doordat ze was opgegroeid in een toegeeflijke familie met vijf beschermende broers straalde ze een sereen gevoel van veiligheid uit. Achter de opvliegendheid van haar vader ging een briljante geest schuil en Ester had de intelligentie van Mozes Stein geërfd. Haar trotse ouders stonden erop dat ze een goede opleiding zou krijgen en ze had hen nog trotser gemaakt doordat ze de intelligentste vrouwelijke student was aan het Hebreeuws seculier gymnasium, een school voor de aristocratische joden in Warschau. Ester was voortreffelijk in talen en sprak en schreef vloeiend Jiddisch, Pools, Duits, Frans en Hebreeuws. Ze kon Engels en Italiaans spreken en begrijpen, hoewel ze enige moeite had om in deze talen te lezen. Door de toenemende discriminatie tegen de joden op Poolse universiteiten had Mozes een privé-leraar ingehuurd zodat Ester thuis haar opleiding kon voortzetten.
Ester was een mooi meisje met de lieve aard van haar moeder en zij dacht altijd aan degenen die minder fortuinlijk waren dan zij. Ze had ook een paar minder vleiende karaktertrekken: ze was net zo koppig als haar vader en had de neiging naïef te zijn, net zoals haar moeder. En soms leek het alsof Ester Stein in onmin leefde met een wereld die geen rekening houdt met de onschuldige.
Terwijl ze hieraan dacht overwoog Sara dat ze haar kind had moeten beschermen tegen jeugdige emoties en bracht zichzelf in herinnering dat Ester slechts een naïef meisje met een puriteinse joodse achtergrond was. Jozef Gale was een wereldse Fransman die vrouwen makkelijk wist te charmeren. Sara zelf was bekoord geraakt door de man en kon makkelijk begrijpen dat haar dochter zich tot hem aangetrokken voelde. Sara wist, met een zwaar gemoed, dat zij de schuldige was als het huwelijk met tegenspoed te kampen zou krijgen.
Mozes, die naar het lieflijke gezicht van zijn dochter staarde, vervloekte zichzelf voor het feit dat hij akkoord was gegaan met zijn vrouw. Een huwelijk uit liefde was een recept voor rampspoed. Hij was de vader, de heer des huizes. Hoe kon hij een vrouw beschuldigen als hij de macht had zijn veto uit te spreken op alle verzoeken van zijn vrouw en kinderen? Hij zou zeker gebukt gaan onder een zware last van verdriet als zijn kind geen geluk vond met deze man.
Ester ging zo op in de opwinding van de huwelijksvoorbereidingen dat

ze de sombere uitdrukking die plotseling op de gezichten van haar ouders weerspiegeld lag niet zag. Ze was buiten adem van enthousiasme en haar gezicht straalde terwijl haar lippen uiteen weken in een gelukkige glimlach. 'Mama, de kleermaker is er. De jurk is zo mooi! Kom! Kom snel!'
Toen dacht ze aan haar vader en sloeg haar armen om hem heen. 'Papa, is het niet prachtig?'
Mozes trok een grimas en dwong zichzelf zijn dochter te antwoorden. 'Natuurlijk, liefje. Als jij gelukkig bent, dan is dat prachtig.' Hij leunde naar voren en plantte een vluchtige kus bovenop haar hoofd waarbij zijn lippen langs haar donkere krullen gleden.
Zonder om te kijken haastte Sara zich met haar dochter mee en liet haar echtgenoot in een gekwelde gemoedstoestand achter.
Mozes staarde een poosje naar de lege deuropening. Zijn arme dochter. Ze was te jong en te dwaas om de Fransen van Frankrijk te kunnen scheiden. Mozes had van zijn zwager Jacob te horen gekregen dat het antisemitisme in dat land de kop opstak en dat, terwijl Frankrijk een gastvrij land was, de Fransen niet gastvrij waren. Jacob was van mening dat als de nazi's Frankrijk inderdaad bezetten, de Fransen weinig zouden doen om hun joodse burgers te beschermen.
Mozes begon zorgelijk op en neer te benen. De nazi-dreiging hield hem bezig en zijn gedachten gingen naar de opkomst van Hitler. Hij herinnerde zich plotseling het boek en begon zijn aktetas te doorzoeken. Een van zijn werknemers die recentelijk zionist was geworden, was vastbesloten de wereld op de hoogte te brengen van de dodelijke plannen van Hitler. De man was naar Mozes gekomen met het krankzinnige plan de familie Stein Palestina binnen te smokkelen! Door de recente anti-joodse gemoederen die zich van Duitsland en van Oost-Europese landen meester maakten, waren veel Europese joden gaan luisteren naar degenen die geen toekomst voor de joden zagen behalve in Palestina. Mozes Stein vond de zionisten dwazen. De joden moesten ervoor zorgen dat ze in Europa werden aanvaard en het belachelijke idee vergeten om de halve wereld rond te reizen om tegen de Turken, Arabieren, Engelsen, en god mocht weten wie te vechten om een stukje stoffig land dat sowieso nog niet eens de helft van de joodse bevolking kon bevatten!
In zijn zionistische ijver had de man een exemplaar van Hitlers *Mein Kampf* gedeeltelijk vertaald en hij had Mozes gesmeekt het boek te lezen. Hij ging zelfs zover dat hij Mozes het boek opdrong toen Mozes hem vertelde over zijn aanstaande reis naar Parijs. Mozes was van plan geweest het boek vluchtig door te nemen omdat hij een belofte had

gedaan. Hij kon het net zo goed nu doen, zei hij tegen zichzelf. Hij ging ervan uit dat het geen kwaad zou kunnen het boek van Hitler zelf te lezen gezien het feit dat de dictator zijn kwade oog op Polen had laten vallen.
Mozes ging met het boek in de hand in een stoel vlak bij het raam zitten. Een vermoeide zucht ontsnapte aan zijn lippen waarna hij zijn leesbril opzette.
Denkend aan de smeekbede 'Waarschuw de joden van Frankrijk! Hitler moet tegengehouden worden!' die de man had geuit, bladerde Mozes door een paar bladzijden.
Het zou moeilijk worden het handschrift van de man te ontcijferen, besloot hij. Mozes Stein liet zijn vingers over de regels glijden terwijl hij hardop las. Onder het lezen groeide zijn angst en de vrede van geest die hij had gezocht, ontsnapte hem.

'De reinheid van dit volk (de joden) is, moet ik zeggen, zowel op moreel als ander gebied een punt op zich. Door hoe ze eruitzien kon je al opmaken dat deze mensen niet van water hielden wat je, tot je afschuw, met je ogen dicht vaak wist. Later werd ik vaak misselijk van de geur van deze kaftandragers. Daarbij kwam ook nog dat ze vuile kleren droegen en dat ze over het algemeen een lafhartig uiterlijk hadden.
Dit allemaal kon moeilijk zeer aantrekkelijk worden genoemd, maar het werd buitengewoon afstotend wanneer je, naast hun fysieke onreinheid, de morele smetten op dit 'uitverkoren volk' ontdekte.
Er was maar weinig tijd voor nodig om me bedachtzamer dan ooit te maken door mijn langzaam opkomende inzicht in de soort activiteit die de joden op bepaalde gebieden uitoefenden.
Was er niet altijd een vorm van vuiligheid of losbandigheid, met name binnen het culturele leven, waar wel een jood bij betrokken was?
Als je heel voorzichtig in zo'n abces sneed vond je, als een worm in een rottend lichaam, vaak verblind door het plotselinge licht – een *smous*!
Toen ik aldus voor het eerst de jood herkende als een kille, schaamteloze en berekenende regisseur van dit afstotende verkeer in ondeugd (prostitutie) in het uitschot van de grote stad, liep er een ijskoude rilling over mijn rug.
Ik was uiteindelijk tot de conclusie gekomen dat de jood geen Duitser was. Pas toen raakte ik door en door bekend met de verleider van ons volk. Een jood kan nooit worden gescheiden van zijn meningen.
Hoe meer ik met hen redetwistte, hoe beter ik hun vindingrijkheid leerde kennen. Eerst rekenden ze op de domheid van hun tegenstander en dan, als er geen andere uitweg meer was, speelden ze zelf voor de domme. Als

dit alles niet hielp deden ze alsof ze het niet begrepen of gingen, als ze werden uitgedaagd, haastig op totaal andere onderwerpen over, waarbij ze gemeenplaatsen gebruikten die, als je ze accepteerde, aanleiding gaven tot het voorwendsel dat ze niet precies wisten waar je het over had. Wanneer je een van deze apostels probeerde aan te vallen, glibberde je hand over een geleiachtige slijm dat door je vingers heen glipte om vervolgens meteen daarna weer één geheel te vormen. Maar als je een van die kerels zo'n rake klap uitdeelde dat hij, onder de ogen van het publiek, niet anders kon dan instemmen en jij geloofde dat je ten minste één stap voorwaarts had gezet, was je de volgende dag stomverbaasd. De jood kon zich de vorige dag totaal niet meer herinneren en ratelde dezelfde onzin af alsof er helemaal niets was gebeurd en gaf, wanneer hij verontwaardigd werd uitgedaagd, blijk van stomme verbazing. Hij kon zich niets meer herinneren behalve dat hij had bewezen dat zijn beweringen van de dag ervoor correct waren.
Soms was ik als door de bliksem getroffen.
Ik wist niet waar ik meer verbaasd over moest zijn: de gladheid van hun tong of hun bedrevenheid in het liegen.
Langzamerhand begon ik hen te haten.
Daarom denk ik nu dat ik handel naar de wil van de Almachtige Schepper: door mezelf te verdedigen tegen de jood vecht ik voor het werk van de Heer.'

De hand van Mozes beefde terwijl hij de bladzijden van het boek opvouwde en op zijn schoot legde. Toen werd hij gegrepen door paniek waarin zijn lichaam als in een bankschroef werd opgesloten. Zo zeker als hij wist dat zijn naam Mozes Stein was, wist hij dat iets ontzagwekkends de joden van Europa zou treffen.

2. Jozef Gale

De vrijgezellenjaren van Jozef Gale waren nooit rustig geweest. De meeste mensen die met de familie Gale omgingen waren het met elkaar eens dat hoewel alle drie de jongens Gale knap waren, de jongste van Benjamin en Natalie Gale gezegend was met het uiterlijk van een filmster, dat hem net zoveel last als plezier bezorgde. Hoewel niet door zijn eigen toedoen, had hij de reputatie van rokkenjager gekregen.
'Weet je zeker dat je dit wilt?' zei Jacques Gale afkeurend tegen zijn broer, die systematisch de liefdesbrieven vernietigde die hij recent van acht ontroostbare vrouwen had ontvangen die hem smeekten niet met Ester Stein te trouwen.
Jozef trok zijn wenkbrauwen op en glimlachte maar gaf zijn broer geen antwoord in de wetenschap dat zijn broer het antwoord op de vraag al wist.
Jozef en Jacques Gale hadden altijd onuitgesproken met elkaar gecommuniceerd en hun stilzwijgen wees op een intimiteit die niemand kon binnendringen. Ze verschilden slechts een paar jaar in leeftijd en waren sinds hun jeugd onafscheidelijk geweest. Jacques begreep het volledig: zijn broer had de vrouw van zijn dromen ontmoet en wilde niets anders dan trouwen met Ester Stein.
Er schemerde een melancholieke glimlach op het gezicht van Jacques terwijl hij naar zijn broer keek. Hij nam een slokje van zijn whiskysoda voor hij sprak en in zijn stem klonk een vleug van afgunst toen hij zei: 'Weet je, Jozef, je boft maar! Net als jij genoeg krijgt van te veel inschikkelijke vrouwen verschijnt de mooiste vrouw ter wereld!' Hij ademde luidruchtig uit bij de herinnering aan Ester. 'Ik wou dat ik zoveel geluk had!'
De ogen van Jozef schitterden van vermaak. Hij pakte de laatste brief en scheurde deze nauwgezet in kleine stukjes. 'Jij zult op een dag je eigen Ester tegenkomen, Jacques. Heb geduld.'
Jacques werd overvallen door een vaag en prangend gevoel van verdriet waardoor de woorden betekenisloos aan zijn lippen ontsnapten. 'Ja, dat weet ik.'

Jozef en Jacques Stein hadden Ester op hetzelfde moment gezien, al hield Jacques vol dat hij haar als eerste had gezien.
Het was deze week nog maar een jaar geleden dat ze Ester ontmoetten. Ze zaten samen met drie christelijke meisjes in een van de vele cafés van een zonnige middag te genieten toen Ester het café binnenkwam om snoepjes te kopen. Hoewel ze een tenger en prachtig gevormd figuur had, waren alle ogen in het café alleen gericht op het gezicht van het meisje. Haar schoonheid, met de grote zwarte ogen in een volmaakt gezicht, was adembenemend. De beide jongens waren de drie Franse meisjes onmiddellijk vergeten, al maakten de meisjes enkele kattige opmerkingen over de ouderwetse en minder dan stijlvolle jurk van hun mededingster.
Toen de meisjes het zware accent van Ester hoorden, deden ze haar met wrede jaloersheid na. 'Ah! Choc o laaad znoep, met zoete kiersen erien, alsublief, mijnheer.' De Franse meisjes barstten in lachen uit. 'Ze komt rechtstreeks van het platteland, helemaal jouw type, Jacques!'
Geen van de drie Franse meisjes wilde dat Jozef met het mooie meisje zou flirten aangezien ze ieder er in het geheim naar verlangden zijn speciale vriendin te zijn. Het kon hen niets schelen dat Jozef een jood was, wat normaal gesproken tegen hem gewerkt zou hebben, zelfs binnen de tolerante sfeer in Frankrijk. De jongens Gale waren anders en je vergat makkelijk dat ze van joodse afkomst waren.
Jacques had als eerste zijn stem teruggevonden. Hij duwde zachtjes tegen de arm van zijn broer en fluisterde: 'Handen thuis, broertje. Ik zag haar het eerst! Ze is van mij!'
Jozef zei niets maar grijnsde scheef naar het meisje dat het geluid van hun gelach had gevolgd en nu naar Jozef staarde.
Toen Ester Jozef eenmaal had gezien, had Jacques geen enkele kans meer bij haar.
De jongens verontschuldigden zich snel bij hun gezelschap, dat boos was vanwege hun verraad. 'Tot straks, Jozef,' zei het mooiste meisje van de drie hoopvol.
Jacques was als eerste bij haar. 'Kan ik u helpen, mevrouw?' Hij maakte een diepe buiging.
Jozef torende boven de schouder van zijn broer uit en knipoogde naar Ester.
Verward begon het meisje te blozen, niet wetend hoe ze met de onverwachte aandacht van de twee verfijnde en vastberaden broers om moest gaan. 'Eh, ja. Ik denk het wel.' Esters charme kwam gedeeltelijk voort uit het feit dat ze zich niet realiseerde hoe verbijsterend mooi ze was en ze was altijd verbaasd over de drukte die mensen over haar maakten.

Jozef nam de leiding, reikte naar het omvangrijke pakket snoep in de handen van Ester en gaf het snoepgoed met een geamuseerde glimlach aan Jacques door. 'De dame aanvaardt je vriendelijke aanbod te helpen.' Toen nam hij met berekenende bedaardheid de arm van Ester en begeleidde haar het café uit.
Woedend omdat hem de loef was afgestoken haastte Jacques zich naar de vrije zijde van Ester.
Ester wierp vanonder de rand van haar hoed een blik op Jozef en voelde bijna ontzag voor de meest fantastische man die ze ooit had gezien. Haar maag kneep samen terwijl ze wanhopig probeerde te denken wat voor slims ze kon zeggen. Ze kon geen enkel interessant onderwerp bedenken, dus zei ze maar niets en liet ze de jonge mannen het gesprek voeren terwijl ze naar het appartement liepen dat haar vader voor hun zomervakantie in Parijs had gehuurd.
'Waar woon je?' vroeg Jacques in een poging haar aandacht te krijgen terwijl hij tegelijkertijd wilde weten hoe ver ze nog moesten lopen. Het meisje had een aanzienlijke hoeveelheid snoepgoed gekocht.
'Warschau.'
Jacques rolde met zijn ogen.
'Polen?' Jozef wist zijn verbazing niet te verbergen.
'Bedoel je dat je niet in Parijs woont?' vroeg Jacques, teleurgesteld omdat het meisje een toerist was en ze naar alle waarschijnlijkheid niet zo lang in Parijs zou zijn. Terwijl ze sprak keek Ester hem recht aan en werd hij diep geraakt door haar smetteloze gelaatstrekken. Op dat moment had hij het gevoel dat het mooie meisje uit Warschau hun leven op een betekenisvolle manier zou veranderen.
Ester overwon haar verlegenheid en bevestigde dat ze Poolse was en: 'Mammie heeft een zuster in Parijs wonen. Tante Naomi is haar enige zuster. We bezoeken haar elk jaar. We blijven dan zes weken.' Ze hield haar hoofd schuin en schonk Jozef een open glimlach.
Jozef zag dat ze weelderige, volle lippen had en dat haar tanden wit glansden en in een volmaakte rechte lijn stonden.
Ze kwamen al snel te weten dat ze vijf oudere broers had en een streng religieuze vader die haar niet liet uitgaan.
Te snel arriveerden ze in de buurt waar haar tante woonde in de Rue des Rosiers, het meest joodse gedeelte van Parijs.
Omdat ze door de manieren en de kleding van de jongens begreep dat ze rijk waren, bloosde Ester van schaamte voor deze omgeving. Ester had de hatelijke opmerkingen van de chique Franse meisjes gehoord en ze wilde de jongens toevertrouwen dat hun eigen huis in Warschau dertig kamers had. Maar ze deed het niet. Ze legde ook niet uit dat haar vader

heel rijk was en dat de familie Stein zich een veel betere accommodatie in het centrum van de stad kon veroorloven, zelfs op de Champs-Elysées als ze dat wilden, maar dat haar moeder zo dicht mogelijk bij haar zuster wilde zijn.
De Rue des Rosiers leek totaal niet op de plekken die de jongens Gale meestal bezochten. De straten waren smal, vol en donker, in een buurt waar veel orthodox-joodse nieuwkomers zich vestigden. Jozef en Jacques bestudeerden met grote belangstelling iedereen en alles om hen heen.
Ester aarzelde op de trap die naar het appartement leidde. Ze beet op haar onderlip en keek ongemakkelijk naar de deur. Vandaag hadden haar ouders haar voor het eerst alleen laten winkelen. Ze zouden haar nooit meer vertrouwen als ze ontdekten dat ze had toegelaten dat twee jongemannen haar naar huis vergezelden. Ze strekte haar hand uit naar het pakket snoepgoed. 'Nou, tot ziens.' Haar aarzelende houding maakte duidelijk dat ze hen niet kon uitnodigen mee naar binnen te gaan.
Jacques overhandigde haar het snoep maar niet voordat hij eerst haar uitgestrekte hand in de zijne had genomen en er licht met zijn lippen overheen streek. 'Tot ziens, juffrouw Stein. Het was een genoegen u te mogen escorteren.' Hij wierp een waarschuwende blik naar Jozef. 'Mag ik u een keer bezoeken?' Hij schraapte zijn keel. 'Morgen?'
Ester wiebelde zenuwachtig van de ene voet op de andere in afwachting van wat Jozef zou zeggen. 'Nou...'
Jozef stond haar verbijsterd aan te staren, ontwapend door haar onschuld. Wist ze echt niet hoe ze met zijn vrijpostige broer moest omgaan?
Ester keek verwachtingsvol naar Jozef. Ze wilde de ontmoeting niet afbreken maar was doodsbang dat haar vader aan de deur zou verschijnen. Ongeduldig wierp ze een blik naar Jacques en wendde toen haar gezicht naar Jozef waarbij haar blik op zijn gezicht bleef rusten. Niet wetend wat ze anders moest doen knikte ze en rende vervolgens de trap op waar ze bij de deur pauzeerde om zich voor een laatste blik om te draaien.
Er hing een waas voor de ogen van Jozef maar hij had de schaduw van een glimlach op zijn gezicht. Hij zou zeker terugkomen.
Jacques schreef nauwgezet het nummer van het appartement op waar het meisje naar binnen was gegaan. 'Nummer 12. Laten we wat navraag doen,' stelde hij voor. 'Om meer over het meisje te weten te komen.'
'Wat je wilt.' Jozef was vreemd stil terwijl hij dacht aan het beeldschone uiterlijk en de verlegen houding van Ester. Ze was verfrissend anders dan de meisjes die hij gewoonlijk ontmoette, die vrijpostig en krachtig waren.
De botte vragen van Jacques over het mooie Poolse meisje aan een paar

mensen die in de buurt stonden werden beantwoord met vijandige blikken. Jacques en Jozef zagen er te chic uit voor de buurt. Niets aan de twee broers leek joods en het duurde niet lang of er vormde zich een kleine menigte.

Jozef hield zijn aandacht gevestigd op een paar stoere figuren die er nogal bedreigend uitzagen. 'Dit ziet er gevaarlijk uit,' zei Jozef tegen zijn broer terwijl hij zich afvroeg of hij zou moeten vechten. Over het algemeen weerhield zijn intimiderende grootte allen behalve de meeste dappere mannen.

'Je hebt gelijk. Laten we hier weggaan. We komen morgen wel terug.' Jacques lachte en beiden renden ervandoor, opgewonden over het meisje uit Polen.

De volgende middag gingen ze onderweg op krakkemikkige fietsen die ze van de tuinmannen van de familie Gale hadden geleend. Ze hadden ruwe jagerskleren aangetrokken om geen aandacht te trekken. Ze zetten hun fietsen weg en gingen op de trap van het appartement zitten wachten tot het meisje naar buiten zou komen terwijl ze onderwijl zwijgend het armoedige uiterlijk gadesloegen van de joodse bewoners van hun mooie stad.

Jacques legde zijn hand over zijn mond en mompelde tegen Jozef: 'Ik heb medelijden met deze arme mensen.'

De gedachten van Jozef werden niet verwoord omdat op dat moment de deur van appartement nummer 12 openging en ze Ester hand in hand met een andere jongedame naar buiten zagen komen. Beiden gingen gekleed voor een middagwandeling. Ester droeg een smaragdgroene jurk die strak rond haar smalle middel zat en haar boezem accentueerde. De kleur paste bij haar donkere schoonheid. Haar haar hing los en haar krullen sprongen op en neer terwijl ze de trap af huppelde.

Jacques hield zijn adem in. 'Goeie God! Jozef, als zij een voorbeeld is van de Poolse meisjes, moeten we Polen aan onze rondreis toevoegen.'

De jongens Gale zouden het volgende jaar een wereldreis gaan maken.

Jozef was als betoverd maar hield zijn gedachten voor zichzelf. Ester Stein was zelfs nog lieflijker dan hij zich kon herinneren.

De ogen van Ester sperden zich wijd open en weerspiegelden tegelijkertijd plezier en verbazing. 'Jozef. Jacques. Wat doen jullie hier?' Ze was oprecht blij en toch verbaasd en een beetje bang dat haar nichtje de verkeerde ideeën zou krijgen. Ze keek met stomme verbazing naar de kleding van Jozef. Door de kleding die beide jongens vandaag droegen hadden ze makkelijk uit de buurt kunnen komen.

Haar nichtje Ruth wierp Ester een afkeurende blik toe en trok aan haar arm. 'Ester, kom mee.'

Jacques stapte snel voor de meisjes en legde op een geestige manier uit waarom ze zulke gekreukelde kleren droegen. Ruth leek niet onder de indruk te zijn, maar nadat ze goed naar Jozef had gekeken stond ze toe dat de broers bleven.
De jongens wandelden met hen mee en kregen alles te horen over de mooie bezoekster uit Polen. Jacques was het grootste gedeelte aan het woord in een poging het meisje te charmeren en omdat hij wilde dat ze zijn aantrekkelijke broer zou negeren.
Net als bij alles wat ze deden maakten de beide broers samen Ester het hof. Jacques werd tegelijk met Jozef verliefd op Ester maar het werd al snel duidelijk dat Jozef, ondanks de inspanningen van Jacques, de winnaar zou zijn.
Jacques Gale was een knappe man, maar Jozef was nog knapper. Jacques was lang, maar zijn broer was langer. Jacques was charmant, maar Jozef was charmanter. Over het algemeen had Jacques zijn handen vol aan de vrouwen voor wie Jozef geen tijd had en in het verleden had hij dat prima gevonden.
Toen Jacques zag dat Ester Stein naar Jozef keek, zelfs wanneer ze antwoord gaf op zijn vragen, ontsnapte er een korte, ontmoedigde zucht aan zijn lippen en richtte hij zijn aandacht op het nichtje. Hij nam zijn verlies op een goedhartige wijze op en begon met Ruth te kletsen, die aardig genoeg was om hem op een plezierige manier bezig te houden, terwijl Jozef en Ester door elkaar verblind waren.
Ester liep zwijgend voort maar haar gedachten waren kristalhelder: ze had de man ontmoet met wie ze wilde trouwen. Ze wist dat haar ideeën ver op de relatie vooruit liepen en dat ze geen ervaring in de liefde had, maar er bestond geen twijfel aan dat ze haar liefde had gevonden in Jozef Gale. Hoe kon ze anders het vreemde gevoel van hulpeloosheid verklaren dat haar elke keer overspoelde wanneer ze naar zijn gezicht keek, of de kleine elektrische schokjes die door haar lichaam gingen wanneer Jozef haar bij de arm hield en door de straten van Parijs leidde? Ze keek op naar Jozef en glimlachte terwijl de seksuele spanning tussen hen steeds verder toenam.
Bevangen door haar donkere, bijna bijbelse schoonheid escorteerde Jozef Ester trots naar Rue Drouot, een beroemd café dat eens bekend stond als de Boulevard de Gand, terwijl hij zich er scherp van bewust was dat voor het eerst van zijn leven zijn opvallende verschijning onopgemerkt ging. Alle ogen, zowel van mannen als van vrouwen, waren gericht op Ester. Jozef zag dat de mannen, nadat iedereen Ester goed had bekeken, hem met afgunst aankeken.
Jozef leidde Ester zachtmoedig naar een van de tafels met marmeren

blad die in de uiterste hoek van de Rue Drouot stond. De twee stellen bestelden ijs maar Jozef en Ester konden niet ophouden met praten en hun ijs smolt. Ze spraken bijna als een reden om naar elkaar te kunnen blijven kijken.
Jozef hunkerde ernaar om de zijdezachte huid van Ester te strelen, om zijn hand door haar glanzende donkere haar te laten glijden, om haar lichaam dicht tegen het zijne te voelen. Maar hij kon haar niet aanraken. Ester wilde alles over Jozef weten, ze wilde zijn wereld binnengaan en al zijn gedachten kennen en zijn leven delen. Maar dat kon ze hem niet zeggen.
Het moment was zo intens dat geen van tweeën bemerkte dat Jacques Ruth een knipoog gaf en haar wegleidde van de tafel. Ze liepen de straat over naar een klein park en lieten Jozef en Ester al pratend in het café achter.
Bijna als een onuitgesproken afspraak stonden de jongens Gale de daaropvolgende negen dagen elke dag op straat te wachten op Ester en Ruth waarna ze de meisje vergezelden naar verschillende stadsparken en verfrissingen voor hen kochten in een verscheidenheid aan cafés op de Boulevard.
Tegen de tiende dag wilde Jozef dat zijn relatie met Ester een andere fase inging. Zijn passie voor de Poolse schoonheid maakte hem zorgeloos. Jozef, die gewend was aan meer ervaren vrouwen die voor een man makkelijk te winnen waren, beging de fatale vergissing dat hij ervan uitging dat iedere vrouw te krijgen was. Hij zat stil in zijn thee te roeren terwijl hij zijn gedachten vorm gaf. Terwijl Ester aan haar thee zat te nippen bewonderde Jozef haar helder roze, boogvormige lippen. Toen leunde hij naar voren en fluisterde, terwijl zijn adem haar oor streelde: ‘Ester, kun je aan Ruth ontsnappen? Morgen?’
Esters ogen keken hem alert en vragend aan. Ze glimlachte en vroeg: ‘Ontsnappen?’
‘Ik moet je zien. Alleen.’
De glimlach bevroor op Esters gezicht. Alleen? Ze ging druk in de weer met haar hoedje en ontweek angstvallig zijn ogen terwijl ze over zijn vraag nadacht. Jozef wist toch zeker wel dat zij hem niet alleen kon zien. Het was al gewaagd, wat ze deed. Voor het eerst in haar leven hield ze een belangrijk geheim verborgen voor haar moeder. En Ester wist dat haar vader haar boos zou verbieden het appartement te verlaten, of haar zelfs mee terugnemen naar Warschau, als hij ook maar even vermoedde hoe zij haar middagen doorbracht.
Jozef mompelde: ‘Mijn broers en ik hebben een klein appartement op de linkeroever, weg van ons ouderlijk huis.’ Hij legde zijn vinger onder

haar kin en tilde haar gezicht op naar het zijne terwijl hij bedacht dat dit Poolse meisje hem dusdanig raakte dat het bijna beangstigend was. Verwachting dreef hem tot roekeloosheid. 'Ester, ik moet je bezitten. Ik moet je in mijn armen voelen. Niemand zal het ooit weten.'
De glimlach op Esters gezicht verdween. Nog altijd verward, aarzelde ze. Toen voelde ze hoe de vrije hand van Jozef haar been onder de tafel streelde. Het was de eerste keer dat iemand haar ongepast aanraakte. Toen de betekenis van zijn woorden tot haar doordrong werd het gezicht van Ester knalrood en haar ogen schoten vuur. Toen ze overeind sprong bracht ze de tafel uit evenwicht en vielen de drankjes om. Ester was woedend en haar boosheid bracht de hele ruimte tot zwijgen. 'U hebt een vergissing gemaakt, mijnheer Gale! Ik ben geen hoer!' Ester Stein was een kleine vrouw, maar haar klap kwam hard aan. 'Ruth! Kom mee!' Ester draaide zich razendsnel om en rende met betraande ogen en furieus naar buiten.
Jozef zat sprakeloos op zijn stoel. Hij raakte de rode vlek op zijn wang licht aan.
Jacques grijnsde bij de verblufte uitdrukking op het gezicht van Jozef en begon te lachen. Hij lachte zo lang en zo luid dat de andere gasten begonnen te klagen.
'Hou je mond!' beval een van hen.
'Kan het hier wat rustiger worden?' riep een jongeman terwijl hij wenste dat hij achter de twee meisje aan gegaan was, van wie één verbluffend mooi was. Hij rekte zijn hals uit en staarde. De meisjes waren al uit het zicht verdwenen. Met een korte zucht ging hij verder met het lezen van de *Paris Soir* van die dag.
'Dwaze wezens,' fluisterde een al wat oudere Parijse schoonheid tegen haar gezelschap terwijl ze een verlangende blik naar Jozef Gale wierp.
Uiteindelijk kwam de kleine, dikke eigenaar wapperend met een kleine doek op hen toegesneld en riep: 'Eruit! Eruit!' Ze konden hem, terwijl ze het café uitvluchtten, horen mopperen over het met thee bevlekte linnen.

Jozef en Jacques hadden voor zolang ze het zich konden herinneren een zorgeloos leven geleid. Hun vader was rijk en werd in beslag genomen door zijn werk, terwijl hun moeder het zo druk had met haar functies binnen de hogere kringen dat ze haar kinderen van jongs af aan had aangemoedigd hun eigen weg te gaan en ze lachend had aangeraden van het leven te genieten.
De makkelijke houding van Natalie Gale was de jongens Gale prima bevallen.

Jozef had recent zijn doctoraal in de rechten behaald aan de universiteit van Parijs en zijn ouders hadden erop gestaan dat hij eerst een wereldreis zou maken voor hij begon aan een voorspelbare carrière in het advocatenkantoor van zijn vader. Jozef was het met zijn ouders eens dat een wereldreis een goed plan was maar hij wilde dat Jacques met hem meeging. Jacques zou binnen een jaar zijn studie medicijnen afronden. Tot die tijd hield Jozef zich bezig met de ene liefdesaffaire na de andere en bracht zijn dagen op een zeer aangename manier door.
Dat wil zeggen, tot hij Ester Stein ontmoette.
Jozefs trots deed hem zwijgen over de afwijzing van het Poolse meisje. Onder het voorwendsel van nonchalance probeerde Jozef de onverwachte afwijzing van zich af te schudden door met het ene meisje na het andere naar bed te gaan. Om de een of andere reden verveelde ieder meisje hem meer dan het meisje ervoor.
Jacques probeerde het onderwerp een paar keer ter sprake te brengen, maar Jozef zei kortaf tegen hem: 'Als je het niet erg vindt, heb ik het liever niet over Ester Stein.'
Na een paar weken gaf Jozef toe aan de rusteloosheid waarvan hij wist dat deze werd veroorzaakt door Ester Stein. Hij hield nauwgezet de dagen op de kalender bij zodat hij wist wanneer de familie Stein weer naar Warschau zou terugkeren. Hij dacht dat hij nu spoedig van het meisje zou horen.
Hij wachtte en wachtte met een brandend verlangen haar weer te zien. Omdat hij zijn charade van onverschilligheid ondraaglijk vond begon hij te drinken, alleen.
Op een avond na middernacht trof Jacques hem aan in de bibliotheek van hun vader terwijl hij door een boek over de geschiedenis van de Poolse joden zat te bladeren. Jacques trok een wenkbrauw op toen hij de halflege fles whisky opmerkte. Toen hij de titel van het boek *Joden in Polen* hardop las kon hij een toon van leedvermaak niet vermijden. 'Sinds wanneer heb jij belangstelling voor de geschiedenis van de Poolse joden?'
Jozef uitte een onvriendelijke kreun als vorm van begroeting en sloeg haastig het boek dicht dat hij had geleend bij de universiteitsbibliotheek van Parijs.
Jacques trok een stoel bij. 'Het lijkt erop dat je gezelschap kunt gebruiken.'
Jozef haalde zijn schouders op met de gedachte dat zijn broer hem te goed kende. Hij wilde niet dat Jacques een idee kreeg van zijn verlangen naar Ester en begon hem te vertellen over zijn nieuwe minnares, een tijgerin uit Nice. 'Ze is half Frans, half Italiaans en helemaal wild! Broer, ze heeft me zelfs een paar trucjes geleerd!'

Ze lachten beiden.
Jozef schonk zichzelf een glas whisky in en sloeg de drank met twee luide slokken achterover.
Jacques keek zijn broer lange tijd aan. 'Je zult niets van haar horen, weet je,' zei hij ten slotte. Hij schraapte zijn keel. 'In Polen worden de meisjes anders grootgebracht.'
Jozef kreeg een droge mond. Hij staarde Jacques enkele ogenblikken aan. Zwijgend schonk hij zichzelf nog een glas whisky in. Hij dacht na over wat zijn broer had gezegd maar kon nog steeds niet toegeven aan zijn ware gevoelens. 'Laat haar maar terugkeren naar Polen!' wierp hij scherp tegen. Hij gromde wat en stak een sigaret op, geërgerd dat Jacques zijn scherpe verlangen naar Ester Stein aanvoelde. 'Ze kwam me trouwens toch een beetje dom over.'
Jacques leunde op zijn gemak achterover. 'Echt waar? Ikzelf had die indruk niet.'
Het was niet de eerste keer dat Jacques werd getroffen door het idee dat Jozef te arrogant was wat het andere geslacht betrof. Jozef Gale had sinds zijn tienerjaren een seksuele aantrekkingskracht uitgestraald die vrouwen van alle leeftijdsgroepen aantrok. Jozef aanbad vrouwen en zij reageerden op gelijke wijze. Er waren eenvoudig te veel beschikbare vrouwen die voor hem in de rij stonden en die allen wachtten tot ze werden verleid door zijn knappe broer.
Nu was er dit meisje uit Polen, dat Jozef tot een punt van wanhoop bracht. Niet dat Jacques het niet begreep. Hij dacht dat de combinatie van Esters ongelooflijke schoonheid en haar kinderlijke onschuld elke man zou obsederen. Het flitste Jacques door het hoofd dat als zijn concurrent een ander was geweest dan zijn broer, hij zelf een serieuze poging zou ondernemen om het hart van Ester Stein te winnen.
Op een vreemde manier, en voor het eerst in zijn leven, had Jacques medelijden met zijn jongere broer. Toch weigerde Jacques om tegen hem te liegen of zijn illusies in leven te houden. 'Jozef, mijn broer, ik vind het vervelend je dit te vertellen, maar je woorden stroken niet met de boodschap in je ogen.'
'En jij, broer, zit vol shit!' wierp Jozef terug. Hij keek weg en staarde naar het plafond terwijl hij in zichzelf overwoog of hij eerlijk zou zijn of het spel zou voortzetten. Eén snelle blik op het gezicht van Jacques vertelde hem dat zijn broer zat te wachten en hem zat te beoordelen. Was hij bereid tot een geintje? Jozef slaakte een zucht van berusting. Laat Jacques naar de hel lopen, dacht hij. Plotseling smolt al het verlangen om zijn broer voor de gek te houden weg.
Jozef speelde nerveus met zijn lege glas. 'Hoe kon ik zo dom zijn?' Hij

beet op zijn lip. 'Ik geef het toe, Jacques. In het begin bestond mijn enige motief eruit om Ester Stein in bed te krijgen.' Hij hing over de tafel heen. 'Nu kan ik niet eten,' bekende hij. 'Ik kan niet slapen. Jacques, ik moet haar hebben!'
Jacques was verrast maar aangenaam getroffen. 'Zo! Dus deze keer ben je echt verliefd?' Hij schaarde zich op goedaardige manier aan de kant van het meisje. Alles was voor zijn broer te makkelijk gekomen en misschien was het moment aangebroken voor Jozef om dat te leren wat Jacques al wist, namelijk dat niet alles in het leven zonder inspanning komt. 'Misschien moet je met haar trouwen,' stelde Jacques met een hartelijke grijns voor in de wetenschap dat Jozef er nooit over had gedacht met een vrouw te trouwen, hoe verliefd hij ook was geweest. Jozef had vaak gezegd: 'Waarom zou een man elke dag dezelfde maaltijd eten, wanneer hij kan kiezen wat hij wil.'
'Echt, Jozef,' ging Jacques serieuzer verder. 'Ze gaat terug naar Warschau en je zult haar nooit meer zien.' Hun ogen ontmoetten elkaar. 'Is dat wat je wilt?'
Het gezicht van Jozef werd knalrood. Lange tijd zei hij niets en mompelde vervolgens ellendig: 'Nee. Dat is niet wat ik wil.' Hij pauzeerde en vroeg toen: 'Heb jij haar gezien?'
Jacques schudde zijn hoofd en zei vervolgens plagend tegen hem: 'Nee, maar ik weet veel meer over de familie Stein dan jij.'
Jozef wierp hem een vragende blik toe.
'Ik zie Ruth nog,' vertelde Jacques hem. Jacques zweeg even en maakte toen een vreemde opmerking. 'Ik ben met Ruth naar verschillende joodse buurten geweest. Gisteren nog bezocht ik de Dos pletzl.' De Dos pletzl, die bij de Fransen bekend stond als de 'kleine plaats' bevond zich in het vierde district van Parijs en werd bevolkt door arme immigrantenjoden. Er verscheen een vreemde glans in de ogen van Jacques. 'Jozef, je kunt niet geloven hoe deze immigrantenjoden zich vastklampen aan het geloof, kracht putten uit...' Hij grijnsde bij de gealarmeerde uitdrukking op het gezicht van Jozef. 'Om je de waarheid te vertellen ben ik een beetje nieuwsgierig naar die joden, de echte joden, niet zulke spijbelaars als wij.' Jacques lachte en werd toen ernstig. 'Ik kan je vertellen dat het niet makkelijk is om een echte jood te zijn!'
Jozef keek weg en gaf blijk van zijn ongeduld. Het joodse leven interesseerde hem weinig. 'Jacques, een andere keer alsjeblieft. Heeft Ruth je iets over Ester verteld?'
Jacques gaf zijn broer zijn zin. 'Oké. Ja. Over Ester Stein.' Hij schraapte zijn keel. 'Hoor dit: Ester Stein is een erfgename.'

De harde lach van Jozef klonk als een gesmoorde blaf.
De woorden van Jacques klonken intenser. 'Luister naar me, Jozef. Laat je niet voor de gek houden door die buurt. Ruth zweert dat Ester uit een prominente joodse familie komt. De oude man is een van de rijkste joden in Warschau, misschien zelfs van Polen.' Hij legde nadruk op zijn woorden en sprak langzaam. 'Veel mannen in Warschau zouden een kans willen krijgen bij dit meisje. En, mijn geliefde broer Jozef, jij bent de eerste man die Ester echt heeft gekend, op haar familieleden na. Je hebt een voorsprong op alle joodse idioten in Polen!'
Jozef luisterde met een geconcentreerd soort wanhoop en begreep dat hij werd geconfronteerd met een nieuwe dilemma. Door de manier waarop Ester gekleed ging had hij gedacht dat haar familie in goeden doen was, maar hij had zich nooit voorgesteld dat de familie Stein rijker zou kunnen zijn dan zijn eigen familie. 'Wat zei Ruth nog meer?' zei hij met krassende stem.
Jacques kneep nadenkend met zijn vingers zijn lippen samen en vertelde zijn broer toen veel feiten die Jozef al over Ester Stein te weten was gekomen tijdens de tien dagen dat ze elkaar het hof hadden gemaakt. 'Nou, Ester speelt heel goed piano. Ze spreekt vijf of zes talen. Ze is goed opgeleid, in tegenstelling tot de meeste Poolse meisjes. Haar vader huurde een privé-lerares in, een vrouw uit Engeland.' Hij herinnerde zich enkele verbazingwekkende opmerkingen die Ruth had gemaakt. 'Het schijnt dat de Polen het de joden op de scholen moeilijk maken; ze hebben quota's voor de joden. Niet alleen dat, ze scheiden de joden in de klaslokalen af en ze laten hen op 'gettobanken' achter in de klas zitten. Kun je je dat voorstellen?' Jacques schudde somber zijn hoofd voor hij verder ging. 'Ester leest veel. Ruth zegt dat ze vreselijk intelligent is.' Hij wierp een blik op Jozef die als gebiologeerd naar zijn gezicht keek. 'Wat nog meer? O ja, in haar vrije tijd werkt ze als vrijwilligster in de joodse gaarkeukens in Warschau. Dat is alles wat ik weet.' Hij grijnsde. 'Nog één ding: Ruth zegt dat haar nichtje nog maagd is.'
Jozef had niet kunnen weten dat Ester Stein nog maagd was, maar na haar reactie in het café verbaasde hem dit niet. Zijn stem daalde en beefde enigszins toen hij zei: 'Heeft zij het met Ruth over mij gehad?'
Jacques schudde zijn hoofd. 'Sorry, broer. Het meisje is beledigd en boos. Ze waarschuwde Ruth om je naam in haar aanwezigheid niet te noemen als ze haar vriendin wilde blijven.'
Het gezicht van Jozef werd krijtwit. Hoe meer Jozef over Ester te weten kwam, hoe meer hij haar wilde. Ze was onschuldig, lieftallig, intelligent en mooier dan een vrouw zou mogen zijn. Ze zou de volmaakte vrouw

voor een man zijn. Zijn maag trok samen bij de gedachte dat een andere man Ester Stein zou krijgen. Hij wilde haar voor hem alleen.
Jozef zat er lange tijd zwijgend bij.
Jacques stond op, opende een fles sherry en schonk zichzelf een glas in. Hij ging weer zitten en keek naar zijn broer, gefascineerd door de strijd die hij op het gezicht van Jozef weerspiegeld zag.
Jozef keek zijn broer sceptisch aan. 'Jacques, als ik op handen en knieën naar haar toe kruip, hoe moet dat dan overkomen? Als ik Ester Stein smeek, zal ze denken dat ik zwak ben.' Jozef Gale was gewoonweg te trots om zijn verontschuldigingen aan te bieden. Met duidelijk stormachtige emoties veranderde Jozef opnieuw van gedachten en beweerde ferm wat hij wilde geloven. 'Zij zal contact met mij zoeken.'
Jacques reageerde door ongeduldig met zijn hoofd te schudden. 'Nee, deze vrouw niet.'
Met enige trots bracht Jozef zijn broer in herinnering: 'Dat doen ze allemaal, weet je.'
Jacques zat doodstil en vocht tegen de teleurstelling terwijl hij de situatie van zijn broer in overweging nam. Hij wist dat Ester Stein nooit contact met Jozef zou opnemen. Jacques hield oprecht van zijn broer en hij wist zeker dat Jozef een dwaas zou zijn en die ene vrouw die hem heel, heel erg gelukkig kon maken, zou laten lopen.
De beide mannen zaten zwijgend bij elkaar.
Uiteindelijk wierp Jacques een schuine blik naar de klok. 'Lieve hemel! Kijk eens hoe laat het is! Ik ga naar bed,' zei hij. Toch kwam hij niet overeind. De onbetwistbare liefde voor zijn broer zette hem aan tot een laatste poging. 'Jozef, je zult het voor altijd betreuren dat je Ester hebt laten gaan. Echt waar. Ga naar haar toe. Morgen.' Hij duwde zijn stoel naar achteren. 'Denk na over wat ik heb gezegd.'
Jozef staarde met een cynische glimlach naar zijn broer. 'Jacques, neem je advies maar mee naar bed.'
Met een verdrietige uitdrukking op zijn gezicht haalde Jacques zijn schouders op en liep naar de deur. 'Goed. Dat zal ik doen.'
Toen zijn broer weg was schonk Jozef zich nog een glas whisky in, en weer een, en weer een en dronk zichzelf langzaam stomdronken, zijn stormachtige emoties verdrinkend.

Tien dagen voordat de familie Stein naar Warschau zou terugkeren vroeg een bezorgde Jozef Gale aan Jacques om bij Ester Stein een brief af te geven.
Ester scheurde hem in twee stukken en gooide deze naar Jacques terwijl ze hem toeschreeuwde weg te gaan of dat ze anders haar vader zou roepen.

Vijf dagen voordat de familie Stein naar Warschau zou afreizen nodigden Jacques en Ruth Ester uit om hen te vergezellen naar een ijssalon. Ester sloeg de uitnodiging af.
Vier dagen voordat de familie Stein naar Warschau zou vertrekken klopte Jozef aan op de deur van de familie Stein en had een bos bloemen en bonbons bij zich.
Ester was niet thuis. Haar ouders waren ijzig.
Drie dagen voordat de familie Stein naar Warschau zou terugkeren vertelde Jozef zijn verbluftte ouders dat hij het meisje had ontmoet met wie hij wilde trouwen. Wilden zij bemiddelen?
Twee dagen voordat de familie Stein uit Parijs zou vertrekken namen Benjamin en Natalie Gale contact op met een koppelaar. Nadat hij de details had aangehoord aarzelde hij aangezien hij dacht dat de enorme verschillen in achtergronden van de families een slecht voorteken voor het stel zou zijn. Maar nadat hij Jozef had ontmoet en zelf de diepgaande gevoelens had gehoord die de jongeman uitte voor het Poolse meisje stemde de koppelaar er uiteindelijk mee in om Mozes Stein te benaderen. Tot ieders grote verbazing sloegen Mozes en Sara Stein het huwelijksaanbod af met de woorden dat de jongen Gale niet geschikt was voor hun dochter.
Eén dag voordat de familie Stein uit Parijs zou vertrekken liep een wanhopige Jozef Gale door de straten van Parijs. Hij liep en dacht na. Langzamerhand begonnen de ideeën waarop Jozef Gale zijn leven had opgebouwd, af te brokkelen. Hij begon de huwelijksriten te overdenken en te rechtvaardigen, een overgang die hij altijd had bekritiseerd als zijnde te dom voor een verlicht en modern denkende man. Zonder te weten hoe hij daar terechtkwam bevond hij zich in Esters buurt. Hij staarde een ogenblik omhoog naar de ramen van het appartement van de familie Stein. Plotseling begreep hij dat als hij haar liet gaan, hij de rest van zijn leven spijt zou hebben. Hij liep in cirkeltjes en praatte in zichzelf terwijl hij het ene idee na het andere overboord zette en zich afvroeg hoe hij haar kon terugwinnen.
De mensen op straat begonnen te lachen en trokken gezichten naar elkaar en wezen op hun hoofd. Het was duidelijk dat er een gek was losgelaten in de buurt.
Jozef merkte er niets van.
Hij nam een snelle beslissing, sprong de trappen op en bonsde op de deur van het appartement. Door de gesloten deur schreeuwde hij: 'Ester! Je moet met me praten!'
Mozes Stein rukte de deur open omdat hij dacht dat er een gek was losgebroken.

Sara Stein probeerde haar dochter af te schermen in de overtuiging dat de jongeman dronken was.
De ogen van Jozef en Ester ontmoetten elkaar.
Jozef strekte zijn armen uit.
Ester duwde haar moeder opzij en liep heel langzaam naar Jozef. Haar gezicht was lijkbleek. Ze was afgevallen.
Jozef kon zien dat Ester zich net zo ellendig voelde als hij. 'Ester,' smeekte hij, 'kun je me ooit vergeven?'
Ester begon te huilen.
Mozes Stein riep Jozef boos toe dat hij moest vertrekken en dreigde hem de trappen af te smijten.
'Ester, zullen we elkaar altijd blijven achtervolgen?' Jozef pauzeerde. Zijn liefde was duidelijk op zijn gezicht te zien. 'Liefste, je moet met me trouwen.'
Ze kwam dichterbij.
Met onbeschrijflijke tederheid streelde Jozef met zijn hand over haar wang. 'Wil je met me trouwen, Ester?'
Gechoqueerd probeerde Mozes Stein zijn dochter van Jozef Gale weg te trekken.
Sara, die voelde dat ze getuige was van een grote liefde, trok aan de arm van haar man in een poging zijn arm van hun dochter af te trekken.
Mozes hield haar stevig vast. In zijn wanhoop had hij de kracht van een superman en hij trok zijn dochter met een laatste, heftige ruk naar zich toe. Jozef werd meegetrokken.
Mozes en Sara stonden een paar centimeter van het gezicht van hun dochter toen ze in tranen uitbarstte en riep: 'Ja, Jozef Gale! Ik zal met je trouwen! Ik zal je kinderen schenken! Ik zal oud met je worden! Ja! Ja!'
Vastgeklemd in de ijzeren greep van een ontstelde Mozes Stein huilden en kusten de twee verliefden elkaar waarbij Jozef fluisterde: 'Ik hou van je Ester, ik hou van je.'

Een ontdane Mozes stelde zijn terugreis naar Warschau uit. Na drie dagen gaf hij, omdat hij niet in staat was stand te houden tegen de vastberaden en huilende aanvallen van de twee vrouwen van wie hij hield, zijn dochter toestemming met Jozef te trouwen, al stond hij erop dat de jonge geliefden de traditionele verlovingsperiode van een jaar zouden aanhouden. En hij vroeg om nog een belofte: dat als het huwelijk in Parijs zou plaatsvinden en zijn dochter in die stad zou gaan wonen, het stel voor de geboorte van hun eerste kind naar Polen zou terugkeren.
'Ester heeft op zo'n moment haar moeder nodig,' stelde Mozes. Hij was

een jaloerse vader en stond niet boven het misbruik maken van de situatie om iets te krijgen wat hij wilde.
Jozef had nog niet verder gedacht dan het huwelijk of de huwelijksreis. Het idee van een gezin sprak hem op een vreemde manier aan. Hij gaf trots zijn woord. Jozef strekte zijn hand uit en schudde de hand van Mozes Stein. 'Dat is beloofd. Bij de geboorte van ons eerste kind breng ik Ester naar haar moeder.'

3 Warschau, Polen, 25 augustus 1939

Het was ongebruikelijk warm in Warschau in augustus 1939, maar in de harten van de inwoners was het hartje winter. De aanwezigheid van het nazi-leger dat naar het oosten optrok straalde een kilte uit die het land overtrok en de huizen en harten binnendrong.
In een moedige poging een feestelijke sfeer te scheppen, bracht het gezin Stein in die maand veel tijd door in de open, ommuurde binnenplaats. Hun geliefde Ester was sinds haar huwelijk voor het eerst thuis, in afwachting van de geboorte van haar eerste kind.
Ondank de koortsachtige waanzin die Berlijn in zijn greep hield tijdens die hete zomer had Jozef Gale zijn belofte aan Mozes Stein gehouden. Nu vond hij het moeilijk te geloven dat hij, belofte of geen belofte, zo onbezonnen was geweest om zijn hoogzwangere vrouw uit de veiligheid van Parijs naar de onzekerheid van Warschau te brengen. Hun reis naar Polen was tegen de wens van zijn familie geweest.
Tijdens het voorgaande jaar was het optimisme van Benjamin Gale wat betrof vrede in Europa in duigen geslagen. Nadat hij de onbeholpen pogingen had gadegeslagen die de Franse en Britse politici hadden ondernomen om de onverzadigbare Duitse dictator te verzoenen, had hij de nutteloosheid van diplomatieke oplossingen begrepen. 'Hitler en zijn volgelingen kennen alleen maar bruut geweld,' zei hij tegen zijn jongste zoon. 'Ik vrees dat we zullen moeten vechten. Ga niet naar Polen, zoon, daar is het waar de grote ramp begint.'
De woorden van Benjamin Gale spookten nu door het hoofd van zijn zoon: tijdens de voorgaande vierentwintig uur was het enorme Duitse leger in beweging gekomen.
Jozef zat met zijn schoonvader op de binnenplaats. De afgedankte bladzijden van de *Nasz Preglad*, een Pools dagblad, lagen her en der op de keien. Beide mannen zaten te piekeren terwijl ze naar de radio luisterden in afwachting van extra nieuws over de Duitse militaire formatie aan de Poolse grenzen. Er was meer dan een uur voorbijgegaan sinds de opgewonden verslaggever de Poolse bevolking had aangekondigd: 'Onze bronnen in Duitsland informeren ons dat Adolf Hitler heeft ge-

dreigd Polen van de kaart te vegen! De Duitse soldaten staan gereed om de Poolse grens over te trekken. Lang leve Polen!'
Sinds de aankondiging had het radiostation steeds opnieuw het Poolse volkslied *Jeszeze Polska nie zginela (Nog is Polen niet verloren)* uitgezonden. Plotseling kwam de verslaggever ertussendoor en zijn opwinding grensde aan hysterie toen hij krijste: 'De Poolse inlichtingendienst heeft net bevestigd dat tijdens de ochtenduren het Duitse ministerie van Buitenlandse Zaken de Duitse ambassade en consulaten in Polen een telegram heeft gestuurd met de opdracht dat de Duitse inwoners in Polen het land via de snelste route moeten verlaten!'
Jozef en Mozes staarden elkaar sprakeloos aan.
Mozes zei uiteindelijk kortaf: 'Er is maar één uitleg mogelijk voor een dergelijk bevel.'
De ogen van Jozef fonkelden helder, scherp en sarcastisch. 'Ja. Wat zou dat zonde zijn, Duitsers die Duitsers doden.'
Opnieuw weerklonk het Poolse volkslied door de luchtgolven.
Mozes stond over de radio gebogen aan de afstemknop te draaien tot hij de BBC oppikte. De Britse verslaggever luidde de doodsklok over Polen. Zijn stem klonk bezorgd doch kalm en hij weerspiegelde op perfecte wijze de emoties in zijn eigen land dat werd opgeslokt door de aangrijpende gebeurtenissen maar toch niet wilde meedoen. 'Onze correspondent in Londen doet er verslag van dat Radio Berlijn beweert dat er Poolse "aanvallen" zijn geweest op Duits grondgebied en dat de Poolse regering het vredesaanbod van de Führer heeft afgeslagen. Eerdere informatie dat het Duitse leger tot dichter aan de Poolse grens is opgetrokken, is bevestigd.' De verslaggever ging door met uit te leggen hoe de Britse premier Neville Chamberlain zichzelf had uitgeput in zijn pogingen de strijd tussen Polen en Duitsland te ontmoedigen.
Met een grom draaide Mozes de afstemknop terug op Radio Warschau. Het station was tijdelijk uit de lucht en de radio liet alleen een lawaaierig gezoem horen. Toen stelde hij de radio in op Berlijn. De verslaggever in die stad was zelfs nog opgewondener dan zijn Poolse tegenpool. 'De geliefde Führer van Duitsland,' donderde hij, 'een man van grote beslissingen, heeft zijn laatste gulle aanbod aan de koppige Polen gedaan. Onze Poolse buren is vrede in handen gegeven! De domheid van de Polen kent geen grenzen: ze hebben gekozen voor totale oorlog!'
Omdat hij niet wist wat hij anders moest doen ging Mozes weer zitten en concentreerde zich diep. Het moment waar Mozes de afgelopen twee jaar bang voor was geweest, was aangebroken.
Het gezicht van Jozef stond op onweer terwijl hij naar het gezicht van

zijn schoonvader keek. 'Ik neem aan dat we er nu aan moeten geloven,' zei hij.
Mozes stemde met enige trots in zijn stem in. 'Polen is geen Oostenrijk of Tsjecho-Slowakije. De moffen zullen Polen niet binnen lopen zonder een uitputtingsslag.'
Jozef trok zijn wenkbrauwen op.
Het gezicht van Mozes vlamde op in woede. 'Ik kan je nu vertellen, Jozef, dat we hen nog geen knoop te pakken zullen laten krijgen!'
'Ja, dat weet ik,' antwoordde Jozef bedachtzaam. Hij had er geen moment aan getwijfeld dat de Polen zouden vechten. Hij was heel wat te weten gekomen over Polen in de afgelopen jaren en wist dat het Poolse volk na eeuwen van tragische oorlogen en wrede bezettingen onwrikbaar was in zijn besluit niet nog een keer onder een bezetting gebukt te moeten gaan. De afgelopen paar dagen had hij de koppige Polen op de straten horen opscheppen over wat ze de Duitsers zouden aandoen als ze het waagden ook maar één stap op Poolse bodem te zetten. Zelfs kinderen schepten op over hoe ze Duitse soldaten aan de poorten van hun stad zouden ophangen.
Jozef dacht dat de dappere Polen bewonderenswaardig waren, maar dat hun durf dwaas was.
Mozes staarde nadenkend in het niets. Hij werd getroost door één feit: na jaren van timide en halfslachtige onderhandelingen met de Duitse despoot hadden Groot-Brittannië en Frankrijk eindelijk de harde waarheid ingezien, namelijk dat Hitlers honger niet kon worden gestild. Het Rijnland, Oostenrijk en Tsjecho-Slowakije waren niet meer voor hem geweest dan smaakmakers. De leiders van West-Europa ontdekten eindelijk wat Mozes Stein al die tijd had gedacht: de Duitse dictator zou niet stoppen tot hij heel Europa in zijn ijzeren greep had. Nu hadden de machtige bondgenoten van Polen eindelijk begrepen dat ze geen ander alternatief hadden dan vechten.
Mozes kreunde en glimlachte grimmig toen Radio Warschau weer overging op de nieuwsuitzending. De verslaggever herhaalde voor de honderdste keer die dag: 'De ambassadeurs van Groot-Brittannië en Frankrijk hebben Hitler in kennis gesteld van het feit dat hun respectieve landen hun verplichtingen aan Polen zullen honoreren.' Mozes wist dat met de Britse en Franse ultimatums een ketting van gebeurtenissen in gang was gezet die echt oorlog betekenden. Zijn woorden klonken kil. 'Hitlers bloedeloze overwinningen zullen eindigen als hij Polen aanvalt.'
Jozef voelde hoe zijn ledematen verstijfden bij die gedachte. Hij hoopte dat Mozes het fout had. 'Liever een bloedeloze overwinning dan een bloederige.'

Mozes' gezicht vertoonde een uitdrukking van verbazing, maar hij schreef de halfslachtige woorden van zijn schoonzoon toe aan Jozefs liefde voor Ester. Hij besloot de opmerking te negeren. 'Het is tijd om de vesting te beschermen,' schalde Mozes. Hij pakte een pen en papier uit de tafellade en schreef een bericht op. Hij stond op en liep, terwijl hij over zijn schouder tegen Jozef sprak, snel in de richting van het huis. 'De kwestie kent geen keer. We zullen morgenochtend zeker worden aangevallen.'

Ondanks het gespannen moment glimlachte Jozef bijna en bedacht dat de oude man hem voortdurend verbaasde. Je kon niet opmaken wat de oude man van plan was. De overtuiging van zijn schoonvader versterkte de vastberadenheid van Jozef om zijn vrouw en ongeboren kind veilig door de op handen zijnde invasie heen te loodsen.

Mozes stond in de deuropening en riep ongeduldig om Jan, een van de Poolse jongens die leveringen en de verzending van berichten voor het huishouden deden. Jan was de slimste en snelste van de jongens.

De magere jongen kwam met een rood gezicht van opwinding aan rennen. 'Ja, hier ben ik!'

'Jan,' beval Mozes. 'Breng dit bericht naar Abraham.' Hij gaf de jongen een klap op zijn rug. 'Snel!' Mozes keek om te controleren of de jongen zijn opdracht uitvoerde en sprak toen tegen Jozef. 'Mijn zoons zullen hier voor het avondmaal zijn.'

Mozes had Jan erop uitgestuurd met de geschreven opdracht aan zijn vijf zoons om de werknemers hun salaris uit te betalen en hen vervolgens naar huis te sturen. Vertrouwde opzieners werden met dezelfde opdracht naar de molens, de opslaghuizen en geldwisselondernemingen gestuurd die door Warschau verspreid lagen. De werknemers moest worden verzekerd dat ze op de hoogte zouden worden gebracht wanneer de zaken van de familie Stein weer zouden worden heropend. Nadat de zoons van Stein de zaken hadden stopgezet en hadden afgesloten, moesten ze onmiddellijk naar het huis van hun vader komen.

Er weerklonk een ijzingwekkende schreeuw van boven.

Jozef voelde zijn pols sneller gaan terwijl hij onhandig uit zijn stoel kwam met een geschokte, angstige uitdrukking op zijn knappe gelaat. Hij staarde naar het slaapkamerraam op de tweede verdieping en fluisterde: 'Ester.'

Ester Gale was de avond ervoor begonnen met de bevalling.

Het gezicht van Mozes trok wit weg, maar hij wees met een vinger naar de stoel en beval zijn schoonzoon: 'Ga zitten. Ik vraag wel na bij de dokter.' Hij verdween snel het huis in.

Jozef volgde met het plan te protesteren maar begon toen maar zenuw-

achtig op een neer te lopen. Hij hield zijn handen zo strak samengeknepen dat zijn knokkels wit zagen. Het had geen zin tegen zijn schoonvader in te gaan. Niet na wat er eerder deze dag was gebeurd.
Toen hij op de terugkeer van Mozes zat te wachten, kwam er een telegram voor Jozef van zijn vader in Parijs.
De lippen van Jozef bewogen terwijl hij het bericht las.

Dringend
Aan: Mozes Stein – Warschau, Polen.
Ter attentie van Jozef Gale
Jozef, verlaat Polen onmiddellijk
via elke mogelijke route.
Oorlog is op handen!
Benjamin Gale – Parijs, Frankrijk

Jozef hield het telegram in zijn hand en sloot een ogenblik zijn ogen. Er klonk een vaag geluid in zijn keel waarna hij hardop sprak. 'Verdorie! Als dat nou eens mogelijk was!' Hij hield het telegram strak tegen zijn borst geklemd en verlangde ernaar met Ester in Parijs te zijn. Na een kort ogenblik begon hij opnieuw te ijsberen.
Toen Mozes terugkeerde op de binnenplaats trok hij bij het zien van het telegram met een vragende uitdrukking op zijn gezicht zijn wenkbrauwen op.
Het hart van Jozef ging als een wilde tekeer. Hij moest eerst weten hoe het met zijn vrouw ging. 'Ester?'
Mozes beantwoordde ijzig de vraag van Jozef. 'Dokter Shoham zei hetzelfde als een uur geleden. De lange bevalling van Ester is normaal bij het eerste kind.'
Jozef volgde Mozes en leunde ongeduldig over hem heen nadat de laatste zich in een stoel had laten zakken. 'Wat heeft de dokter precies gezegd, Mozes?'
Er ontsnapte een diepe zucht aan de lippen van Mozes terwijl hij zijn schoonzoon intens aankeek. Hij had nog nooit een man gezien die zich zo druk maakte over een geboorte. Een paar uur daarvoor had Jozef dokter Shoham zelfs geduwd en dreigend geëist dat de arme man nu een einde zou maken aan de pijn van Ester! Onmiddellijk! Godzijdank was Abe Shoham een vriend van de familie, anders was er ik weet niet wat gebeurd.
Mozes wierp hem een gespannen glimlach toe en klopte hem op de rug. 'Abe vroeg wel of je, gezien je grootte en je kracht, bij hem uit de buurt wil blijven.'

Jozef bood zijn verontschuldigingen aan. 'Sorry, Mozes. Ik weet niet wat me overkwam.'
Mozes wist het wel. Het geluid van de jammerlijke kreten en kreunen van zijn dochter was moeilijk te verdragen. Hij stelde Jozef opnieuw gerust, gedeeltelijk in een poging zijn eigen vertrouwen op te krikken. 'Het zal goed gaan met mijn dochter! Helemaal goed!'
De ogen van Jozef bleven vastgeklonken aan het gezicht van Mozes terwijl hij zich afvroeg of hij de waarheid over Ester te horen kreeg. Mozes keek uitdrukkingsloos en gaf nergens blijk van.
Jozef hield zijn hoofd schuin en luisterde zwijgend. Hij hoorde niets meer.
Gedurende de dag waren de kreten van Ester langzaam afgezwakt en nu waren haar snikken nog maar nauwelijks hoorbaar. Ongeveer elk uur ging haar gekreun over in geschreeuw. Jozef was dodelijk bevreesd voor zijn jonge vrouw en nu had hij het dubbel moeilijk, want het zag ernaar uit dat het Duitse leger hen onder de voet zou lopen.
Jozef overhandigde het telegram aan zijn schoonvader en tastte vervolgens in de zak van zijn overhemd naar een sigaret. Zijn handen waren opmerkelijk rustig gezien zijn bezorgdheid om zijn vrouw. Jozef inhaleerde diep en wierp toen een blik op zijn schoonvader die naar het telegram staarde.
Mozes verhief zijn stem in frustratie. 'Het is te gevaarlijk. Ester kan niet worden vervoerd.'
'Dat weet ik,' antwoordde Jozef die het telegram uit de uitgestrekte hand van Mozes pakte en in zijn zak stopte.
Jozef ging weer zitten en rookte verder. Hij keek weer naar Mozes die vergeten scheen te zijn dat Jozef er was. Het gezicht van Mozes was vertrokken en Jozef vond dat er nu angst in zijn ogen zichtbaar was. Iedere jood in Polen had waarschijnlijk dezelfde uitdrukking, bedacht Jozef. Als Hitler werd losgelaten in Polen met zijn drieënhalf miljoen joden zou dit te vergelijken zijn met een vos in een kippenren.
Jozef die te diep ondergedompeld was in zijn eigen crisis om stil te staan bij de problemen van Polen, vertrok zijn ogen tot spleten terwijl zijn gedachten als een gek tekeer gingen. Nog maar gisteren was hij een jonge man zonder enige zorgen geweest en vandaag was hij van streek door Ester en maakte hij zich ernstig zorgen over haar veiligheid in geval er oorlog zou uitbreken. Hij blies luidruchtig de rook uit langs de zijkant van zijn mond. Hij ging weer zitten terwijl hij zichzelf een hele belangrijke vraag stelde: wat zou hij doen als Polen werd binnengevallen? Het zou min of meer een avontuur kunnen zijn als hij alleen was geweest. Hij zou zich bij de Polen kunnen voegen om te vechten of hij zou op

de vlucht kunnen slaan en terugkeren naar Frankrijk om zich bij het Franse leger te voegen. Dan kon hij vanuit het westen tegen de Duitsers vechten. Maar met een vrouw en pasgeboren kind behoorde vluchten noch vechten tot de mogelijkheden

Jozef vervloekte zichzelf voor de honderdste keer dat hij midden in een Europese crisis Frankrijk had verlaten en naar Polen was gereisd. Hij had de felle toespraken van de Duitse dictator gevolgd en er was geen genie voor nodig om te voorspellen dat Hitler uiteindelijk Polen zou aanvallen. Jozef probeerde zich de redenering te herinneren voor zijn reis waarbij hij in gedachten de redenen afvinkte waarom hij naar Warschau was gegaan: in Parijs had oorlog zo ver weg geleken. Jozef Gale was een man die zijn woord hield. Ester had, bang voor haar eerste bevalling, bij haar moeder willen zijn.

Jozef kon Ester niets weigeren.

Hun huwelijk was een zegen en met elke dag die voorbij ging hielden ze meer van elkaar.

Onder de zachtaardige leiding van Ester was Jozef, tot grote ergernis van zijn moeder, begonnen zijn joodse afkomst te onderzoeken. Natalie Gale had haar best gedaan het kind los te maken van haar joodse tradities maar had daarin volledig gefaald. Jozef grinnikte bij de herinnering aan de verbazing van zijn moeder dat haar schoondochter een sterkere wil bezat dan zijzelf. Terwijl de rustige persoonlijkheid en lieve manieren van Ester de indruk gaven dat ze een vrouw was die makkelijk over te halen was, kwam Natalie er al snel achter dat dit niet het geval was. Ester toonde respect voor haar schoonmoeder en maakte er altijd een punt van zorgvuldig naar haar advies te luisteren. Daarna volgde Ester haar eigen geweten waarbij zij geen acht sloeg op de grove tactieken van Natalie. Voor eens in haar leven stond Natalie perplex, maar haar schoondochter was zo diplomatiek in haar afwijzingen van de eisen van Natalie dat ze over weinig kon klagen zonder over te komen als een grotere feeks dan ze al was.

Jozef was blij dat Ester haar eigen wil had. Hij zou zich hebben verveeld bij een vrouw die op alles en tegen iedereen 'ja' zei.

Toen Ester hem in november verlegen had toevertrouwd dat ze zwanger was had hij een kreet van vreugde geslaakt, haar in zijn armen genomen en haar lippen, haar nek, haar buik gekust.

Jozef glimlachte bijna bij de herinnering aan die gelukkige tijd. Nu hij weer aan zijn dilemma dacht veranderde zijn uitdrukking al snel in een grimas. Door geen acht te slaan op de waarschuwingstekenen die duidelijk op een oorlog wezen had hij Ester en hun ongeboren kind in gevaar gebracht.

Precies op dat moment kwam een van de Poolse dienstmeisjes de keuken uit met een pot koffie en een schaal koekjes. Ze was gestuurd door haar bazin Sara Stein die aan Esters zijde zat. Vreemd genoeg leek het meisje nors, anders dan haar gebruikelijke vriendelijke aard, terwijl ze Mozes op een hatelijke toon vertelde dat er een nieuw probleem was: 'De baby van juffrouw Ester ligt verkeerd. Dokter Shoham probeert de baby in de juiste positie te draaien. Hij zei dat als de baby goed ligt uw dochter binnen een paar uur zal bevallen.'
Denkend aan de pijn die Ester moest ondergaan sprong Jozef overeind. 'Ik moet naar haar toe!'
'Laat vrouwenzaken aan de vrouwen over,' beval Mozes met een vermoeide stem terwijl hij zich schrap zette om zijn schoonzoon zo nodig fysiek tegen te houden. Hij ging staan en plaatste zichzelf tussen Jozef en de ingang tot het huis. Naar zijn mening was de plaats van een bevalling verboden voor mannen, vooral mannen zoals Jozef die hun emoties niet konden bedwingen. 'We hebben gedaan wat we konden door de beste dokter in de stad erbij te halen,' voegde Mozes eraan toe. 'Nu moeten we de rest overlaten aan de dokter, Ester, en,' hij aarzelde een ogenblik, 'God.'
Mozes stond naast de boven hem uittorenende schoonzoon en klopte hem op de rug. Hij wierp zijn schoonzoon een zo goed mogelijke blik van genegenheid toe. Het schoot door Mozes heen dat hij absoluut niets gemeen had met Jozef Gale behalve dat ze beiden joods waren en dat ze beiden van Ester hielden. Mozes nam aan dat dit voldoende voor hem was. Gedurende de afgelopen maand was zijn inschatting van Jozef veranderd. Ongeacht wat de jongen in Frankrijk was geweest of had gedaan, was hij, nadat hij met Ester was getrouwd, een lankmoedig echtgenoot geworden die volledig toegewijd was aan Ester.
In een poging Mozes te bewijzen dat ze gelijk had gehad wat betrof het huwelijk had Sara hem trots een paar dingen verteld die het meisje haar moeder had toevertrouwd. Mozes was stomverbaasd geweest en had bedacht dat hij nooit eerder een man had gekend die zo van een vrouw hield. Hij zou iedere andere man een dwaas hebben genoemd, maar aangezien deze man de echtgenoot van zijn dochter was, was hij aangenaam getroffen. Het gedrag van Jozef bevestigde alleen maar wat Mozes al wist. Zijn enige dochter werd zelfs buiten haar directe familiekring gezien als een uitzonderlijke vrouw.
Mozes en Sara hadden voor het eerst sinds het huwelijk weer kunnen ademhalen waarbij ze hun onenigheid achter zich lieten in de wetenschap dat er diep werd gehouden van hun dochter en dat ze oprecht gelukkig was.

Zonder het te weten had Jozef de familie van zijn vrouw unaniem voor zich gewonnen.
'Ga de krant halen,' zei Mozes tegen het dienstmeisje. Met het idee om de gedachten van zijn schoonzoon ergens anders op te richten leidde hij Jozef terug naar zijn stoel en overhandigde hij hem een pen. 'Jozef, je moet je vader een antwoord sturen. Hij zal zich zorgen maken om je veiligheid.'
Jozef knikte instemmend omdat hij wist dat zijn familie in Parijs in doodsangst moest verkeren. 'Je hebt gelijk, Mozes.'
Mozes schoof ongemakkelijk op zijn stoel bij de gedachte aan wat hen te wachten stond. 'Wie weet wanneer de communicatielijnen worden afgesneden?'
Jozef, die afging op de laatste persberichten van de Franse regering twijfelde er niet aan dat als Hitler Polen aanviel, Frankrijk Duitsland zeker de oorlog zou verklaren. Omdat hij Jacques zo goed kende wist Jozef dat zijn broer een van de eersten zou zijn om een Frans uniform aan te trekken. Zijn ouders zouden het moeilijk hebben met een zoon in het leger en een andere zoon die in de val zat in Polen. Terwijl hij daaraan dacht schreef Jozef de woorden waarvan hij wist dat zijn paniekerige familie die nodig moesten horen.

Dringend
Aan: Benjamin Gale – Parijs, Frankrijk
Ester op het punt te bevallen. Onmogelijk om Warschau te verlaten. We keren zo snel mogelijk terug. Maak je geen zorgen. We zijn veilig.
Jozef Gale – Warschau, Polen.

Nadat het telegram verstuurd was begon Mozes weer met de radio te spelen, maar er werd alleen voortdurend herhaald wat ze al hadden gehoord.
Jozef bleef roken en ijsberen terwijl hij zijn oren gespitst hield op de slaapkamer van zijn vrouw. Hij besloot dat als Ester deze zware dag doorkwam hij erop zou staan dat ze hierna geen kinderen meer zouden krijgen. Eén kind zou genoeg zijn. Eenmaal terug in Parijs zou hij het beste medische advies inwinnen en ervoor zorgen dat Ester nooit meer in zoveel gevaar zou worden gebracht. Het baren was eenvoudigweg te riskant.
Beide mannen zwegen, ieder bezig met zijn eigen problemen.
Toen hij het geluid van stemmen hoorde rende Jozef over het stenen pad naar de achterdeur van de villa. Hij herkende de stemmen van de zoons van Mozes en riep: 'We zijn op de binnenplaats.' Jozef wachtte bij de

deur en begroette zijn zwagers ernstig. 'Gershom, heb je nog nieuws? Daniël, goed je te zien.' Hij knikte. 'Abraham. Israël. Eilam.' Jozef die toekeek hoe zijn zwagers hun vader omarmden staarde gefascineerd naar de gebroeders Stein.
Net als hun vader zagen alle vijf mannen er doorsnee uit. Ze waren van gemiddelde lengte en bezaten een slank beenderstelsel in tegenstelling tot de lange, gespierde en knappe Jozef. Hij had Abraham, Eilam en Daniël het jaar ervoor tijdens zijn huwelijk ontmoet en had destijds hun opvallende overeenkomst met elkaar opgemerkt. Toen hij en Ester in Warschau aankwamen werd hij voorgesteld aan Israël en Gershom. Ondanks hun lokken was Jozef met stomheid geslagen door het feit dat Israël en Gershom precies op hun drie jongere broers leken. En alle vijf broers zagen er bijna net zo uit als hun vader wanneer men zijn leeftijd en het feit dat hij geen haar meer had buiten beschouwing liet. Wat nog desoriënterender voor Jozef werkte, waren de gelijke stemmen; zacht, ingehouden, doch zelfverzekerd. Dit waren mannen die duidelijk gewend waren aan het respect van hun gelijken. Wanneer Jozef met alle zes mannen samen in een kamer was had hij vaak het gevoel dat hij in een huis vol spiegels zat; het was een surrealistische ervaring.
Op het eerste gezicht leken de broers gemiddeld in uiterlijk, met een lichte huidskleur, bruin haar en donkere ogen, maar een nauwkeurige blik onthulde de gevoelige gezichten van wijsgeren. Jozef had ontdekt dat, hoewel ze hun vader hadden gevolgd in lucratieve zaken, alle broers een opleiding hadden gevolgd op de beste scholen in Warschau en dat ze allen bovengemiddeld intelligent waren.
Daar ging zijn mening over de Poolse joden. Net als de Fransen had Jozef altijd het idee gehad dat Polen een achtergebleven gebied was dat werd bevolkt door onwetende boeren. Het land was achtergebleven in vergelijking met Frankrijk, maar toch was Jozef aangenaam verrast geweest en vervuld geraakt met enig ontzag voor de joodse intellectuele gemeenschap die in Warschau bloeide. Hij ontdekte al snel dat de familie van zijn vrouw in hoog aanzien stond binnen die gemeenschap.
Jozef had weinig contact gehad met de Poolse katholieke bevolking die in het land overheerste en de politieke macht bezat. De joden waren nog altijd tweederangs burgers en het land had nog een lange weg te gaan voordat de Poolse joden gelijkgesteld zouden zijn met de algemene bevolking, zoals in Frankrijk. De familie Stein sprak zelden over de onrechtvaardigheden die de Poolse joden generaties lang onverstoorbaar hadden ondergaan, maar Jozef kon makkelijk zien dat er een tragische scheiding bestond in de Poolse bevolking. De joodse en christelijke ge-

meenschappen van Polen waren als twee aparte naties van mensen die het terrein van de ander niet durfden te betreden. Van wat hij had gehoord en gezien had Jozef het gevoel gekregen dat de Poolse katholieken hun joodse bevolking haatten en hen behandelden alsof ze indringers waren in het land waarin ze zevenhonderd jaar hadden geleefd. Jozef had een wee gevoel dat als de Duitsers het land inderdaad binnenvielen, de joden van Polen geen hulp van hun eigen landgenoten zouden krijgen.
Hij dacht aan de verontrustende verandering in de stem van het Poolse dienstmeisje dat verslag had uitgebracht over de toestand van Ester. In de korte tijd dat hij bij de familie Stein was, was Jozef getuige geweest van een volledige ommekeer in de houding van de dienstmeisjes. Nu wist hij waarom. De werknemers van de familie Stein, die geloofden dat de Duitsers Polen zouden veroveren en de joden zouden verjagen, stelden zich steeds vijandiger op tegenover hun werkgevers.
Jozef zag niet voor de eerste keer sinds hij in Polen was wat voor geluk hij had gehad in Frankrijk te zijn geboren, waar het antisemitisme was afgenomen sinds de tijd van Napoleon, die de joden volledige rechten binnen de Franse maatschappij had verleend.
Hij richtte zijn aandacht weer op Mozes en de vijf zoons. Ze stonden in een cirkel rond hun vader, klaar voor zijn instructies. Mozes was de wet in het huishouden van de familie Stein. Wanneer Mozes een kamer betrad ging ieder familielid uit respect staan. Niemand ging weer zitten zolang Mozes niet ging zitten. Daniël, de brutaalste en jongste zoon, was zo bang dat zijn vader zou ontdekken dat hij rookte dat hij heel veel moeite deed om zijn tabak te verbergen.
Het was duidelijk dat Mozes Stein door zijn kinderen zeer werd geliefd en gerespecteerd.
'Papa, wat nu?' vroeg Gershom.
Mozes sprak met een zachte, maar bevelende stem. 'We hebben veel te doen,' zei hij tegen zijn zoons.
Jozef keek met verbazing toe hoe Mozes voor zijn ogen veranderde. Het bleke gelaat van Mozes werd donkerder en zijn ogen werden inktzwart. Mozes herhaalde zijn woorden. 'We hebben veel te doen, te veel.' Hij wees naar de radio terwijl hij met zijn hand naar Israël gebaarde hem uit te zetten. 'Kom nu naar binnen,' beval hij.
Mozes liep kordaat voor hen uit en toen ze eenmaal in de bibliotheek waren keerde hij terug naar de hal en keek heen en weer om er zeker van te zijn dat er geen bedienden in de buurt waren. Hij kwam de kamer weer binnen en ging achter zijn grote houten bureau staan. Hij zei tegen Daniël dat hij de deur moest sluiten en vergrendelen.
Iedereen was nieuwsgierig en in afwachting van wat Mozes te zeggen

had. Uit attentheid voor Jozef sprak Mozes Frans, een taal die alle leden van de familie Stein begrepen. ‘Ga allemaal zitten.’
Ze namen plaats.
Zijn stem klonk gehaast maar helder. ‘Ik hoef jullie niet te vertellen wat jullie al weten. Polen zal worden aangevallen door Duitsland. Als het niet morgen is, dan wel volgende week, als het niet volgende week is, dan wel de week daarna. En ondanks ons dappere leger zal Polen verliezen. Dit zal niet lijken op de eerste oorlog. De Duitsers zijn nu vastberadener en beter uitgerust dan toen.’ Hij schudde langzaam zijn hoofd en wreef met zijn hand over zijn kin. ‘En gemener. Tijdens de laatste bezetting kende ik een paar Duitsers. Ze waren niet zo slecht en hadden niets tegen joden. Op veel manieren waren ze onze vrienden en ontmantelden ze veel van de wrede verordeningen die de Russische bezetters hadden opgelegd. Maar nu koesteren de Duitsers andere gevoelens ten aanzien van joden. Het lijkt alsof de Duitse soldaat onder hun gekke leider bewijst buigzaam te zijn en makkelijk te vormen is door die mannen die de wensen van Hitler tot op de letter volgen.’ Hij schudde bedroefd zijn hoofd. ‘Ik vrees dat we getuige zullen zijn van een Duits verval tot het kwaad. En de nazi’s zullen, als wat er in Oostenrijk en Tsjecho-Slowakije is gebeurd een voorbeeld is, met een sinister plan voor de joden komen.
De Poolse regering zegt dat we hen tegen kunnen houden tot de Britten of Fransen komen. Ik ben het daar niet mee eens. Onze bondgenoten lijken onvoorbereid te zijn. We zullen een poosje moeten wachten voor we een Britse of Franse soldaat zien. We vechten misschien een dag, of een week, maar wat er ook gebeurt, winnen kunnen we niet.’ Zijn stem daalde. ‘Paarden kunnen geen tanks verslaan. Na het Duitse leger komt de Gestapo. We zullen niet veel tijd hebben om ons voor te bereiden.’
Het schoot door Jozefs hoofd dat er ten minste één jood in Warschau was die begreep wat Hitler van plan was.
Mozes pauzeerde en keek ieder van zijn zoons recht in de ogen en wierp vervolgens een blik op Jozef. Hij trommelde met zijn vingers op zijn bureaublad. ‘Ik heb een koper voor de zaak.’
De vijf zoons knipperden vol verrassing met hun ogen en een paar verschoven in hun stoel, maar geen van hen nam het woord.
Jozef werd overvallen door een verschrikkelijke gedachte. Plotseling begreep hij dat hij getuige was van een levenswijze die op het punt stond uiteen te vallen. Als de voorspellingen van zijn schoonvader waarheid werden, zou er nog niet eens een schaduw overblijven van de joodse cultuur in Polen.
Mozes legde het uit. ‘Als de Duitsers eenmaal een regering hebben in-

gesteld, zullen de joodse banktegoeden worden bevroren en, wat nog belangrijker is, zullen alle joden hun zaken kwijtraken, net zoals dat gebeurde in Duitsland, Oostenrijk, Tsjecho-Slowakije en het Rijnland. Het is beter te verkopen en winst te maken dan ze ons alles te laten afpakken. De koper zou vanavond komen maar door al dit gepraat over oorlog zal ik hem later moeten zien.' Mozes bracht zijn vingers naar zijn gezicht en maakte een kuiltje in zijn lippen voor hij eraan toevoegde: 'Wat we nu gaan doen is al het geld uit onze zaken halen en er goud en diamanten voor kopen. En morgen zal ik onze bankrekeningen opzeggen.' Bij het zien van de aangeslagen gezichten van zijn zoons verzekerde hij hen: 'Na de oorlog bouwen we alles weer op en beginnen we opnieuw.'

Na de oorlog! Jozef werd geraakt door de zekerheid in de stem van Mozes Stein. Niet alleen dat, maar ze waren joden die in de val zaten in een land waar de mensen joden haatten, omgeven door een buitenlands leger dat klaar stond om hen te vernietigen. Op dat moment wilde Jozef overal ter wereld zijn behalve in Polen. Hij voelde hoe het zweet hem uitbrak.

Mozes keerde de anderen de rug toe en draaide tot ieders verbazing een van de boekenkasten open. Achter de boekenkast bevond zich een geheim paneel dat in de muur was gebouwd.

Jozef wisselde een blik met Daniël. Daniël haalde zijn schouders op. Hij wist van niets.

Mozes ging druk in de weer met het slot en trok vervolgens per twee stuks zakken tevoorschijn tot er acht zakken op het bureau opgestapeld lagen. Even flitste er een uitdrukking van trots over zijn gezicht. 'Dit,' zei hij, 'zal onze levens redden.'

Er klonk een geroezemoes van opwinding toen Mozes de zakken opende en er gouden munten en talloze diamanten zichtbaar werden.

'Ik zal jullie een verhaaltje vertellen. Het leven van mijn vader werd gered door een gouden munt. De soldaten van de tsaar waren inhalig en zouden voor geld een leven sparen. Mijn grootvader had vooruitgedacht en jarenlang gespaard voor de volgende pogrom. Toen de vervolging van de joden begon had hij tien gouden munten. Twee voor de kinderen, een voor zichzelf en zijn vrouw met nog zes munten om een nieuw leven te beginnen. Met die gouden munten kocht hij de soldaten om waardoor hij de weg vrij maakte om naar Polen te gaan.'

'Pa, hebben we zoveel nodig?' vroeg Daniël met een stem vervuld van ontzag door de rijkdom die voor hem uitgespreid lag.

Het was duidelijk dat Mozes al geruime tijd had stilgestaan bij de Duitse dreiging. 'Wie weet? Misschien duurt de Duitse bezetting langere tijd.

Misschien zijn onze levens in waarde gestegen.' Zijn ogen flikkerden vastberaden en zijn stem verhardde toen hij zijn zoons beloofde: 'Maar wat de prijs ook mag zijn, de familie Stein zal overleven!'

Enkele uren later dienden drie Poolse dienstmeisjes koude plakken vlees op voor het huishouden van de familie Stein. Jozef probeerde een kleine plak rundvlees maar het eten bleef in zijn keel steken. Hij was eerder de kamer uitgeglipt om te controleren hoe het met Ester ging en had te horen gekregen dat de dokter de baby met succes had weten te draaien. Het zou niet lang meer duren voor zijn kind zou worden geboren. Over niet al te lange tijd zou hij zijn geliefde Ester zien.
Na hun eerdere ontmoeting had Mozes Abraham opdracht gegeven de radio mee te nemen naar de bibliotheek. Tijdens de maaltijd speelden de stations onafgebroken het Poolse volkslied. Na dertig minuten kwam er een verslaggever tussendoor met de belofte dat er spoedig meer nieuws zou volgen. Na de maaltijd bleven de zeven mannen bij de radio wachten op het laatste nieuws over de Duitse troepenbewegingen.
Om acht uur kwamen er ontmoedigende berichten: 'Bendes Duitse criminelen zijn de Poolse grens overgetrokken en vallen douaneposten aan!'
Om negen uur kondigde een troosteloze stem aan: 'Gemotoriseerde colonnes naderen de Poolse grens.'
Om tien uur kondigden opgewonden verslaggevers het onverwachte aan: 'De Duitse opmars is tot staan gekomen! Polen zal voor eeuwig leven!'
Het radiostation begon opnieuw het Poolse volkslied te spelen.
Mozes zetten het toestel uit.
De zeven mannen speculeerden opgewonden en vroegen zich af of de ferme verklaringen van ambassadeur Henderson van Groot-Brittannië en ambassadeur Coulondre van Frankrijk de nazi-agressor een halt hadden toegeroepen.
Jozef vroeg zich af of dit mogelijk was. Zouden ze op het laatste moment gered zijn? Hij stond zichzelf toe aan Parijs te denken en voelde een flits van verlangen: hoe hij en Ester hun kind in een kinderwagen over de trottoirs van Parijs voortduwden.
Daniël onderbrak dit prachtige beeld door zijn zwager persoonlijk te danken voor de Franse interventie. 'Benjamin Gale moet een belangrijk man in Frankrijk zijn om de Franse regering over te halen met oorlog te dreigen om zijn zoon te redden!'
Jozef lachte opgelucht en haalde gekscherend uit naar zijn zwager. Daniël tilde zijn armen op en daagde Jozef uit en de twee mannen balden hun vuisten voor een gefingeerde bokswedstrijd.

‘Hij slaat je nog dood, Daniël,’ zei Israël plagend.
De gespannen sfeer verliet het huis net zo plotseling als hij was gekomen.
Mozes glimlachte, voor het eerst in twee dagen. Zelfs hoewel hij voelde dat de aanval alleen maar was uitgesteld kon hij zich nu even ontspannen, wat hij zo nodig had. Hij zou meer tijd hebben voor de voorbereidingen op het kwaad waarvan hij wist dat het zou komen.
‘De Duitsers zijn gestopt,’ herinnerde Mozes hen, ‘voor nu. Maar ze zijn niet weggegaan. Nu we hun waarschuwing hebben gehoord, zullen we ons klaarmaken. We moeten eten en ruimschoots water verzamelen. We kunnen een deel van de voorraden hier opslaan en een gedeelte in het appartement van Abraham.’
De mannen van de familie Stein begonnen plannen te maken voor de volgende dag.
‘We zullen niet de enige joden zijn die op zoek zijn naar voorraden,’ zei Daniël. ‘We moeten ons in groepen opsplitsen en niet naar slechts één markt gaan.’
Mozes was het met hem eens en gaf instructies. ‘Abraham en Eilam zullen naar de Gesia- en Twardastraat gaan. Israël en Gershom, jullie gaan naar de open markten op het Grzybowski- en het Zelazna Bramaplein. Daniël, jij gaat met onze vriend naar Towarowa. Kijk of Farbstein extra leveringen kan garanderen als we worden belegerd.’ Hij pauzeerde even voor hij verder ging. ‘Bied wat nodig is.’
Mozes herinnerde zich zijn schoonzoon. ‘Jozef, aangezien jij geen Jiddisch spreekt en weinig Pools begrijpt blijf jij in het huis bij de vrouwen.’
Jozef bloosde. Hij wist dat hij geen enkel idee had hoe hij iets in de stad moest vinden of hoe hij met Poolse joden moest onderhandelen, maar hij was een man die niet gewend was zacht te worden behandeld, als een vrouw. ‘Nee,’ zei hij beslist. ‘Ik ga met Daniël mee. Ik kan laden en slepen.’
‘Goed.’ Mozes glimlachte naar zijn schoonzoon, tevreden met zijn reactie. Bovendien was geen van zijn zoons zo sterk als Jozef. Hij zou een grote hulp zijn.
Na een poosje braken de broers op met de mededeling dat ze naar hun gezinnen moesten. Ze zouden in de ochtend terugkeren om Jozef op te halen en zich te wijden aan de zaken ter voorbereiding op de oorlog.
Op het laatste moment herinnerde Gershom zich dat zijn zuster aan het bevallen was. Op elk ander moment zouden de broers Jozefs spanning over het welzijn van Ester hebben gedeeld. Nu de Duitsers op het punt

stonden aan te vallen waren ze hun jonge zuster vergeten. 'En Ester?' vroeg hij.
'Het kan elk moment gebeuren,' vertelde Jozef hen. 'Dokter Shoham zegt dat de baby niet lang meer op zich zal laten wachten.'
Abraham grijnsde naar Jozef terwijl hij zich herinnerde hoe hij zich had gevoeld bij de geboorte van zijn eerste kind. 'Jozef, vergeet gewoon niet dat de zorgen die je nu hebt niets zijn vergeleken bij de zorgen in de komende jaren!' Hij sloeg Jozef op de rug en zei plagend: 'Je zorgen zijn nog maar net begonnen, broer!'
'Bedankt daarvoor, Abraham,' zei Jozef met een vreemd geluid dat maar weinig leek op de lach die hij had willen uiten. 'Ik had er geen idee van dat je zo sentimenteel was!'
Het huis leek groot en stil toen de mannen weg waren.
Mozes en Jozef bleven in de bibliotheek en zeiden weinig terwijl ze zaten te wachten op nieuws over Ester.
Om elf uur hoorden ze de voordeur dichtslaan en kwam een hologige Sara Stein de bibliotheek binnenstrompelen. 'De dokter is naar huis gegaan,' vertelde ze hen. 'Hij zei dat hij zijn best zou doen in de ochtend langs te komen.'
Jozef verstijfde. Zou Ester deze baby dan nooit krijgen? Hij sloeg zijn handen ineen en beloofde zichzelf dat hij sterk zou zijn.
Sara glimlachte naar haar schoonzoon. 'Ester rust.' Ze keek met weemoedige genegenheid naar Jozef voor ze aankondigde: 'Jozef, je hebt een prachtige dochter.'
Mozes en Jozef sprongen op uit hun stoelen. Jozef had een brede grijs op zijn gezicht. Mozes strekte zijn hand uit om die van zijn schoonzoon te schudden, die erbij stond alsof hij plotseling verlamd was geraakt. 'Gezegend zijt Gij, Heer onze God, Heerser van het universum, die goed is en goed doet,' reciteerde Mozes. Hij sloeg Jozef twee of drie keer achterelkaar op de schouders en haastte zich toen naar de boekenkast, rukte een van de onderste laden open en haalde snel een fles goede, rode wijn tevoorschijn. Hij zwaaide met de fles in de lucht terwijl hij zijn schoonzoon orders gaf. 'Ga! Ga naar je vrouw! Ik zal de wijn inschenken voor de viering.'
Jozef ging met twee treden tegelijk de trap op.
Het was donker en drukkend in de kamer en hij kon de geuren van de bevalling ruiken. Hij ging op de tast naar het bed terwijl zijn ogen zich langzaam aanpasten aan het kaarslicht in de kamer. Ester lag te slapen en haalde oppervlakkig adem. Ze zag er bleek maar lieflijk uit. Jozef dacht dat niets haar schoonheid kon aantasten, zelfs niet vierentwintig uur van verpletterende pijn. 'Mijn liefste, je hebt zo hard gewerkt.' Hij

leunde over haar heen en kuste licht haar voorhoofd terwijl zijn grote handen teder haar wang streelden.
Ester opende haar ogen en trok een grimas in een poging tot een glimlach. Haar stem klonk zo zwak dat Jozef zijn hoofd naar haar toe moest buigen en zijn oor tegen haar lippen moest leggen. 'Heb je haar gezien?'
'Nog niet, mijn liefste,' antwoordde hij. Jozef richtte zijn aandacht op het kleine bundeltje naast Ester. Hij wilde zijn dochter zo wanhopig graag in zijn armen nemen, maar was bang dat hij haar door zijn trillende handen zou laten vallen. Hij duwde de witte katoenen stof weg van het gezicht van de baby.
Jozef hoorde zichzelf naar adem happen in de stilte. Het kind was niet groter dan zijn hand en absoluut lieflijk. Op dat moment gaapte ze en vormde haar mond een perfecte O. Daarna leken haar ogen zich te richten op zijn gezicht en Jozef had kunnen zweren dat ze sereen naar hem staarde alsof ze wist dat hij haar vader was, haar beschermer. Hoewel hij tegen zichzelf zei dat zijn dochter veel te jong was om te begrijpen wat ze zag voelde Jozef tranen in zijn ogen opwellen.
Jozefs lippen trilden toen hij naar zijn vrouw glimlachte en zocht naar de woorden die zijn emoties konden weergeven maar bedacht dat zijn vocabulaire geen woorden bevatte voor deze taak. Uiteindelijk sprak hij met een hese stem. 'Ester. Ze is volmaakt, net als haar moeder.' Opnieuw veegde Jozef zijn hand over zijn gezicht. 'Nu, mijn liefste, heb ik twee mooie vrouwen om van te houden!'
Ester glimlachte en viel in slaap met haar hoofd rustend op zijn arm.
Vervuld van ontzag door de liefde die hij voor deze vrouw voelde en voor het kind dat zij hem had geschonken, kon Jozef Esters zijde niet verlaten. Urenlang keek hij naar Ester en de baby terwijl ze lagen te slapen en beloofde zichzelf dat diegenen van wie hij meer hield dan van zijn eigen leven geen kwaad zou overkomen. Hij onderhandelde met God en sloot een overeenkomst met de Meester van het Universum met de plechtige eed terug te keren naar het joodse geloof in ruil voor de veiligheid van Ester en zijn baby. Omdat hij dacht dat God hem wellicht onwaardig zou vinden en deze overeenkomst niet aan zou willen, fluisterde hij tegen zichzelf: 'Als God geen belangstelling heeft voor het terugwinnen van Jozef Gale voor het joodse geloof, dan zal ik sterven om mijn gezin te redden.'
Gedurende die lange nacht liet Jozef eindelijk zijn zorgeloze, jeugdige manieren achter zich en nam hij de angstaanjagende verantwoordelijkheden op zich van een man die wordt geconfronteerd met de grootste crisis in zijn leven. Daar was het waar het volwassen worden van Jozef Gale werd voltooid.

Zijn schoonvader wachtte geduldig in de studeerkamer in de wetenschap dat hij vergeten was. Hij verlangde ernaar zijn dochter en nieuwe kleindochter te zien, maar hield zich in omdat hij een zeer persoonlijk moment niet wilde verstoren.
Sara trok zich terug. 'Roep me als ik nodig ben,' zei ze tegen haar man.
Sara Stein ging ondanks de gedenkwaardige gebeurtenissen zorgeloos naar bed met volledig vertrouwen in haar mans vermogen hun familie te beschermen.
Slokje voor slokje dronk Mozes de hele fles wijn leeg en werd voor het eerst in zijn leven dronken. In zijn benevelde toestand werd hij heen weer geslingerd tussen geluk en angst, tussen opluchting en realiteit. Mozes voelde duidelijk dat er gevaar te wachten stond voor zijn familie. Hij bad tot God en vroeg Hem om de kracht de komende strijd te strijden om zijn geliefden veilig te kunnen houden voor het aanstaande gevaar. Met trillende kin herinnerde hij God aan zijn gelovige leven. 'Ik ben een goede jood, God,' mompelde hij. 'Laat ons nu in leven. Meer vraag ik niet. Laat ons alleen maar leven.'

4 Oorlog

26 augustus 1939 om 01:30: Nadat Hitler de invasie van Polen had afgelast zat hij zwaarmoedig achter zijn bureau in de Rijkskanselarij. Hij was geschokt dat de Britten en Fransen over Polen een oorlogsultimatum hadden gesteld. Lang geleden was Hitler tot de conclusie gekomen dat de Britse en Franse politici mannen van geschriften waren en konden worden geïntimideerd tot het aanvaarden van zijn wereldvisie. Had hij zich misrekend? Hitler ging prat op zijn griezelige vermogen karakters te beoordelen en acties te voorspellen.
De koerier had nog een verrassende klap gebracht: Mussolini, zijn Italiaanse As-partner, was zijn vastberadenheid kwijtgeraakt en vroeg zich nu af of het wel nodig was Polen aan te vallen!
Aan de vooravond van de oorlog stond Hitler waarlijk alleen.
Naarmate hij steeds opgewondener raakte besloot hij dat het jodendom de schuld had! De joden hadden te veel invloed op de Britten! Hitler staarde naar de klok. Hij werd nog woedender omdat het al zo laat was. Als de joden er niet waren geweest, had zijn leger nu in Polen gestaan! In een van zijn karakteristieke woedeaanvallen krijste Hitler in een lege kamer: 'Niets zal me weerhouden van een aanval op Polen!'
Totaal niets.

Voordat hij zijn broek optrok wierp Jozef Gale een blik op zijn horloge. Het was vrijdagochtend, 1 september, vier uur. Hij had geprobeerd te slapen maar met redding zo dichtbij was het onmogelijk geweest om te slapen. Hij had besloten om, in plaats van Ester te storen met zijn rusteloze heen en weer gedraai, op te staan en te wachten op de zonsopgang. Jozef wilde dat de uren voorbij gingen als seconden, maar de tijd leek stil te staan.
Zou de dag nooit aanbreken?
Terwijl hij zijn overhemd dichtknoopte en zijn haar kamde dacht Jozef aan de Duitsers, waarbij hij zich afvroeg wat de mannen van de befaamde Wehrmacht aan het doen zouden zijn. Jozef kreeg plotseling een onwelkom beeld van de blonde strijders van Hitler met hun glan-

zende, stalen helmen en hun stampende laarzen marcherend over het groene, rustige land dat Polen heette.
De afgelopen zes dagen waren de oorlogsactiviteiten bijna volledig gestopt en hadden de dreigende nazi's eenvoudig langs de Poolse grens gezeten.
Hun sinistere stilte had de Polen gek gemaakt.
Maar in de ambassades en departementen in heel Europa was het allesbehalve stil geweest. Uitzinnige politici hadden zich naar conferenties gehaast, verdragen gesloten, verdragen verbroken, gevloekt, samengespannen en ten slotte opgegeven in een allesvernietigende ineenstorting, waarbij ze Polen achterlieten op de weg van de grootste oorlogsmachine die de mens ooit gekend had. De avond ervoor had radio Warschau het laatste, rampzalige nieuws uitgezonden: de Duitse dictator weigerde een compromis en de Britten en Fransen hadden vrede nagenoeg opgegeven, hoewel ze de dictator herhaaldelijk waarschuwden dat oorlog onvermijdelijk was als hij Polen aanviel.
Gezond verstand vertelde Jozef dat niets minder dan een volledige overgave aan de buitensporige eisen van Hitler de Duitse heerser zou bevredigen. Hoewel Jozef er zeker van was dat Hitler het Duitse volk verkeerd inlichtte om weer een oorlog te beginnen, was het duidelijk dat hij geen excuus nodig had om zijn buren aan te vallen: de goede mensen van Oostenrijk en Tsjecho-Slowakije konden dat feit betuigen. Als excuus om troepen naar Oostenrijk te sturen had Joseph Goebbels, de propagandaminister van Hitler, het Duitse volk voorgehouden dat het Duitse Oostenrijk door Duitsland van chaos was gered, dat er werd gevochten in de straten van Wenen! Later, toen Hitler had besloten Tsjecho-Slowakije binnen te vallen kregen de Duitse burgers nog meer leugens te horen. Goebbels bracht informatie naar buiten dat Tsjecho-Slowakije zonder de assistentie van het grootse Duitse volk uiteen zou vallen. Om die reden moest Tsjecho-Slowakije worden bezet!
De waanzin van Hitlers wereldvisie hield in dat het slachtoffer werd beschuldigd door de dader.
De tijd liep ten einde voor Polen. En terwijl Polen zeker was gedoemd had Jozef nog maar een paar uur van vrede nodig om zijn gezin in veiligheid te brengen. Hun tassen waren gepakt en alles was geregeld. Ze zouden dit met oorlog bedreigde land met een paard en wagen verlaten. De mannen die Mozes had ingehuurd om hen Polen uit te brengen kwamen op het middaguur. Het Duitse Derde Leger had de westelijke grenzen van Polen afgesloten, dus moesten ze oostwaarts gaan. De afgelopen paar dagen had Jozef de kaart net zo lang bestudeerd tot hij de route uit zijn hoofd kende: hij zou Ester en Mirjam via de Sovjet-Unie

naar Turkije brengen en van daaruit per boot naar West-Europa. Het zou een gevaarlijke reis worden, maar er was geen andere keuze.
Jozef keek voor een tweede keer op zijn horloge en trok de kanten gordijnen opzij waarna hij zijn voorhoofd tegen het koude glas drukte en vergeefs naar de lege straat staarde. Het was een donkere en angstaanjagende nacht. Hij spande zich in om een veelbetekenende glimp van de opkomende zon op te vangen voor hij een bezorgde zucht slaakte.
Hij probeerde het gevoel van noodlot dat hem, ondanks de precies geplande ontsnapping, bleef bestoken van zich af te schudden terwijl hij zachtjes de kamer verliet en de trap afging naar de keuken waar hij zijn schoonvader alleen achter de keukentafel aantrof. Mozes was geconcentreerd bezig het geld uit te tellen dat hij dacht dat Jozef nodig had om de Russische en Turkse ambtenaren om te kopen.
Jozef begroette zijn schoonvader. 'Mozes. Goedemorgen.'
De oude man beantwoordde zijn groet met een lichte knik van zijn hoofd terwijl hij doorging met zijn berekeningen. Er lag een hoge stapel Poolse zloty's op de tafel.
Nadat hij een kop koffie voor zichzelf had klaargemaakt glipte Jozef op een stoel en begon hij zijn schoonvader te bestuderen. De voorgaande week had een zware tol geëist van Mozes. Zijn ogen waren bloeddoorlopen en zijn gezicht was bleek. Hij zag er uitgeput uit. Jozef wist echter dat hoe lichamelijk uitgeput hij ook mocht zijn, niets de felle wil van Mozes om zijn familie te beschermen had verpletterd. De ontsnapping op het nippertje van Polen op 25 augustus had Mozes vleugels geschonken!
De oude man had wonderen verricht tijdens de week uitstel. Hij had de molens aan een rijke Pool verkocht die dacht dat de Duitsers hem zijn zaken zouden laten doen aangezien hij katholiek was. De man had de eigendomsaktes van de molens aangenomen en Mozes achtergelaten met een hele bundel zloty's. Mozes had een bankcheque geweigerd en gestaan op uitbetaling in contanten. Dat contante geld was nu gevoegd bij de valuta die Mozes had opgenomen van zijn bankrekeningen, samen met het goud en de diamanten achter het verborgen paneel in de bibliotheek. De zoons hadden de instructies van hun vader opgevolgd en hadden een voorraad eten en water aangelegd. De huishoudelijke werknemers van Mozes waren een week lang bezig geweest om zandzakken op de eerste verdieping van het huis te leggen.
Mozes Stein was een vasthoudende oude man en als iemand de nazibezetting kon overleven, dan moest dat volgens Jozef zijn schoonvader zijn. Ondanks zijn vertrouwen in het vermogen van Mozes om het te redden vond Jozef dat de familie Stein Polen moest verlaten. Jozef had

een sterk gevoel dat Polen over niet al te lange tijd een zeer onaangename plaats zou zijn.
Zijn hand tastte automatisch in de zak van zijn overhemd en haalde een pakje sigaretten tevoorschijn. Hij nam de tijd om een sigaret aan te steken terwijl hij nadacht over wat hij ging zeggen. Jozef keek hoe de rook boven zijn hoofd uitsteeg en toen deed hij, nadat hij zijn keel had geschraapt, nog een laatste poging. 'Mozes. Ga met ons mee. Alleen al omwille van de vrouwen en kinderen.'
Mozes vermeed opzettelijk zijn ogen en schudde langzaam het hoofd. 'Jozef,' wierp hij terug, 'je weet dat ik niet kan vertrekken.'
Jozef inhaleerde de rook diep voor hij het onderwerp opnieuw aansneed. Deze keer raakte hij bezield. 'Maar de nazi's, Mozes, de nazi's...'
'Joden hebben erger overleefd,' antwoordde Mozes toonloos terwijl hij dacht aan de Russische pogroms.
'Maar Ester zal buiten zichzelf van zorgen om jullie veiligheid zijn,' wierp Jozef koppig tegen.
Mozes zweeg lange tijd voor hij zei: 'Jij zult voor Ester zorgen. Ze is jouw vrouw, jouw verantwoordelijkheid. Ester hoort bij haar man en kind in Frankrijk. De familie Stein hoort in Polen.'
Na het bezoek in de zomer was Mozes Stein tot het besef gekomen dat hetgeen hij eens voor onmogelijk had gehouden, nu bewaarheid werd: Jozef hield net zoveel van Ester als Mozes. Zijn dochter was veilig zolang zijn schoonzoon leefde. Die wetenschap schonk Mozes een grote vrede van geest over het welzijn van Ester.
Jozef staarde een volle vijf minuten naar Mozes. Hij tikte zijn as af op de rand van een schoteltje voor hij nog een slok koffie nam. Het had geen zin. Hij wist dat hij Mozes er nooit toe zou kunnen overhalen zijn geliefde Warschau te verlaten. Maar hij maakte zich zorgen dat als de familie Stein niet uit Polen zou vertrekken voor de Duitsers hun paraderende intocht hielden, de familie Polen nooit meer zou verlaten. Ondanks het feit dat hij begreep dat Mozes zijn eigen plan had, wreef Jozef met zijn hand over zijn voorhoofd en mompelde hij met een lage stem: 'Dan zal ik bidden voor jullie veiligheid.'
Wetend dat zijn schoonzoon was grootgebracht als een ongelovige voelde Mozes zich ontroerd. Hij telde het laatste geld en deed elastiekjes rond drie aparte stapeltjes en stapelde ze op voor hij zich tot Jozef wendde. Hij glimlachte vaag en legde toen een hand op zijn schouder, zijn kortaangebonden manier verdwenen. 'Dank je, zoon. Daar ben ik blij om.'
Beide mannen stopten met praten en begonnen te luisteren.
Er klonk een vreemd zoemend geluid in de atmosfeer.

Ze stonden als verstijfd.
Het zoemende geluid werd steeds luider.
'Vliegtuigen?' vroeg Jozef met een verstikte stem.
Mozes zat doodstil te luisteren en te denken. Na een korte pauze fluisterde hij tegen zichzelf: 'Duitsers.' Plotseling trok hij zijn hand weg van Jozef, kwam overeind en rende, met zijn schoonzoon in zijn kielzog, naar de binnenplaats. De mannen stonden zij aan zij naar de lucht te staren en zagen hoe de duisternis van de oorlog Polen bereikte.
De vliegtuigen van de Duitse Luftwaffe leken op zwarte kruisen en de bommen die ze lieten vallen gaven doffe klappen wanneer ze hun doel raakten. Adembenemende explosies, onmiddellijk gevolgd door enorme branden, begonnen de horizon van Warschau op te lichten.
De lichtflitsen beschenen de gezichten van de twee mannen waardoor de uitdrukking van grimmige ontzetting zichtbaar werd.
De oorlog was begonnen!
Hitler had de wereld getrotseerd!
De hoop van Jozef dat hij Ester en hun dochter kon redden, ging in rook op.
Mozes Stein bewoog zijn mond in een poging tegen zijn schoonzoon te zeggen dekking te zoeken maar voor het eerst van zijn leven merkte Mozes dat zijn tong dienst weigerde.
Gek van woede over de Duitse machines die dood en verderf zaaiden over de burgers van Warschau, die zijn eigen vrouw en kind bedreigden, die hun kans op ontsnapping vernietigden, stond Jozef uitdagend in de open lucht en schudde zijn vuist naar de indringers, obsceniteiten schreeuwend tegen mannen die hij niet kende. 'Klootzakken! Verdomde Duitse klootzakken! Loop naar de hel!'
Mozes haastte zich naar binnen om zijn familie te waarschuwen en liet de jongere man alleen achter.
Bittere tranen rolden over zijn wangen en zijn stem brak terwijl Jozef Gale uitschreeuwde: 'Neeeee! Neeee!'

De piloten die hun dodelijke vracht lieten vallen maakten zich niet druk om de burgerbevolking van Polen. Die mannen waren dusdanig geïndoctrineerd dat ze volledig in hun missie geloofden.
Dagen voor de aanval van de Luftwaffe en voordat de Duitse legers Polen binnenvielen had Adolf Hitler zijn generaals toegesproken in een uiterste poging hun afnemende lust tot oorlog aan te wakkeren.
Hitler had met nadruk gesproken en specifieke orders gegeven. 'Sluit jullie harten voor medelijden! Wees wreed! Acht miljoen mensen moeten verkrijgen wat hun recht is en de sterkste heeft gelijk. Jullie moeten

hard en gewetenloos zijn, jezelf wapenen tegen gevoelens van medeleven! Hij die over deze wereld heeft nagedacht weet dat de betekenis ervan ligt in het succes van de beste door middel van geweld.'
Hitlers gevoel voor lotsbestemming was besmettelijk, als een infectueuze ziekte, en vervuilde al snel de volledige Duitse krijgsmacht.
En de Duitse soldaten, als de uitzonderlijke vechters die ze waren, volgden hun orders op.

In Parijs was de familie Gale in de salon bij elkaar gekomen. Tijdens deze emotionele bijeenkomst probeerden ze een plan te bedenken om Jozef, zijn vrouw en baby uit de handen van de Duitsers te redden.
Er werden allerlei wilde plannen voorgesteld.
'Jacques en ik zullen het voetspoor van het Duitse leger volgen,' stelde Michel voor, 'en nemen genoeg geld mee om welke ambtenaar dan ook om te kopen om hen het land uit te krijgen.' Nadat hij het bezorgde gezicht van Rachel had gezien, voegde hij eraan toe: 'Zo mogelijk de hele familie Stein.'
Benjamin Gale sprak zijn veto uit over dat idee. 'Moeten al mijn zoons gevaar lopen? Trouwens, als geld levens kan redden dan is er geen gebrek aan in de kluis van Mozes Stein.'
Jacques vroeg: 'Kan onze regering geen hulp bieden?'
Benjamin schudde mistroostig zijn hoofd. 'Ik denk het niet. Dan is er morgenochtend oorlog. Ik denk dat alle diplomatieke kanalen al ernstig overbelast zijn.'
Een hatelijke Natalie Gale gaf de familie Stein de schuld van Jozefs dilemma. Natalie was zich steeds ongemakkelijker gaan voelen met haar religieuze schoondochter en haar familie. In Frankrijk waren er tekenen dat de golf van antisemitisme, die zijn weg baande vanuit Duitsland, effect begon te krijgen. De dag daarvoor nog was Natalie getuige geweest van een kleine demonstratie tegen immigrantenjoden waarbij de christelijke Franse burgers riepen: 'Frankrijk moet terug aan de Fransen! Joden ga weg!' Dergelijke taferelen versterkten haar idee alleen maar dat er geen goeds uit kon voortkomen wanneer je werd gebrandmerkt als jood. 'Als de familie Stein in Warschau was gebleven waar ze horen,' mopperde ze, 'zou mijn zoon nu veilig in Parijs zitten!'
'Moeder!' sputterde Jacques tegen. 'Zeg zoiets niet.' Hij bracht haar zachtaardig in herinnering: 'Ben je vergeten dat ook wij joden zijn?'
De lach van Natalie klonk gekunsteld toen ze haar afkomst ontkende. 'Joden? Wij zijn geen joden, mijn zoon, we zijn Fransen!'
De mond van Jacques zakte open terwijl hij in stomme verbazing eerst

naar zijn moeder en vervolgens naar zijn vader staarde. 'Waar heeft moeder het over?' vroeg hij verbijsterd.
Benjamin klopte op de hand van zijn vrouw. 'Wees niet te hard voor je moeder, Jacques. Zie je dan niet dat ze van streek is?'
Natalie beloonde haar man met een glimlach, maar er glinsterden tranen in haar ogen. Die avond nog had ze besloten dat van haar drie zoons Jozef haar favoriet was. En nu bevond haar meest geliefde zoon zich in ernstig gevaar.
Terwijl Rachel drankjes inschonk voor haar vader en twee broers vocht ze tegen haar tranen. 'Jozef kan gewond zijn, misschien wel dood terwijl wij hier zitten te praten!' Ze riep jammerlijk: 'En de baby!'
De dag daarvoor nog had Benjamin een tweede telegram ontvangen waarin hem de veilige geboorte van een kleindochter werd gemeld.
Michel keek vol afschuw naar zijn zuster. 'Rachel! Stel die mogelijkheid zelfs niet voor!'
'Het is waar! Het is waar! Zeiden ze op het nieuws niet dat Warschau werd gebombardeerd?' Rachel brak in tranen uit waarbij ze een fles cognac omstootte.
Jacques probeerde zijn zuster gerust te stellen. 'Rachel, je kent je broer. Jozef kan voor zichzelf zorgen.'
Er raceten een miljoen gedachten door het hoofd van Natalie. Ze keek haar man beschuldigend aan. 'Benjamin, ik had toch gezegd dat we de jongens niet moesten laten besnijden. Weet je nog?'
Benjamin wierp zijn handen in de lucht. 'In godsnaam, Natalie!'
'Het is waar! Jozef zal de nazi's er nooit van kunnen overtuigen dat hij geen jood is.' Natalie had, net als de meeste Europeanen, geruchten gehoord dat de Duitsers zo geobsedeerd waren door het opsporen van joden dat ze zelfs volwassen mannen dwongen hun broek uit te trekken om hen te controleren. Haar zoon zag er niet-joods uit, maar bij lichamelijk onderzoek zou hij tot de joden worden gerekend. Natalies boze ademhaling kon in de hele kamer gehoord worden. 'Een handjevol stof betekent meer voor een Duitser dan het leven van een jood,' verklaarde ze. 'En als je naar me had geluisterd, had Jozef nu niet in gevaar verkeerd!'
Benjamin sprong overeind en strekte zijn hand uit naar zijn vrouw. 'Natalie, je bent overspannen.' Zijn stem klonk vastberaden. 'Kom, we gaan slapen.'
Natalie verliet de kamer niet zonder protest. 'Nee!' riep ze uit. 'We moeten een manier bedenken om Jozef te redden.' Terwijl Benjamin haar wegleidde keerde ze zich om. 'Red Jozef,' zei ze tegen Michel en Jacques. 'Laat zijn vrouw en kind achter als het nodig is, maar red Jozef.'
Jacques keek hoe zijn ouders de kamer verlieten. Door de ogen van zijn

moeder begon hij zich steeds ongemakkelijker te voelen. 'Vind je niet dat moeder zich vreemd gedraagt?' vroeg hij. Toen niemand antwoordde, voegde hij eraan toe: 'Er zijn momenten dat moeder elk probleem wijt aan haar joodse verleden.'
Michel vermeed koste wat kost familieruzies. 'We weten niet hoe haar leven vroeger was,' zei hij en pauzeerde toen. 'Maar het lijkt er wel op dat de joodse cultuur die moeder heeft gevormd, haar ook heeft verdreven.'
'Elk leven kent zijn tranen,' zei Rachel bitter.
Jacques keek verbaasd naar zijn zuster. Voor het eerste erkende hij dat het leven van zijn zuster moeilijk was geweest. Rachel werd volledig overschaduwd door haar aantrekkelijke moeder en knappe broers. Jacques had vaak oudere tantes in de aanwezigheid van Rachel wreed horen opmerken hoe jammer het was dat de jongens alle schoonheid en charme hadden gekregen.
Michel keek op zijn zakhorloge en stond op. 'Ik moet naar huis. Abbi verwachtte me al een tijdje geleden.'
Jacques vroeg: 'Ga je bij het leger?'
Michel aarzelde. 'Ik denk het niet. Ik wacht tot ik word opgeroepen.' Hij keek zijn broer doordringend aan. 'En jij?'
'Morgen.'
'Dat dacht ik wel. Het medische corps?'
Jacques lachte even voordat hij in vertrouwen fluisterde: 'Ik denk er niet aan. Ik wil die schoften in de ogen kijken.'
Michel keek bewonderend naar zijn jongere broer. Hij was niet verbaasd, maar voelde toch enige afgunst over het feit dat Jacques zo vrij van angst was. Jozef had diezelfde karaktertrek. Michel, die vier jaar ouder was dan Jacques en vijf jaar ouder dan Jozef, was in stilte en eenzaamheid opgegroeid waarbij hij troost had gezocht in lezen en rustig tijdverdrijf. 'Pas goed op jezelf,' zei hij voordat hij zijn broer omarmde en wegliep.
'Doe Abbi de groeten,' antwoordde Jacques. Toen glimlachte hij. 'En zeg tegen mijn twee neven dat ik hen morgenavond kom opzoeken.'
'Goed.'
Rachel zweeg terwijl ze keek hoe Michel de salon verliet. Toen wierp ze een onderzoekende blik op Jacques voor ze haar hoofd op de speltafel legde en onbeheersbaar begon te huilen.
Jacques wreef zijn zuster over haar nek en rug. 'Maak je je zorgen over Jozef? Hij is een stier! Weet je niet dat Jozef tien Duitsers aankan en zelfs niet eens buiten adem is?' Jacques grinnikte bij de herinnering aan de keren dat Jozef hem een doodschrik had bezorgd.

Ondanks de troostende aanraking en kalmerende woorden van Jacques kon Rachel niet stoppen met huilen. Diep vanbinnen werd ze gegrepen door een angstaanjagend weten dat ze niet kon uitleggen.
Rachel Gale wist dat de nazi's op het punt stonden hun prachtige wereld te verbrijzelen.

5 Het getto van Warschau

Binnen een week na de aanval op Polen spoedde het Duitse leger zich over het platteland naar de buitenwijken van Warschau. De bijna verslagen Poolse krijgsmacht reorganiseerde zich en 160.000 manschappen verdedigden fel hun hoofdstad. De Duitse Blitzkrieg wankelde en kwam tot een halt.
De verbazing van Hitler over de dappere vasthoudendheid van de Polen veranderde in woede. De dictator beval dat naast de luchtaanvallen de ongelukkige stad het doelwit zou zijn van zwaar artilleriegeschut.
Op 17 september viel het Russische leger Polen vanuit het oosten aan. Warschau was belegerd.
Tegen 25 september bereidde Warschau zich, door gebrek aan militaire middelen en voedsel, voor op een overgave. Op die dag voerden de Duitsers hun laatste aanval op de stad uit waarbij ze zo gewelddadig waren dat de doodsbange burgers van Polen dachten dat de Duitsers van plan waren elk levend wezen te vermoorden.
Op 27 september 1939 viel Warschau.
Onder het zingen van *Heilo, Heilo*, hun overwinningslied, marcheerden de mannen van het overwinnende Duitse leger de verwoeste stad binnen.
Voor de 350.000 joodse inwoners van Warschau begon een schrikbewind dat een tragisch einde maakte aan de eeuwenlange accumulatie van joodse kunst, educatie en cultuur die Warschau had verrijkt.
De Duitse gewelddadigheid werkte verlammend door de intensiteit ervan.
Hongerende joden werden uit de voedselrijen getrokken.
Joden werden ontvoerd voor dwangarbeid.
Joodse banktegoeden werden bevroren.
Joodse zaken werden gesloten.
Joden boven de tien jaar oud werden gedwongen een witte armband met een blauwe davidsster te dragen.
Joden werd verboden over trottoirs te lopen, openbare plaatsen in te gaan of het openbaar vervoer te gebruiken.
Joden kregen een uitgaansverbod opgelegd.

Er werd een dagelijks rantsoen ingesteld: 2613 calorieën per dag voor Duitsers; 669 calorieën per dag voor Polen; en 184 calorieën per dag voor joden.
Op 16 november 1940 werd het getto van Warschau afgesloten waarbij op doeltreffende wijze 30 procent van de inwoners van Warschau in een leefruimte van 2,5 procent van de stad werd gestopt. In deze stad 'binnen een stad' werkten en winkelden de joden en voerden ze een strijd tegen de hongerdood.
De Tweede Wereldoorlog duurde 2076 dagen. Geen enkele stad in Europa heeft meer geleden dan Warschau en geen enkel volk meer dan de joden.

Februari 1942

Toen Jozef Gale de bakkerij in het getto uitkwam zag hij iets zeer uitzonderlijks. Ongeveer een meter voor de bakkerij stond een uitgemergelde figuur die op een klein laken na naakt was en die in de sneeuw op en neer stond te springen. De huid van de figuur was spookachtig wit en zat strak om de beenderen heen gespannen. Jozef had even de afgrijselijke gedachte dat hij naar een klein skelet keek dat was bedekt met deeg.
Jozef wist dat er iets gebeurde, maar hij wist niet wat en dat baarde hem zorgen. Hij bleef staan om goed te kunnen kijken. Op het moment dat hij stil stond sprong een kleine jongen uit een verstopplaats te voorschijn en trok het brood uit de armen van Jozef. Jozef was zo versteld dat hij schreeuwde: 'Stop! Dief!'
Het kind rende weg. Jozef ging achter hem aan en greep het arme kind bij zijn armen. De jongen vocht als een wild dier en schopte en klauwde terwijl hij tegelijkertijd zoveel mogelijk brood in zijn mond propte. De figuur in het witte laken verscheen plotseling en greep een stuk brood dat hij zijn keel induwde en met grote brokken tegelijk doorslikte. De vreemde figuur in de deken bleek een nog jonge jongen te zijn. Jozef was niet van plan de jongens het brood af te nemen en probeerde hen te kalmeren. 'Stop met vechten! Stop met vechten!' zei hij. 'Ik neem jullie mee naar mijn vrouw. Ze zal warme soep voor jullie maken.'
De jongens dachten dat het aanbod een valstrik was en bleven zich tegen Jozef verzetten.
Er begon zich een menigte te vormen. Jozef besefte snel dat ze in gevaar waren. Hij hield de twee jongen met één arm dicht tegen zich aangeklemd en tastte met zijn vrije hand in zijn zak. Hij haalde een biljet van 50 zloty te voorschijn. Hij hield het geld boven zijn hoofd om er de kinderen mee te verleiden. 'Als jullie stoppen met vechten, koop ik genoeg eten en kleren voor jullie.'

Toen de jongens eindelijk begrepen dat Jozef hen geen kwaad wilde doen, verdween hun wildheid.
Op dat moment kwam een Duitse soldaat de hoek om lopen en zag het drietal.
Het wemelde van de wezen in het getto. De kinderen verkochten eerst hun kleren om eten te kopen en trokken later in groepjes rond om samen om eten te bedelen of het te stelen. Het Duitse opperbevel had dergelijke daden tot ernstige misdaden verklaard en de Duitse soldaat besefte onmiddellijk dat de kinderen dieven waren. Hij besloot de kinderen in bewaring te nemen.
Terwijl hij op Jozef toeliep zwaaide hij vervaarlijk met zijn wapenstok. Zonder iets te zeggen probeerde hij de jongens te slaan.
Jozef trok zich instinctief terug van de man terwijl hij het biljet in een van de verschrompelde handpalmen van de jongens duwde voor hij hen allebei losliet. 'Rennen!' waarschuwde hij hen.
De goede daad van Jozef trok de volle aandacht van de Duitser. De soldaat was woedend. 'Jij!' schreeuwde hij. 'De Duitsers bevelen! Joden gehoorzamen! Jij kunt geen orders geven!'
Jozef hield zijn gezicht met opzet uitdrukkingsloos. Hij haalde zijn schouders op.
De Duitser behoorde tot het bewakingsbataljon van de SS, een soldaat die van nature achterdochtig was en na jaren van toegewijde hersenspoeling door de nazi-partij oprecht geloofde dat de joden smerige, inferieure wezens waren. Terwijl hij naar Jozef keek schoot het door hem heen dat de lange, goed gebouwde man voor hem onmogelijk deel kon uitmaken van het walgelijke joodse ras. Hij keek met samengeknepen ogen naar Jozef. 'Ben jij een jood?' vroeg hij op eisende toon.
'Waarom denk je anders dat ik dit draag?' Jozef wees naar zijn armband met het herkenningsembleem van de joden in Warschau: een blauwe davidster die op een witte band was genaaid.
De nazi liep om Jozef heen terwijl hij dacht dat het knappe uiterlijk en de nette kleren van Jozef een compleet mysterie vormden.
Jozef vroeg zich af of hij de soldaat, die waarschijnlijk 25 kilo lichter was dan hij, kon ontwapenen om vervolgens snel te ontsnappen.
Voor Jozef kon handelen trok de soldaat zijn pistool en riep om versterking. De Duitser vroeg zich af of hij een Poolse smokkelaar had gevangen. Er waren talloze Polen die bereid waren de joden te helpen, voor welke prijs dan ook.
Jozef zat plotseling op de harde grond, omgeven door de Poolse politie. De Duitsers paste een soort metalen instrument rond het hoofd van Jozef om de maten op te nemen. De afmeting en vorm van Jozefs hoofd

kwamen niet overeen met de Duitse richtlijnen voor joodse hoofden, dus besloot de soldaat dat zijn gevangene beslist een smokkelaar was. Op smokkelen in het getto van Warschau stond de doodstraf.
De soldaat keek zelfvoldaan naar een van de Poolse politieagenten. 'Ik had gelijk! Deze man is geen jood!'
Jozef schreeuwde een woedend protest naar de nazi. 'Ik ben absoluut een jood!'
De nazi schudde heftig het hoofd. 'Je bent geen jood!'
De ironie van de situatie deed Jozef in een ironisch gelach uitbarsten. 'Ik zeg je, ik ben een volbloed jood!'
De joden die voorbij liepen konden hun oren niet geloven. Ze hadden een bleke huid en verzonken gezichten en keken met verbazing naar Jozef. Ze hadden niemand in het bezette Polen zichzelf ooit tot jood horen uitroepen of iemand gezien die de moed had lange tijd op zo'n grove toon tegen een Duitser te spreken.
Jozef sloeg het metalen voorwerp van zijn hoofd. Hij sprak met een van gif druipende toon. 'Je gelooft toch zeker je eigen belachelijke propaganda niet.' De Duitse regering had het bizarre instrument jarenlang gebruikt om te bewijzen dat de joden minder intelligent waren dan andere rassen.
De Poolse politieagenten wisselden ongeruste blikken terwijl ze zich langzaam van de gevangene verwijderden. Ze waren verbaasd over het stoutmoedige gedrag van Jozef en verwachtten ten volle dat hij door de nazi-soldaat neergeschoten zou worden.
De ogen van de nazi glinsterden van nieuwsgierigheid en hij dacht dat hij hier misschien winst uit kon halen. Deze man zou hem naar andere, belangrijkere Poolse smokkelaars kunnen brengen, of naar rijke joden. Zo'n vangst zou promotie kunnen betekenen.
Jozef voelde zijn hele lichaam gloeien toen de nazi-soldaat zei: 'Breng hem naar Pawiak.' Het deed er niet toe of hij werd gemarteld en vermoord of naar een werkkamp werd gestuurd, maar hij was bang dat zijn vrouw en kind nooit te weten zouden komen wat er met hem gebeurd was. Hij wist dat zo'n situatie Ester onvoorstelbaar verdriet zou doen. Hij vervloekte zichzelf voor zijn roekeloosheid.
Omringd door de politie werd Jozef Pawiak binnen gemarcheerd en zonder enige ceremonie in een kleine, vieze cel gedumpt waar al vier andere joden inzaten.
Jozef, die het ergste verwachtte, wachtte, maar er gebeurde niets. Hij was blijkbaar vergeten! Terwijl zijn celmaten op dagelijkse basis uit de cel werden gehaald en werden ondervraagd en gemarteld, werd Jozef genegeerd. Maar hij kon de wrede slagen, het afgrijslijke geschreeuw en de hartverscheurende smeekbeden om genade horen.

De drie dagen die Jozef als gevangene doorbracht leken op gewone dagen, toch wist hij dat de dagen totaal anders waren dan de dagen waarin zoveel andere joden leefden. Net als de gevangenen die hem voor waren gegaan en de gevangenen die na hem kwamen zat Jozef zich in zijn cel af te vragen hoe en wanneer hij zou sterven en bad hij tot zijn hervonden God dat hij moedig het leven zou laten.
Terwijl hij zat te wachten besloot Jozef dat hij op de een of andere manier voordat hij stierf zoveel mogelijk van die schoften zou doden. Op de een of andere manier zou de dood van een paar Duitsers hem helpen het afgrijzen van zijn eigen voortijdige dood te verzachten.
En toen kwam Mozes Stein met een zak diamanten waardoor Jozefs confrontatie met de Duitsers werd uitgesteld.
Na veel onderhandelingen kostte het Mozes vijf van zijn grootste diamanten om het leven van Jozef te redden.
Jozef was enorm van streek door de prijs die voor zijn leven was betaald terwijl hij dacht aan de grote hoeveelheid voedsel die die diamanten op de zwarte markt zouden hebben opgebracht. Het waren ondenkbaar ontmoedigende tijden en niets was zo waardevol als eten in het getto van Warschau. De Duitsers probeerden de joden dood te hongeren en zonder contanten om extra voorraden etenswaren van de smokkelaars te kopen zou de familie Stein gedwongen zijn terug te vallen op het gettorantsoen van 184 calorieën per jood per dag.
Een kat zou doodgaan als hij op het gedwongen rantsoen van de Duitsers zou moeten leven.
Jozef bleef maar aan eten denken, zelfs terwijl Ester lachte en huilde tegelijk en zijn gezicht, zijn haar, zijn handen aanraakte en tegen haar moeder wauwelde dat hij geen verschijning was, dat hij leefde en bij haar was teruggebracht.
Een jood kwam maar zelden levend uit Pawiak.
Ester sprong van Jozef naar Mozes en omhelsde haar vader. ‘Je hebt hem gered! O, papa, dank je! Je hebt hem gered!’
‘Mirjam! Ik moet het tegen Mirjam zeggen!’ Met een stralend gezicht rende Ester weg om Mirjam te halen en wakker te maken uit een onrustige slaap. Het meisje was ontroostbaar geweest sinds de dag dat haar vader was verdwenen.
Toen hij het intense geluk van zijn kleindochter zag bij het zien van haar vader wist Mozes dat hij de Duitser al zijn diamanten zou hebben gegeven als dat ervoor nodig was geweest om Jozef Gale ongedeerd uit Pawiak te krijgen.
Sara Stein bestudeerde het gezicht van haar schoonzoon. ‘Je ziet er moe uit, Jozef. Mozes, kun je niet zien hoe moe hij is?’

'De jongen heeft eerder honger dan dat hij moe is.' Omdat hij Ester niet van streek wilde maken fluisterde Mozes in het oor van Sara. 'Hij heeft alleen oud brood en waterige soep te eten gehad sinds de dag dat ze hem meenamen.'
Sara tikte Jozef op zijn wang. 'Ik zal wat warms klaarmaken,' beloofde ze.
'Dat zou heerlijk zijn,' zei Jozef terwijl hij onbewust zijn lippen aflikte. Hij was uitgehongerd.
Niet lang daarna was hoorbaar hoe Sara een bonenstoofschotel klaarmaakte in de keuken.
Het verrukkelijke aroma zweefde door het appartement, wat de honger van Jozef versterkte tot een punt dat het feitelijk pijn deed.
Terwijl ze in de stoofschotel stond te roeren wierp Sara af een toe een blik over haar schouder door de deuropening om naar de gelukkige hereniging te kijken. Sara's lippen bewogen in gebed. Ze was enorm opgelucht dat ze niet nog een familielid waren kwijtgeraakt. Bij die gedachte kromp haar maag ineen. Jozefs veilige terugkeer hadden haar herinneringen aan haar verloren zoons weer opgeroepen.
Sinds de vijfentwintigste dag van de aanval werd er gebombardeerd tot de familie Stein was vernietigd.
Het onverwachte en dappere verzet van de Polen had de nazi-dictator woedend gemaakt en Hitler had de order gegeven Warschau met de grond gelijk te maken. Zelfs toen Warschau op de rand van overgave stond bleven de Duitsers Warschau met de dood bestoken waarbij de bombardementen op 25 september 1939 een nieuw hoogtepunt van verschrikkingen bereikten.
Later hadden ze gehoord dat er op die dag 70 ton aan brandbommen op Warschau was neergelaten. En dat was de dag dat er een einde aan hun geluk kwam: Abraham, Eilam, hun vrouwen en hun acht kinderen waren levend verbrand in het appartement van Abraham.
Destijds woonden Mozes en Sara nog altijd in hun drie verdiepingen tellende neoklassieke villa in het district Zochodnia dat tussen het Poolse zuidelijk en het joodse noordwestelijk district lag. Abraham woonde slechts twee huizenblokken verderop. Zelfs in de kelder waar ze schuilden hadden ze de ontploffing gehoord. Ze hadden zich naar de eerste verdieping gehaast en gezien hoe het vuur en de rook uit de richting van het appartement van Abraham kwamen.
In blinde paniek waren Sara en de rest van de familie ernaartoe gesneld om te proberen hen te redden. De beide verdiepingen van het appartementenhuis waren gedeeltelijk ingestort en stonden in vuur en vlam. Eilam werd, met zijn acht maanden oude zoon stevig in zijn armen ge-

klemd, door Jozef gevonden en levend uit het brandende gebouw getrokken. Eilam, die afschuwelijk verbrand was, stierf in de armen van Mozes terwijl hij zijn vader smeekte om zijn vrouw en kinderen te redden.
Dat was meer dan twee jaar geleden, maar Sara kon nog altijd de vreselijke geur van brandend vlees ruiken... van vlees van haar vlees.
En de jongen... David. Zijn kleine lichaam was beschermd geweest door zijn vader en ongedeerd gebleven. Maar David had gruwelijke brandwonden en verwondingen in zijn gezicht. Ze ontdekten al snel de afschrikwekkende waarheid: David was blind!
Warschau verkeerde na 25 dagen van bombardementen in een chaos, de ziekenhuizen waren verwoest en er waren nergens artsen te vinden. Het Rode Kruis kon tegen die tijd bijna niets doen. Sara had met haar eigen ogen gezien hoe personeel van het Rode Kruis de gewonden achterliet om dekking te zoeken voor de Duitse granaten.
Sara had gedaan wat ze kon om het lijden van David te verzachten en het was haar gelukt het leven van haar kleinzoon te redden. Ze vroeg zich af of ze een fout had gemaakt want de jongen werd nog steeds, na al deze tijd, makkelijk bang. Hij riep nog altijd om zijn moeder. De jongen zwaaide uren achtereen met zijn hoofd heen en weer terwijl hij jammerde als een bang en onbegrepen dier en hij deed alsof hij, door van houding te veranderen, zijn zicht weer terug zou kunnen krijgen.
David bood een hartverscheurende aanblik. Alleen Mirjam wist hem tot een glimlach te bewegen. Ze plaagde hem en wist haar kleine neef met haar lieve maniertjes – al was het maar voor heel even – de drastische ommekeer in zijn leven te doen vergeten.
Sara ging naar de zitkamer om Jozef te vertellen dat zijn maaltijd spoedig klaar zou zijn. Haar ogen vielen op het gammele meubilair waardoor ze moest denken aan het prachtige huis en het meubilair dat ze waren kwijtgeraakt. Ongeveer een jaar na de invasie deden de gevreesde geruchten over een joods getto de ronde. Op 16 november 1940 werden de joden van Warschau verzegeld achter een ommuurd getto. Iedere jood in de stad werd gedwongen naar dit afgesloten gebied van Warschau te verhuizen, dat de Duitsers voorzichtig met 'joods kwartier' aanduidden en het woord getto verboden. Maar zoals Mozes had gezegd: 'Een getto is een getto, wat de Duitsers het ook noemen mogen.' Bij de laatste telling leefden er bijna 400.000 joden in opsluiting in het getto van Warschau. De bevolking bleef toenemen naarmate de nazi's joden vanaf het platteland naar het getto transporteerden.
Het was Mozes gelukt een goed appartement te vinden in de Chtodnastraat waar de appartementen redelijk groot waren. Het was in elk geval

groot genoeg voor de hele familie, al zaten ze wel vreselijk dicht op elkaar. Maar niemand klaagde, want sommige arme mensen leefden met twintig personen in één kamer!
De Duitsers hadden Mozes verboden hun dure meubilair mee te nemen en later hadden ze vernomen dat hun huis in beslag was genomen door een hoge SS-officier. Het verbaasde hen dat ze hun kleren hadden mogen houden en zelfs de uitgebreide bibliotheek van Mozes, wat een schokkende maar aangename verrassing was.
Sara leunde tegen de deurpost en keek maar luisterde niet langer terwijl ze zwijgend het aantal mensen van hun slinkende familie telde. Israël was afgelopen augustus verdwenen. Hij was op het verkeerde moment op de verkeerde plaats en was van de straat gehaald. Na wanhopig te hebben gezocht, werd Mozes door de *Judenrat*, de door de Duitsers aangestelde joodse raad om orde te bewaren in het getto, op de hoogte gebracht van het feit dat Israël naar een werkkamp ver van Warschau was gebracht.
Israël Stein was een slavenarbeider.
Toen het haar werd verteld, had Sara geschreeuwd: 'Nee! Mozes, nee!' Ze had over de beestachtige omstandigheden waarin de joden daar verkeerden gehoord. De Duitsers dwongen de joden met blote handen bevroren loden pijpen te dragen. Joden moesten met stenen beladen karren de heuvel opduwen. Ze werden geslagen met als enige reden dat ze joden waren. Iedereen wist dat de Duitse of Poolse overlevenden de joden die intelligent of rijk waren opzettelijk zeer zware taken lieten uitvoeren.
Mannen als Israël Stein.
Toen de invasie eenmaal ten einde was en de bezetting een feit, was Sara ervan uit gegaan dat haar drie resterende zonen in veiligheid verkeerden, want Mozes had een enorm bedrag op tafel gelegd om zijn zoons en Jozef uit het register voor slavenarbeid te houden.
Het arbeidsregister was in het leven geroepen om de Duitsers zoet te houden en te voorkomen dat ze de mannen van de straten haalden. Rijke joden betaalden ervoor om hun namen uit de lijst te houden. En hoewel het geen ongewone manier van doen was dat bepaalde families een voorkeursbehandeling kregen, deden er zich omstandigheden voor waarin hun rijkdom en invloed hen niet konden redden. De willekeurige selectie voor werkkampen vormde nog altijd een gevaar voor de joodse mannen tussen de zestien en zestig jaar oud.
Mozes had alles in het werk gesteld om het kamp te traceren maar niemand leek te weten, of erom te geven, waar Israël precies naartoe was gebracht. Toen hoorden ze, nog geen week daarvoor, van een ontsnapte arbeider wat hun zoon was overkomen.

De contactpersoon van Mozes in de Judenrat had het fout gehad, want het werkkamp lag op nog geen vijfentwintig kilometer ten zuiden van Warschau.
De ontsnapte arbeider heette Noy, wat ornament betekent, en was waarschijnlijk zo genoemd omdat hij bij zijn geboorte zo ongewoon mooi was geweest. Nu zag hij er allesbehalve mooi uit met zijn magere, uitgemergelde lichaam en een kalend hoofd door de ondervoeding. Sara vond dat hij eruitzag als een jong kind dat plotseling door de ouderdom was overvallen.
Terwijl hij met smaak de hartige soep at die Sara voor hem had gemaakt, vertelde Noy langzaam het verhaal over Israël waarbij een droge hoest zijn woorden onderbrak. Zijn ogen bleven op de soep gericht maar tijdens het vertellen werd zijn gezicht verduisterd door een vreselijk verdriet. 'Het kamp was zo dichtbij de stad dat veel mannen probeerden uit te breken. Het grote aantal ontsnapten maakte de Poolse opzichter boos, ik denk omdat de Duitsers hem elke keer sloegen als er iemand was ontsnapt. Hij waarschuwde ons dat de volgende man die ervandoor ging zwaar gestraft zou worden. Maar het was zo weerzinwekkend in het kamp dat niets ons kon tegenhouden.
Afgelopen december probeerden uw zoon Israël en twee andere mannen uit te breken. Twee van de drie hadden succes. Uw zoon werd gepakt.'
Noy werd in beslag genomen door de herinnering aan Israël. Hij wierp Sara een warme blik toe. 'Uw zoon was een goed mens. Hij zorgde altijd voor iemand, deelde zijn deken, moedigde ons aan te blijven leven, ja, Israël was van het goede soort.'
Sara werd overmand door de herinnering aan het verhaal dat ze hadden gehoord.
'Ik zeg u, de Pool was boos! Hij was weer twee mannen kwijtgeraakt en wist wat hem te wachten stond. Hij ontlaadde al zijn woede op uw zoon. Hij besloot met Israël Stein een voorbeeld te stellen.'
Diep uit Sara's keel klonk een schrapend geluid. Mozes had er op dat moment op gestaan dat ze naar de keuken ging met de woorden dat Noy een echte maaltijd nodig had. Maar Sara wist dat Mozes haar alleen maar probeerde te beschermen en ze was achter de deur gaan staan en had elk woord gehoord.
'De Pool was tot dan toe niet te slecht geweest. Maar de Duitsers bedreigden hem en zeiden tegen hem dat ze zijn familie naar een concentratiekamp zouden sturen als hij niet ophield de joden zo zacht aan te pakken. Dus werd hij sadistisch. Hij sloeg uw zoon met een loden pijp tot we niet meer wisten of hij nog wel in leven was. Later, toen we langs hem liepen, riep Israël dat iemand zijn familie op de hoogte moest bren-

gen. Hij zei dat hij wist dat ze zich enorme zorgen maakten omdat ze niets wisten... Hij probeerde hard in leven te blijven, maar de kou overmande hem.'
Terwijl hij vreselijke pijn leed door zijn verwondingen was de meest zachtmoedige van Sara's zoons aan een paal gebonden en achtergelaten om een langzame dood te sterven in de bittere kou van een Poolse winter. Helemaal alleen.
Drie zoons, twee schoondochters en zeven kleinkinderen: allemaal dood.
Ester lachte luid om iets wat Mirjam zei waardoor Sara weer werd teruggerukt naar het heden. Ze keek hoe haar dochter het kind terugbracht naar de slaapkamer terwijl ze haar ondertussen geruststelde: 'Mirjam, papa is er morgenochtend ook nog, dat beloof ik!' Ester gaf haar dochter een luide kus. 'Nu, liefje, wil ik dat je een braaf meisje bent en weer gaat slapen.'
Sara keerde terug naar de keuken.
Jozef keek ontroerd naar zijn vrouw en kind tot ze uit het zicht waren. Enkele ogenblikken zei hij niets terwijl hij de implicaties verwerkte van het feit dat hij ternauwernood was ontsnapt. Wat zouden ze hebben gedaan als hij niet was teruggekeerd? Onbewust trok hij zijn schouders naar achteren en wendde hij zich tot zijn schoonvader. 'Mozes, dank je. Voor het leven.'
Mozes, wiens gezicht overwinning uitstraalde, schonk Jozef een brede glimlach. 'Jouw gezicht werkt als een geneesmiddel voor ons!' Mozes hield zijn hoofd scheef en keek naar zijn twee overlevende zoons Daniël en Gershom en gaf hun een knipoog.
Daniël en Gershom waren wakker geworden door het harde geluid en het gelach en stonden nu bij Jozef.
Gershom klopte zijn zwager op de rug. 'Jozef, godzijdank ben je in veiligheid.'
Daniël kuste Jozef op beide wangen, deed toen een stap naar achteren en staarde Jozef in het gezicht. 'Je ziet er niet al te slecht uit.' Hij pauzeerde en voegde er toen treurig aan toe: 'Israël had gelijk, weet je.'
Mozes wierp hem een vragende blik toe. 'Israël?'
Daniël haalde een hand door zijn haar voor hij antwoordde: 'Zo'n week voor hij werd opgepakt, zei Israël tegen me dat hij tot de conclusie was gekomen dat maar weinig joden deze duistere tijd zullen overleven. Ik zal nooit vergeten wat hij me vertelde. Hij zei: "Daniël, onder de nazi's weet je nooit hoe je leven zal eindigen, of waarom het zal eindigen, maar je weet dat het zal eindigen."' Daniël wist zich met moeite te beheersen, want hij was Israël het meest na geweest. 'Hij had gelijk. We zullen allemaal dood zijn voordat deze bezetting voorbij is.'

Er volgde een moment van stilte.
Jozef trok wit weg. De afgelopen twee jaar hadden hem duidelijk gemaakt dat de nazi's in staat waren tot het begaan van schokkende onmenselijkheden. Nu, na waar hij in de gevangenis Pawiak getuige van was geweest, was hij bang dat Israël gelijk had gehad. Als de oorlog niet snel tot een einde zou komen, zou het een wonder zijn als er nog een jood in Polen zou leven.
Het gezicht van Mozes verhardde in vastberadenheid. 'Nee! Je broer had het fout, Daniël! We kunnen wel overleven.' Hij hield zijn hand in een protesterend gebaar omhoog. 'Vergeet niet dat de Russen goud aannamen in ruil voor het leven van je grootvader.' Hij wees naar Jozef. 'De Duitsers gaven dit leven terug voor diamanten. Ik zeg je dat ze gekocht kunnen worden! Onze vijanden zijn hebzuchtig.' Mozes glimlachte vaag. 'En hun hebzucht zal onze redding zijn.'
Daniël, die zijn armen op zijn rug hield, balde zijn vuisten in een poging te vermijden dat de woede zijn gezicht zou overspoelen. Zijn vader had het helemaal fout en Daniël wist het. Hij probeerde respect in zijn stem te behouden. 'Pa, de enige manier waarop we kunnen overleven is door te vechten! We zouden met een deel van het geld de vrouwen en kinderen uit dit getto moeten halen, via het riool, in de vuilniswagen, op wat voor manier dan ook!' Daniël keek naar Jozef en Gershom in een poging hun steun te werven. 'Ik heb gehoord dat er Poolse boeren zijn die bereid zijn joodse vrouwen en kinderen voor een bepaalde prijs in hun huis op te nemen. We kunnen ze hieruit halen, met een paar tegelijk! Ze zullen op het platteland trouwens veiliger zijn. De mannen blijven dan in het getto en vechten.' Hij keek Mozes smekend aan. 'Pa, we kunnen met het geld dat jij hebt honderden geweren kopen. Je hoeft het alleen maar te zeggen!'
Mozes bleef onbewogen terwijl hij voorzichtig antwoordde: 'Daniël, we zullen wachten tot deze oorlog voorbij is, zonder te vechten.' Hij keek zijn zoon onderzoekend aan. Hij had kort daarvoor zorgelijke berichten gehoord dat Daniël zich bij een groep jongeren had gevoegd die dachten dat geweld moest worden beantwoord met geweld. Nu had Mozes, terwijl hij naar zijn zoon keek, het sterke gevoel dat wat hij had gehoord waar was en dit baarde hem zorgen. De Duitsers aanvallen was een zekere manier om de aandacht van de nazi's te trekken. Als Daniël zich als een dwaas gedroeg zou hij geen enkel lid van zijn familie uit de handen van de SS kunnen houden.
De twee mannen staarden elkaar onafgebroken aan.
Daniël wist dat zijn vader in een fantasiewereld leefde als hij dacht dat de Duitsers naar rede wilden luisteren, al was er nog zoveel geld. Mis-

schien konden een paar Duitsers in de verleiding worden gebracht, maar de overgrote meerderheid bezat een dodelijke honger naar het vermoorden van joden. Als rechtstreeks gevolg van de Duitse haat was Polen één grote joodse begraafplaats geworden.
Daniël verbrak het zwijgen. 'Pa. We zullen ons niet laten verslaan zonder een gevecht!'
Mozes probeerde kalm te blijven. 'Zoon. Ten eerste moeten we de Duitse bezetting overleven. Als we nu gaan vechten betekent dat een zekere dood. Over niet al te lange tijd zal de oorlog naar Duitsland verhuizen. Hitler was krankzinnig om Rusland aan te vallen.' Hij schudde zijn hoofd heftig heen en weer. 'Hij vecht tegen het oosten en tegen het westen... Duitsland heeft te veel vijanden. Uiteindelijk zullen ze deze oorlog verliezen, hun vijanden zullen Hitler verslinden en deze planeet bevrijden van de plunderende Duitsers.' Met een zekere triomf in zijn stem verklaarde Mozes: 'Wanneer de moffen aan hun onvermijdelijke val beginnen, dan zullen we vechten.'
Daniël had genoeg van de oude en timide joden in het getto. De joden stierven als vliegen terwijl mannen als zijn vader dachten dat ze de Duitsers konden overleven. Hij raakte opgewonden. 'Wanneer? Wanneer? Wanneer de oorlog voorbij is? Op het moment van vrede gaan wij vechten?'
'En waarom niet?' zei Mozes. 'Vertel me eens, zoon, wanneer in de geschiedenis is de laatste oorlogsdag de eerste vredesdag geweest?'
Gershom had zijn vader en broer te vaak over ditzelfde onderwerp gehoord. Hij wist niet wat hij moest denken, dus volgde hij zijn instinct en legde zijn leven en de levens van zijn vrouw en kinderen in de handen van God. Hij kondigde rustig aan: 'Als God wil dat we leven, dan zullen we leven. Zo niet, dan zullen we sterven.' Hij ademde diep uit. 'Zo eenvoudig is ons lot.'
Jozef begon te denken als Daniël maar hij vond niet dat deze avond het juiste moment was om zo'n belangrijke discussie te voeren. De emoties waren te sterk. Jozef besloot de uitwisseling tussen Mozes en zijn zoon te beëindigen voordat hun onenigheid zou uitlopen in een schreeuwpartij en veranderde van onderwerp. 'Mozes, het spijt me. Van de diamanten.'
Mozes haalde zijn schouders op. 'Jozef, je kunt je maar beter geen zorgen meer maken om die diamanten. Daar zijn ze voor... om de familie Stein in leven te houden.' Gespannen wierp hij een blik op Daniël en zijn stem klonk enigszins scherp. 'Niet voor het doden van Duitsers.'
De grote, donkere ogen van Daniël kregen een ontredderde uitdrukking. Hij wilde het geluk van de familie over de terugkeer van Jozef niet be-

derven en liet de onenigheid voor wat hij was. Terwijl hij in walging met zijn armen zwaaide verliet Daniël de kamer zonder de anderen goedenacht te wensen.
Mozes staarde in de ruimte. De opzettelijke grofheid van Daniël zou voor de oorlog onvoorstelbaar zijn geweest.
Jozef was ontzet door de scheuring tussen de vader en de zoon, maar maskeerde zijn gevoelens en keerde terug naar het onderwerp van de avond. 'Ik zal 't mezelf nooit vergeven. Het was dom om gearresteerd te worden.' Jozef uitte waar ze heimelijk bang voor waren. 'Deze oorlog kan nog jaren doorgaan. Je zult alles nodig hebben wat je hebt gespaard, en meer zelfs.'
De spijt van Jozef ging veel dieper dan alleen het verlies van de diamanten. Zijn arrestatie had de familie in groot gevaar gebracht.
Vanaf het eerste moment dat het getto werd gesloten en de nazi's hun meest gehate slachtoffers binnen één gebied hadden geconcentreerd, had de familie Stein haar uiterste best gedaan onopvallend te leven en hadden ze wanhopig gepoogd anoniem te blijven voor de SS-bewakers. Dat was niet langer mogelijk. Na vandaag was de SS zich ervan bewust dat Mozes Stein een heel rijke jood was.
Dat was nog het meest betreurenswaardige.
Mozes liet een droge, humorloze lach ontsnappen. 'Die SS-officier, kapitein Kleist, vertelde me dat het de schuld van een kind was. Dat je nooit zou zijn gearresteerd als die jongen er niet was geweest. Is dat zo?'
Plotseling stond Sara weer in de kamer. Ze fronste haar wenkbrauwen en vroeg: 'Kind? Welk kind?'
Mozes drong bij hem aan: 'Wat is er precies gebeurd? Kapitein Kleist gaf me geen details. En,' hij lachte droogjes, 'ik bleef er niet op wachten.'
Ester kwam de kamer binnen, ging naast Jozef zitten en pakte zijn hand vast. 'Mirjam en ik hebben God gedankt,' vertelde ze hem. Ze gebaarde snel dat Jozef door moest gaan met het gesprek.
Jozef begon zich een beetje te ontspannen. De hele geschiedenis was zo belachelijk geweest dat hij nu nauwelijks kon geloven dat een tochtje naar de bakkerij hem bijna het leven had gekost. Hij glimlachte wrang en begon te spreken. 'Die kapitein had gelijk. Ik werd gearresteerd vanwege een kind. Een hongerig kind.' Hij grinnikte medelijdend toen hij aan nog een detail dacht. 'Er waren eigenlijk twee jongens. Ze lokten me in een val.' Hij pauzeerde even en begon toen opzettelijk langzaam het hele verhaal te vertellen.
Mozes, Gershom, Sara en Ester haalden nauwelijks adem terwijl ze intens naar hem keken en luisterden. Ieder van hen was zich bewust van

de dakloze kinderen in het getto, de meelijwekkende jongeren wier ouders door de Duitsers waren vermoord of door ziekte of honger waren omgekomen. Die kleintjes konden niet anders in hun levensbehoeften voorzien dan door te stelen of te bedelen of ze werden, als ze geluk hadden, naar een van de weeshuizen in het getto gebracht. Nog de week ervoor hadden ze gehoord over een jongetje dat brood had gestolen en zich nog liever dood liet slaan dan het brood op te geven.
Ester veegde stilletjes de tranen van haar gezicht. Ze had de afgelopen jaren veel straatjongens gevoed. Als moeder vond ze niets zo erg als de hongerige bende wezen die de straten in het getto afschuimden.
'De soldaat zag wat er gebeurde,' ging Jozef verder, 'en hij probeerde de twee kinderen op te pakken. Ik ging er tegenin en zei tegen hem dat ze alleen maar honger hadden.' Jozef trok zijn wenkbrauwen op en kreunde. 'Toen raakte ik pas echt in de problemen.'
'Ah, ja,' mompelde Mozes omdat hij volledig begreep dat de Duitsers zoiets nooit over hun kant zouden laten gaan. 'Alle Duitsers houden zich overdreven aan de wet. In het hoofd van die SS-bewaker was het niet meer dan een kind dat brood steelt en dat daarvoor gestraft moet worden.'
Een boze Ester sprak zich uit. 'Die stakkers stierven van de honger!'
Sara maakte de gedachten van haar dochter af. 'Ja, en dankzij het Duitse beleid dat voedsel beperkt.'
Mozes kwam tussenbeide. 'Vergeet nooit dat in de geest van een nazi een burger de ontsnapping van een vandaal nooit mag steunen, maar een crimineel zonder verzet moet overleveren. Vergeet dat nooit, geen van jullie!' waarschuwde hij streng.
'Ik zou nooit een kind overleveren!'
Ester keek haar vader beschuldigend aan. Mozes maakte een gelaten gebaar met zijn handen. 'Voor de Duitsers is de wereld zwart of wit.'
Jozef krabde op zijn hoofd, trok toen zijn handen in walging weg en keek er vol afschuw naar. 'Shit!' riep hij uit, 'ik heb luis!'
Jozef snelde naar de keuken terwijl hij ondertussen de smerigheid van de Pawiak-gevangenis vervloekte.
Ester snelde achter hem aan. 'Ik zal wat water koken,' bood ze aan.
Het huishouden van de familie Stein was een van de weinige die de overwinning konden claimen op de parasitaire en geniepige insecten die de inwoners van het getto van Warschau teisterden. Het met moeite veroverde succes hadden ze te danken aan het feit dat Sara, elke keer dat een lid van de familie zich op straat had gewaagd, er bij terugkeer op had gestaan dat ze een bad namen en dat hun kleren werden uitgekookt.

Nadat Jozef zich had gewassen at hij de rest van de stoofpot op. Toen legde de familie zich te rusten.
De voorgaande drie dagen waren afgrijslijk geweest en Jozef was uitgeput, maar toch kon hij niet slapen. Lang nadat Ester in slaap was gevallen lag hij met een lege blik naar het plafond te staren.
Jozef begon verlangend aan zijn familie in Frankrijk te denken en kon nog altijd moeilijk bevatten, zelfs na al deze tijd, dat Parijs door de Duitsers was bezet. Jozef had gehuild van vernedering toen hij las hoe het Duitse leger over de Champs-Elysées had gemarcheerd. Zijn enige troost kwam voort uit de wetenschap dat Michel en Jacques beiden veilig van het westelijk front waren teruggekeerd.
Het laatste bericht van de familie Gale was zes maanden daarvoor gearriveerd, weggestopt in het midden van een blok kaas. Jozef had de brief van één kantje zo vaak gelezen dat het bericht nu een deel van hem uitmaakte.
Zijn vader had geschreven:

Geliefde zoon,
We bidden elke dag voor je veiligheid en voor die van Ester, Mirjam en alle leden van de familie Stein. Wat we horen over Warschau boezemt ons angst in. We zijn bang voor je leven. We leven in afwachting van je terugkomst.
Zelfs in Frankrijk sluit de strop zich. Veel Franse burgers hebben zich aangesloten bij de Duitsers en zich tegen ons volk gekeerd. Er staan nu Franse fascisten in blauwe overhemden voor de winkels van joden. Je moeder heeft geweigerd het huis te verlaten sinds haar identiteitskaart van het stempel JOOD is voorzien. Wij zijn zelf voorlopig veilig, maar door de Franse collaboratie verkommeren veel immigrantenjoden in interneringskampen. Dit nieuws is op zijn zachtst gezegd als een schok door je moeder en mij ontvangen, want we hadden niet verwacht dat ook maar enig Fransman de handen met de Duitsers ineen zou slaan tegen de joden.
Je broer Jacques woont niet langer in Parijs. We hebben hem bijna drie maanden niet gezien. Michel, zijn gezin en Rachel zijn veilig. Haast je zo snel mogelijk naar huis op het moment dat de oorlog voorbij is. We zullen je bij de deur opwachten.
Papa en familie.

Jozef slaakte een diepe zucht. Hij twijfelde er geen moment aan dat Jacques bij het verzet was gegaan. Dat zou verklaren waarom hij niet langer thuis woonde; hij wilde zijn familie niet in gevaar brengen. Jacques was een dappere, inventieve man en zou zich ongetwijfeld vrij-

willig aanmelden voor de meest gevaarlijke opdrachten. Jozef keerde zich onrustig van de ene zij op de andere. Wat verlangde hij ernaar om aan de zijde van zijn broer te vechten! Samen zouden ze geduchte tegenstanders van de Duitsers zijn. Hulpeloos opgesloten in het getto kon hij alleen maar hopen dat Jacques de oorlog zou overleven. Zou hij zijn broer ooit nog zien?
Om zichzelf af te leiden van die verontrustende mogelijkheid liet hij zijn gedachten afdwalen naar zijn eigen confrontatie met de Duitsers. Het was Jozef gelukt de voorgaande twee jaar een dergelijke ontmoeting te vermijden. Hij was de Duitse soldaten met opzet ontlopen door elke dag in het huis te blijven. Jozef vond het dragen van de armband beledigend. En de belachelijke regels die vereisten dat joden hun pas inhielden en het trottoir afstapten en hun hoed afnamen om hun Duitse meester eer te bewijzen, wakkerde zijn woede tot aan het punt van geweld aan. De zeldzame keren dat hij wel buiten liep had hij vol ongeloof toegekeken hoe de Poolse joden, blijkbaar zonder enige moeite, deden wat de Duitsers hen opdroegen. Hij besloot dat de Poolse joden, na jarenlange intimidatie door de christenen, hadden geleerd hun minachting te verbergen. Maar Jozef Gale was geen Pool. Zijn Franse opvoeding blokkeerde elke mogelijkheid tot het tonen van een dergelijke achting voor welke man dan ook en met name de gehate SS-bewakers. Jozef wist dat de Duitsers hem voor de minste belediging zouden kunnen doden. Zijn liefde voor Ester en Mirjam maakte dat hij in leven wilde blijven. Het vermijden van de Duitsers leek een verstandige strategie. De grote hoeveelheid geld van Mozes Stein maakte het mogelijk dat Jozef zich kon opsluiten in de bibliotheek van Mozes, waar hij in afwachting van het einde van de Tweede Wereldoorlog het ene boek na het andere las.
Jozef besefte nu dat hij naïef was geweest.
Daniël Stein had gelijk. Het werd tijd dat de joden zich gingen verzetten, dat ze het gevecht met hun onderdrukkers aangingen.
Jozef ging op zijn zij liggen en staarde naar Ester die lag te slapen. In zijn ogen was Ester een van de mooiste werken van God. Jozef raakte licht het gezicht en het haar van zijn vrouw aan. Op dat moment besloot hij dat hij zich bij de militante groep van Daniël zou voegen. Morgenochtend zou Jozef Gale beginnen met het doden van Duitsers. Tenslotte, zo zei hij tegen zichzelf, was iedere dode Duitser een bedreiging minder voor zijn geliefde vrouw.
Nadat hij de wang van zijn vrouw had gekust en zijn jonge dochter met een extra deken had toegedekt, viel Jozef in een vredige slaap.

6 Verzet

Begin 1942 had Adolf Hitler besloten dat de tijd was aangebroken voor een eindoplossing voor het joodse probleem. Zelfs hoewel de Wehrmacht in Rusland met tegenslagen te kampen had gehad, geloofde Hitler dat de oorlog over niet al te lange tijd gewonnen zou zijn. Hij zag zichzelf als de onbetwistbare heerser over geheel Europa. Naast de militaire overwinning stond hij erop dat het joodse probleem de wereld uit werd geholpen. Niets meer dan totale uitroeiing van het joodse ras zou de nazi-dictator tevreden stellen.
Rijksmaarschalk Hermann Göring luisterde nauwgezet toen Hitler zei: 'De Poolse joden zijn het makkelijkst te pakken en bovendien vormen de joden in Polen de grootste bedreiging voor het Reich. Die joden zijn de dragers van ziekten, ze zijn smokkelaars en over het algemeen ongeschikt voor slavenarbeid.'
Göring was het er maar al te graag mee eens. De rijksmaarschalk ging aan de slag om zeker te stellen dat de orders van de Führer tot op de letter werden uitgevoerd.

Het getto van Warschau: sabbatsdag, 19 april 1942
'We worden nog de vieze wezens waarvan de Duitsers beweren dat we die zijn,' mopperde Jozef tegen niemand in het bijzonder terwijl hij langs de ellendige joden die op de trottoirs van het getto lagen te slapen liep en over hen heen stapte. Hij ademde met opzet niet diep in. De straten van het getto stonken naar de scherpe geur van urine en ongewassen lichamen die ten onder gingen aan bloederige diarree. Jozef nam het meelijwekkende tafereel in ogenschouw en brandde de beelden op zijn netvlies terwijl hij bezwoer dat op een dag de gettovechters gerechtigheid zouden zoeken voor iedere man, vrouw en ieder kind dat stierf in het getto van Warschau.
Nog de avond ervoor was Jozef bij de eerste bijeenkomst van de joodse ondergrondse geweest. De groep had niet meer dan vier wapens en daarom zou de man die er het meest onjoods uitzag het getto verlaten voor een treffen met het Poolse verzet. Iedereen koesterde grote hoop dat de man met extra wapens zou terugkeren.

De gedachte aan het ondernemen van actie, wat voor actie dan ook, maakte dat Jozef werd overspoeld door een golf van adrenaline. Hij trok zijn spieren aan en was dankbaar dat hij nog jong en sterk was. Jozef was langzaam wakker geworden, maar nu voelde hij een enorme woede, alsof zijn sudderende emoties aan de kook waren geraakt.
Vanuit zijn ooghoek zag hij de vorm van een skeletachtige vrouw in een deurpost die over haar twee kleine baby's gebogen zat wier kreten net zo zwak klonken als die van pasgeboren katjes. Zijn woede rees tot ongekende hoogte. Hij begon sneller te lopen terwijl hij elke keer als zijn voet ongewild contact maakte met een hoopje vodden als hij over het lichaam van een ellendige jood stapte 'het spijt me, het spijt me zo' fluisterde.
Jozef richtte zich weer op het probleem van het moment. Het leven van de vrouw van zijn schoonvader was in gevaar en Jozef had het gevoel dat het zijn schuld was.
Sinds de arrestatie van Jozef twee maanden daarvoor hadden de Duitsers hun wurggreep op het huishouden van de familie Stein versterkt. Binnen een week na de vrijlating van Jozef had Mozes de opdracht gekregen het appartement aan de Chodna te evacueren en zijn intrek te nemen in een veel kleinere woning in de Niskostraat.
Daarna nam de Gestapo de twee nog levende zoons van Mozes als doelwit.
Als eerste waren ze voor Gershom gekomen en hadden gezegd dat hij nodig was in een werkkamp. Op het laatste moment had de SS-bewaker drie goudstukken van Mozes aanvaard voor zijn vrijlating.
Daniël was de week ervoor gearresteerd, maar de Duitsers waren zich niet bewust van het feit dat ze een belangrijke verzetsstrijder van de joodse ondergrondse hadden gepakt. De SS had Daniël beschuldigd van het hamsteren van geld. De opsluiting van Daniël was niet meer dan een wrede chantagemethode en Mozes had de Duitsers in zloty's betaald, zelfs hoewel hij had beweerd dat het geld dat hij hun gaf het laatste van zijn rijkdom was.
Sinds de vrijlating van Daniël had de familie Stein gewacht op de volgende zet van de SS. 'Pa,' waarschuwde Daniël zijn vader, 'de Duitsers zullen zich, tot ze zeker weten dat we arm zijn, gedragen als een hond met een bot.' Hij pauzeerde even voor hij verder ging. 'En dan zullen ze ons vermoorden.'
'Bot?' wierp Mozes fel tegen. 'Wat voor zin heeft een bot! De Duitsers hebben al genoeg aan mijn botten geknaagd.'
Niets verliep volgens het goed uitgedachte plan van Mozes. Tot nu toe had hij de mogelijkheid van een nederlaag nooit overwogen. Naarmate zijn voorraad geld afnam, groeide zijn angst.

Daniël drong verder aan. 'Pa, heb je de nazi's dan nog niet door? De Duitsers zijn als een onbeklimbare muur, je kunt er niet doorheen en je kunt er ook niet omheen.' Daniëls gedachten gingen over in haat. 'Pa, we moeten hen recht in de ogen kijken en vechten tot we niet meer kunnen.'
Mozes wist met toenemende zekerheid dat zijn rijkdom voorzag in het enige straaltje licht dat hun steeds duister wordende wereld had verlicht. Hij schudde zijn hoofd maar zei niets terwijl hij zich koppig vastklampte aan de hoop dat zijn geld voldoende zou zijn om het einde van de oorlog mee te halen.
Nu, nog geen week later, was de familie Stein alweer in een crisis beland waar zij niets mee te maken hadden.
De voorgaande week was een Duitse soldaat vermoord in het niemandsland tussen de muur van het getto en de arische kant van de stad. Nadat dit was gebeurd gingen er gefluisterde geruchten rond dat de SS de soldaat zou wreken. Niemand wist welke vorm deze wraak zou kunnen aannemen, maar de joden hadden al genoeg ervaring met de Duitsers om te weten dat vroeg of laat de klap zou vallen. De bevolking in het getto was in de greep van de angst en toen de Duitsers uiteindelijk toesloegen, moesten de joden een zware tol betalen.
De avond ervoor, op de vooravond van de sabbat, was de SS het getto binnengegaan en had een ware slachting aangericht. De SS kwam met een lijst van namen die elk segment van de gemeenschap in het getto besloeg. Vooraanstaande joden, vroegere functionarissen van de Judenrat tezamen met arme joden uit de laagste lagen van de maatschappij werden van hun bed gehaald en geëxecuteerd.
Ook de naam van Mozes Stein stond op die lijst.
Een van de talloze contactpersonen van Mozes had hem het leven gered. Een joodse politieagent, Tolek Grinspan, voorheen een advocaat die de vooroorlogse zakenbelangen van Mozes behartigde en een man die vanaf de eerste dag dat hij als politieagent was aangesteld in dienst van Mozes was, had hem op tijd gewaarschuwd om zich te kunnen schuilhouden in het huis van een vriend.
In de haast alle joden op de lijst te doden, had de SS-bewaker het appartement snel doorzocht en niets gezegd op de zwakke leugen van Daniël dat Mozes Stein kort geleden na een dodelijke longontsteking was overleden.
Terwijl ze stonden te kijken hoe de SS-mannen het appartement verlieten, trok Daniël Jozef de hal in en zei: 'Die komen weer terug.' Daniëls stem vibreerde van vijandigheid.
De volgende morgen stuurde Tolek Grinspan een van de straatwezen

met de boodschap dat Mozes hem die avond moest ontmoeten bij de synagoge de Moriah in de Karmalickastraat. Bang dat de ontmoeting een valstrik was, dat Toleks angst voor de Duitsers zijn hebzucht had overwonnen, stond Jozef erop dat hij hem daar zou ontmoeten.
Jozef hield zijn pas in naarmate hij dichter bij zijn bestemming kwam. Hij zag Tolek voor Tolek hem zag. Zelfs in de duisternis was hij makkelijk te zien aangezien Tolek de opvallende pet met de ster en de hoge laarzen van de joodse politiemacht droeg. Tolek leunde tegen de synagoge en hield een rubberstok in zijn rechterhand, waarmee hij ritmisch tegen zijn linkerhandpalm sloeg.
Jozef bleef in de schaduw staan wachten. Hij is nerveus, dacht Jozef. Dat was een goed teken dat Tolek zich zenuwachtig maakte over zijn ontmoeting met Mozes Stein. Als het een list van de Duitsers was geweest had Tolek geen gevaar gelopen en zou daarom veel ontspannener zijn geweest.
Jozef keek goed om zich heen en slenterde toen in de richting van Tolek. Hij was een hoofd groter dan Tolek, die een kleine, mollige man van midden vijftig was. Hij knikte en keek op de man neer. 'Tolek.'
Niet in staat zijn verbazing te verbergen vroeg Tolek: 'Waar is Mozes?'
'Bij vrienden.'
Tolek bestudeerde een ogenblik het gezicht van Jozef terwijl hij met een vieze vinger aan het puntje van zijn neus krabde. Hij besliste snel dat hij de zaak met de schoonzoon moest afhandelen. 'Ik heb goede informatie voor hem.' Hij staarde omhoog naar Jozef terwijl hij lange tijd zweeg waardoor de implicatie duidelijk was. Tolek wilde eerst compensatie voor hij de informatie vrijgaf.
Met grote inspanning hield Jozef zijn verbittering verborgen.
Tijdens de begindagen van het getto hadden de Duitsers de joden gedwongen hun eigen politiemacht te vormen die verslag uitbracht aan zowel de Poolse politie als de Duitse autoriteiten. En in het begin hadden de joden die onderdeel van die macht vormden zich verantwoordelijk en netjes gedragen. Naarmate de tijd verstreek maakten ze misbruik van hun positie en gebruikten ze hun autoriteit voor het verkrijgen van speciale privileges waardoor ze langzamerhand gehate machtssymbolen werden. Mozes stond tolerant tegenover het feit dat ze zich makkelijk lieten omkopen omdat hij de situatie ten gunste van zichzelf gebruikte, maar Jozef stond minder vergevingsgezind tegenover joden die andere joden uitzogen, zelfs al had de familie Stein voordeel bij corruptie.
De ogen van Jozef vernauwden zich. Tolek was dik en te keurig verzorgd. De aanblik van het vette vlees deed hem walgen. Jozef wilde er duizend zloty's om verwedden dat hij elke dag vlees at. Sara Stein zette

geen vlees meer op tafel en de baby's kregen slechts een keer per week melk. Mirjam was afgevallen. Jozef klemde zijn kaken op elkaar. Ten slotte vroeg hij: 'Hoeveel?'
Tolek keek hem vreemd aan. 'Heeft Mozes je dat niet verteld?'
Jozef schudde zijn hoofd. 'Nee.'
'Het is een vast bedrag.' Tolek keek nerveus over zijn schouder. 'Weet je zeker dat hij je dat niet verteld heeft?'
'Mozes houdt zich schuil, mijn vriend.'
Tolek nam Jozef Gale nauwgezet op terwijl hij nadacht over hoe hij hier voordeel bij kon hebben. Ondanks de intimiderende grootte stond de schoonzoon van Mozes Stein niet bekend als een gewelddadig man en Tolek had het gevoel dat hij Jozef onder druk kon zetten. Trouwens, het werd veel te gevaarlijk om met de familie Stein zaken te doen. Tolek wist dat de Duitsers Mozes Stein gingen vermoorden. Als de Duitsers eenmaal hun tanden in een jood hadden gezet, stierf de jood, eerder vroeg dan laat. In de overtuiging dat dit zijn laatste kans was aan het geld van Stein te komen, verhoogde hij het bedrag. 'Vijf goudstukken.'
Jozef glimlachte licht. Tolek loog. Het bedrag was één goudstuk. Op datzelfde moment besloot hij dat hij Tolek Grinspan zou doden en zo een van de ratten zou elimineren die de inwoners van het getto plaagden. 'Vijf?' Jozef stak zijn hand in zijn jas en haalde het goud te voorschijn waarna hij de stukken een voor een uittelde.
Tolek greep het geld met zijn mollige handen en stopte de vijf stukken in een kleine zak die vastzat aan een touw rond zijn borst.
Jozef hoorde de munten rinkelen terwijl Tolek de zak onder zijn oksel wegstopte en hij besefte dat hij gelijk had: de zakken van Tolek puilden uit van het geld van veel andere joden.
Jozef sprak zachtjes: 'Zeg op.'
Nu hij het geld had, vertelde Tolek snel wat hij had gehoord. 'Raad je schoonvader aan het getto te verlaten, op welke manier dan ook. Ik heb mijn kapitein horen zeggen dat kolonel Dexter woedend is over het feit dat Mozes Stein heeft weten te ontsnappen.' Hij sprak op dringende toon. 'Vanavond. Zeg tegen Mozes dat ze vanavond terugkomen.'
Jozef vroeg met een gefronst voorhoofd: 'En de rest van de familie?'
Tolek pauzeerde terwijl hij zich afvroeg hoeveel hij zou moeten onthullen. Hij had een gerucht gehoord dat de Duitsers Mozes Stein, zijn twee zoons en zijn schoonzoon zouden executeren om vervolgens de vrouwen en de kinderen uit het huis te zetten. Als de hele familie opeens verdween zouden de Duitsers op zoek gaan naar een informant en dat zou naar hem kunnen leiden. Hij besloot snel dat hij aan zijn verplichting aan Mozes Stein had voldaan en zei: 'Nee, alleen Mozes.'

Jozef wist intuïtief dat Tolek loog. Hij was zo boos dat hij het gevoel kreeg dat hij zou kunnen ontploffen, maar zijn gezicht bleef glad en vertoonde geen emoties.
Tolek keek snel om zich heen en begon zich terug te trekken.
Jozef schudde zijn hoofd en kneep toen met een hand in Toleks schouder. 'Een ogenblikje.'
Tolek likte zijn lippen en zijn gezicht liep rood aan. 'Wat is er?' Hij verschoof zijn gewicht nerveus van zijn ene voet op de andere en was plotseling bang voor het gedrag van de grote man.
Jozef glimlachte fijntjes naar Tolek. Zonder zijn stem te verheffen zei hij: 'Tolek, ik geloof niet dat ik alles heb gehoord van wat je me te vertellen hebt.' Vervolgens dwong hij de man achterwaarts in de richting van de synagoge.
In de ogen van Tolek verscheen verbazing en vervolgens angst. Hij had Jozef Gale verkeerd ingeschat. Plotseling zag de man er vreselijk kwaadaardig uit met grijze ogen vol wraaklust. Tolek deed een poging te schoppen maar hij wist dat hij geen enkele kans maakte tegen de duidelijke kracht van de veel jongere, grotere man. 'Laat me los,' jammerde hij. 'Je hebt wat je wilde.'
'Kop dicht!' siste Jozef.
Toen Tolek de enorme handen van Jozef rond zijn keel voelde deed hij een zwakke poging zijn tegenstander met de rubberstok te slaan.
De korte worsteling eindigde net zo snel als hij was begonnen. Jozef voelde Tolek heftig beven en hem vervolgens slap worden. Jozef liet Toleks lichaam langzaam tot een zittende houding zakken en hem vervolgens tegen de muur rusten. Nadat hij zich ervan had vergewist dat Tolek dood was, scheurde hij het overhemd van de man open en trok het koord los waaraan de zak met goudstukken vastzat.
Jozef hield even op en keek achter zich. Ondanks het uitgaansverbod in het getto had hij het griezelige gevoel dat iemand naar hem keek.
Jozef kon niet weten dat Daniël Stein hem was gevolgd en in de schaduw stond te wachten om er zeker van te zijn dat Jozef geen gevaar liep.
Daniël Stein was verbaasd maar aangenaam getroffen dat Jozef Tolek had gedood en er trok langzaam een glimlach over zijn gezicht. Daniël, die begreep dat de missie van Jozef een succes was, haastte zich snel terug naar het appartement van de familie Stein waar zijn vader zat te wachten.
Niet in staat het gevoel van zich af te schudden dat hij door onbekende ogen werd bekeken nam Jozef de tijd om de lege straten af te kijken. Hij zag niemand. Hij kwam langzaam overeind en liep weg. Vreemd ge-

noeg voelde hij geen emotie over wat hij had gedaan. Terwijl hij in de duisternis verdween streken zijn vingers over de goudstukken. Er waren 29 munten.
Terwijl Jozef langs de Zomenhota terugliep naar de Niskostraat kwam er opeens een aangename gedachte in hem op. Hij liet 24 goudstukken in zijn zakken glijden en hield er vijf in zijn hand. Snel ging hij op zoek naar de vrouw die hij eerder in de deuropening in de Milastraat had gezien en liet die goudstukken in haar palm glijden. 'Hier,' fluisterde hij, 'koop wat te eten voor je baby's.'
Jozef hoorde hoe de vrouw een lichte kreet slaakte en voelde haar verbaasde blik terwijl hij snel wegliep.
Voor het eerst in jaren voelde Jozef geen spanning.
Na niet al te lange tijd bevond hij zich in de Niskostraat en terwijl hij de trappen opliep van het Stein-appartement zag hij dat Daniël en zijn schoonvader op hem zaten te wachten. Hij nam de trap met drie treden tegelijk. De twee mannen keken hem in de beschaduwde hal buiten het appartement aan.
'En?' De donkere ogen van Mozes zochten het gezicht van Jozef vragend af.
De uitdrukking op het gezicht van Jozef zei genoeg.
Er ontsnapte een zachte kreun aan de lippen van Mozes.
Jozef schudde bedroefd zijn hoofd. Hij had een vreemd gevoel en wist dat hun leven na deze avond voor altijd zou zijn veranderd. Hij zei het tegen hen: 'De situatie ziet er niet goed uit. De Duitsers zullen vanavond terugkomen.' Hij staarde naar zijn schoonvader. 'Mozes, je moet met smeergeld het getto uit zien te komen.'
Mozes zakte in elkaar en staarde somber naar Daniël.
'Weet je het absoluut zeker?' vroeg Daniël. 'Wat zei Tolek precies?'
'De SS-kolonel stuurt zijn mannen vanavond terug om de vissen te vangen die aan het net zijn ontsnapt.' Jozef pauzeerde een ogenblik terwijl hij nadacht hoe hij de dood van Tolek zou verbergen. 'Tolek denkt dat de Duitsers hem doorhebben. Dat zijn dagen zijn geteld.'
Er verscheen een kleine flikkering in de ogen van Daniël, maar hij zei niets. Jozef Gale zou een geweldige gettovechter zijn.
Mozes liet zijn kin op zijn borst zakken en fluisterde met een lage stem en vol ongeloof: 'Dan is het dus echt voorbij.' Hij keerde hen de rug toe en strompelde de voorkamer in terwijl hij snel een besluit nam met de gedachte dat een man soms is gedwongen binnen een klein ogenblik een beslissing te nemen over de belangrijkste dingen.
Jozef en Daniël volgden hem zonder nog een woord te zeggen het appartement in.

Sara en Gershom zaten in de zitkamer te wachten, bang voor het ergste maar hopend op het beste.
Mozes keek zijn vrouw aan. 'Sara, mijn liefste, het is tijd dat ik mijn spullen pak.'
Sara schudde heftig haar hoofd terwijl ze een lichte kreet slaakte. Toen ze de uitdrukking van wanhoop op het gezicht van haar man zag, onderdrukte ze die kreet door de rand van haar schort in haar mond te stoppen.
Sara knikte en kwam uit de stoel.
Mozes volgde zijn vrouw de kamer uit.
Ester, die nog wakker was, voegde zich bij de familie in de zitkamer. Ontsteld maar zonder een woord te zeggen vloog ze in de armen van Jozef.
Jozef, Daniël en Gershom zeiden niets omdat ze wisten dat Ester op elk moment in hysterie kon uitbarsten.
Mozes kwam plotseling de kamer weer binnen met een kleine koffer in de hand. Zijn gezicht begon te gloeien toen hij zijn dochter zag. 'Ester. Je zou moeten slapen.'
Ester rende naar haar vader. 'Vader, ga alsjeblieft niet.'
Mozes vond Ester met haar smekende ogen eruitzien als een klein meisje. Zijn eigen ogen spraken boekdelen, maar hij zei weinig. 'Ester, als ik hier blijf zal ik jullie allemaal in gevaar brengen.' Hij leidde zijn dochter terug in de armen van haar man. Mozes keek Jozef intens aan. 'Jozef zal voor je zorgen. En voor het kind.' Alsof hem iets te binnen schoot voegde hij eraan toe: 'Tot ik terug ben.'
Gershom hield zijn moeder in zijn armen, die nu openlijk huilde.
Daniël stond terzijde, niet wetend wat hij moest zeggen.
Mozes keek naar zijn familie en glimlachte dapper terwijl hij bedacht dat totdat Hitler het waanzinnige idee kreeg de wereld te veroveren, hij de gelukkigste man ter wereld was geweest. Hij had een rijk leven geleefd. Totdat de nazi's naar Warschau waren gekomen, had hij zich zijn einde geheel anders voorgesteld en geloofd dat hij een vredige dood zou sterven als een oude man, in zijn bed en omringd door zijn kinderen en kleinkinderen. Maar niets was zeker en het leek erop dat een vredige dood hem niet beschoren was.
Hij stak zijn hand uit en pakte die van Daniël beet. Hij staarde lange tijd naar zijn strijderzoon en wenste dat hij nog één kans kreeg om Daniël van geweld te weerhouden. Maar er was geen tijd meer en hij kon alleen nog maar op het beste hopen. Mozes knikte, trok zijn zoon tegen zich aan en kuste hem op beide wangen.
Hij keerde zich naar Jozef en klopte hem op de schouder. Jozef Gale was een zegen van God gebleken. Met een treurige stem mompelde

Mozes: 'Jozef, je had gelijk. Ik had lange tijd geleden mijn familie Polen uit moeten brengen.'
Jozef vroeg zich af hoe de familie het ooit zou redden zonder Mozes Stein. De man was als een tank die tussen zijn gezin en de gehate Duitsers stond.
Mozes keek naar Gershom. Gershom zou het wel redden. Hij bezat geloof.
Esters verdriet barstte los in zwaar snikken. 'Vader, vader.'
Het gerimpelde gezicht van Mozes trok wit weg. 'Ik moet gaan.' Toen omarmde hij zijn gezin, een voor een opnieuw, waarbij hij Sara voor het laatst bewaarde.
Er rolden tranen over haar wangen . 'Mozes, ik...'
Mozes legde een vinger op haar lippen zodat hij haar het zwijgen oplegde. Plotseling wist hij het zonder erover na te denken. 'Sara, we zullen elkaar weerzien. In een betere plaats.'
Voor het eerst in haar leven wierp Sara zich in de armen van haar man. De wanhoop van Sara bezorgde Mozes de genadeslag. Het vergde al de kracht die hij bezat om zich van haar los te maken.
Voor hij de deur achter zich sloot keek Mozes om beurten naar Gershom en Daniël en beval toen: 'Jullie weten wat jullie moeten doen.' Hij verwees naar de laatste rijkdommen die op drie verschillende plaatsen waren verborgen.
Met een vriendelijke glimlach op zijn gezicht en een snel wuivend gebaar met zijn hand sloot Mozes Stein nauwgezet de deur. Hij vertelde zijn gezin niet waar hij naartoe ging omdat hij niet wilde dat ze in gevaar zouden worden gebracht doordat ze wisten waar hij was.
Een ontroostbare Sara Stein zocht al tastend een weg uit de kamer.
Daniël en Gershom gingen hun vrouwen vertellen wat er was gebeurd, nadat ze met Jozef hadden afgesproken binnen een halfuur terug te zijn in de zitkamer.
Jozef tilde Ester liefdevol op in zijn armen en droeg haar naar bed. Hij bleef naast haar zitten tot ze zichzelf in slaap had gehuild.
Na een halfuur ging Jozef, nadat hij met de twee broers een plan had uitgedacht, terug naar de slaapkamer maar niet om te slapen. In plaats daarvan ging hij op een grote koffer naast het slaapkamerraam dat uitkeek op de Niskostraat rustig zitten wachten, in de wetenschap dat over niet al te lange tijd de Duitsers zouden komen voor Mozes Stein.
Jozef Gale hoefde niet lang te wachten.

Parijs

Jacques Gale leefde nu uit een koffer. Hij bleef nooit langer dan één nacht op dezelfde locatie. De ene keer sliep hij in een luxe suite in een

chique hotel en de andere keer op een dunne matras in een kast. Eén keer had hij zelfs opgerold in een badkuip geslapen met alleen zijn jas als hoofdkussen.
Jacques was opgetogen toen hij het nieuws van zijn oude verzetsgroep in Parijs vernam: dat ze eindelijk 'De Kat' hadden gevangen, een Franse collaborateur die verantwoordelijk was voor de dood van veel verzets kameraden van Jacques. Hem was verteld dat 'De Kat' tijdens martelingen een afschuwelijk stukje informatie had losgelaten dat onheil voorspelde voor de joden in Europa.
Jacques ging snel naar een veilige flat in het hartje van Parijs. Nadat hij Edmund en André, twee van zijn kameraden, had begroet en had gelachen over de grapjes over hoe "de nagels van de kat waren geknipt" verslond hij een maaltijd van brood, soep en kaas.
Edmund overhandigde Jacques een document van twee bladzijden. 'Verteer nu dit maar eens,' zei hij.
Een ongelovige Jacques Gale las en herlas de papieren die hem in zijn handen waren geduwd.

> 'De Kat' heeft het volledige vertrouwen van zijn contactpersoon, een nazikapitein. Deze nazi schept heel graag op over zijn persoonlijke kennis over ontmoetingen op hoog niveau waarbij beleidsbeslissingen worden genomen betreffende het duizendjarenplan van Hitler voor zijn heerschappij over Europa. De kapitein vertrouwde 'De Kat' toe dat er bij een speciale bijeenkomst, de Wannsee-conferentie, die op 20 januari 1942 in de buitenwijk Wannsee van Berlijn werd gehouden, vijftien leidinggevende nazi's aanwezig waren. De beslissingen die tijdens de conferentie werden genomen zijn nu algemeen bekend bij de nazi-bureaucratie.
> Hoewel rijksmaarschalk Göring niet bij de conferentie aanwezig was, had hij via de SS-generaal Heydrich de aanwezigen laten weten dat de joden in Europa niet snel genoeg stierven om de uitroeiing van het joodse ras te garanderen.
> Na veel discussies over het joodse vraagstuk werd het besluit genomen in Polen gaskamers te bouwen om het sterfproces te versnellen. Alle joden, inclusief vrouwen en kinderen, die nog niet door honger of ziekte zijn gestorven, zullen worden vergast.
> De joden van Polen staan als eerste op de eliminatielijst. Als de Poolse joden eenmaal zijn geëlimineerd zullen de joden van West-Europa, inclusief de Franse joden, in veewagens naar die doodskampen worden vervoerd.

Jacques staarde in het niets en fluisterde: 'Jozef.'
Edmund en André wisten beiden dat Jacques een jood was en dat de informatie duidelijk gevaar inhield voor zijn familie in Parijs. Edmunds vingers trokken aan het papier en zijn stem trilde van woede. 'Ik zei nog tegen André dat de Duitsers krankzinnig zijn!'
André probeerde zijn angst te verbergen. Hij had een joodse verloofde. 'Probeer je geen zorgen te maken, Jacques. De Duitsers zullen over niet al te lange tijd met hun gezicht in de modder sterven.'
'En,' voegde Edmund eraan toe, 'vergeet niet dat er een leger Poolse joden tussen de nazi's en jouw familie zit.'
Jacques verraste de mannen met een ijzige blik. 'Ik heb een broer in Warschau,' fluisterde hij, 'die is getrouwd met de lieflijkste vrouw die ik ooit heb gekend. Mijn broer en zijn mooie vrouw hebben een dochtertje.'
Zijn woorden werden zwijgend in ontvangst genomen.
De stem van Jacques was bijna onhoorbaar toen hij sprak. 'Mijn broer, zijn vrouw en zijn kind zijn de joden over wie hij het had, die worden opgeofferd.'
Met een grauw gelaat wisselden Edmund en André een blik. De twee mannen, gevangen in een rijk zonder woorden, wendden hun gezichten af.

7 De SS

In 1933, toen Adolf Hitler kanselier van de Duitse republiek werd, een republiek die hij zwoer te zullen vernietigen, had de altijd trouwe Heinrich Himmler al laten zien hoe goed hij was in de organisatie van de SS, Hitlers persoonlijke lijfwachten, die hij van zo'n 300 liet uitgroeien tot 50.000 man. De voormalige kippenboer had deze enorme taak in slechts vier jaar volbracht. Onder het vaardige management van Himmler nam de SS, afkorting voor *Schutzstaffel*, ofwel 'verdedigingsechelon' en die bekend stond als de zwarte orde, gestaag in macht en prestige toe.
Toen Duitsland in september 1939 Polen aanviel zaten er bijna 100.000 man in de SS. Hitler schepte erover op tegen zijn staf: 'Ik heb mijn doodseskader in het oosten opdracht gegeven zonder medelijden alle mannen, vrouwen en kinderen van het joodse ras of die de joodse taal spreken te vermoorden.'
Toen hem werd gevraagd of deze mannen geen moeite zouden hebben met het vermoorden van onschuldige vrouwen met baby's in hun armen, sloeg Hitler op zijn knie en barstte in bulderend gelach uit, zeker in zijn wetenschap dat de 'dappere troepen van de Waffen-SS anders zijn dan andere mannen'. Hij had zelfs vaak herhaald hoe overtuigd hij ervan was dat Himmler door de afmattende training een ras van mannen had gecreëerd aan wier gehoorzaamheid niet te twijfelen viel en dat ze, als hun door hun Führer werd opgedragen met hun blote handen een tank aan te vallen, dit zouden doen.

Karl Drexler was, net als iedereen, ter wereld gekomen met zijn eigen programma aan unieke genetische codes waarop mensen reageerden en aldus zijn leven vorm gaven.
Karl Drexler was door zijn vader, Rudolf Drexler, tot een monster gemaakt.
Rudolf Drexler werd op 8 maart 1892 in München geboren in een middenklassegezin. Zijn vader was professor aan de universiteit en zijn moeder was huisvrouw. Hij was een van vier broers en hij had een idyllische jeugd gehad. Hij ging naar de universiteit en in het tweede studie-

jaar trouwde Rudolf met de mooie dochter van een van de buren. Hun eerste kind Karl werd in 1913 geboren.
Er gebeurde niets bijzonders in het leven van het gezin Drexler tot ze, net als de andere Europeanen, werden overvallen door een geschiedenistragedie: de Eerste Wereldoorlog. Rudolf en zijn drie broers verlieten Duitsland om aan het westfront te vechten. Voor de oorlog was verloren, was een broer gedood, had een tweede zijn beide benen verloren, terwijl een derde blind was geraakt. Alleen Rudolf overleefde de oorlog zonder lichamelijke verwondingen. Na de bittere nederlaag van Duitsland keerde Rudolf terug naar een verwoest land en naar een familie die was gebroken door persoonlijke en financiële rampen. Rudolf trok zich terug in zichzelf en probeerde een verklaring te vinden voor de vreselijke kwellingen die het land dat hij liefhad en de familie die hij aanbad waren aangedaan.
In deze duistere periode van zijn leven ontdekte Rudolf Drexler Houston Steward Chamberlain, een Britse burger die zijn eigen land had afgezworen, met de dochter van Richard Wagner was getrouwd en zelfs nog dogmatischer pro-Duits geworden dan de meest fanatieke autochtone Duitsers. Tijdens de Eerste Wereldoorlog publiceerde Chamberlain anti-Britse propaganda, hetgeen de Britten, die hem een overloper noemden, in razernij deed ontsteken.
Chamberlain was de schrijver van *De Funderingen van de Negentiende Eeuw*, waarin van het extreme standpunt werd uitgegaan dat de Duitsers een opperras waren en dat hun missie eruit bestond heersers over de wereld te zijn. Volgens de verwrongen visie van Chamberlain, die een wrede antisemiet was, waren de Duitsers de scheppers en dragers van de civilisatie terwijl de joden de vernietigers ervan waren.
Naarmate Duitsland en de Duitsers verder wegzonken in de chaos van een verloren oorlog en een geruïneerde economie vond Rudolf Drexler, onder de invloed van de geschriften van Steward Chamberlain, een zondebok voor zijn moeizame leven: de joden. Elke keer als hij een jood door de straten van zijn thuisland zag lopen of werk zag verrichtten waarvan hij vond dat het door een ariër moest worden gedaan, kookte hij woede.
Met de hulp van de vader van zijn vrouw keerde Rudolf terug naar de universiteit en behaalde een graad in de filosofie. In 1922 werd hij betaald docent aan de universiteit van Berlijn. Vijf jaar later, na een bittere ruzie met een collega, werd hij uit zijn functie ontslagen. De collega was joods en het hoofd van zijn afdeling die de aanbeveling deed dat Rudolf zou vertrekken, was ook een jood.
Om zijn groeiende gezin te kunnen onderhouden was Rudolf gedwongen voor een laag salaris in een textielwinkel te werken. De eigenaar van de winkel was een jood.

Rudolf werd verteerd door woede en las zijn kinderen de les over de kwaadaardigheden van het joodse ras. 'Kinderen,' zo waarschuwde hij, 'als we niet iets ondernemen zal ons geliefde Duitsland verloren gaan aan een inferieur ras!' Rudolf leerde zijn kinderen de joden te verafschuwen met de verklaring dat 'de joden in kampen opgesloten zouden moeten worden, weg van de algemene bevolking, en als dat het probleem niet zou oplossen, de joden Duitsland uit gedeporteerd zouden moeten worden! Duitslands toekomst staat op het spel!'
Van de zes kinderen van Rudolf was Karl het meest buigzaam. Het duurde niet lang of hij dacht aan de joden als zijnde abnormaal en afschrikwekkend. Als jong kind behaagde Karl zijn vader door tegen de joden te vloeken en naar hen te spugen als ze op straat voorbijkwamen en hen te doen schrikken door hen 'moordenaars van Christus' na te roepen.
Als tiener sloot Karl zich aan bij een rondzwervende bende buurtjongens die hulpeloze joodse kinderen op straat aanvielen. Op de universiteit was Karl de aanvoerder van een groep jonge mannen die protesteerde tegen het grote aantal joodse studenten en joden die hoge cijfers op hun examens haalden lijfelijk aanvielen.
Toen de Nationaal Socialisten aan de macht kwamen huilden Karl Drexler en zijn vader van vreugde, wetend dat hun redder aan het roer stond. *Mein Kampf*, het boek van Hitler waarin hij zijn politieke programma uiteenzette en waarin hij de joden de parasieten in de lichamen van de Duitsers noemde, werd hun bijbel.
Met de zegen van zijn vader vroeg Karl Drexler lid te mogen worden van de SS. De arische stamboom van Karl toonde aan dat de bloedlijn van de familie Drexler sinds het jaar 1750 zuiver was geweest, hetgeen noodzakelijk was voor Karl om te worden geaccepteerd als officierskandidaat. Karl Drexler was lang, blond en beantwoordde met zijn blauwe ogen en opvallende Noord-Europese gelaatstrekken met gemak aan de belangrijke criteria van de SS ten aanzien van raciaal uiterlijk.
Toen Karl zijn huis verliet om zijn training te volgen was hij de held van zijn familie. Hij zou Het Vaderland beschermen tegen het joodse zwijn dat zijn land leegzoog van zijn rijkdom.
Toen zijn keiharde training voorbij was keek Karl met grote belangstelling toe hoe de onderkant van zijn bovenarm werd voorzien van een tatoeage met het SS-insigne. De volgende dag kreeg hij zijn zwarte uniformbroek, zwarte riem, bruine hemd, zwarte tas, zwarte jas en zwarte laarzen uitgereikt. Zijn zwarte pet en kinriem waren versierd met het zilveren insigne van een doodshoofd.
Op 30 april 1937, op de verjaardag van de Führer, legde Karl zijn eed als SS-man af:

'Ik zweer u, Adolf Hitler
Als Führer en Kanzler van het Duitse Rijk
Trouw en Moed.
Ik beloof u en de Superieuren die u zult aanwijzen
Gehoorzaamheid tot de dood erop volgt,
Zo waarlijk helpe mij God.'

Na het afleggen van een tweede eed die Karl Drexler en zijn afstammelingen ertoe verplichtte alleen te trouwen als werd voldaan aan 'de noodzakelijke voorwaarden' ten aanzien van ras en gezondheid, en nadat hij plechtig had beloofd dat hij niet zou trouwen zonder de toestemming van Hitler zelf, ontving Karl zijn trots en vreugde: zijn SS-dolk.
Karl gaf gevolg aan het advies van Himmler en werd lid van de Gestapo. De Gestapo was een tak van de SS die al snel tot een gevreesd symbool van het schrikbewind van de nazi's werd.
Op de dag dat hij naar zijn huis in Berlijn terugkeerde maakte Karl Drexler veel werk van zijn dolk en pet. Hij draaide en poseerde voor de spiegel en wist dat hij er knap en indrukwekkend uitzag.
De familie van Karl stond bij het treinstation op zijn aankomst te wachten. Het meest dankbare moment in het jonge leven van Karl Drexler deed zich voor toen hij de trotste blik in de ogen van zijn vader zag. Rudolf Drexler omarmde zijn zoon en huilde. 'Mijn zoon. Mijn zoon, de soldaat!' Tot aan dat ogenblik had Rudolf zich altijd een mislukkeling gevoeld, maar bij het zien van Karl wist hij dat hij erin was geslaagd een uitstekende zoon groot te brengen die dapper zou vechten om alles te herstellen wat hem en zijn geliefde Duitsland was ontstolen.
Toen de oorlog eenmaal begon volgden leden van de Gestapo de Duitse strijdkrachten de bezette landen in waarbij ze hun eigen wrede methoden hanteerden om diegenen te vermoorden die vijandig stonden tegenover de Duitse heerschappij. Bij hun werkzaamheden om de vijanden van het Reich te vernietigen bestond de natuurlijke prooi van de Gestapo uit de grote aantallen hulpeloze joden die in de getto's ingesloten zaten.
Nadat hij een wond aan zijn been had opgelopen toen zijn militaire voertuig over een Russische mijn was gereden, werd Karl Drexler voor herstel naar Berlijn gestuurd. Toen hij eenmaal beter was, werd hij opnieuw naar het oostfront gestuurd om te helpen bij het groeiende joodse probleem in het getto van Warschau.

Terwijl Karl Drexler naar de lijst in zijn hand stond te staren speelde er een lichte trilling rond zijn lippen.

Zijn ondergeschikte Friedrich Kleist stond met zijn handen op zijn rug voor Karl, waarbij zijn gezicht geen enkele blijk gaf van het bange voorgevoel dat hij had. Hij dacht bij zichzelf dat zijn superieur steeds irrationeler was geworden sinds de tragische wintercampagne in Rusland. Karl Drexler viel tegenwoordig tegen iedereen om zich heen uit. Kolonel Drexler had een jongere broer die ten westen van Smolensk, aan het oostfront, vocht. De week daarvoor hadden ze te horen gekregen dat de sovjetpartizanen een linie hadden gevormd ten oosten van de Duitse linie en de weg bereidden voor een slachting van de Duitse soldaten. Friedrich vroeg zich af of dat de reden was voor de houding van Drexler.
Karl stopte het papier in zijn zak en vroeg: 'Duitse soldaten die om de tuin zijn geleid door debiele joden?'
Friedrich antwoordde met opzet onbewogen: 'Dat schijnt zo te zijn, meneer.'
Karl kreunde. Hij liep rond zijn bureau en pakte een paar documenten waarmee hij een poosje speelde terwijl hij nadacht over de joden in het getto van Warschau. De joden waren slim en deden alles om zich vast te houden aan hun ellendige leven.
Karl misgunde hun elke ademtocht.
De avond daarvoor waren vijftien van de beestachtige joden op de executielijst ontsnapt. Vanaf dat moment hadden zijn mannen slechts drie van de ontsnapten opgespoord. Karl zelf had de leiding gehad bij de martelingen voor hun executie en hoewel hem dat kortstondig genoegen had geschonken leek niets zijn verlangen joden vernederd en gebroken te zien te vervullen.
Nu de campagne in Rusland wankelde, voelde Karl de dringende noodzaak van zijn taak. Hij en zijn mannen moesten de tijd hebben om alle joodse zwijnen uit te roeien. Karl wist dat volgens zijn superieuren in Berlijn de oplossing van de joodse kwestie net zo belangrijk was als het winnen van de oorlog. Als er maar één jood zou overleven, zou de missie van Karl mislukt zijn.
Hij keerde zijn woede tegen Friedrich. 'Moet ik alles zelf doen?' Hij knipte met zijn vingers. 'Ga! Verzamel je mannen en kom met me mee.' Hij zou persoonlijk het getto ingaan en die sluwe joden opsporen! Dan zou hij hen, recht voor de ogen van hun familie, een kogel door hun kop jagen.
Er speelde een glimlach rond zijn lippen die kouder was dan zijn ijskoude ogen toen hij over deze mogelijkheid nadacht. Hij besloot de joden niet meteen te doden. Het was veel bevredigender hen om genade te zien smeken terwijl ze martelingen ondergingen. Karl voelde een golf van opwinding bij de gedachte joods bloed te laten vloeien.

Die nacht was een moordorgie. Karl hanteerde een eenvoudige methode. Hij hield joodse kinderen als gijzelaars. Hij informeerde de joodse honden kortaf dat ze vijf minuten de tijd hadden om te vertellen waar de gezochte mannen zich ophielden. Daarna begonnen de moorden. Het duurde niet lang of de lafaards onthulden de schuilplaatsen van hun mannen.
Binnen een paar uur had Karl tien van de twaalf gezochte mannen gearresteerd. Helaas was het noodzakelijk geweest een van hen te doden. Toen de jood zijn bebloede, dode kind zag had hij gehuild als een hyena en was met blote, uitgestrekte handen op Karl afgevlogen.
Terwijl ze naar het laatste appartement aan de Niskostraat liepen strekte Karl zijn hand uit en klopte Friedrich op de rug. Karl voelde zich immens trots op zijn succes, want hij zag zichzelf als een briljant strateeg in het dodelijke spel met de joden. Toch maakte Karl zich een beetje bezorgd over Friedrich Kleist. Hij was nieuw in het getto van Warschau en Karl had vaak het gevoel dat zijn hart niet bij het werk lag. Karl begreep het wel. Het duurde vaak een poosje voor zijn mannen, met name de minder ervaren mannen, de joden zagen zoals ze echt waren en voor ze begrepen hoe absoluut noodzakelijk het was dat ze uit hun Europese leven werden gewist. Een deel van het joodse gevaar kwam voort uit hun vermogen door hun sluwe en bedrieglijke houding mensen voor hun zaak te winnen.
Karl sprak luid terwijl hij zijn punten benadrukte met zijn knuppel die in de lucht op en neer zwaaide waardoor Friedrich moest denken aan een enthousiast docent die voor zijn leerlingen staat, behalve dat de les geen les was die een student ooit zou moeten leren.
'Zie je, Friedrich, de joden zijn nogal dom. Er is door middel van verscheidene intelligentietests, die zijn uitgevoerd door vooraanstaande wetenschappers van het Reich, aangetoond dat de joden een herseninhoud hebben die overeenkomt met die van een paard.'
Bij het zien van de blik vol ongeloof van Friedrich voegde Karl daar lachend aan toe: 'Niet net zo groot als een paard, maar net zo dom als een paard. Echt waar! Het is waar!' Toen grinnikte hij even. 'Friedrich, vertel me eens, bespreekt een man zijn ideeën met een paard?'
Friedriech gaf het verwachte antwoord: 'Nee, meneer.'
'Nee, natuurlijk niet. Een man moet het beest slaan om aan te geven welke kant hij op moet gaan. Zo gaat het ook met de joden. Het is noodzakelijk hen op een heel basale manier te laten zien wat ze moeten doen.' Karl Drexler grijnsde daarop naar Friedriech en wachtte op zijn antwoord.
Friedrich wist niet wat hij moest zeggen, dus mompelde hij: 'Ik neem aan dat u gelijk hebt.' Hij bloosde van schaamte en had het gevoel dat

duizend ogen van zijn voorvaderen naar hem keken en hem beoordeelden in een tijd en op een plaats die was voorbestemd de oprechte verdienste van een man te tonen. Friedrich slaakte een diepe zucht, wetend dat hij hulpeloos gevangen zat in een ongelooflijke situatie met een stel krankzinnigen.
Friedrich wilde geen deel uitmaken van het meedogenloze werk van deze nacht.
Friedrich was door een neef overgehaald bij de SS te gaan. Hij had de ouders van Friedrich ervan overtuigd dat hun enige zoon veel veiliger was in de SS dan wanneer hij in een leger zou vechten dat plotseling grote verliezen leed. Friedrich was een redelijk aantrekkelijke man van gemiddelde lengte, maar op vele manieren nog een kind doordat hij door zijn toegeeflijke ouders te veel beschermd werd. Zijn moeder had er bij hem op aangedrongen de SS in overweging te nemen aangezien zij, net als veel slecht geïnformeerde Duitsers, de SS zag als de instantie die alleen verantwoordelijk was voor het moreel van de Duitsers en van de gevangenen die ze bewaakten. Toen de oorlog zijn derde jaar inging had de SS de meest strenge eisen van toelating versoepeld. Alleen om die reden was Friedrich geaccepteerd als een van de elite.
Friedrich, die de uniformen en het zelfvertrouwen van de SS-soldaten bewonderde, was blij geweest, althans in het begin. Hij had tegen zichzelf gezegd dat iedere man met een gezond lichaam in Duitsland een uniform droeg en dat hij daarom geen keuze had en dat de ene dienst dezelfde was als de andere.
Friedriech had de plank volledig misgeslagen.
Toen hij eenmaal met de training was begonnen, was hij tot het besef gekomen dat hij emotioneel niet was toegerust voor de soort opdrachten die de SS-eenheden kregen. Friedrich begreep al snel dat hij werd getraind tot moordenaar, niet tot soldaat! Getraind om joden te vermoorden! De joden waren bij elke geschikte gelegenheid aangewezen als de wortel van alle problemen van Duitsland. De joden waren de oorlog begonnen en verdienden de catastrofe die hun nu te wachten stond. De joden waren de reden voor elke Duitse nederlaag.
Zelfs nu, terwijl hij naast kolonel Drexler liep, klonken de woorden van zijn voormalige SS-instructeur nog na in zijn oren: ‘Het gevaar voor ons land is nog niet verwijderd. Onze vijanden willen steeds verder doordringen op Duitse bodem! De grootste bedreiging voor het Duitse leven zijn de smerige joden!’
Terwijl de instructeur duidelijk had gemeend wat hij met zijn koude emotieloze ogen had gezegd, had Friedrich het antwoord gegeven waarvan hij wist dat dit van hem verwacht werd, maar zijn hart was er niet bij.

Hoewel de familie Kleist geen joden als persoonlijke vrienden had, had Friedrich niets tegen de joden en het speet hem vaak hoe ze werden behandeld. Hij was niet zo naïef dat hij zijn twijfels onder woorden bracht en werd uiteindelijk als kampbewaker naar Polen gestuurd. Zijn ouders waren verrukt geweest omdat ze niet verder dachten dan dat hun zoon veilig zou zijn voor de geweren van de groeiende lijst van vijanden van Duitsland. Toch wist Friedrich dat als zij echt begrepen wat er met de joden gebeurde, en de rol die hun zoon gedwongen was te vervullen, ze misschien liever zouden willen dat hij in een met sneeuw gevulde loopgraaf in Rusland voor zijn leven lag te vechten.
Wat betrof zijn superieur Karl Drexler vond Friedrich dat de man volslagen krankzinnig was en onschuldige vrouwen en kinderen gruwelijke dingen aandeed. De obsessie van de kolonel met de joden vervulde Friedrich met verdriet en afgrijzen, maar hij wist dat het zinloos was te zeggen wat hij dacht. Hij wist dat kolonel Drexler voor Warschau aan het oostfront had gediend. In Kiev was hij razend geworden op twee van zijn eigen mannen die hadden geweigerd zijn orders op te volgen om een schuur in brand te steken waarin honderd Russische joodse vrouwen en kinderen gevangen werden gehouden. Friedrich was verteld dat deze mannen zwaar gestraft waren.
De kolonel was een gevaarlijke man en Friedrich wist wel beter dan tegen iemand in te gaan die zoveel macht had. Hij geloofde dat zijn ongehoorzaamheid tot gevolg zou hebben dat hij zelf gestraft zou worden. Hij dacht bovendien dat de joden zo goed als dood waren en dat hij niets kon doen om hen te helpen. Niet zolang daarvoor had Drexler hem persoonlijk verteld dat hun superieuren in januari in Wannsee een bijeenkomst hadden gehouden en dat ze op die bijeenkomst hadden besloten de *Endlösung* te beginnen, wat de codenaam was voor de uitroeiing van de Europese joden.
Gek! De hele wereld is gek geworden, zei Friedrich vaak tegen zichzelf. Maar hij wapende zich nu voor nog meer geweld, want hij zag dat ze bijna bij het appartement in de Niskostraat waren, de woning van een van de rijkste joden in het getto, Mozes Stein.
Friedrich had meer dan een reden om bang te zijn voor een ontmoeting met Mozes Stein. Hij had de oude jood een paar maanden daarvoor ontmoet en smeergeld aangenomen om een van zijn familieleden vrij te laten, een man die was gearresteerd op beschuldiging van smokkel. Friedrich had zich nooit eerder laten omkopen, maar hij had net die dag een verontrustende brief van zijn vrouw Eva ontvangen. De Britten hadden hun bombardementen op Berlijn verhevigd en Eva vertelde hem over de zware tijden die zij en haar familie doormaakten. De voedsel-

prijzen waren nu exorbitant hoog in Duitsland. Door de gedachte aan Eva en zijn ouders had hij zich laten verleiden door de grote diamanten van Mozes Stein met de redenering dat de joden van het getto in Warschau toch spoedig dood zouden zijn. En nadat hij had ontdekt dat de bewaker die het familielid van Mozes had gearresteerd, was teruggeroepen naar Duitsland voor de begrafenis van een broer en dat de arrestatieofficier de nodige formulieren niet had ingevuld, had Friedrich de vijf diamanten aangenomen en de jood vrijgelaten. Friedrich hoopte dat zonder de ondertekende formulieren niemand ooit zou weten dat de jood ooit was gearresteerd.
Hij hield één diamant voor zichzelf om die mogelijk in de toekomst te kunnen gebruiken en regelde met een SS-kameraad die hij kon vertrouwen dat hij Eva en zijn moeder ieder twee diamanten zou brengen.
Maar anderen moesten hebben geweten dat de oude jood rijk was want op de een of andere manier was de naam van Mozes Stein op de vernietigingslijst geplaatst toen kolonel Drexler besloot de dood van een vermoorde Duitse soldaat te wreken. Aangezien kolonel Drexler Friedrich behandelde zoals altijd, hoopte hij dat dit inhield dat zijn superieur de illegale transactie niet had ontdekt. Anders zou Friedrich in ernstige moeilijkheden hebben gezeten. Karl Drexler hield zich stipt aan de belofte die hij had afgelegd. Niemand had ooit gehoord dat de kolonel smeergeld had aangenomen.
Toen het de jood gelukt was aan de eerste arrestaties te ontkomen had Karl tegen Friedrich gezegd: 'Mozes Stein zal als laatste worden gearresteerd.' Karl bewaarde het beste altijd voor het laatst.
Friedrich had ontdekt dat Karl met name genoot van het kleineren van rijke joden. 'De rijke honden vergissen zich als ze denken dat hun rijkdom hen tegen de Duitse gerechtigheid beschermt,' had hij gezegd. Karl had gelachen toen hij terugdacht aan wat voor hem geliefde momenten waren. 'De rijke joden kijken altijd zo stomverbaasd vlak voordat ze sterven!'
Friedrich voelde zijn maag ineenkrimpen toen ze de trappen naar het appartement van de familie Stein opliepen. Hij vermoedde dat de familie Stein om vier uur 's ochtends nog sliep, zich onbewust van de gevaarlijke Karl Drexler die op weg was hun levens te verwoesten. Friedrich, die voelde dat Karl Drexler op zijn reactie lette, probeerde er enthousiast uit te zien.
Karl Drexler rechtte zijn rug en voelde een dodelijke kalmte over zich heen komen toen hij voor de deur van het appartement van Mozes Stein stond. Hij vervulde de wensen van zijn geliefde Führer. 'Breek de deur open,' beval Karl.

8 De dood in Niskostraat

Jozef Gale had de afgelopen vier uur zitten wachten. Hij had de echo van de stem van Karl Drexler gehoord en het gestamp van de zware laarzen terwijl de SS-mannen door het getto in de richting van de Niskostraat liepen.
Jozef sloot snel Ester en Mirjam in de slaapkamer op. 'Ester, kom er niet uit, wat je ook hoort!' zei hij tegen zijn bange vrouw.
Zijn hart klopte luid terwijl hij zich naar Gershom en Daniël in de voorkamer haastte. De drie mannen boden zichzelf aan als offers om hun familie te redden.
Jozef en Daniël wisselden vastberaden blikken en plotseling voelde Jozef zich kalm en koud worden.
Met een enorme knal sprong de deur open en SS-mannen zwermden het appartement in.
Karl Drexler leek perplex bij het zien van de drie joodse mannen die op hem stonden te wachten. Hij trok zijn wenkbrauwen op en nam ze nauwgezet op waarna zijn ogen op Jozef Gale bleven rusten. Hij bestudeerde enkele ogenblikken de lange man voor hij door de opengebroken deur naar binnenwandelde alsof hij als gast was uitgenodigd.
Hij liet een kille glimlach zien en vroeg nonchalant: 'Mozes Stein? Is Mozes Stein er ook?'
Daniël gaf het antwoord dat was afgesproken door de mannen van de familie. 'Mijn vader is recent overleden. Hij is nog maar vorige week begraven.'
Het voorgaande jaar waren de joden in het getto van Warschau met tweehonderd personen per dag overleden. Het was heel goed mogelijk dat Mozes Stein een van de ongelukkigen was geweest.
Karl Drexler tikte een denkbeeldig stofje van zijn zwarte jas. 'Echt waar?' Hij wendde zich naar Friedrich Kleist en knipoogde voor hij langs de drie mannen naar de boekenkast van Mozes liep. Het was muisstil in de kamer terwijl Karl de grote selectie van klassiekers in meerdere talen bestudeerde. 'Wat is dit?' mompelde hij terwijl hij de essays van Montaigne doorbladerde. Wetend dat de joden dieven waren be-

sloot hij dat de familie Stein de een of andere Poolse aristocraat van zijn boekenverzameling moest hebben beroofd. Later zou hij kapitein Kleist teruggaan laten om de hele bibliotheek op te halen.
Nadat hij het boek op zijn juiste plaats had teruggezet richtte Karl zijn aandacht weer op de drie joden. Hij pookte Daniel in zijn rug met zijn wapenstok. 'Je naam?'
Daniël verstijfde. 'Daniël Stein.'
'Ah, ja! Daniël.' Karl grinnikte voor hij een vers uit de bijbel aanhaalde. 'Daniël, dienaar van de levende God, heeft jouw God, die voortdurend door jou wordt gediend, je van de leeuwen weten te redden?'
Daniël gaf geen antwoord.
Een paar SS-bewakers lachten.
Karl glimlachte naar de bewakers en schraapte vervolgens zijn keel. 'Daniël. Aan welke ziekte is je vader overleden? Hij was toch je vader?'
Daniël knikte. 'Mijn vader was Mozes Stein.' Hij slikte om zich te beheersen zodat hij de Duitser niet zou uitvloeken in plaats van zijn vraag te beantwoorden. 'Mijn vader stierf aan longontsteking.'
'Longontsteking, ja, natuurlijk.' Karl liep tussen Daniël en Jozef heen en weer. Hij stopte en staarde in de ogen van Jozef. Hij tuurde nauwgezet naar zijn gezicht en bestudeerde de vorm van zijn hoofd. Hij kneep in een van de bovenarmen van Jozef terwijl hij de gehele tijd bedacht dat de man geen van de normale lichamelijke eigenschappen van een jood bezat. Hij voelde zich niet op zijn gemak bij de grote gestalte en buitengewoon knappe verschijning van Jozef en zijn ogen vernauwden zich. 'En, jouw naam?'
Jozef antwoordde met vaste stem: 'Jozef Gale.'
Karl Drexler bleef staren. Jozef torende boven Karl Drexler uit en staarde standvastig terug. Karl Drexler was een lange man, maar Jozef Gale wat iets langer.
Jozef had op een gegeven moment in zijn leven, ondanks de Eerste Wereldoorlog en de misleide Duitse strijdkrachten die oorlog bleven voeren tegen hun Europese buren, het Duitse ras bewonderd. De Duitsers zaten vol tegenstrijdigheden: aan de ene kant brachten ze muzikale genieën, buitengewone schrijvers, intellectuelen en wetenschappers voort en aan de andere kant creëerden ze monsters die eropuit waren al het goede in de civilisatie te vernietigen.
Maar sinds het begin van de Tweede Wereldoorlog, de aanval op en bezetting van Polen en het vormen van het getto in Warschau haatte Jozef iedere levende of dode Duitse hond.
Jozef nam de Duitser kritisch op en besloot dat er niets achter de ijsblauwe ogen van de SS-man schuilging. Hij was een lege huls die alleen

op moorden was geprogrammeerd. Jozef vroeg zich af of de nazi-doctrine erin was geslaagd al het goede uit de Duitsers te zuigen zoals dit was gebeurd met de man die voor hem stond.
Als dat het geval was verdienden allen te sterven.
Jozef glimlachte bijna bij de gedachte aan het grote aantal Duitse soldaten die precies dat in Rusland deden. Het oostfront liet de Duitse oorlogsmachine leegbloeden en Jozef wist al enige tijd dat de Duitsers hun wanhopige race om de heerschappij over Europa en de slachting van al hun vijanden zouden verliezen. Hij hoopte alleen dat de Duitse nederlaag op tijd zou plaatsvinden om de joden in Warschau te redden.
Plotseling werd Jozef overspoeld door een vreemde gewaarwording: hij voorvoelde dat op een dag de man die nu voor hem stond aan zijn genade overgeleverd zou zijn.
De twee mannen bleven elkaar onafgebroken aanstaren.
Het gezicht van Karl begon rood aan te lopen, boos over de brutaliteit van een jood om hem uit te dagen, al was het maar via een blik.
Jozef brandde van verlangen om Karl Drexler te doden. Hij kreeg de bange gedachte dat zijn handen een eigen wil hadden en naar voren zouden reiken om de man te wurgen met hetzelfde gemak waarmee ze het leven uit Tolek Grinspan hadden geknepen. In de wetenschap dat zo'n reactie de dood van iedereen in het appartement zou betekenen stopte Jozef zijn handen in zijn zakken, klemde hij zijn tanden op elkaar en dwong zichzelf zijn ogen neer te slaan.
Karl was tevreden. Toegegeven, het was een kleine overwinning, maar hij weigerde te worden overtroffen door een jood. Hij had Jozef Gale veel willen vragen, maar deed het niet. Hij besloot dat er later meer dan genoeg tijd zou zijn voor een uitgebreide ondervraging.
Hij wendde zich voor eerst tot Gershom en vroeg: 'Mag ik alsjeblieft de overlijdensakte zien. Die voor Mozes Stein.'
Gershom verschoof zijn voeten voor hij antwoordde. 'We hebben de akte niet. Nog niet.' De onzekerheid die de stem van Gershom binnensloop was voor alle aanwezigen te bespeuren.
Daniël kwam snel tussenbeide. 'De dokter zegt dat de akte morgen klaar is.'
Karl schudde zijn hoofd en maakte een klikkend geluid met zijn tong. Hij keek naar zijn adjudant. 'Zie je wat ik bedoel, Friedrich? De waarheid en een jood zijn vreemd voor elkaar. Een jood kan de waarheid gewoon niet vertellen.'
Het gezicht van Karl liep rood aan en plotseling krijste hij: 'Leugenaars, iedere stinkende jood is een leugenaar!'
Het spelletje was voorbij en Karl amuseerde zich niet langer. 'Zoek de

vrouwen en de kinderen,' beval hij kortaf terwijl hij met zijn vingers naar de SS-bewakers knipte die achter Friedrich Kleist in de houding stonden.
Vijf van de bewakers gingen in verschillende richtingen door het appartement.
Karl beval de drie joden te blijven waar ze waren, maar Jozef gehoorzaamde niet en volgde de bewaker die naar zijn slaapkamer ging op de hielen. Jozef haalde de bewaker in bij de deur van de kamer waar zijn vrouw en kind verborgen waren en hield de bewaker tegen terwijl hij de deur ontsloot. 'Ester, liefste, pak Mirjam en kom met me mee.'
Karl Drexler besloot op dat moment dat hij ruim de tijd zou nemen om de grote jood te vermoorden.
Het openbreken van deuren en het gehuil van kleine kinderen vulde het appartement.
De vrouwen van Daniël en Gershom dreven samen met de weduwe van Israël hun kinderen voor zich uit en krompen in doodsangst ineen voor de SS-mannen in de kamer.
Sara Stein hield haar blinde kleinzoon David in haar armen en stond kalm tussen haar twee volwassen zoons.
Jozef hield een zacht jammerende Mirjam dicht tegen zijn borst geklemd terwijl Ester zich aan hem vastklampte. Jozef kon het hele lichaam van Ester voelen trillen. Hij keerde zich naar haar toe, glimlachte even naar haar en fluisterde: 'Maak je geen zorgen, lieveling. Dit is zo voorbij.'
Karl keek van de ene jood naar de andere terwijl de haat zijn gezicht verwrong. Hij was met name woedend door de aanblik van de grote jood met zijn vrouw en kind. Hoewel de jodin ongetwijfeld mooi was met haar donkere ogen en olijfkleurige huid, was ze duidelijk een volbloedjodin. Het kind was blond met een lichte huid en lichtgekleurde ogen. Zij zou voor een Duitse kunnen doorgaan. De man was een mysterie voor hem. Karl dacht dat hij wellicht een ariër was. Als dat zo was, dan had Jozef Gale de ergste misdaad tegen de staat begaan: het aangaan van een seksuele relatie met een joodse hoer. Hij kon niet precies zijn vinger leggen op waarom hij de grote jood meer haatte dan de anderen. Toen besefte hij dat de reden was dat Jozef Gale er zo verdomde schijnheilig uitzag en Karl het gevoel gaf dat hij, de jood, zich superieur voelde aan hem, een Duitser!
Karl veranderde ter plekke van gedachten en besloot dat hij Jozef Gale liever wilde straffen dan doden. Hij had alleen nog niet besloten wat hij zou doen of hoe hij het zou doen. Nog niet.
Friedrich bewoog zich ongemakkelijk in de richting van de deur. Hij

was opgelucht geweest te horen dat de oude jood dood of verdwenen was, maar hij voelde zich kotsmisselijk omdat hij wist dat er iemand ging sterven.
Terwijl Karl keek hoe Jozef teder zijn kind in zijn armen hield kreeg hij een idee. Hij onderdrukte een glimlach en voelde zich wat opgewekter. Hij paradeerde naar Daniël toe en sprak hem recht in zijn gezicht aan. 'Zorg dat Mozes Stein een bericht krijgt. Hij moet zichzelf binnen acht uur bij de gevangenis Pawiak aangeven.' Hij pauzeerde en een hartslag lang was het doodstil in de kamer. Toen zei hij zachtjes met een stem die was doordrongen van een kwaadaardige belofte: 'Anders zal ik jullie allemaal vermoorden.'
Er golfde een woede door Daniël die hem zijn adem deed stokken. Hij knikte en wist dat de Duitser meende wat hij zei. Het had niet langer zin te blijven ontkennen dat zijn vader nog leefde.
Terwijl Karl rechtstreeks naar Jozef keek gleed er een hatelijke glimlach rond zijn lippen.
Jozef keek en luisterde zonder een spier op zijn gezicht te vertrekken. Hij voelde dat hij het middelpunt was geworden van de haat van deze man.
De kamer veranderde direct in een heksenketel toen Karl naar Mirjam wees. 'Breng het blonde kind,' beval hij kortaf. Hij aarzelde en wierp een snelle blik op de andere kinderen. 'En het jongetje daar.' Hij gebaarde naar David, de blinde kleinzoon van Sara.
'Nee!' krijste Ester.
Jozef klemde met zijn ene hand het kind tegen zich aan terwijl hij de andere gebruikte om de SS-man van zich af te weren die probeerde Mirjam te pakken.
Friedrich klemde zijn kaken zo hard op elkaar dat de aderen op zijn hoofd opzwollen.
Boven het lawaai van het toenemende tumult schreeuwde Karl: 'Dood de grote jood niet!'
Sara keerde zich met een luide kreun om en rende met David naar haar slaapkamer. Het blinde kind dat de oorzaak van het paniekerige gedrag van zijn grootmoeder niet begreep, begon te krijsen.
Daniël en Gershom volgden hun moeder met twee SS-mannen achter zich aan.
Sara's drie nog levende schoondochters trokken hun kinderen in een hoek van de kamer waar ze de hysterische kinderen met hun lichaam beschermden.
Jozef was erin geslaagd de SS-man op de grond te krijgen en gebruikte dat moment om Mirjam aan Ester door te geven en duwde haar en het

kind tegen de muur. Staand voor zijn vrouw en baby vocht hij als een bezetene waarbij zijn ijzingwekkende kreten de lucht doorsneden. Nog twee SS-mannen voegden zich in het gevecht, maar Jozefs angst voor zijn kind had hem de kracht van tien mannen gegeven.

Karl bekeek met grote belangstelling het vastberaden verzet van de jood. Karl had de ervaring dat de meeste joden de bevelen van hun Duitse meesters gedwee opvolgden. De jood was ongetwijfeld een krachtig strijder. Drie van Karls mannen waren uitgeschakeld en Jozef was bezig de vierde heftig in elkaar te slaan. De felle manier van vechten van Jozef versterkte zijn eerdere gedachte dat de man geen jood was. Karl trok zijn revolver te voorschijn en deed twee stappen naar de uitgang. Het speet hem dat hij het bevel zou moeten geven om Jozef Gale te doden. Wat zonde!

Met een snelle beweging van zijn hand gebaarde Karl naar twee andere mannen, van wie de ene Friedrich was, om te helpen de jood te overmeesteren. Friedrich was niet voorbereid op een lichamelijke krachtmeting en hij was stomverbaasd toen de enorme vuist van Jozef uitschoot naar zijn gezicht. Er spoot bloed uit de neus van Friedrich en hij had nog nooit eerder zo'n pijn gevoeld. Hij wankelde achteruit en belandde op zijn achterste.

Karl beval de rest van de mannen zich in het gevecht te begeven. Uiteindelijk werd Jozef gevloerd. Toen begonnen de mannen hem te schoppen en te stompen.

Nu Jozef bewusteloos was liep Karl door de kamer terwijl een van zijn mannen zijn handen uitstrekte naar Mirjam. Mirjam werd afgeschermd achter de rug van haar moeder en huilde jammerlijk. Een hysterische Ester schopte en klauwde naar de man en vocht als een tijgerin. Karl staarde met een hardvochtig gezicht naar Ester en sloeg haar toen met een snelle slag tegen haar kaak bewusteloos. Er schoot een flits van kwaadaardig genot door hem heen toen hij de jodin in elkaar zag zakken.

Mirjam schopte en schreeuwde terwijl ze om haar moeder riep.

Karl pakte de baby bij de blonde krullen en trok haar mee over de vloer. Hij sloeg haar twee keer in het gezicht om haar het zwijgen op te leggen en beval Friedrich vervolgens om haar op te rapen.

Friedrich zat versuft met een bloederige zakdoek tegen zijn neus. Hij antwoordde verward: 'Ja, dat zal ik doen. Een ogenblikje.'

Achter in het appartement werd een schot afgevuurd en de twee SS-mannen keerden terug met David, die doodsbleek en stil was. De jongen was uit doodsangst flauwgevallen.

Friedrich, die het snikkende kind in zijn armen hield, vocht tegen de

aandrang tot overgeven. Hij probeerde onhandig het kind te troosten, maar Mirjam had vanaf het moment van haar geboorte alleen liefde en zachtmoedigheid gekend en deze avond was een spookbeeld voor haar.
'Mammie! Mammie!' schreeuwde ze naar een bewusteloze Ester Gale.
Karl gloeide van trots terwijl hij het onbeschrijflijke tafereel bekeek dat hij tot leven had geroepen. Jozef Gale lag met een bebloed gezicht en hoofd uitgestrekt op de vloer. Karl zag dat zijn verwondingen niet ernstig waren. Hij zou het overleven. Karl wist dat de jood met het verlies van het kind de paar maanden die Karl had besloten hem te geven, in een absolute marteling zou overleven.
Ester Gale was bewusteloos. Haar kaak hing er los bij en was hoogstwaarschijnlijk gebroken.
Karl lachte bijna hardop toen zijn blik op de schoondochters van Mozes Stein bleef rusten. De drie joodse hoeren stonden als bevroren van angst rond hun bastaardkinderen.
Van achter uit het appartement was een luid snikken hoorbaar.
Karl was voorlopig tevreden. Er gleed weer een kille glimlach rond zijn lippen. Hij was nog niet klaar met de familie Stein. Nog niet.

Benjamin, die een snelle blik op zijn vrouw wierp, besloot dat ze gek geworden was. Ze bladerde door de bladzijden van hun familiealbum en haalde er foto's uit van Jacques, Jozef en Ester. Ze gooide de foto's een voor een in een prullenbak.
Een protesterende Rachel haalde de foto's er weer uit terwijl ze tegen haar moeder riep: 'Moeder! Wat doe je? Moeder! Hou op!'
Benjamin hoorde Natalie een antwoord mompelen en meende te horen dat ze de woorden 'eenzaam album, eenzaam joods album' herhaalde maar wist het niet zeker. Hij liep de kamer door een pakte Natalie bij de schouders voor hij met kracht het album uit de handen van zijn vrouw trok.
Een snikkende Rachel begon de foto's bijeen te rapen en ze weer op de juiste plaats terug te stoppen.
Benjamin deed zijn uiterste best om zijn rouwende vrouw te troosten. Hij kende de reden voor het lijden van Natalie. De voorgaande avond hadden ze te horen gekregen dat Jacques de gevangene was van de Duitse Gestapo. Tegelijkertijd hadden ze te horen gekregen dat hun zoon een verzetslid in hoog aanzien was en in Lyon was gestationeerd, de stad die gedurende het voorgaande jaar de hoofdstad van het Franse verzet was. Volgens wat hun was verteld, had hun zoon een groot aantal Duitse soldaten en Franse collaborateurs gedood voordat hij gevangen werd genomen.

Benjamin was gewaarschuwd om met zijn gezin Parijs te ontvluchten en naar Zwitserland te gaan. Een favoriete tactiek van de Gestapo bestond uit het martelen van onschuldige familieleden voor de ogen van de verzetsgevangene.
Natalie tilde haar hoofd op en keek in het gezicht van haar man. Met een hels, overweldigend verdriet zei ze: 'Ik wil mijn zoons! Benjamin, ik moet mijn zoons zien. Ik heb hun iets belangrijks te vertellen!'
Benjamin hield zijn vrouw dichter tegen zich aan. Hij kreeg een brok in zijn keel en er verschenen tranen in zijn ogen. Hij vocht hard om niet in te storten omdat hij wist dat als er niet een was die sterk bleef, het gezin misschien nooit zou herstellen van de shock door het verlies van zowel Jacques als Jozef.
Natalie werkte zich los uit zijn greep en zeeg neer op een stoel. 'Ik heb het al die jaren fout gehad!' bekende ze terwijl ze omhoog staarde in het gezicht van haar man.
Benjamin keek peinzend naar zijn vrouw en dacht dat Natalie volkomen de kluts kwijt was.
'Benjamin, ik weigerde mijn zoons als joden te laten leven.' Ze pauzeerde en keek met lege ogen over zijn schouder in het niets. 'Maar het lijkt erop dat ze nu zullen sterven als joden.'
Benjamin, die wanhopig probeerde de mentale toestand waarin zijn vrouw verkeerde te veranderen, uitte een kleine kreet alvorens voor Natale neer te knielen. Hij kuste haar handen en legde zijn hoofd in haar schoot. 'Natalie. Je moet jezelf niet kwellen.'
Natalie liet haar handen teder over het hoofd van haar man glijden. 'Benjamin. Ik ben van het geloof afgedwaald. Ik hield mijn kinderen af van hun erfgoed. Ik hcb een onvergeeflijke zonde begaan.' Haar stem klonk verbitterd. 'Nu word ik gestraft met het verlies van mijn mooie zoons.'
Omdat ze niet in staat was de zielenstrijd van haar moeder nog langer aan te zien snelde Rachel de kamer uit waarbij ze het fotoalbum dicht tegen haar borst aangedrukt hield en wenste dat zij degene was die in het gezin ontbrak in plaats van Jacques of Jozef. Rachel wist dat haar moeder haar knappe zoons altijd prefereerde boven haar eenvoudige dochter.
Benjamin hoorde de deur dichtslaan terwijl Rachel de kamer verliet. Hij herinnerde zich dat de arrestatie van Jacques inhield dat ze allemaal in gevaar verkeerden. Hij wapende zich voor een moeilijk moment en zei: 'Natalie, we moeten ons op ons vertrek voorbereiden. We moeten nu aan Rachel en Michel denken.'
De verwilderde blik van Natalie was vervangen door een blik van vol-

slagen ellende. 'Laat de Duitsers maar komen.' Ze sloeg haar handen voor haar gezicht. 'Mijn ziel is dood, wat is mijn lichaam dan nog waard?'
Door de omstandigheden was Benjamin ontdaan van alle besluiteloosheid. 'Natalie. We hebben nog twee kinderen. Om hun overleving zeker te stellen moeten we uit Parijs vertrekken.'
Natalie knikte even. Haar man had gelijk. Ze dacht aan haar twee resterende kinderen. Rachel was een jong meisje. Ze huiverde bij de gedachte aan wrede Duitse handen die haar dochter aanpakten. En hoewel Michel met een christen was getrouwd, wist ze dat dit hun bezetters weinig uit zou maken.
Alhoewel ze een vermoeide vaagheid van geest voelde, haalde ze diep adem en zei: 'Ik zal een paar spullen gaan pakken.'
Benjamin kwam snel overeind. Hij voelde hoe dringend de zaak was; ze mochten geen tijd verliezen.
Nog voor ze hun vertrek konden regelen ging de telefoon en vertelde een hysterische Abbi hun dat Michel door drie Duitse mannen in een zwarte auto was meegenomen.
Binnen een paar tellen klonk het aanhoudende gerinkel van de deurbel. Benjamin nam zijn vrouw en dochter in zijn armen en wachtte in de hal. Toen de vier Duitsers met stugge gezichten hun huis binnenstapten maakte Natalie zich los uit de omarming van haar man. Ze stapte naar voren met de krankzinnige blik in haar ogen van een vrouw die de duivels in haar ziel heeft losgelaten en kondigde aan: 'Ik ben degene die jullie moeten hebben. Ik ben de jood in vermomming.'

Toen Mozes Stein de volgende morgen hoorde hoe zijn beschermers gespannen fluisterden dat er iets vreselijks met zijn familie was gebeurd, verliet hij direct zijn schuilplaats en rende door de straten van het getto. Het gevaar voor zichzelf negerend keerde hij terug naar het appartement in de Niskostraat waarbij hij er niet op lette of er ergens werd gesurveilleerd door de SS.
'Wat heb ik gedaan?' riep Mozes gekweld uit toen hij de vreselijke toestand van zijn resterende familie zag en hoorde over de ontvoering van zijn twee kleinkinderen.
De schade was enorm.
Gershom was dood. Een van de SS-mannen had hem in het gezicht geschoten tijdens de worsteling om David. Zijn door verdriet overmande vrouw en kinderen hadden zich afgezonderd in de slaapkamer, gebroken door het verlies van hun zachtaardige man en vader.
Daniël bevond zich niet in het appartement omdat hij naar een bijeen-

komst van de gettovechters was om te proberen de mannen ervan te overtuigen een aanval uit te voeren op de kantoren van de Gestapo.
Jozef leefde nog, maar was vreselijk gehavend. Hij had diepe sneeën en enorme blauwe plekken in en op zijn gezicht en hoofd en was bij bewustzijn maar verward. Bij het horen van het huilen van zijn vrouw dwong hij zijn oogleden open terwijl hij zich één klein gezegend moment het tafereel niet herinnerde van de nachtmerrie die zich had afgespeeld en het feit dat zijn geliefde kind door wrede moordenaars was ontvoerd. Hij schudde verbijsterd zijn hoofd terwijl hij de kamer rond keek en God bad dat hij het niet goed zag.
De kaak van Ester was versplinterd. Sara bond een stuk doek onder haar kin en over haar hoofd. De ogen van Ester vloeiden over van tranen, maar haar zwakke gekreun had niets te maken met haar pijnlijke verwonding.
Met een vertrokken gezicht vertelde Sara haar man wat er was gebeurd. Met samengeknepen lippen luisterde Mozes naar zijn vrouw. Toen hij de eisen van de SS-kolonel had gehoord, troostte Mozes zijn dochter. 'Lieveling, je zult over niet al te lange tijd je kind weer terughebben,' beloofde hij. Mozes ging het enige doen wat hij kon doen: zichzelf aangeven bij de Gestapo. 'Ik ben oud,' zei hij, 'ik heb mijn leven geleefd. De jongeren moeten gered worden.' Mozes zou doen wat moest om de vrijlating van die kostbare, onschuldige kinderen te verzekeren.
Mozes wist met zekerheid dat hij spoedig een afgrijslijke dood zou sterven toen hij afscheid nam van ieder lid van zijn snel slinkende familie.
'Mozes!' Een gepassioneerde Sara huilde terwijl haar man stoïcijns bij de voordeur van hun appartement stond en voor de tweede keer in vierentwintig uur afscheid nam.
Mozes staarde lange tijd naar zijn vrouw. Het schoot door zijn hoofd dat hij ongevoelig was geworden voor zijn eigen dood. De dood van vier zoons, de dood en de ontvoering van zijn geliefde kleinkinderen en de onzekerheid over de levens van zijn familieleden hadden hem uiteindelijk verslagen. Hij was klaar om naar God te gaan. God moest het lot van zijn familie op aarde regelen.
Nadat hij de deur had gesloten en was vertrokken, ging het geluid van zijn wegstervende voetstappen al snel in de verte verloren.
Daarna was het heel stil in het appartement.
Voor degenen van wie hij hield was het alsof Mozes Stein al dood was.

Deel twee

Het Midden-Oosten 1952-1982

Namenlijst

De familie Antoun: De familie Bader: De familie Gale:
George Antoun (vader) Mustafa Bader (vader) Jozef Gale (vader)
Mary Antoun (moeder) Abeen Bader (moeder) Ester Gale (moeder)
Demetrius Antoun (zoon) Walid Bader (zoon) Michel Gale (zoon)
Mitri Antoun (vader van George) Jordan Gale (dochter)
Sammy (speelgoedezel van Demetrius)

De familie Kleist:
Friedrich Kleist (voormalig SS-bewaker in het getto in Warschau)
Eva Kleist (vrouw van Friedrich)
Christine Kleist (dochter van Friedrich en Eva – werkt als verpleegster in het kamp Shatila)

Amin Darwish (Palestijnse bakker die in Shatila woont)
Ratiba Darwish (sinds lang overleden vrouw van Amin)
Ahmed Fayez (vrijheidsstrijder van de Al Fatah)
Hala Kenaan (verloofde van Demetrius)
Maha Fakharry (hoofdonderwijzeres van de Shatila-school)

Minder belangrijke personen:
Yassin en Hawad (Al Fatah-strijders)
Mahmoud Bader (oom van Walid)
Rozette Kenaan (moeder van Hala)
Nadine (jongere zuster van Hala)
Omar (jongere broer van Hala)
Majida, Nizar en Anwar (verpleegsters in de Shatila-kliniek)
Stephan Grossman (overleden verloofde van Jordan Gale)

Publieke figuren:
Yasir Arafat, ook beken als Abu Ammar (hoofd van de Al Fatah)
Menachem Begin (premier van Israël)
Basjir Gemayel (vermoorde president van Libanon)

Proloog

Haifa, Palestina, 21 april 1948

George en Mary Antoun werden wakker door een luide stem die met een zwaar accent slecht Arabisch sprak. De woorden kwamen uit een luidspreker boven op een snel voortbewegende vrachtwagen. Het werd de Arabieren aangeraden Haifa te verlaten. 'Ontsnap terwijl er nog tijd is! De joodse strijdkrachten hebben Haifa omsingeld. Aanvaard het laatste aanbod van een veilige uittocht. Ontsnap! Ontsnap! Denk aan Deir Yassin!'

De brullende stem van de joodse man verdween in de verte tot hij helemaal weggestorven was. Bezorgd lag George in bed terwijl hij probeerde te beslissen wat het beste voor zijn gezin was. De gedachten aan Deir Yassin en de mogelijkheid dat zijn vrouw en zoon in hun bed zouden worden vermoord, deden het zweet bij hem uitbreken.

Iedere Arabier in Palestina kende het verhaal van Deir Yassin. Het Arabische dorp had zich neutraal verklaard en geweigerd mee te doen aan het gevecht tegen de joden. Niettemin had de joodse rebellengroep Irgun op 9 april 1948 het dorp aangevallen en meer dan tweehonderd Arabische mannen, vrouwen en kinderen afgeslacht. Sinds die tijd waren de bange Arabische burgers van Noord-Galilea Palestina ontvlucht om hun toevlucht in Libanon en Jordanië te zoeken.

Met een zucht reikte George naar zijn vrouw en trok haar tegen zich aan. Mary zei niets, maar het snelle kloppen van haar hart gaf beter uiting aan haar angst dan woorden.

Het moment waar George het bangst voor was geweest, was aangebroken. Spoedig zou de strijd om Haifa beginnen en George wist niet wat hij moest doen. Moest hij blijven en vechten? Moest hij met zijn gezin naar Libanon vluchten? Terwijl hij zijn dilemma overdacht staarde hij recht voor zich uit en sloegen zijn gedachten op drift. Waren de zionisten maar niet naar Palestina gekomen.

In 70 na Chr. werden de joden verslagen door het Romeinse leger en werd Jeruzalem verwoest. De gevangen genomen joden werden als sla-

ven naar Rome gebracht. Die joden die aan de toorn van de Romeinen wisten te ontsnappen, verspreidden zich in Palestina. Bijna tweeduizend jaar lang in tijden van oorlog, invasies en bezettingen leefden de joden en Arabieren van Palestina in vrede samen.
Maar tegen het einde van de negentiende eeuw begonnen er spanningen te ontstaan tussen de joden en Arabieren in Palestina. De Europese joden, die vluchtten voor de vervolgingen en discriminatie in Europa, begonnen in Palestina hun toevlucht te zoeken. De joden kochten grote stukken land van feodale, afwezige Arabische landheren die in naburige landen woonden. De Palestijnse huurders en deelpachters werden van het pasgekochte land verdrongen door eigenaren die hun eigen aarde wilden bewerken. Er begonnen zich geweldddaden voor te doen tussen de twee volken.
De joden begonnen zionistische kolonies op te zetten en politieke partijen te vormen. De Arabieren reageerden hierop door antizionistische partijen op te richten. Met het Oude Testament als bewijsvoering begonnen de joden te verklaren dat Palestina hun rechtmatige thuisland was. De Arabieren, zowel de moslims als de christenen, wezen categorisch het idee af dat de joodse vestiging in bijbelse tijden de hedendaagse, in Europa geboren joden een legitieme aanspraak gaf op Palestina, die de Arabische geboorterechten ophief. Invloedrijke Arabieren dienden een petitie in bij de Ottomaanse heersers met de eis dat de joodse immigratie in Palestina een halt werd toegeroepen. De joodse immigratie werd vertraagd maar niet gestopt.
Toen in 1914 de Eerste Wereldoorlog begon, waren er 690.000 burgers van Palestina die onder de heerschappij leefden van het Turkse Ottomaanse rijk. Van deze 690.000 mensen waren 535.000 soennitische moslim Arabieren, 70.000 christelijke Arabieren en 85.000 joden. Toen de oorlog in 1918 voorbij was, hadden de oorlog en de honger hun tol geëist en hoewel de bevolking niet in aantal was toegenomen, was de politieke structuur in Palestina drastisch veranderd. Groot-Brittannië had de Turken uit Palestina verdreven. De vierhonderd jaar durende heerschappij van het Ottomaanse rijk was ten einde gekomen en de dertig jaar lange bezetting door de Britten was begonnen.
Tijdens de begindagen van de Britse heerschappij probeerden de koloniale functionarissen zowel de Arabieren als de joden te behagen. Ze beloofden de joden dat ze een thuisland zouden krijgen. Ze verzekerden de nerveuze Arabieren dat de joodse immigratiequota's de economische capaciteit van Palestina niet zouden overstijgen. De joden noch de Arabieren waren tevreden en beide groepen begonnen hun woede te luchten op de Britse regering door Britse soldaten aan te vallen.

Tijdens de jaren twintig werden de joden in toenemende mate geconfronteerd met antisemitisme. Tegen 1933 werd Palestina overspoeld door joodse immigranten uit Europa. Drie jaar nadat Adolf Hitler in Duitsland aan de macht was gekomen, was de joodse bevolking van Palestina explosief gestegen tot 400.000.
De Palestijnse Arabieren eisten vol woede en angst dat de Britse heersers de joodse vloedgolf zouden keren.
Hoewel de Britse regering beweerde dat Palestina economisch een veel grotere bevolking kon ondersteunen, voerden ze quota's in voor de immigratie van joden.
De Europese joden die door de Britse quota's de toegang tot Palestina was ontzegd ontweken de autoriteiten en gingen het land illegaal binnen. Het geweld tussen de joden en Arabieren nam toe.
Een koninklijke commissie van de Britse regering onderzocht de situatie in Palestina en concludeerde dat de Arabieren en de joden vredig naast elkaar in het land konden wonen. De commissie kwam met de aanbeveling het gebied te verdelen in twee aparte staten. De joden aanvaardden de aanbeveling. De Arabieren reageerden door een openlijke opstand tegen de Britse bezetters te beginnen.
In 1939 dwong de uitbraak van de Tweede Wereldoorlog de Britse regering ertoe het Palestijnse probleem lage prioriteit te geven en de Arabieren en joden legden zich neer bij een tijdelijke maar onrustige wapenstilstand.
Toen de Tweede Wereldoorlog in 1945 eindigde, hernieuwden de joden hun eis voor een thuisland in Palestina. In de hele wereld bestond er wijdverbreide steun voor de joden. De onbeschrijflijke gruweldaden die tegen de joden van Europa door het Duitse Derde Rijk waren begaan, hadden de overlevenden van de holocaust een morele vergunning verleend om gehoord te worden. De joodse bevolking van Palestina bestond nu uit 550.000 mensen en ze bezaten twintig procent van het land. De resterende tachtig procent was in het bezit van 1,1 miljoen moslim Arabieren en 140.000 christelijke Arabieren die ook in Palestina leefden.
De Amerikaanse president Harry Truman begon aan te dringen op een joodse staat in Palestina. Hij geloofde dat zijn eigen toekomstige politieke belangen goed gediend zouden worden wanneer hij de joodse eisen om een thuisland zou steunen. Grotendeels als gevolg van de inspanningen van de regering van Truman stemden de Verenigde Naties voor een verdeling van Palestina waarbij de joden 55% van het land kregen. Er kwamen felle protesten van de Arabieren. De VN stemden er tevens voor dat Jeruzalem een internationale stad zou blijven, wat de

woede wekte van de joden die beweerden dat de formatie van een joodse staat zonder Jeruzalem onmogelijk was.
Opnieuw waren noch de Arabieren noch de joden tevredengesteld.
Vanaf de datum waarop de VN hun stem uitbrachten, 27 november 1947, legden de Arabieren en de joden het eropaan elkaar uit te roeien. Aanvallen die werden gevolgd door verrassingsaanvallen werden de orde van de dag. De geharde joodse overlevenden van de Tweede Wereldoorlog en de holocaust waren vasthoudende vechters. In strijd na strijd verloren de Palestijnen Palestina.

Zonder een voorafgaande waarschuwing klonk een klap in de kamer die harder was dan George ooit had gehoord en die zijn oren verdoofde en alle voorwerpen in het hele huis deed rinkelen. Hij sprong overeind en schreeuwde: 'De joden! De joden blazen Haifa op!'
Zonder iets te zeggen reikte Mary naar de houten wieg die dicht naast haar stond en tilde haar zoontje Demetrius eruit. Het kind begon te huilen.
De echo van de enorme explosie vervaagde om plaats te maken voor het geluid van geweervuur dat van alle kanten kwam. George haalde snel adem. De tijd was aangebroken de beslissing te nemen waarvan hij had gezworen deze nooit te maken: om Palestina te verlaten. Eén snelle blik op het onschuldige gezicht van zijn kind gaf de doorslag.
George zei haastig tegen zijn vrouw dat ze moest gaan pakken. 'Een paar dingen maar,' zei hij. We moeten direct weg!' Hij bleef staan bij de deur en keerde zich naar zijn vrouw en kind. 'Ik haal pa. Wees snel!'
Mary knikte naar haar man. Tranen vulden haar ogen. Ze klemde Demetrius tegen haar borst en begon hun kleren in een bruine koffer die open op de grond lag te stapelen.
George en zijn vader verzamelden de belangrijkste familiedocumenten, familiefoto's en een paar gekoesterde boeken, een paar kleden, enkele koperen schalen, Mary's favoriete pannen en keukengerei, wat voedsel, en plaatsten alles op de stenen stoep voor hun huis. Toen liepen ze door het huis om de luiken te sluiten en de deuren op slot te doen.
Nadat ze alles in de auto hadden gezet wierp de familie Antoun vanuit de voortuin een lange afscheidsblik op hun huis. Toen stapten ze in de auto en reden weg. Ze waren van plan terug te komen.
De oorlogsgeluiden maakten de baby aan het schrikken en hij begon opnieuw te huilen. Mary troostte haar zoon terwijl ze voortdurend over haar schouder naar het prachtige huis keek dat ze nu achter zich liet. Ze was van plan geweest Demetrius in dat huis groot te brengen. Nu

vroeg ze zich af wat er met hun dromen zou gebeuren. Wat zou er met hen gebeuren?
Toen George het bevreesde gezicht van zijn vrouw zag probeerde hij haar gerust te stellen. 'Maak je geen zorgen. We komen weer terug.' Hij wachtte even voor hij herhaalde wat de Palestijnen was verteld. 'We zullen over een week weer terug zijn.' De regeringen van Arabische buurlanden hadden beloofd Palestina te helpen verdedigen... hadden beloofd de 'zionistische bendes' te verslaan... hadden beloofd hen in de zee te smijten. George herhaalde de woorden, deze keer net zozeer voor zichzelf als voor Mary. 'We zullen over een week terugkomen.'
Mary zweeg. Ze werd overspoeld door smart. Ze kon haar tranen die over haar wangen stroomden niet bedwingen.
Mitri, de vader van George, zat met een grauw gezicht en weigerde te spreken of zelfs maar om te kijken naar het huis waarin hij het grootste gedeelte van zijn leven had gewoond. Hij had gehoopt dat de Britten de vrede konden bewaren, in elk geval tot de Britse troepen later dat jaar het land zouden verlaten. Maar de Britten, die beweerden dat ze geen beleid konden doorvoeren dat onacceptabel voor beide kanten was, hadden zich verzet tegen de stem van de VN en waren van plan Palestina de volgende maand te verlaten.
Stemmen, mandaten, verdelingen en wettelijke besprekingen kolkten allemaal rond in de gedachten van George Antoun. Hij kwam tot de conclusie dat ze alle nutteloos waren. Niets kon het feit veranderen dat hij gedwongen was zijn huis te verlaten om zijn familie tegen de gevechten te beschermen.
Bang en boos reed George zijn familie hun geliefde stad Haifa uit, langs de kust naar het noorden door de steden Acre en Naharija en over de grens Libanon in.
Twee dagen later, op 23 april 1948 namen de joden Haifa in.

Op 14 mei 1948 werd de staat Israël uitgeroepen. Later op diezelfde dag haalde de Britse zaakgelastigde sir Alan Cunningham de Britse vlag neer en verliet Palestina.
Totale oorlog volgde.
Tijdens de gevechten verloren de joden de prijs die ze het meest begeerden, de oude stad Jeruzalem. Maar het feit dat de Arabische legers meevochten in het conflict kon de joden niet verslaan. Op 1 juni 1948 hadden de joden de grootte van hun kleine staat verdubbeld door het bovenste gedeelte van Galilea, de kustvlakte en de Negev-woestijn te bemachtigen.
De joden vierden feest.
De Arabieren rouwden.

Op 13 december 1948 stemde het trans-Jordaanse parlement ervoor het stuk Palestijns land dat niet door de joden was veroverd, te annexeren waardoor het land de afmeting van zijn hun eigen kleine territorium verdubbelde.
De oude naam Palestina bestond niet meer. In de ogen van de wereld bestond er geen Palestina meer en ook geen Palestijns volk.
Tijdens de gevechten vluchtten meer dan 700.000 Arabieren naar Arabische buurlanden. Na de oorlog gingen verscheidene delegaties als vertegenwoordigers van de Arabieren en de joden onderhandelingen aan om een oplossing te vinden voor het Palestijnse vluchtelingenprobleem. Alle pogingen om de Palestijnen te repatriëren mislukten. De Arabieren die tijdens de oorlog ongewild hun huizen hadden verlaten in de overtuiging dat hun vlucht van tijdelijke aard was, waren verbijsterd toen ze ontdekten dat de nieuwe joodse regering een wet had aangenomen over 'verlaten eigendom' waardoor een beleid van 'geen terugkeer van Palestijnen' was gelegaliseerd.
Onder de gestrande thuisloze Arabische vluchtelingen bevond zich de familie George Antoun, voorheen uit Haifa in Palestina.

9 Vier jaar later, februari 1952

Het vluchtelingenkamp Nahr al Barid
(16 km ten noorden van Tripoli in Libanon)

In een land van tien miljoen gebeden en tienduizend martelaren zat een jongetje bewegingsloos op een rots. Met zijn gezicht naar het zuiden gekeerd en gesloten ogen spande Demetrius Antoun zich in om in gedachten te zien wat hij niet met zijn ogen kon zien: Palestina. 'Het mooiste van al Gods landen,' zei zijn vader altijd. En dan vertelde zijn vader hoopvol fantaserend over een prachtig land dat Demetrius zich niet kon voorstellen. Maar nu probeerde hij wat zijn vader hem had gevraagd: om zijn thuisland in gedachten te zien.
Demetrius tuitte zijn lippen terwijl hij zijn ogen nog dichter kneep en zich alles herinnerde wat zijn vader hem had verteld over zijn verloren erfgoed. De beelden waren levendig: de straat voor hun huis had een patroon van donkergekleurde, gladde straatkeien. De voorpoort was lichtroze geschilderd en werd overdekt met lattenwerk waaraan druiven hingen. Het kleine huis van de familie Antoun was opgebouwd uit glanzende witte stenen. Demetrius zag de poort, de trap, de voordeur, elke kamer, de vloerkleden, de meubels, de foto's, de boeken, rook de etensgeuren, hoorde het geluid van de buren, zag de school waar zijn vader lesgaf, zijn vaders kantoor, en het kleine park voor hun huis waar de kinderen uit de buurt speelden.
Het beeld was zo realistisch dat hij onregelmatig begon te ademen door een heerlijk gevoel van opwinding. Omdat hij dacht dat het hem was gelukt zichzelf terug te wensen in Palestina opende Demetrius snel zijn ogen, maar hij zag dat hij nergens naartoe was gegaan. Ontmoedigd herinnerde hij zich dat om de een of andere reden die hij niet kon bevatten niemand van zijn familie naar die prachtige plaats kon terugkeren. Demetrius, die ouder was dan zijn jaren, geloofde oprecht dat hij zijn hele leven in Palestina had geleefd en niet meer was dan een tijdelijke bezoeker in het ellendig kamp Nahr al Barid.
Overspoeld door een golf van verdriet haalde Demetrius diep adem.

George Antoun die met een tinnen pan op een kleine steen sloeg riep met een zangerige stem: 'Demetrius! Demetrius! Waar zit je?'
De ernstige bui van Demetrius verdween toen hij het bekende geluid van zijn vaders stem hoorde. Hij kwam overeind en ging boven op de rots staan op zoek naar zijn vader in de massa mensen die de kronkelende paden bevolkten die door het kamp slingerden. George Antoun was een kleine man maar hij zag er voor zijn vierjarige zoon enorm groot uit en de jongen onderscheidde makkelijk het zich snel voortbewegende lichaam van zijn vader in de menigte. Er gleed een glimlach over zijn gezicht toen hij zijn liefhebbende vader zag en riep: 'Papa!'
Demetrius sprong van de rots af, verloor zijn evenwicht en viel op de harde aarde van het bergachtige Libanon. Zijn opgetogenheid verdween toen hij zag dat een van de riempjes van zijn nieuwe sandalen was gebroken en hij begon te huilen. Hij hield de onschatbare sandalen in zijn kleine handjes omhoog, rende naar zijn vader toe en riep al huilend: 'Papa, papa!'
Toen George zag dat zijn zoon huilde begon hij te rennen, wierp onderwijl zijn pan terzijde en nam zijn zoon in zijn armen. 'Demetrius! Liefste zoon! Waarom huil je?'
Snikkend hield Demetrius de sandaal naar voren. 'Stuk! Papa, ik viel en nu is mijn sandaal kapot!' Demetrius was niet vergeten dat hij drie weken daarvoor de nieuwe sandalen voor zijn verjaardag had gekregen. Zijn vader was naar Tripoli gereisd en had een zilveren munt ingeruild voor eten als aanvulling op het monotone dieet van rijst en bonen dat ze van de medewerkers van de Verenigde Naties in het kamp ontvingen. Zijn vader had als verjaardagsverrassing ook de sandalen gekocht.
Papa had gestraald van genoegen toen hij toekeek hoe Demetrius zijn voetjes in de nieuwe sandalen liet glijden.
Mama had een kleine cake gebakken en een speciale maaltijd met kip klaargemaakt.
Grootvader had hem een doos chocola gegeven.
Dit was de gelukkigste dag in het jonge leven van Demetrius geweest.
George kreeg een ernstige uitdrukking op zijn gezicht bij het zien van de kapotte sandaal. Demetrius begon met zijn hoofdje te schudden en zijn jammerlijke kreten vulden de lucht. 'Ik heb mijn sandaal stuk gemaakt!'
George Antoun hield zijn zoon dicht tegen zich aan en dwong zichzelf te glimlachen. 'Niet meer huilen, Demetrius.' Hij streelde het hoofd van de jongen. 'Het is maar een sandaal. Trouwens, grootvader kan hem maken.' George ging op de rotsachtige bodem zitten en verwijderde met zijn handen de aarde en het verdorde gras van de kleren van zijn

zoon. 'Weet je nog dat grootvader het gebroken been van Sammy maakte? Dat weet je toch nog wel, is het niet, Demetrius?'
Demetrius knikte en fluisterde met zijn kinderstem: 'Ja, papa.'
Sammy was de houten ezel van Demetrius. Het jaar daarvoor hadden de vluchtelingen een grote hoeveelheid kleding en speelgoed ontvangen van mensen in Frankrijk die over hun leven in de kampen hadden gehoord. Ieder kind had een stuk speelgoed en een stel kleren gekregen. Het was een prachtig moment geweest toen Demetrius de ezel had omarmd en zijn naam 'Sammy' had geroepen alsof de ezel een lang verloren vriend was geweest. Demetrius had erop gestaan dat hij de ezel zelf droeg. Zijn vader had in verwondering zijn hoofd geschud en had geduldig achter zijn zoon aan gelopen terwijl de jongen het grote stuk speelgoed uit het kantoor van de kampdirecteur naar hun woning meesleepte, duwde en trok. Demetrius was later erg van streek geweest toen hij ontdekte dat een van de poten van de ezel was gebarsten door de reis naar Libanon. De poot viel er binnen een paar dagen vanaf. Toen zijn grootvader de ezel had gerepareerd en het speelgoed weer zo goed als nieuw was, had de jongen een vreugdekreet geslaakt.
Het kind riep huilend: 'Sammy is niet stuk,' en hij schudde de sandaal in de lucht heen en weer, 'mijn schoen is stuk!' Niets kon hem troosten. Terwijl hij met zijn vinger over de kapotte sandaal streek zoog hij zijn adem naar binnen en begon hij nog luider te huilen.
George slaakte een diepe zucht en pakte de sandalen uit de handen van zijn zoon waarna hij ze in zijn broekzak stopte. Hij trok Demetrius naar zich toe. 'Kom kleintje, droog je tranen.' Hij wiegde de jongen in zijn armen. 'Stop met huilen. Voor papa?'
Terwijl hij naar het kind staarde begonnen de ogen van George vol te lopen. George begreep nu al lange tijd dat de jongen gevoeliger was dan goed voor hem was en vaak emotioneel van streek raakte over iets. De jongen had andere karaktertrekken die hem zorgen baarden. Hoewel de Arabische cultuur de liefde voor dieren niet aanmoedigde, was Demetrius gefascineerd door dieren en de natuur en bracht vaak uren alleen door met het onderzoeken van de steenachtige heuvels rond het kamp. Hagedissen en kevers die in het zand rondkropen, vlinders en bijen die zich tegoed deden aan de bloemen en vogels die in de bomen tjilpten hielden Demetrius urenlang bezig. De grote liefde van de jongen voor dergelijke wezens was eigenaardig en er werd vaak over gesproken door de ouderen in het kamp.
George liet een geluid in zijn keel horen dat leek op het kwaken van een kikker. Hij wist dat zijn zoon anders was dan de andere kinderen en dat vanaf het begin was geweest.

George die door het gejammer van zijn zoon uit zijn gedachten werd wakker geschud, zuchtte moedeloos en staarde bewonderend naar de jongen. Demetrius was een mooie baby geweest en was nu een extreem knappe jongen, maar hij leek totaal niet op zijn vader. George twijfelde er niet aan dat Demetrius zou uitgroeien tot een opvallend knappe man. Demetrius begroef zijn hoofd in de armen van zijn papa, trillend van emotie.
Niet in staat nog een minuut langer het verdriet van Demetrius te verdragen begon George een grappig geluid als van een snuivende ezel te maken en kuste de wangen, neus en buik van zijn zoon tot het kind begon te giechelen. Uiteindelijk lachte Demetrius hardop en was de spanning gebroken.
George glimlachte. 'Kom, laten we grootvader gaan zoeken.'
George leunde naar voren en duwde zichzelf overeind. Zijn ogen vielen op Nahr al Barid en hij knipperde door de scherper wordende contouren van het kamp. Hij vond dat de ondergaande zon een lelijk licht over de plek wierp die hij nu zijn thuis noemde. Thuis! Hij lachte verbitterd terwijl een beeld van zijn echte thuis door zijn hoofd flitste. Met een diepe zucht beet hij op zijn onderlip en hij mompelde in zichzelf: 'Alles is afgelopen, alles wat goed was is afgelopen.' George wierp een blik op Demetrius. Op het kind na; het kind was het enige goede wat in zijn leven overbleef. George richtte zijn volle aandacht weer op Demetrius en met grote tederheid tilde hij het kind in zijn armen. Kaarsrecht als een standbeeld liep hij terug naar het kamp.
Het huis van het gezin Antoun, dat bestond uit een kleine kamer die met een van het plafond hangende deken was verdeeld in twee kamers, was nog maar recent gebouwd. En zonder de hulp van de hulpverlenende instanties van de Verenigde Naties had het gezin nog altijd in een kleine tent gewoond. Helaas waren er door een tekort aan fondsen weinig huizen gebouwd en woonde de meerderheid van de vluchtelingen nog altijd in erbarmelijke omstandigheden in tenten. De familie Antoun had het geluk dat ze een huis hadden dat was gebouwd van sintelsteen en voorzien van een tinnen dak. Toch bood hun nederige woning weinig beschutting tegen de ijzige wind die vanuit de met sneeuw bedekte bergen in het noorden van Libanon kwam aanwaaien.
De 'voorkamer' was ingericht met de schaarse persoonlijke bezittingen die de familie had weten mee te nemen op de dag van hun haastige vertrek uit hun huis in Haifa in Palestina. Enkele met zorg neergelegde kussens vormden het zitgedeelte en een half dozijn koperen potten stond tussen de kussens in. Een versleten kleed met helder gekleurde afbeeldingen in zwart en bordeauxrood bedekte de vloer. Een koperen dien-

blad met sierlijke patronen met daarop kleine porseleinen koffiekopjes stond opvallend midden op kleed. Er stond een groepje geliefde boeken op grof getimmerde houten planken met daarnaast een stapeltje familiefoto's met ezelsoren. Aan een grote haak in de muur hing een grote huissleutel die was vastgebonden aan een zwart fluwelen lint.
De tweede 'kamer', die nog kleiner was dan de eerste, lag vol met matrassen en deed dienst als slaapkamer. Een verschoten stoffen gordijn aan een draad vormde de afscheiding voor nog een extra, kleinere plek die de kleedruimte vormde voor Mary, de vrouw van George. Een gehavende bruine koffer functioneerde als kledingkast en in een grote ton zaten de voedselvoorraden. Op de ton lag verbogen keukengerei en stond een hoge stapel beschadigde borden.
George bleef staan onder de deurpost van de eerste kamer. 'Mary?' riep hij.
Demetrius bevrijdde zich kronkelend uit de armen van zijn vader en gleed op de grond. Zijn kleine voeten maakten geen enkel geluid terwijl hij over het kleed door het huis liep. Hij echode: 'Mary? Mary?'
Met een frons keerde George zich om en wierp een blik op de lucht. De ondergaande zon vertelde hem dat het bijna tijd was voor de avondmaaltijd. Hij gebaarde met zijn hoofd naar zijn zoon. 'Kom, Demetrius, je moeder is aan het koken.'
Vader en zoon liepen hand in hand om het huis heen naar een kleine, met tinnen platen afgedekte plek achterin. De korte, mollige beentjes van Demetrius moesten bijna rennen om zijn vader bij te houden.
Ze zagen grootvader Mitri als eerste, die zijn pijp zat te roken en een recent uitgegeven nieuwsbericht zat te lezen waarin de voortdurende crisis in Palestina werd beschreven. Vanaf de eerste dag in ballingschap had grootvader Mitri nauwgezet het nieuws uit zijn thuisland gevolgd. Hij geloofde oprecht dat de wereld tot het inzicht zou komen dat Palestina was gestolen van haar rechtmatige eigenaars en dat deze vreselijke fout spoedig zou worden rechtgezet. Vier jaar later zat grootvader Mitri nog altijd te wachten.
Mary Antoun zat met haar rug tegen de muur voor het vuur gehurkt en roerde in een maaltijd van rijst met tomaten, pijnboompitten en uien.
Mary was in een voor haar zeldzame slechte bui. De meeste dagen deed ze voor haar belaste man alsof ze de viezigheid van hun huis niet erg vond, maar haar geforceerde, niet klagende houding spotte met haar ware gevoelens. Hoe hard ze het ook had geprobeerd, het was onmogelijk voor haar zich aan te passen aan het moeilijke leven in het kamp.
De dagelijkse problemen waren onoverkomelijk. Zodra ze de oplossing

voor het ene probleem had gevonden, deed zich een ander probleem voor. Vandaag werd haar zorg veroorzaakt door de moeilijkheid om water te verkrijgen.
Toen hun huis werd gebouwd had George een grote tinnen pan gemonteerd om het regenwater op te vangen, wat handig was wanneer de winterregens kwamen. Maar het regenwater was gebruikt voor het baden en voor het wassen van kleren en verlichtte de verlammende taak van het halen en dragen van het kookwater, wat de taak van de vrouw was.
Mary had eerder in de middag de lange weg afgelegd naar de gemeenschappelijk put om de potten voor het drink- en kookwater te vullen. De eerste keer was ze gestruikeld en had de helft van het water uit haar kan gemorst. Ontmoedigd tot op het punt van tranen had ze haar ogen naar de hemel gericht en de andere vrouwen verrast door boos met haar vuisten te schudden en uit te roepen: 'God! Waarom hebt u ons verlaten?'
Toen ze met die taak klaar was had Mary haastig een vuur gemaakt onder de zwarte kookpot. Ze haastte zich om de laatste en grootste maaltijd van de dag te maken, want met het ondergaan van de vroege winterzon werd de wind vanaf de Middellandse Zee ijskoud.
Mary haatte het buiten in de kou te werken. Ze huiverde terwijl ze in de inhoud van de pot roerde en onderwijl tegen zichzelf zei dat als het niet voor haar zoon was, ze haar gezicht naar de muur zou keren en zou wachten tot de dood haar vermoeide lichaam zou opeisen.
'Mama!' Demetrius rende hardop lachend naar zijn moeder en sloeg zijn kleine armpjes rond haar rug. 'Mama. Raad eens. Vanmiddag zag ik een vogel met blauwe vleugels en raad eens? Die vogel sprak tegen me!'
Mary legde haar houten roerlepel op een klein stuk gebroken sintel, draaide zich om, ging staan en tilde haar zoon in haar armen. Haar gezicht was ongebruikelijk streng toen ze tegen hem zei: 'Demetrius! Hoe vaak moet ik het je nog vertellen? Vogels kunnen niet praten! Katten kunnen niet praten! Ezels kunnen niet praten!'
Een eigenzinnige Demetrius wierp terug: 'Ze praten wel! Echt waar! Ze praten tegen me!' Met een stuurse blik leunde hij met zijn bovenlichaam van zijn moeders gezicht af en verklaarde: 'Ik deed alleen wat grootvader tegen me zei. Ik zei: spreek vogel, spreek! En de vogel sprak!' Hij sprong uit de armen van zijn moeder en rende naar zijn grootvader. 'Grootvader, zeg het tegen mama! De vogels praten tegen jou en ze praten tegen mij! Weet je nog, grootvader?'
Grootvader Mitri wierp Mary een schuldige blik toe. Hij had zijn schoondochter beloofd dat hij de overactieve verbeelding van de jongen zou helpen ontmoedigen. Nu zat hij met wat de jongen had gezegd verstrikt tussen zijn belofte en zijn daden!

'Zeg het tegen haar, grootvader!' Demetrius bleef aanhouden.
Grootvader Mitri streek over zijn baard terwijl hij de andere kant opkeek en probeerde te bedenken hoe hij zich uit de situatie kon redden. Hij kon niets bedenken en bewoog ten slotte zijn wenkbrauwen op en neer naar de jongen in een vergeefse poging het kind een boodschap over te brengen.
De reactie van Demetrius was dat hij een zoemend geluid in zijn keel maakte, vliegbewegingen met zijn armen maakte en zijn hoofd op en neer bewoog en zijn lippen samentrok om die eruit te laten zien als een scherpe snavel. Hij lachte voordat hij naar zijn moeder opkeek en verklaarde: 'Grootvader zegt dat als we terugzijn in ons huis in Palestina ik een vogel in een kooi mag hebben!' Opgewonden trok de jongen aan de jurk van zijn moeder. 'Bak jij een verjaardagscake voor mijn vogel, mama?'
Mary trok haar wenkbrauwen op en keek naar George met een uitdrukking van 'zei ik het je niet'? 'En?' vroeg ze haar man.
George staarde naar zijn vader, wiens gezicht plotseling betrok uit vrees voor wat zijn zoon zou gaan zeggen. De stem van George klonk laag en verontschuldigend, want George Antoun was geen man die zijn eigen vader makkelijk kon bekritiseren. Hij probeerde hem zachtmoedig eraan te herinneren dat hij de jongen geen onzin moest vertellen.
Grootvader Mitri bloosde nerveus onder het piekerige haar op zijn hoofd. Toen trok hij aan de arm van de jongen. 'Demetrius, dat was ons speciale geheim. Was je dat vergeten?'
De jongen keek verward om beurten naar de volwassenen. Het gezicht van zijn moeder stond streng en ze keek boos. Ze ging weer op haar hurken zitten en boog zich over de kookpot. Zijn grootvader begon zijn pijp uit te slaan tegen de zijkant van het huis en negeerde hem. Zijn vader stond doodstil met een felle gloed in zijn ogen, de voeten iets uiteen en zijn armen strak voor zijn borst gevouwen naar de lucht te staren.
De kin van Demetrius begon te trillen. Instinctief wist hij dat hij iets verkeerds had gezegd. Hij begon te huilen omdat hij op de een of andere manier wist dat de plaats waar ze nu woonden, en het huis dat ze waren kwijtgeraakt alles te maken had met de ongelooflijke droefheid van dit moment. Met een bevende stem vroeg hij: 'Waarom kunnen we niet naar huis, papa?' Omdat hij geen antwoord kreeg begon hij te schreeuwen en met zijn voet te stampen. 'Ik wil naar huis!'
Alle drie de volwassen legden hun onenigheid bij en gingen om het snikkende kind staan. 'Op een dag gaan we naar huis, dat beloof ik,' verzekerde George zijn zoon waarbij hij hem een zwakke glimlach schonk.
Mary klopte haar zoon op zijn rug terwijl ze kalmerende geluiden met

haar tong maakte en zichzelf eraan herinnerde dat ze ervoor moest zorgen dat haar verdriet haar niet te veel meesleepte en diegenen kwetste van wie ze hield.
Grootvader Mitri, die wist dat hij het onaangename voorval met de vogel had veroorzaakt, knielde met gespreide benen en uitgestrekte armen voor zijn kleinzoon neer en gebaarde naar het kind dat hij bij hem moest komen.
Het kind, dat niet wist wat het moest doen, haastte zich naar de plek tussen de benen van zijn grootvader, waar hij al zo vaak had gestaan. Hij sloeg zijn armen rond de nek van de oude man en snikte zo luid dat hij de hik kreeg.
Grootvader Mitri onderhandelde met de jongen. 'Huil niet, jongen. Als je niet huilt zal grootvader je na het eten vertellen hoe hij zijn lievelingslam van een hongerige wolf redde. En ik was toen niet veel groter dan jij nu bent.' Hij grijnsde met een tandeloze mond naar het kind terwijl hij in zijn zak naar een snoepje zocht dat hij had bewaard voor een speciale gelegenheid.
Terwijl de mannen Demetrius bleven troosten staarde Mary over de schouder van haar man naar het donkere, lelijke stukje land van bruine aarde dat nu dienst deed als haar tuin en bij haar de herinneringen opriep aan de geurige struiken die langs haar geplaveide patio in Haifa stonden. Over niet al te lange tijd zouden de nauwkeurig verzorgde struiken gaan bloeien en ze vroeg zich af welke vrouw ze zou opeisen als de hare.
Mary had de laatste tijd vaak het gevoel dat haar leven in Palestina door een ander was geleefd en niets meer was dan een interessant verhaal dat haar door een ander was verteld; maar nu werd ze overvallen door heimwee en teruggevoerd naar Palestina. De prachtige rozentuin van Mary Antoun had de afgunst van haar vriendinnen gewekt. Haar huis en tuin hadden er onberispelijk uitgezien en haar man was trots geweest op de verleidelijke creaties die uit haar keuken kwamen. Ze kon de zachte kreun die aan haar lippen ontsnapte niet horen terwijl ze zich de aangename momenten herinnerde die ze met George, hun families en hun vrienden in hun huis hadden doorgebracht. Toen verstrakten de lippen van Mary terwijl de gekoesterde herinneringen vervlogen en ze dacht aan de vreselijke oorlog en de onverwachte ballingschap. Kreunend schudde ze haar hoofd en probeerde die beelden weg te jagen waarbij ze zichzelf waarschuwde dat het gevaarlijk was zulke gedachten te koesteren of ze zelfs toe te laten. In de vier jaar dat ze in ballingschap leefden was ze de harde werkelijkheid van hun situatie gaan inzien. Helemaal aan het begin van hun ballingschap had Mary nog geloofd dat ze

op een dag naar hun huis terug mochten keren om hun eigen leven weer op te pakken, maar door de jaren heen had zich een toenemend gevoel van wanhoop van haar meester gemaakt dat het de familie Antoun nooit meer zou worden toegestaan Palestina te bezoeken, laat staan er te leven.
Ze wierp een blik op haar zoon. Haar man en schoonvader bleven het hoofd van het kind vullen met beelden van Palestina. Dat was een dwaze vergissing. Ze wist zeker dat de jongen nooit in Palestina zou leven. Ze wist dat ze machteloos was om de toekomst te veranderen en sloot haar ogen voor de deprimerende omgeving en mompelde verbitterd: 'Dit is nu ons leven.'
Met een zucht van spijt duwde ze zich met haar handen overeind. Haar gezicht was bleek en gespannen terwijl ze naar de drie mannen in haar familie keek. 'Allemaal dromers,' klaagde ze met ingehouden adem. 'Die drie zijn dromers.'
Ze boog zich vanaf haar middel naar voren en tilde het handvat van de zware zwarte pot op en liep langzaam haar huis in. Ongewoon abrupt riep ze: 'Jullie drie, kom binnen voor het eten koud wordt.'

Later die avond was George bedrukt en hij zat zwijgend met een vertrokken en gespannen gezicht zonder iets te zien te kijken naar hoe Mary de jongen te eten gaf en hem naar bed bracht. Hij hoorde de geluiden maar geen woorden terwijl grootvader Mitri zijn eerdere belofte vervulde en een opwindende weergave liet horen van huilende wolven en het geluid van schapen bij het bekende verhaal voor het slapen gaan waardoor Demetrius spoedig gilde van het lachen.
Mary keek heel even naar het gezicht van haar man. Ze kende hem zo goed dat ze zijn gedachten begreep alsof ze van haarzelf waren. Ze wist dat haar man opnieuw de gebeurtenissen van 1948 doormaakte. George had vele keren gezegd dat hij een vergissing had begaan: dat ze niet voor de vijand hadden moeten vluchten, dat de Palestijnen in hun huizen hadden moeten blijven en hadden moeten vechten, al had dit hun het leven gekost. Maar ze waren gevlucht als lafaards en in dit proces hadden ze hun bezittingen, hun middelen van bestaan en hun land verloren. Nu kon George niemand behalve zichzelf de schuld geven en minstens eenmaal per dag maakte hij de weemoedige opmerking dat Palestina hem niet in de steek had gelaten maar hij Palestina.
De kleinste herinnering aan die noodlottige dag bracht George in de diepste wanhoop. Mary zei niets want ze wist dat woorden zijn leed niet konden verzachten. Een angstig moment vroeg Mary zich af of een man van verdriet kon sterven. Dat leek zeker het geval in Nahr al Barid, want

een aantal mannen was zonder duidelijke medische redenen dood neergevallen.
In tegenstelling tot de familie Antoun in Haifa waren de meeste kampbewoners boeren uit de regio van het meer Houleh in het noorden van Palestina. Deze mannen waren actieve leden geweest van bloeiende boerengemeenschappen die plotseling niets meer te doen hadden dan doelloos in het kamp rondzwerven in afwachting van de zonsopgang en vervolgens de zonsondergang. Deze mannen moesten vechten om een dag onder ogen te kunnen zien waarvan ze wisten dat die precies leek op de dag ervoor. Voor de vrouwen was de situatie anders. De vrouwen in het kamp waren in ballingschap net zo ijverig als in hun huizen in Palestina. Aan het koken, schoonmaken en de zorg voor kinderen kwam nooit een einde. De vrouwen hadden geen tijd om stil te zitten en van binnen te verschrompelen.
Mary had oprechte angst om het welzijn van George. Met een scherp gevoel van verdriet vanbinnen stond ze even stil om zijn schouder aan te raken voor ze achter het gordijn verdween om zichzelf klaar te maken om naar bed te gaan. Verborgen voor haar familie schonk Mary zich de luxe van rouw. Ze drukte haar voorhoofd tegen de muur en huilde zachtjes om alles wat verloren was gegaan.
Enkele uren later blies vlak voor het ochtendgloren een koude, uit de duisternis komende wind door de gescheurde muren en krakende deur en wervelde onverschillig rond de huiverende bewoners.
George keek naar zijn familie en zag dat zijn vader rusteloos lag te slapen. De voortdurende onrustige bewegingen van het magere lichaam van grootvader Mitri suggereerden dat hij last had van de kou onder zijn haveloze deken. Georges maag kromp ineen. De omstandigheden van zijn vader waren zijn verantwoordelijkheid. Een oude man zou in zijn eigen bed moeten slapen.
George sloeg zijn armen om zijn schouders en leunde tegen de muur terwijl hij bedroefd zijn hoofd schudde. Hij had geweigerd naar bed te gaan, zelfs nadat Mary herhaald had aangedrongen en nu zat hij rechtop op een klein kussen in plaats van dat hij zijn lichaam te ruste legde op een van de dunne matrassen die hij zo ongerieflijk vond. George Antoun straalde nervositeit uit, een gevoel van onzekerheid. Hij was bezig met het nemen van een beslissing waarvan hij wist dat deze zijn familie en de rest van hun levens zou beïnvloeden.
George was nog geheel gekleed en zijn geplooide gelaat stond ernstig toen hij zich omdraaide om naar zijn vrouw te staren die instinctief rond hun zoon gekruld lag. George dacht dat in elk geval het kind het warm had. Zijn kleine lichaam werd, strak omwonden door zijn sprei en om-

wikkeld in de deken die voor zijn vader was bedoeld, tegen de kou beschermd. Demetrius had een kop warme geitenmelk gekregen voor hij zijn gebeden zei en sliep nu comfortabel en diep, met een vage glimlach op zijn jonge gezicht. Zonder uit zijn zittende houding te komen boog George zijn bovenlichaam naar zijn vrouw toe. Hij zag dat Mary haar ogen open had en waarschijnlijk wijd open en vol zorgen, dacht hij. George trok zijn dikke wenkbrauwen iets op terwijl hij nadacht over hoe hij zijn vrouw het nieuws zou brengen. Hij porde met een vinger in haar rug en sprak zachtjes. 'Mary? Ben je wakker?'
Mary draaide zich langzaam en voorzichtig om, om het slapende kind niet wakker te maken. Ze keek naar George en zocht met haar ogen zijn gezicht af. Ze aanbad haar zachtmoedige man en het flitste door haar heen dat George Antoun een van die standvastige en fatsoenlijke mannen was waarover de geschiedenis niets vermeldt terwijl het leven niet zou kunnen standhouden zonder deze mannen. Ze had de zware tijden met hem onder ogen gezien en wist dat hij zijn uiterste best had gedaan hun leven aan te passen aan de moeilijke omstandigheden. Voor 'De Catastrofe van 1948' was haar man docent geweest, een ontwikkelde, rustige man die verlangde naar vrede in zijn land. De storm van gewelddaden overrompelde hem en ze waren alles kwijtgeraakt.
Mary tilde haar kin op en haar lippen vormden geluidloos het woord 'ja'. Ze klopte als uitnodigend gebaar op de mat waarop ze lag.
George liet zich op zijn handen en knieën naast zijn vrouw zakken en zijn borst raakte haar schouder. 'Ik heb een beslissing genomen,' fluisterde hij. Toen pauzeerde George en bedacht dat hij het plan heel, heel langzaam zou vertellen. 'Mary, we moeten hier weg.'
'George, waar kunnen we heen?'
Het voorhoofd van George vertoonde rimpels terwijl hij naar het gezicht van zijn vrouw keek. 'We moeten ver weg gaan.' Hij kneep met zijn vingers in zijn onderlip. 'Ik dacht aan Tripoli, maar de stad is te dichtbij. We zouden worden ontdekt en worden teruggebracht naar het kamp.' Plotseling was hij een man die zijn beslissing had genomen. 'Beiroet. Daar zijn meer mogelijkheden voor ons.'
Bang voor haar eigen stem, bang dat er alleen twijfels in zouden klinken, zei Mary niets, maar ze dacht aan Beiroet. De stad was een onmogelijke droom voor de vluchtelingen van het kamp Nahr al Barid. Uiteindelijk fluisterde ze verlangend: 'Beiroet.' De stad wekte enorme hoop in haar hart. De Libanezen waren geschoolde mensen; ze stonden op een goede opleiding voor hun kinderen. Scholen hadden leraren nodig. Ze hadden gehoord dat George werk zou kunnen vinden op een particuliere school daar. Als haar man werk had, zou dit zijn waardigheid

herstellen. Zijn salaris zou hen het leven als vrije burgers schenken. Haar gedachten raceten vooruit: ze zouden een klein appartement in de stad kunnen huren, ver weg van de kampen. Over twee jaar zou haar zoon zes jaar oud zijn en ze zouden hem op een goede school kunnen doen. Ze wreef over het versleten overhemd op de rug van haar man. Ze zou een naaimachine kopen en goede kleren voor de mannen in haar familie maken.
Ze glimlachte naar George en knikte. 'Beiroet.' Hun levens zouden worden omgevormd als ze naar Beiroet gingen.
Helemaal aan het begin van hun ballingschap hadden George en Mary vele pogingen ondernomen om het kamp te verlaten, maar naarmate de Palestijnse bevolking in het kleine land Libanon toenam werden al snel beperkingen opgelegd waardoor het reizen moeilijk werd voor de Palestijnen die van het ene vluchtelingenkamp of stad naar het andere wilden. Er was economische onafhankelijkheid nodig als men vrij wilde reizen en de familie Antoun was met weinig meer dan hun leven gevlucht. Sinds 1948 waren ze arm geweest.
In haar meest deprimerende momenten herinnerde Mary zichzelf eraan dat ze het geluk hadden dat ze leefden. In januari 1948 had George twee broers en zijn enige zuster verloren bij een terroristenaanval op de poort van Jaffa in Jeruzalem. Hij was nu het enige overlevende kind van zijn vader. Mary had, als enig kind van haar ouders dat bleef leven, geen zusters of broers die ze in de gevechten kwijt kon raken. Ze dankte God vaak dat haar ouders een natuurlijke dood waren gestorven. Ze waren allebei, de een binnen een jaar na de ander, voor de oorlog overleden. Ze hadden tenminste de ervaring van de pijn van ballingschap niet hoeven meemaken.
Mary, die zich de vroegere moeilijkheden herinnerde toen ze het kamp wilden verlaten, vroeg zich af wat haar man had bedacht. 'Hoe, George?' vroeg ze. Haar vraag werd een smeekbede. 'Vertel me, hoe?'
Het bloed stroomde naar het gezicht van George. Nu kwam het moeilijke deel. Beschaamd om wat hij moest zeggen trok hij zich terug van zijn vrouw. Hij beefde en trilde en kon geen woord over zijn lippen krijgen.
'George?' Ongeduldig spoorde ze hem aan. 'Wat is er? Vertel het me.'
George sloeg zijn ogen neer en gebaarde naar haar borst. Nadat hij enkele onsuccesvolle pogingen had gedaan om te spreken, kwamen zijn woorden er uiteindelijk als een stortvloed uit. 'Mary, ik... Je juwelen. Ik heb je juwelen van je bruidschat nodig. Ik heb ze horen praten in het kamp. Er zijn mannen die de juiste papieren kunnen voorbereiden en ons naar Beiroet kunnen brengen. Voor jouw juwelen.' Met ogen vol tranen staarde George neer op de eenvoudige vrouw die zoveel ge-

luk in zijn leven had gebracht. Haar om de enige eigendommen te vragen die ze ooit zou bezitten, de juwelen die haar tegen de hongersdood zouden beschermen als hij voor haar zou sterven, bracht diepe schaamte over hem.
Mary, die liefdevol naar haar man glimlachte, voelde golven van de vreemde en prachtige liefde die ze met deze man deelde. Ze aarzelde geen moment. Ze ging overeind zitten en knoopte de drie bovenste knopen van haar versleten blouse los. Ze stak haar hand naar binnen en haalde een kleine, notenkleurige buidel te voorschijn die was dichtgebonden met een leren trekkoordje. Ze strekte haar hand met het buideltje uit naar haar man.
'Hier. Neem ze.' Toen ze de plotselinge uitdrukking van leed op het gezicht van haar man zag, stelde ze hem gerust. 'Wat hebben juwelen voor zin, George?' Ze plaagde hem. 'Kom op, ga ik soms naar een bal?'
Met trillende handen leunde George naar zijn vrouw toe en pakte als een dringende noodzaak de geschenken van goud en edelstenen uit haar hand die hij haar tien jaar daarvoor had gegeven als teken van zijn eeuwige liefde. Niet in staat Mary aan te kijken, keerde hij zich om en mompelde hij: 'Morgen. Morgen zal ik met de mannen contact opnemen.'
Omdat ze hem zachtjes hoorde snikken wreef Mary haar handen over zijn rug op en neer en bad stilletjes dat God George Antoun nog een kans in het leven zou geven.

Een week later bereidde Mary een speciale maaltijd van lamsvlees en rijst. De familie genoot slechts zelden van vlees bij hun maaltijden en het kind grijnsde van geluk terwijl hij zijn bord schoonveegde met zijn pitabrood en zijn mond volpropte met de laatste heerlijke hap.
Na het avondeten knielde Mary voor haar zoon neer en gebaarde dat de jongen op haar schoot moest gaan zitten. 'Demetrius,' zei ze met een ernstige stem, 'vanavond gaan we een speciaal spelletje spelen.'
Terwijl hij over Mary heen gebogen stond gaf George het kind instructies. 'Demetrius, je moet heel stil zijn.' George zelf leek oneigenlijk streng. 'Je gaat je verstoppen. Niemand mag je horen. Niemand mag je zien. Kun je je verstoppen. Voor papa?'
'Een spelletje!' Demetrius lachte hardop en sprong toen van zijn moeders schoot af naar zijn grootvader en sprong op en neer in zijn armen. 'Verstoppertje, grootvader! Verstoppertje!' riep hij blij uit terwijl hij de baard van zijn grootvader beetpakte en toen met zijn vingers de ogen van de oude man dicht deed.
Mary ging staan en begon de warmste en beste kleren van het kind op te stapelen.

Met een vastberaden klank in zijn stem zei George tegen Mary: 'Geef me de mand.' Hij pakte de grote strooien mand nauwgezet in waarbij hij de kleren van het kind en de sandalen die grootvader Mitri had weten te maken erin legde. Toen het pakken klaar was kroop Demetrius er geestdriftig in, maar toen George hem met een deken bedekte waardoor het vage licht van de enkele lantaarn werd buitengesloten, begon het kind te jammeren. 'Sammy, ik wil Sammy!'
De drie volwassenen wisselden een gepijnigde blik. De houten ezel was het enige echte speelgoed dat het kind ooit had gehad. De ezel was zwaar en raar gevormd; ze hadden gehoopt het speelgoed in het huis te kunnen achterlaten, samen met de andere logge bezittingen die ze niet zouden kunnen dragen tijdens hun lange wandeltocht naar Beiroet.
'Demetrius. Je moet een grote jongen zijn,' vermaande Mary hem. Ze vertelde een leugentje om bestwil en vroeg God haar te vergeven terwijl ze de woorden uitsprak. 'Sammy zal ons later volgen.'
'Sammy! Ik wil mijn Sammy!' Het kind begon te scanderen. 'Sammy! Ik wil mijn Sammy! Toen begon hij de schreeuwen en te schoppen.
George huiverde. Hij haastte zich weg van de doordringende kreten van het kind en haalde snel de ezel uit de slaapkamer waarna hij in kostbare momenten het speelgoed in de mand onder de deken bij zijn zoon stopte.
Het snikken van het kind nam af en stopte. Hij fluisterde: 'Sammy! Je moet nu heel stil zijn!' Hij duwde de deken van zijn gezicht en grijnsde blij naar zijn vader.
Mary keek met een bleek gezicht naar haar man. 'George, je bent onmogelijk als het op de jongen aankomt.'
'Zo is het, moeder, zo is het,' antwoordde George met een warme glimlach die zijn bezorgde uitdrukking verzachtte.
Toen het kind eenmaal goed zat, bereidde de familie Antoun zich voor om stil het huis te verlaten. Wie wist welke buur hen zou aangeven? Ieder van de volwassenen droeg een pak vol kleren op de rug. George tilde de mand met hun kostbaarste bezitting op terwijl Mary de bruine koffer droeg die vol zat met belangrijke documenten, familiefoto's, een paar boeken en wat kookgerei. Grootvader Mitri was verantwoordelijk voor de deken en drie van de kussens. Eerder die dag had Mary de porseleinen koffiekopjes in de kussens genaaid.
Nadat ze nog een laatste blik in de kamer hadden geworpen en de deur wilden dichtdoen slaakte grootvader Mitri een kleine kreet. Hij haastte zich de zitkamer in en haalde de sleutel van hun huis in Palestina. Met een schaapachtige glimlach bij de afkeurende blik van zijn schoondochter legde hij voorzichtig het zwarte lint rond zijn nek en stopte de sleutel

weg onder zijn overhemd. 'Die hebben we op een dag nodig,' legde hij uit.
George ging voorop. Hij liep snel door het kamp en vertraagde vervolgens zijn pas over het smalle pad. De mand zwaaide licht heen en weer in de armen van George.
Demetrius, die zich veilig voelde, sloeg zijn armen rond de houten ezel en viel in een diepe slaap.
Niemand zei iets, maar Mary was verdwaasd door de spanning en haar hart klopte als een razende. De mogelijkheden waren eindeloos: stel dat de gidsen niet op hen stonden te wachten? De mannen konden makkelijk George hun laatste bezittingen afhandig hebben gemaakt. De zwerfhonden die rond het kamp hingen, konden gaan blaffen en zo de autoriteiten opmerkzaam maken op hun vlucht. Ze zouden gedwongen zijn terug te keren zonder enige hoop hun sombere toekomst te verbeteren.
Mary wist dat gevaar om elke hoek kon liggen. Ze zei tegen zichzelf dat ze aan iets anders moest denken en dacht aan haar mooie zoon. Demetrius was niets minder dan een wonder. Na zes jaar wanhopig verlangen, na miskraam op miskraam, nadat de hoop was gestorven, was de jongen gestuurd, recht uit de hand van God. George vertelde haar vaak dat hun zoon een geschenk uit de hemel was.
Haar lippen gingen uiteen door een schaduw van een kleine glimlach.
Mary hield scherp haar adem in toen grootvader Mitri struikelde en bijna op de harde aarde viel. Het stenige voetpad was moeilijk begaanbaar. Alleen George liep met zelfverzekerde tred. Hij was er zo zeker van dat ze het goede deden dat zijn sombere gemoedstoestand de afgelopen dagen was opgemonterd en hij was gaan lijken op de man die hij voor hun vlucht uit Palestina was geweest.
De nachtlucht was koud. Mary's vingers voelden al snel ijskoud aan. Ze verwisselde de zware koffer van de ene hand naar de andere en warmde haar vrije hand in de vouwen van haar rok.
De ontmoetingsplaats bevond zich twee kilometer ten zuiden van het kamp. Mary haalde ontspannener adem toen ze twee mannen vanachter een grote rots tevoorschijn zag komen. Beide mannen droegen wijde, zwarte broeken met brede sjerpen. Hun hoofden werden bedekt door zwarte tulbanden. Toen ze naar de mannen keek herinnerde ze zich wat George haar had verteld. Hun twee gidsen waren broers, aanhangers van de zeer geheimzinnige druzen.
Tijdens de twaalfde eeuw had de druzensekte zich afgescheiden van de traditionele islam en sinds die tijd vormden de riten van hun religie een goed bewaakt geheim en waren alleen bekend bij de mannelijke volwassenen van de sekte. De mannen stonden in het hele gebied bekend

om hun vermogen sporen te zoeken en hun betrouwbaarheid. De druzen waren ongelooflijk trouw aan hun vrienden, maar de meest wraakzuchtige mannen voor hun vijanden.
Mary zag dat beide mannen gewapend waren met geweren en grote messen. Ze zagen er sinister en gevaarlijk uit en hoewel ze wist dat de druzen mannen waren die niet zouden aanvallen tenzij ze werden aangevallen, voelde Mary zich opgelucht dat de mannen waren betaald om hen te beschermen.
Ze gedroegen zich kordaat en efficiënt. Beide mannen begroetten George en grootvader Mitri met een opgeheven hand. Toen ze naar Mary keken legde de oudste broer zijn hand over zijn hart terwijl de jongste alleen knikte. Zonder een woord te zeggen nam een van de mannen de koffer uit Mary's hand terwijl de andere snel de last van grootvader Mitri op zijn rug hees. De oudere man gebaarde dat ze moesten volgen. Met de oudere broer voorop en de jongere achteraan begon de groep aan hun lange tocht naar Beiroet.
De vijf volwassenen liepen met gestage pas de hele nacht door via de heuvels en valleien van Libanon. Uiteindelijk, toen Mary op het punt stond om tegen George te zeggen dat ze niet verder kon en dat grootvader Mitri er bleek uitzag en naar adem hapte, werd het kind wakker. Hij stak zijn hoofd uit de mand en keek om zich heen. De oudste gids lachte naar Demetrius, van wie hij zei: 'Hij ziet eruit als een pasgeboren vogeltje dat op een worm wacht.' Toen beval hij: 'We zullen rusten tot de avond valt.'
Er werd koffie gekookt boven een klein vuur en terwijl de volwassenen het stomende drankje dronken en brood en kaas aten, kreeg Demetrius melk uit een tinnen vat en at twee van de zes gekookte eieren die Mary voor de tocht had klaargemaakt.
De twee gidsen plaagden Demetrius maar zeiden verder weinig onder het eten. Daarna verdwenen ze en klommen tot het hoogste punt in de omgeving waar ze om beurten de wacht konden houden en konden slapen.
Grootvader Mitri krulde zich op in foetushouding en begon bijna onmiddellijk te snurken.
George keek naar zijn vrouw en glimlachte. 'Mary, zorg dat je wat slaap krijgt. Ik neem onze zoon mee voor een wandeling.'
Terwijl ze naar zijn ogen keek die rood waren door gebrek aan slaap, zei ze protesterend: 'Nee, nee, rust jij maar eerst. Ik zorg wel voor Demetrius.'
Omdat hij zag dat zijn vrouw helemaal bleek was van vermoeidheid, week George niet en nam Demetrius bij de hand en liep weg. Ze wandelden naar een kleine heuvel en keken meer dan een uur naar een klein

konijn dat aan de wilde mediterrane vegetatie knabbelde. Nadat het konijn in zijn hol was verdwenen, leunden George en Demetrius tegen een sparrenboom en keken dromerig naar de lucht. Plotseling begon een zwerm ijsvogels boven hun hoofden rond te cirkelen en na er enkele momenten naar gekeken te hebben zei George met een verloren, bewogen uitdrukking op zijn gezicht tegen Demetrius: 'Mijn zoon, jij en ik zijn als die vogels die doelloos rondcirkelen op zoek naar een thuis.'
Met groot ontzag keek Demetrius naar de rondcirkelende en duikende vogels, die steeds opnieuw cirkelden en doken, wachtend tot de gevreesde indringers hun boom zouden verlaten zodat ze weer naar huis konden terugkeren.

Een roze ochtendgloren brak door terwijl de groep de buitenwijken van Beiroet bereikte. Mary stond plotseling stil en hield haar adem in terwijl ze naar de mooie stad staarde met haar witte, glanzende gebouwen te midden van de groene, terrasvormige heuvels en sierlijke bergen die zich uitstrekten tot in de diepblauwe Middellandse Zee. Beiroet was precies zo mooi als haar was verteld. Terwijl ze om zich heen keek besloot ze snel dat Beiroet qua aanblik nog indrukwekkender was dan hun thuisstad Haifa, de mooiste stad in heel Palestina.
Terwijl hij haar schouder zacht en bijna onwaarneembaar aanraakte boog George zich naar zijn vrouw. Ze keken elkaar aan en glimlachten, wetend dat ze de juiste beslissing hadden genomen.
Op de een of andere manier gleden alle ontberingen van het verleden van hen af.

10 Zestien jaar later in 1968

Met de ondertekening van de overgavedocumenten die een eind betekenden van de Eerste Wereldoorlog in 1918, stortte het vierhonderd jaar oude Turks Ottomaanse rijk verslagen ineen, samen met de Duitsers en de andere bondgenoten. De zegevierende westerse landen verdeelden de rijken van de verslagen landen onder elkaar. Het Ottomaanse rijk in het Midden-Oosten werd verdeeld tussen Engeland en Frankrijk. De Britten werden de nieuwe heersers van Palestina. De Fransen namen het beheer over het nieuw gecreëerde land Libanon.

Tussen de Wereldoorlogen in gedijden veel burgers van het nieuwe Libanon onder de Franse heerschappij. Libanon, dat niets te maken had met de verdeeldheid over de 'joodse kwestie' waardoor Palestina werd geplaagd, genoot politieke stabiliteit en sociale rust.

In 1946 werd Libanon onafhankelijkheid verleend. Zowel de christelijke als de moslimleiders van Libanon reageerden op hun nieuw verworven vrijheid door een nationaal pact te sluiten waarbij ze plechtig beloofden de eenheid tussen de talloze religieuze groeperingen in het land te bewaren. Hoewel de moslims klaagden dat de nieuwe president, een christelijke maroniet, zijn christelijke vrienden voortrok, hield het pact tijdens de beginjaren van de onafhankelijkheid stand.

De joodse overwinning in de oorlog om Palestina van 1948 had ernstige repercussies voor Libanon. Palestijnse vluchtelingen uit Noord-Galilea vluchtten naar Libanon op zoek naar veiligheid. Het bergachtige gebied van Libanon had altijd als toevluchtshaven gediend voor verscheidene etnische en religieuze groepen en de tolerante Libanezen verwelkomden hun Palestijnse broeders met een warm hart.

Het exacte aantal gevluchte Palestijnen dat in Libanon aankwam kon niet worden vastgesteld, maar de schattingen waren geraamd op bijna 250.000. Er waren al meer dan twee miljoen burgers in Libanon die woonden in een land dat maar 215 kilometer lang en op het breedste punt 90 kilometer breed was. De komst van de Palestijnse vluchtelingen overspoelde de economische en sociale bronnen van het kleine land.

De Palestijnse vluchtelingen vormden tevens een politieke uitdaging voor het precaire machtsevenwicht tussen de religieuze groepen in Libanon. De christelijke bevolking had een licht politiek voordeel dat was gebaseerd op de religieuze groeperingen. Maar de meerderheid van de Palestijnse vluchtelingen was aanhangers van het soennitische moslimgeloof. De Libanese christenen waren bang dat het toegenomen aantal moslims het politieke evenwicht van het land zou doen doorslaan naar de andere kant. Gedeeltelijk vanwege deze angst van de christenen kregen de Palestijnse vluchtelingen slechts minimale wettelijke en politieke rechten in Libanon.

Toen de Palestijnse vluchtelingen hun intrek namen in grotten, moskeeën, oude militaire barakken en wat ook maar onderdak bood, begon de Libanese regering in het hele land vluchtelingenkampen op te richten.

De regering creëerde in Beiroet vluchtelingenkampen door eenvoudigweg particuliere, niet gecultiveerde gebieden te confisqueren en deze aan de Palestijnen te geven. Een van de hoofdkampen genaamd Shatila lag in de zuidelijke buitenwijken van Beiroet.

De bewoners van Shatila woonden enkele jaren in tenten. Langzamerhand werden de tenten vervangen door grof gebouwde huizen van cementblokken. Het kamp begon langzaamaan het aanzien van een vluchtelingenkamp te verliezen en begon eruit te zien als een arme buitenwijk van Beiroet.

George en Mary brachten hun geliefde zoon Demetrius groot in het kamp Shatila.

De familie Antoun probeerde met succes op te gaan in de Libanese maatschappij. Maar zonder een volledig staatsburgerschap en toestemming mee te doen in het economische systeem van het land waren zij, net als andere Palestijnen, gedwongen rustig in armoede te leven. Ze putten hun troost uit hun Grieks-orthodoxe christelijke geloof en hun geluk verwierven ze van elkaar.

Demetrius Antoun, die door zijn ouders en grootvader innig werd liefgehad en werd verwend, groeide op tot een plichtsgetrouwe jongeman met zachte stem die ervan droomde zijn ouders op een dag te verheffen tot de luxe van een middenklas leven.

Demetrius groeide op, zoals zijn vader had voorspeld, tot een extreem knappe jongeman met een indrukwekkende persoonlijkheid. Hij was lang en had een brede borst met een slank lichaam. Zijn brede voorhoofd, zijn grijze ogen die zo donker waren dat ze zwart leken, een rechte neus en volle lippen met daarboven een keurig geknipte snor riepen, waar hij ook ging, een positieve interesse in Demetrius op.

In 1968 slaagde Demetrius cum laude voor zijn eindexamen. George en

Mary lieten als speciaal geschenk de wens van hun zoon uitkomen. Ze gaven Demetrius een kleine som geld, waarbij elke munt ijverig voor dit moment was gespaard, om zijn lang verlangde rondreis door Jordanië en Syrië te maken, samen met zijn beste vriend Walid Bader.

De weg naar Karameh, Jordanië, 20 maart 1968

Demetrius Antoun en Walid Bader hadden vanaf de vroege ochtend gelopen. De middagzon brandde op hen neer en er dansten hittegolven in de lucht. Toen ze bij een lange vijgenboom kwamen, besloten ze in de schaduw langs de weg naar Kerek te wachten in de hoop een lift bergafwaarts te kunnen krijgen naar de snelweg naar de Dode Zee. Ondanks de hitte was het wachten geen last voor hen, want ze waren jong, zorgeloos en al sinds hun kindertijd hechte vrienden. Het begin van de middag ging snel voorbij.

De week daarvoor hadden de twee jonge mannen het huis van hun ouders in Beiroet verlaten en waren naar Jordanië gereisd op de lang verwachte rondreis. Nadat ze Petra hadden bezocht, de geruïneerde hoofdstad van de Nabateeërs, gingen ze op weg door het Hasjemitisch koninkrijk met het plan het vluchtelingenkamp Karameh te bezoeken waar Walid familieleden had zitten, alvorens terug te keren naar Amman, de hoofdstad.

Demetrius en Walid wisselden een blik van opluchting toen een naderende vrachtauto stopte. Omdat ze zagen dat de vrachtauto niet volledig tot stilstand zou komen haastten ze zich om in de cabine te springen.

Walid riep: 'Karameh?'

De bestuurder knikte en negeerde hen vervolgens terwijl hij de vrachtauto weer de weg op stuurde. Hij was van middelbare leeftijd en de fysieke tegenpool van zijn versleten en roestende vrachtauto. Hij was klein, mager en bewoog zich snel en leek het logge voertuig van tien ton volledig meester te zijn. Hij sprak pas nadat hij zich er van had vergewist dat alles in orde was met zijn vrachtauto, die zijn enige bestaansmiddel was.

De bestuurder wierp een snelle blik op Walid voor hij zich naar voren boog om Demetrius te bestuderen. Nadat hij zijn aandacht weer op de weg had gericht vroeg de bestuurder hem: 'Ben je een worstelaar?'

Walid begon vrolijk te lachen. Demetrius was langer dan 1.90 meter en had een sterk lichaam. Vreemden waren altijd onder de indruk van de lengte van Demetrius.

Demetrius probeerde zijn irritatie niet te laten zien, maar hij kon een norse blik niet tegenhouden. 'Ik ben student,' wierp hij scherp terug. Demetrius hield er totaal niet van dat er dergelijke automatische veron-

derstellingen werden gemaakt dat hij zijn kost verdiende met zijn lichaam, terwijl hij eigenlijk niets liever wilde dan zijn weg in de wereld vinden door middel van zijn aanzienlijke intellectuele gaven. Hij besloot van onderwerp te veranderen en voegde er met een mildere stem aan toe: 'Mijn vriend en ik verblijven tijdelijk in Beiroet.'
'Tot Palestina is bevrijd,' kwam Walid tussenbeide.
Nu begon de bestuurder te lachen. Iedere Palestijn in ballingschap geloofde oprecht dat ze op een dag naar Palestina zouden terugkeren. Hij had Palestijnse buren in Amman die het bijna nergens anders over hadden. De bestuurder knipte afwijzend met de vingers van zijn rechterhand. 'Vergeet Palestina! Je zult je kleinkinderen in Beiroet in je armen wiegen!'
Walid veranderde van onderwerp. 'Nadat we Jordanië en Syrië hebben gezien, gaan we weer terug naar Beiroet.' Hij glimlachte. 'Dit najaar gaan mijn vriend en ik naar de universiteit.'
De bestuurder keek in zijn achteruitkijkspiegel voor hij commentaar gaf. 'Ah, geleerden!'
'Op een dag, als God het wil,' antwoordde Walid.
Demetrius zei niets en staarde door het open raam van de bestuurder in de verte. De zon stond nog boven de horizon en er begonnen zich grijze wolken samen te pakken. Stralen zonlicht creëerden grote poelen van licht en schaduw, waarvan zich sommige vijf tot acht kilometer over de hele breedte van de vallei uitstrekten. Demetrius werd volledig geabsorbeerd door de schoonheid en sereniteit ervan.
Het gesprek ging over en weer tussen Walid en de bestuurder terwijl de vrachtauto de bergweg bleef afrijden en vervolgens in noordelijke richting over de snelweg naar de Dode Zee.
Zelfs in stilte leken tijd en afstand snel voorbij te gaan. De bestuurder zette zijn voet op het rempedaal en drukte deze met vastberaden kracht in. 'We zijn in het dorpje Shunet Nimrin. Als jullie naar Karameh willen, moeten jullie er bij deze kruising uit.'
Demetrius knikte. 'Goed dan. We gaat er hier uit.'
Nadat de vrachtauto tot stilstand was gekomen bedankte Walid de bestuurder. 'Kunnen we vanaf hier nog voor het vallen van de avond in Karameh komen?' vroeg hij.
De bestuurder grijnsde. 'Misschien wel en misschien niet. Trouwens, soms is het beter te reizen dan aan te komen!' Terwijl de bestuurder optrok, keek hij over zijn schouder en riep: 'God zij met jullie!'
Rook en stof van de vrachtauto golfden rond Demetrius en Walid waardoor ze snel van de snelweg af gingen in de richting van de kleine gebouwen van Shunet Nimrin. Nadat ze hadden gekokhalsd, gehoest en

hun longen hadden geschoond, bleven de mannen een ogenblik zwijgend om zich heen kijken. Er zaten twee oudere mannen voor een kleine open markt koffie te drinken en een bordspel te spelen. Een monteur, die met zijn hoofd en het grootste gedeelte van zijn bovenlichaam onder een geopende motorkap van een vrachtauto verscholen ging, riep instructies naar zijn assistent die achter het stuur zat. Een paar geparkeerde auto's die met hun neus alle kanten op geparkeerd stonden, belemmerden het zicht op enige andere activiteit.
'Shunet Nimrin is een kleine, rustige plaats,' merkte Walid op. Hij staarde gefixeerd naar de bewoners in de hoop een vriendelijke begroeting te krijgen. De beide oude mannen, noch de monteur en de assistent verwelkomden hen. Walid zuchtte en zei tegen Demetrius: 'Het is maar goed dat we niet van plan waren hier te overnachten.'
'Ja,' antwoordde Demetrius. 'Daar heb je gelijk in.' Toen keek hij de snelweg af voor hij in de richting van Karameh begon te lopen.
De schouders van Walid zakten teleurgesteld ineen. Hij had veel kortere benen dan de lange ledematen van Demetrius en hij was behoorlijk moe geworden door de wandeling van die ochtend. Walid herinnerde zich dat Karameh ruim tien kilometer van Shunet Nimrin lag. Hij haastte zich om de lange passen van Demetrius bij te houden. 'We zouden de monteur geld moeten aanbieden,' stelde hij hoopvol voor. 'Hij zou ons naar Karameh kunnen brengen.'
De ogen van Demetrius fonkelden terwijl hij op zijn vriend neerkeek en zijn mond verbreedde zich tot een glimlach. Hij strekte zijn armen zijdelings uit en begon met een plagend gebaar langzaam zijn hoofd te schudden. 'Walid, vertel me eens, hoe zouden we de zoete geuren van de vallei vanuit een auto kunnen ruiken of de stenen onder onze voeten voelen of het lied van het veldhoen horen of...'
Walid knipperde met zijn ogen en begon toen te lachen. Het flitste door hem heen dat het echt iets voor Demetrius was om de natuur een loflied te brengen. Maar het opgewekte humeur van Demetrius werkte aanstekelijk en Walid, die zich niet wilde laten kennen, deed aan het spelletje mee. 'Ja! Natuurlijk! Je hebt helemaal gelijk! Hoe zouden we de zoete geuren van de kamelenmest kunnen ruiken of de magere schapen kunnen zien of stikken in de lucht van ongewassen schapenhoeders.'
'Walid, je hart zit niet op de goede plek.'
'Nee, mijn voeten zitten niet op de goede plek!' Walid klapte dubbel en lachte om zijn eigen grapje.
Het duurde niet lang of Walid haalde een blauw doekje uit zijn zak en veegde hiermee over zijn voorhoofd. 'Ik ben moe!'
Demetrius grinnikte en reageerde toen met een zachtmoedige beledi-

ging. 'Je bent te klein, mijn vriend. Je korte beentjes worden gauw moe.'
Walid keek boos naar Demetrius. 'Dat is niet grappig.' Hij rolde de blauwe doek tot een bal voor hij hem weer in zijn zak wegstopte. Met een bleek gezicht en gefrustreerd marcheerde hij vooruit en weigerde iets te zeggen. Walid haatte het dat hij kort en tenger was. Al vanaf zijn kindertijd had hij net zo groot en sterk als Demetrius willen zijn.
Onbezorgd grinnikte Demetrius nogmaals terwijl hij met onverholen genegenheid naar de rug van zijn vriend staarde.
Demetrius Antoun en Walid Bader waren vanaf het eerste moment, zestien jaar geleden, toen de familie Antoun het kamp Nahr al Barid was ontvlucht en naar Beiroet was getrokken, de beste vrienden geweest. De familie van Mustafa Bader, die zijn hand in vriendschap uitstak, had de uitgeputte familie Antoun eten en beddengoed aangeboden. De families hadden allebei een zoon van vier jaar oud en die zoons mochten elkaar meteen. Ze waren altijd samen op school en speelden altijd samen waardoor de twee vluchtelingenfamilies nog hechter bevriend raakten.
George Antoun en Mustafa Bader hadden door de jaren heen hun treurige leven als ballingen geaccepteerd terwijl hun zoons het leven opstandig tegemoet traden en bijna agressief waren in hun vastberadenheid om de armoede en de hopeloosheid waardoor hun vaders werden verteerd, te overwinnen.
Er bestond een onbreekbare band tussen de twee jongemannen.
Nu ze net hun eindexamen hadden gedaan en een reis maakten waarnaar ze al lang hadden verlangd, met voorlopige regelingen om in het najaar naar de universiteit te gaan, voelden Demetrius en Walid beiden de eerste roerselen van hun overwinning over hun gehate verbanning.
Demetrius en Walid waren zeer gelukkige jongemannen.
Dorstig pauzeerde Demetrius en ontkurkte zijn waterfles.
Walid bleef doorlopen.
Demetrius nam een grote slok van het lauwe water. Hij riep plagend: 'Walid! Water?'
Zoals Demetrius wist kon Walid nooit lang boos op hem blijven.
Walid keek om en liep terug, reikte naar de waterfles en nam een slok. Tevreden veegde hij zijn mond met de achterkant van zijn hand af en vroeg aan Demetrius: 'Waar zijn de auto's? Waar zijn de vrachtwagens?'
Demetrius keek naar de zon. 'Het duurt niet lang meer of het is donker.'
Walid zuchtte van teleurstelling maar bleef lopen. Na een uur was er nog steeds geen auto in zicht. 'Ik moet zo meteen stoppen,' zei Walid tegen Demetrius.

'Zolang er nog maar een beetje licht is, blijven we doorlopen.' Demetrius keek naar zijn vriend en glimlachte voor hij verder ging. 'Een bed van zand en steen trekt me niet wanneer er een dorp in de buurt is.'
Tussen twee happen adem door antwoordde Walid: 'Op dit moment zou een bed van zand en steen voelen als het zachtste katoen. Ik ben op. Karameh kan tot morgen wachten.'
Demetrius keek naar het vermoeide gezicht van Walid en veranderde van gedachten. Ze hadden eerder in de buitenlucht geslapen. 'Je hebt gelijk. We kunnen een plek van de weg af zoeken. Misschien op de helling van de heuvel. We zullen rusten tot er een nieuwe dag aanbreekt.'
In een poging om Walid zich beter te laten voelen, voegde hij eraan toe: 'Trouwens, in het donker langs een weg lopen is niet zo'n goed idee.'
Walid wees naar twee grote rotsen van kalksteen die op de helling enkele meters van de snelweg omhoog staken. 'Kijk daar rechts.'
'Ik zie het.'
De twee legden zwijgend en klimmend de afstand af.
Toen ze eenmaal op hun bestemming waren aangekomen legde Walid zijn jas op de aarde tussen de twee grote rotsen en liet zich langzaam op de grond zakken.
Demetrius maakte zijn rugzak open en haalde er een half opgegeten boterham uit. Hij leunde met zijn rug tegen de zijkant van de rots en bood Walid de boterham aan. Deze schudde zijn hoofd en zei: 'Ik ben zo moe dat ik geen honger heb.'
Demetrius begon te kauwen. 'We kunnen hier rusten.' Hij wierp een blik op Walid. 'Ga jij maar eerst slapen, ik ben niet zo moe.'
'Ik zal er geen ruzie om maken,' antwoordde Walid. 'Ik ga slapen, nu.'
Walid krulde zich op als een bal en viel al snel in slaap.
De nacht ging langzaam voorbij voor Demetrius Antoun. Terwijl hij daar zat leek de tijd uit balans te zijn en om zichzelf wakker te houden dacht hij aan Palestina. De wetenschap dat hij zich op slechts korte afstand van zijn verloren thuisland bevond deed zijn hart sneller kloppen en zijn ademhaling oppervlakkiger worden. Palestina was voortdurend als een schaduw aanwezig geweest in zijn leven, een herinnering aan de voorspoed die voor zijn gehele familie verloren was gegaan. Demetrius vroeg zich af hoe dat land echt was en wou dat hij het zelf kon zien. Voor het eerst in jaren kwamen de dromen en de verhalen die hem als kind waren verteld plotseling terug en hij bedacht dat ze morgen naar de grens konden reizen en op zijn minst konden turen naar het thuisland dat de Palestijnse vluchtelingen niet mochten binnengaan. Dan zou hij zijn familie en vrienden tot in detail vertellen wat hij had gezien. Met deze gelukkige gedachte sloot hij zijn ogen en liet hij zijn hoofd tegen

de koude wand van de rots rusten en stond zichzelf wat een paar minuten slaap leek toe.
Het zeer luide en karakteristieke geluid van laag vliegende helikopters barstte zo plotseling over hen los dat zowel Demetrius als Walid met een schok direct alert was.
'Wat?' schreeuwde Walid, die probeerde boven het klappen van de rotorbladen en het geloei van de motor uit te komen.
'Helikopter,' antwoordde Demetrius terwijl hij overeind kwam en zijn ogen naar de lucht richtte.
'Waar?' riep Walid angstig uit terwijl hij opstond en naast Demetrius ging staan.
Het geluid begon te vervagen. Demetrius wachtte een paar seconden voor hij antwoordde: 'De helikopter vliegt laag. Over de weg naar Karameh.'
Walid keek opnieuw naar de lucht en keerde zich vervolgens naar Demetrius. 'Hoe laat is het?'
'Bijna zonsopgang, denk ik.'
'Zonsopgang!' De stem van Walis bevatte een zweem van irritatie. 'Je zou me wakker maken!'
Demetrius haalde zijn schouders op. 'Ik viel in slaap.'
Hun gesprek verflauwde terwijl Walid de lucht afspeurde en Demetrius herhaaldelijk langzaam zijn lichaam van links naar rechts draaide om de vliegroute na te gaan.
'Het wordt al snel licht.'
Demetrius onderbrak hem en fluisterde: 'Stil.' Hij zweeg even. 'Luister goed. Wat hoor je?'
Walid sloot zijn ogen en hield zijn adem in. Na een paar seconden antwoordde hij: 'Vrachtauto's. Meer dan één.'
'Ja, misschien zijn het vrachtauto's, maar de zware motoren, het geratel en gepiep, dat is het geluid van tanks.'
'Tanks!' Walid sprak hardop.
'Stil! Luister nog eens.'
De twee mannen stonden met gespitste oren te luisteren en probeerden de geluiden in de verte te onderscheiden.
Demetrius begon met zijn hoofd te draaien, eerst een paar seconden naar links en vervolgens een paar seconden naar rechts, waarna hij de beweging nogmaals herhaalde.
Walid ademde zwaar terwijl hij zijn vriend aangaapte. 'Wat doe je?'
'Ik kijk met mijn oren.'
Verbijsterd deed Walid precies hetzelfde als Demetrius. Uiteindelijk mompelde hij: 'Ik kijk ook met mijn oren, maar ik zie niets.' Hij staarde

naar het gezicht van Demetrius. 'Wat hoop je met je oren te zien?'
Demetrius herhaalde de bewegingen met zijn hoofd voor een laatste keer voordat hij antwoordde: 'Ik heb genoeg gezien. Het zijn de Israëliërs.'
'De Israëliërs!' Walid reageerde met ongeloof en dringendheid in zijn stem. 'Kun je de Israëliërs zien?'
Demetrius was geduldig, zoals hij met een kind zou zijn geweest. 'Walid. Het is niet nodig om hun vlag te zien om te weten wie ze zijn. De geluiden komen vanuit het zuiden en het westen. De Jordaniërs bevinden zich in het oosten. De Palestijnen hebben geen tanks.' Hij haalde diep adem. 'Dan blijven alleen de Israëliërs over.'
Walid protesteerde. 'Maar, maar, we zijn in Jordanië!'
'De Israëliërs ook. Ze moeten de Koning Hoesseinbrug zijn overgestoken en Shunet Nimrin zijn binnengetrokken. Het is maar goed dat we niet daar overnacht hebben.'
Walid wilde niet dat Demetrius zo gelijk had en bleef tegenstribbelen. 'Er is niets in Shunet Nimrin dat voor de Israëliërs van belang is, Demetrius.'
'Dat klopt. Hun doel is Karameh.'
'Karameh!' herhaalde Walid bang fluisterend, 'Waarom Karameh?'
Demetrius bukte zich, raapte Walids jas en kleine tas op en gooide ze naar hem toe. 'Omdat, mijn vriend, Karameh het thuis is van de Palestijnse Al Fatah-strijders.'
Walid stond een poosje zwijgend te peinzen over de implicaties van de opmerking en keek toe hoe Demetrius kalm zijn jas dichtknoopte en zijn rugzak omdeed. 'Moeten we van de weg af gaan?' vroeg hij.
'Ja.'
Demetrius ging voorop. De twee mannen keerden zich naar de steile, modderig helling van de heuvel en begonnen te klimmen.
'Hou links aan terwijl je klimt,' adviseerde Walid. 'Daar is de helling niet zo steil.'
'Dat klimt misschien makkelijker, maar elke stap brengt ons dichter bij Karameh.'
'Inderdaad,' antwoordde Walid. Hij wilde weten wat er met de broer van zijn vader, die in Karameh woonde, gebeurde. 'Misschien kunnen we vanaf een hoog punt het dorp zien.'
Toen Demetrius zijn mond open deed om te antwoorden barstte het onmiskenbare geluid van straalmotoren die met volgas op lage hoogte vlogen los en rolde over de vallei heen. Beide mannen wierpen zich instinctief languit op de grond. Ze wachtten tot de piek van het geluid voorbij was voor ze naar de lucht keken.

‘Niets! Ik zie niets!’ gilde Walid in het oor van Demetrius. Hij sprak gehaast. ‘Er is te weinig licht en te veel mist.’
‘En te veel snelheid,’ antwoordde Demetrius kalm terwijl hij zich op zijn zij rolde en overeind kwam waarbij hij tegelijkertijd Walid omhoog trok. Hij keek naar de lucht. ‘Ze waren al voorbij nog voordat we ze hoorden.’
Walid gleed enkele centimeters naar beneden terwijl hij probeerde steun te vinden. Hij probeerde het opnieuw, zich deze keer stevig vastgrijpend aan de takken van een kleine struik waardoor het hem lukte zich weer overeind te trekken. ‘Zoveel lawaai! Hoeveel zijn het er, denk je?’
Demetrius antwoordde kort: ‘Twee, misschien meer. Dat kun je nooit met zekerheid zeggen tenzij je ze ziet.’
‘Als we ze niet kunnen zien, dan kunnen zij ons misschien ook niet zien.’ Walid klonk enorm opgelucht. ‘We zijn onzichtbaar!’
Demetrius had een frons op zijn gezicht terwijl hij nauwgezet naar de plek keek waar ze vandaan waren gekomen. ‘Misschien niet vanuit de lucht, maar wel vanaf de weg.’
‘De tanks! Ik was even de tanks vergeten.’ Walid volgde de blik van Demetrius. Nadat hij had geluisterd mompelde hij: ‘Het geluid klinkt harder.’
Voor het eerst leek Demetrius zich zorgen te maken. Hij begon te klimmen terwijl hij tegelijkertijd tegen Walid zei: ‘We moeten zo ver mogelijk bij de weg vandaan. Schiet op!’ Demetrius klauterde op handen en knieën door het kreupelhout van de struiken de helling op. ‘Kom op!’
Enkele minuten lang klommen de mannen zwijgend de helling op waarbij ze af en toe een blik naar beneden, naar de weg, wierpen. Terwijl ze alles beetpakten wat ze konden, trokken ze zich omhoog.
‘De tanks zijn dichtbij,’ zei Walid waarschuwend tegen Demetrius.
‘Wanneer ze onder ons langs gaan, verbergen we ons achter de rotsen. Hou de weg in de gaten.’
Demetrius werd onderbroken door het hoge gierende geluid van straalmotoren. Verrast door het onverwachte luide volume van de vliegtuigen stopten de mannen midden in hun beweging. Demetrius begon opnieuw te klimmen terwijl de voorbijgaande geluidsgolven tegen de heuvelhelling sloegen.
‘Zijn dat dezelfde vliegtuigen?’ riep Walid uit terwijl ook hij weer begon te klimmen.
Demetrius schreeuwde: ‘Misschien. Maar de wolken beschermen ons. Ze kunnen niets zien.’ Zijn stem klonk intens. ‘En nu, klimmen!’
Nadat Walid nog een paar passen voorwaarts had gedaan, wierp hij een

blik over zijn schouder naar de weg en Shunet Nimrin. 'Demetrius!' Walid klonk angstig. 'Ik zie een tank!'
Demetrius stopte abrupt en keerde zijn ogen naar de weg. 'Ik zie hem. Snel! Hier!' Demetrius wierp zich op de grond achter een grote rots. Walid, wiens voeten weggleden op de losse aarde en kleine steentjes, trok zichzelf naar de rots door zijn vingers in de aarde naast Demetrius te begraven. Zwaar ademend viel hij naast Demetrius neer.
'Hun ogen zijn op iets anders gericht,' zei Demetrius. 'Achter deze rots zouden we veilig moeten zijn. Blijf laag bij de grond.'
Walid probeerde zijn lichaam te verschuiven om een goed zicht op de weg te krijgen terwijl het gebrul van de tankmotoren luider werd. 'Nu twee tanks,' zei Walid zachtjes.
Demetrius tuurde naar de tanks. 'Nu drie.'
Een nieuw gierend en fluitend geluid boven hen leidde de aandacht van de mannen af van de weg en in de richting van Karameh. Ze staarden beiden naar de lucht toen het geluid stopte en werd vervangen door de doffe klap van een explosie. De aarde onder hen trilde. Kleine steentjes rolden de helling af toen de geluiden zich herhaalden, steeds opnieuw.
'God, Walid. De Israëliërs bombarderen Karameh!'
Walid begon op zijn onderlip te bijten en hoopte dat zijn oom en neven een goede schuilplaats hadden.
Demetrius was nog steeds bezig een plan te bedenken om uit hun dilemma te komen. 'De bommen komen uit het westen vanaf de andere kant van de rivier de Jordaan.' Tussen de explosies door zei Demetrius: 'Zodra ze de juiste afstand hebben ingeschat zullen er meer bommen volgen.'
Walid huilde bijna terwijl hij zijn hoofd in zijn handen verborg. 'Maar er zitten veel vrouwen en kinderen in Karameh, Demetrius. Hoe kunnen ze dit doen?'
Demetrius zei niets en hield zijn ogen gericht op de horizon in het westen. Er gingen enkele seconden voorbij voor hij begreep wat hij zag. 'Walid.'
'Ja.'
'Walid, kijk. Zie je de helikopters die vanuit het westen naar ons toekomen?'
Walid tilde zijn hoofd op uit zijn handen en staarde naar de rivier de Jordaan. 'Ja! O, God! Er zijn zes, zeven... veel, te veel helikopters! En ze vliegen heel laag!'
Zonder ook maar een keer met zijn ogen te knipperen staarde Demetrius voor zich uit en begreep plotseling de omvang van de aanval en het gevaar waarin zijzelf verkeerden. Hij sprak luider dan hij van plan was.

'Soldaten.' Demetrius ging zachter praten. 'Walid, die helikopters brengen soldaten het land in om de Palestijnen in Karameh aan te vallen.'
Walid voelde zijn maag samenkrimpen van angst. 'We moeten hier weg!'
Demetrius leek op te gaan in zijn eigen gedachten en zijn ogen bleven gericht op de naderende helikopters. Overal waar hij keek was er gevaar, dacht hij.
Het nog verre geluid van de draaiende rotorbladen werd vervangen door het gesis van grote aantallen inkomende artilleriemortieren. De explosies die volgden deden de grond onder de voeten van de mannen trillen alsof hij werd betreden door reuzenvoeten.
'Demetrius!' riep Walid uit. 'Ik ben niet zo blij met mijn bezoek aan Jordanië!'
'Blijf laag!' Demetrius schreeuwde zo hard hij kon. Toen hij de uitdrukking van pure doodsangst op het gezicht van Walid zag trok hij hem dicht tegen zich aan. Hij kon het lichaam van Walid voelen trillen van angst.
Ze wachtten.
Het mortiervuur stopte plotseling. Demetrius en Walid wisselden een snelle blik en keken beiden in de richting van Karameh.
Zwarte rook markeerde het centrum van het dorp. Drie tanks, die langzaam voortbewogen, bevonden zich op slechts een paar honderd meter van de eerste huizen. De helikopters begonnen aan de oostelijke rand van het dorp te landen. Het geweervuur begon. Soldaten sprongen uit de helikopters toen deze de grond raakten, waarbij sommigen hun wapens afvuurden terwijl ze van de enorme machines wegrenden. De helikopters stegen op en waren binnen een paar seconden weg.
Demetrius wist wat er gebeurde. Hij zei tegen zichzelf dat hun persoonlijke gevaar met de seconde toenam. 'Walid, de Israëlische soldaten zullen proberen iedereen ervan te weerhouden naar de heuvels te vluchten.'
'Demetrius! Kijk!' Walid schudde aan de arm van Demetrius. 'De Palestijnen verzetten zich! Ze hebben wapens! Ze vuren vanuit holen in de grond! Kijk! Ze hebben een tank geraakt!'
'Ze zullen allemaal worden gedood,' mompelde Demetrius.
Salvo's van geweervuur wisselden af met exploderende mortieren die door de tanks werden afgevuurd. Er was nauwelijks een moment dat het stil genoeg was voor Demetrius en Walid om te praten. Enkele minuten lang lagen de mannen te kijken naar het felle gevecht om Karameh terwijl de rook zich vermengde met de langzaam optrekkende mist.
Het geluid van geweervuur en exploderende mortieren kwam plotseling

met tussenpozen. De Palestijnse strijders begonnen zich terug te trekken en renden naar de heuvels boven het dorp. Tijdens een moment van relatieve stilte wendde Walid zijn ogen af van het gevecht en keek naar Demetrius. Zijn stem klonk laag en verdrietig. 'Het gevecht is verloren. Kijk, de Palestijnen rennen weg uit Karameh.'
Demetrius schudde spijtig zijn hoofd terwijl hij naar Karameh staarde. Een mengeling van langzaam optrekkende zwarte, witte en grijze rook verborg het zicht op de meeste gebouwen. Ten oosten van het dorp hadden enkele tanks, die werden gevolgd door Israëlische soldaten, zich verspreid en klommen nu de steile hellingen van de bergvoet op.
'De Israëlische soldaten zitten achter de Palestijnen aan,' zei Demetrius mat. 'Ze zullen hen allemaal vermoorden.'
Het oor van Demetrius ving een serie doffe explosies op die in het dorp klonken. Hij slaakte een lange zucht. 'Walid, ze blazen de gebouwen op. Karameh zal spoedig verwoest zijn. En dat is nog niet alles. Als de tanks naar het zuiden keren, zullen jij en ik in groot gevaar verkeren. Niemand zal ons vragen waarom we hier zijn.'
'Misschien moeten we hier weg.'
'Waarheen? Het is nergens veilig.'
Walids huidskleur veranderde van lichtbruin naar wit. 'Dan moeten we hier ongezien blijven.'
'Ja. Dat is het beste. Maar we moeten de tanks in de gaten houden. Als ze zich in onze richting keren...'
Een ongewoon luide explosie maakte dat Demetrius zweeg en naar de tanks staarde die de berg beklommen.
'Walid! Kijk!' siste hij. 'De Palestijnen hebben een tank vernietigd!'
'Ik zie het!'
Vlak bij de andere tanks begonnen mortieren te exploderen terwijl ze langzaam heuvelopwaarts bleven gaan.
'Jordaniërs!' schreeuwde Demetrius vol vreugde. 'De Jordaniërs komen helpen. Ze vuren op de Israëlische tanks!'
'God zij geloofd!' riep Walid uit. 'God zij geloofd! We zijn gered!'
Demetrius wist wat er was gebeurd. De Jordaniërs hadden duidelijk naar het gevecht gekeken maar Karameh had voor hen geen waarde. Pas toen de Israëlische tanks zich in de richting van Amman begaven, begonnen de Jordaniërs aan te vallen.
'We zien een echte oorlog!' Walid was nu meer opgewonden dan bang. Nu de Jordaniërs aan de strijd meededen was de kans op een Palestijnse overwinning groter.
De Israëlische tanks begonnen terug te keren. 'De Jordaniërs hebben gewonnen!' gilde Walid.

‘Nee. Dat denk ik niet. Ze keren alleen terug omdat ze hier niet zijn gekomen om tegen de Jordaniërs te vechten. Ze waren verbaasd toen ze door een tank werden aangevallen in plaats van geweren.’
‘Laten de Jordaniërs het dan toe dat ze doorgaan met hun aanval op Karameh?’
‘Het gevecht in Karameh is afgelopen. Ga maar na, waarom zouden de Jordaniërs een grotere confrontatie riskeren om een verwoest dorp terwijl ze niets deden om een heel dorp te beschermen?’ Hij ademde uit. ‘Nu zullen de Israëliërs de mensen willen hebben die zijn ontsnapt.’
‘Demetrius! Er zijn nog meer tanks op de weg onder ons!’
‘Ik zie ze. Ze komen uit Shunet Nimrin.’
‘Israëlische versterkingen?’
‘Ja. Het duurt niet lang of de Israëliërs zitten overal.’ De stem van Demetrius klonk dringender. ‘Walid, we moeten hier nu weg.’
Walid kwam abrupt in beweging en begon hem te duwen. ‘Ga! Ga! Ga!’
Demetrius weigerde zich te haasten. Hij kwam voorzichtig overeind, keek naar de berghelling en stond toen als versteend met zijn ogen strak gericht op een enkele plek een paar honderd meter verderop.
Walid was ongeduldig en wilde wegrennen. ‘Wat is er, Demetrius?’
Demetrius gaf niet direct antwoord maar toen hij sprak klonk zijn stem laag en zijn woorden klonken alsof ze door opeengeklemde tanden werden geduwd. ‘We zijn niet alleen.’
‘Ben je gezien?’
Demetrius bleef bewegingsloos staren zonder antwoord te geven.
Langzaam en voorzichtig stapte een man in een kaki uniform weg van een grote rots en begon de berghelling af te lopen. Hij hield een Kalasjnikov AK-47 geweer in zijn rechterhand. Aan de riem rond zijn middel bungelde een rij handgranaten.
‘Ik geloof dat onze gast een Palestijnse vrijheidsstrijder is.’
Door de toon alsmede de woorden van zijn vriend sprong Walid overeind en ging rechtop staan.
Naast elkaar staand keken ze hoe de man naderbij kwam.
‘Blijf laag!’ riep de soldaat op bevelende toon, maar Demetrius noch Walid reageerde.
‘Blijf laag!’ De man herhaalde zijn instructie en voegde er een gebaar met zijn linkerarm aan toe om duidelijk te maken wat hij bedoelde.
Walid hurkte neer.
De ogen van Demetrius lieten de vreemdeling geen moment los. Terwijl hij naar de soldaat keek flitsten er allerlei gedachten door zijn hoofd en herinnerde hij zich de waarschuwing van zijn vader om het bezoek aan

Karameh te laten varen omdat het het bolwerk was van de meest fanatieke Al Fatah-strijders van Abu Ammar (Yasir Arafat).
Op korte intervallen na waren de joden en Arabieren elkaar sinds de oorlog van 1948 blijven bevechten. Omringd door Arabieren was Israël gedwongen geweest elke grens te verdedigen. In 1956 en 1967 was er totale oorlog geweest. Tijdens de oorlog van 1967 hadden de joden het land dat ze bezaten weten te verviervoudigen waarbij ze Oost-Jeruzalem, de Westoever, de Golan-hoogten en de Sinaï veroverden. De joodse overwinning slaagde er niet alleen in de Arabieren te demoraliseren maar creëerde ook 500.000 nieuwe Palestijnse vluchtelingen. Tijdens het voorgaande jaar waren de grensincidenten geëscaleerd en waren de spanningen toegenomen. Demetrius had ondanks dat hij dit alles wist het nuchtere advies van zijn vader genegeerd, omdat Walid zo graag zijn oom en neven wilde bezoeken.
De rustige, hoopvolle stem van Walid doorbrak zijn gedachten. 'Het is goed voor ons dat hij een vrijheidsstrijder is, vind je ook niet?'
'Ja, veel beter een Arabier dan een jood.'
De man was nu veel dichterbij terwijl hij langzaam, gebogen over zijn geweer, de berg besteeg. Om de paar meter kwam hij tot stilstand en keek hij om zich heen. Hij sprak pas toen hij door een rots volledig uit het zicht was van de weg. 'Ik ben Ahmed Fayez.'
Demetrius knikte. 'En ik ben Demetrius Antoun.' Hij keek neer op Walid. 'Dit is mijn vriend Walid Badir.'
Ahmed leek niet op de introductie te letten. Hij leunde met zijn rug tegen de rots, haalde diep adem en keerde zich vervolgens om om naar de weg te kijken. Er gingen een paar seconden voorbij voor hij zich weer naar Demetrius en Walid wendde. 'Waar zijn jullie wapens?' vroeg hij.
'We hebben geen wapens,' vertelde Walid hem met een schelle stem.
Ahmed pauzeerde. Zijn ogen bewogen van Demetrius naar Walid en toen weer terug naar Demetrius.
'Wat doen jullie hier?'
'Dat is onze zaak,' antwoordde Demetrius.
De loop van het geweer van Ahmed bewoog langzaam tot hij recht op de borst van Demetrius gericht was.
'Vandaag, mijn vrienden, is alles mijn zaak. Ik heb gehoord dat er Israëlische spionnen rondhangen.' Hij schonk hun een harde, vastberaden blik. 'Nu, antwoord op mijn vraag. Jullie zijn toch Palestijnen?'
'Ja,' zei Demetrius tegen hem. 'Maar we zijn geen guerrillastrijders.'
'Nog een keer. Wat doen jullie hier?'
Walid sprak haastig omdat hij niet wilde dat Demetrius in een woorden-

wisseling met de gewapende man verstrikt zou raken. 'Mahmoud Bader, de broer van mijn vader, woont in Karameh. We zijn hier om hem te bezoeken.'
'Waarom is hij niet bij jullie?' vroeg de soldaat achterdochtig.
'We waren er nog niet aangekomen,' zei Walid.
'Gisteren zijn we laat in de middag lopend uit Shunet Nimrim gekomen,' legde Demetrius aan een verbijsterde Ahmed uit, 'maar we konden Karameh voor het donker niet bereiken.' Hij zwaaide met zijn arm naar het strijdtoneel. 'En nu gebeurt er dit.'
'We hebben de nacht langs de weg doorgebracht,' voegde Walid eraan toe.
Een tijd lang sprak niemand terwijl Ahmed de mannen vorsend bekeek en afwoog of hij hen moest geloven of niet. Hoewel Ahmed van bijna hun leeftijd leek, had hij een ongewone hardheid in zijn optreden die de meeste mannen intimiderend zouden vinden.
Toch zeiden Demetrius en Walid verder niets terwijl ze wachtten op de volgende vraag van de strijder.
Ahmed Fayez leek hen te tergen terwijl hij zijn geweer van de borst van Demetrius naar de borst van Walid bracht.
Walid ademde luid in.
Ahmed glimlachte en zei toen: 'Ik geloof jullie.' Zijn glimlach werd nog breder. 'Maar de joden niet. Zij geloven dat iedere Palestijn een commando is.'
Walid sprong overeind en wierp een blik naar Demetrius voor hij sprak. 'We zagen het gevecht vanaf het begin.'
'O, ja?' De stem van Ahmed klonk zacht en was vervuld van verdriet over wat verloren was. 'Veel dappere strijders zijn dood. Veertig, vijftig, misschien zelfs meer.'
'Hoe kon dit gebeuren?' onderbrak Demetrius hem. 'Was er geen waarschuwing?'
Ahmed grinnikte zachtjes voor hij antwoord gaf. 'Waarschuwing? Ik denk het wel. Vlak voor de aanval vloog er heel laag een helikopter over het dorp en gooide pamfletten naar beneden.' Hij reikte in de zak van zijn overhemd en haalde een verfrommeld stuk geel papier te voorschijn dat aan beide kanten was bedrukt. 'Kijk. Dit is de waarschuwing. Op het papier staat dat de burgers het dorp zouden moeten verlaten.' Hij knikte heftig met zijn hoofd en lachte. 'We wisten al enkele dagen dat Karameh aangevallen zou worden, maar we wilden ons verzetten en vechten. Zelfs toen de Jordaniërs tegen ons zeiden dat we de heuvels in moesten vluchten.' Hij lachte opnieuw, deze keer luider en hij was duidelijk tevreden. 'We hebben veel joden gedood.'

Demetrius was nieuwsgierig. 'Maar de Israëliërs hebben tanks en vliegtuigen. Hoe kon je hopen zo'n gevecht te winnen?'
'Diegenen die wilden vertrekken, konden gaan.' De lippen van Ahmed verbreedden zich in een gelukzalige glimlach terwijl hij weer tegen de rots leunde. Voor het eerst in zijn leven had Ahmed Fayez het bloed van zijn vijand gezien. 'Degenen die bleven en vochten hebben een grote overwinning geboekt.'
'Overwinning?'zei Walid. 'Maar Karameh is verwoest en veel mensen zijn dood.'
Ahmed wilde dat ze zijn visie deelden. 'Je hebt het mis. Het is een grote overwinning. De wereld zal spoedig weten dat de Palestijnen, de *fedayeen*, zullen vechten voor hun thuisland.' Hij zweeg even aangezien zijn grote passie hem overweldigde. 'Dit is de overwinning!' verklaarde hij gloedvol.
Demetrius sloeg zijn ogen neer. 'Ik begrijp zo'n overwinning niet.'
Door het geluid van een mortier die werd afgevuurd van een tank op de weg onder hen bleven Demetrius en Walid plotseling als versteend staan.
Ahmed reageerde erop door zich op de grond te werpen en uit te roepen: 'Omlaag!'
Demetrius en Walid lieten zich naast Ahmed op de grond vallen. De mortier explodeerde op de bergwand enkele meters boven hen. Door de schokgolven werden hun lichamen enkele centimeters opgetild voordat ze door de zwaartekracht weer op de harde aarde werden gesmakt. Kleine rotsen begonnen door de achterblijvende zwarte rook te vallen en raakten de mannen met de scherpte van goed gemikte stenen.
Ahmed tilde zijn hoofd op en tuurde voorzichtig om de rand van de rots heen waarachter ze zich verborgen. Midden op de weg stond een tank waarvan de rokende loop nog op de bergwand was gericht. Er bevonden zich Israëlische soldaten rond de tank van wie sommigen stonden en anderen hurkten, allemaal met hun wapens in de aanslag en gericht op de berg.
Ahmed keerde zich naar Demetrius en Walid. Zijn stem klonk kalm. 'Ze weten waar we zitten. We moeten snel weg. Ik zal eerst gaan. Jullie moeten volgen, maar niet samen. Hou een afstand van minstens tien meter tussen ons allen. Ga van rots naar rots.'
Demetrius en Walid knikten om hem te laten weten dat ze zijn instructies begrepen.
Zonder verder nog iets te zeggen bewoog Ahmed zich naar de zuidkant van de rots, wierp een snelle blik op de weg en rende toen naar een kleine berg van aarde en stenen op een paar meter afstand.

Demetrius porde zijn vriend. 'We moeten doen wat hij zei, Walid. Ga nu. Ik volg.'
Walid kroop naar de rand van de rots en keek naar de tank. Een paar Israëlische soldaten hadden de weg verlaten en beklommen de berg. Walid hield zijn adem in en keek naar Demetrius. 'De soldaten komen eraan!'
'Volg Ahmed. Nu!' Demetrius gaf de weerbarstige Walid een duw. Hij wist dat als hij eerst ging, Walid misschien niet de moed had hem te volgen.
Walid rende naar de plek die Ahmed had uitgezocht.
Voordat Demetrius in beweging kwam, keek hij eerst waar de soldaten waren. Hij zag toen dat ze zich in groepen van vier en vijf hadden opgesplitst en tot een paar meter boven de weg waren geklommen. Demetrius zei tegen zichzelf dat ze moesten ontsnappen, en snel!
Walid rende naar Ahmed.
Demetrius sprintte naar de plek waar Walid had gestaan. Toen hij naar de beschermende grond sprong hoorde hij de tank vuren. De grond die door de explosie van de mortier werd opgetild, leek hem tegemoet te komen. Hij belandde hard op zijn borst en knieën. Stof vulde zijn mond. Demetrius spuugde en hoestte voor hij zijn hoofd optilde om te zien waar de mortier terecht was gekomen. Kringelende zwarte rook verhief zich langzaam van de pas omwoelde aarde en stenen vlak bij een kleine holte voor hem.
Er heerste totale stilte.
Demetrius zei tegen zichzelf dat Walid verder was gegaan. 'Walid!' Hij wachtte op een antwoord. Hij wachtte tot hij niet langer kon wachten. Demetrius riep nogmaals, turend door de dikke stofwolk: 'Walid! Geef antwoord!'
Ten slotte zette Demetrius het schreeuwend op een rennen in de richting van het rokende gat dat de mortier had gecreëerd. Hij sprong in het gat en viel op zijn knieën neer. Toen klom hij eruit waarbij hij zich met zijn vingers door de loszittende aarde trok en kroop verder op handen en knieën terwijl hij Walid riep.
Demetrius zag als eerste de lege schoenen. Er weerklonk een schraperige kreet vanuit zijn keel. Een schoen lag ondersteboven. De andere schoen lag een paar centimeter verderop op de zijkant. Toen zag hij de kleine voeten, de korte benen, het tengere lichaam, met het gezicht naar beneden, stil.
'Walid?' Demetrius trok voorzichtig aan de schouder van Walid om hem om te draaien. Demetrius was als verdoofd en kon geen adem krijgen. Hij zat rechtop en nam huilend het hoofd van Walid in zijn armen.

‘Walid. O, God. Walid, sta alsjeblieft op.’ Demetrius streelde het gezicht van zijn vriend en vroeg zachtjes: ‘Walid. O, Walid, hoe kan ik het ooit je moeder vertellen?’
‘Demetrius!’ De stem van Ahmed klonk als een echo van God. Een sterke hand trok aan de arm van Demetrius. ‘Laat hem. We moeten gaan.’
‘Laat hem.’ Demetrius zei de woorden zonder ze echt te laten klinken. ‘Laat hem?’
‘Ja. Laat hem.’ Ahmed strekte zijn hand uit. ‘Er kan niets voor je vriend gedaan worden.’
Demetrius pakte de hand van Ahmed met de zijne en liet hem toen los. Hij ging rechtop staan. Plotseling greep Demetrius zonder erover na te denken het wapen van Ahmed en trok het uit zijn handen.
De ogen van Ahmed vernauwden zich, maar overbluft door de kracht van Demetrius protesteerde hij niet.
Demetrius keerde zijn ogen vervolgens naar de tank en de soldaten die de berg beklommen. Zijn gezicht was vertrokken van razernij door de onbeheersbare woede die hem overspoelde. Hij rende vloekend, schreeuwend en het wapen afvurend de bergwand af.
Enkel ogenblikken stonden de soldaten als versteend door de waanzinnige aanval van Demetrius. Toen lieten ze zich op de grond vallen en begonnen ze te schieten.
De geschutkoepel van de tank draaide, de loop werd omlaag gebracht en de schutter wachtte.
Demetrius liet zich automatisch op de grond vallen voor hij opzij rolde en zijn wapen afvuurde. Een kogel raakte een soldaat in zijn gezicht. Het lichaam van de soldaat begon langzaam de berghelling af te glijden. Demetrius hoorde de kameraad van de soldaat met de gefilterde stem als in een droom ‘Abe!’ roepen.
Vurend en schreeuwend rende Demetrius naar een soldaat toe die met zijn gezicht naar beneden lag en zijn helm vasthield.
Demetrius vuurde terwijl hij erlangs rende. De hand van de soldaat viel van zijn helm.
Toen Demetrius door hun linie heen ging stopten de soldaten met vuren uit angst dat ze een van hun eigen mannen zouden raken. De soldaten die het dichtst bij de weg waren trokken zich terug naar hun posities achter de tank.
Demetrius struikelde en viel achterover de helling af.
Een Israëlische soldaat verhief zich op een knie en richtte zijn wapen.
Een salvo kogels uit de AK-47 van Demetrius raakte hem in de borst.
Demetrius hoorde de gewonde man om zijn moeder roepen.
In de stilte van dat moment werd de achterkant van de tank plotseling

opgetild door een kleine explosie. Een seconde later explodeerde de tank in een enorme bal van vuur en zwarte rook.
Door de kracht van de explosie werd Demetrius naar achteren geworpen en het wapen viel uit zijn hand. Geschreeuw en salvo's geweervuur vervingen het afnemende gebulder van de explosie.
Demetrius klauterde overeind.
Een paar meter verder de helling af probeerde een soldaat overeind te komen. Hij werd geraakt door een stroom kogels.
Demetrius probeerde zijn AK-47 niet terug te vinden. Hij wierp zich op de soldaat die in verbijsterde stilte naar zijn dodelijke verwondingen stond te kijken.
Door de onverwachte botsing werd de soldaat op zijn rug geworpen. Demetrius sprong met beide benen aan weerskanten over de man heen en greep met beide handen zijn keel beet en drukte vijf seconden, tien seconden, vijftien seconden, Het gezicht van de man werd rood, toen wit, toen blauw. Zijn ogen puilden uit de kassen.
'Demetrius!' schreeuwde Ahmed terwijl hij zich de berg af haastte.
Dertig seconden.
'Demetrius!'
Zestig seconden.
Ahmed legde zijn hand op de schouder van Demetrius. 'Genoeg!' De stem van Ahmed klonk kalm, standvastig en geruststellend. 'Demetrius. Hij is al dood.' Ahmed had op de soldaat geschoten die stervende was terwijl Demetrius hem op de grond duwde. Ahmed keek tevreden om zich heen. 'Ze zijn allemaal dood.'
De greep van Demetrius verslapte. Hij bleef naar de verwrongen gelaatstrekken van de soldaat kijken. Hij had een dode man gewurgd! Langzaam werd het weer helder in zijn hoofd. Hij kon geschreeuw horen en de stevige greep van Ahmed voelen. Hij kon de geur van verbrand vlees vermengd met benzine ruiken.
Ahmed vroeg bijna fluisterend: 'Ben je gewond? Kun je staan?'
Demetrius bewoog langzaam een voor een zijn ledematen en kwam toen overeind boven het lichaam van de dode soldaat.
Een kreet 'God zij geprezen!' leek van alle richtingen te komen, gevolgd door een salvo geweervuur.
Demetrius keek naar Ahmed en toen naar de Palestijnse strijders die zich om hem heen begonnen te verzamelen.
'Dit is Demetrius Antoun!' zei Ahmed tegen allen die het konden horen. 'En deze mannen,' Ahmed gebaarde naar de strijders, 'zijn je broeders.'
Een grimmige Demetrius zei niets.
'En hij,' Ahmed gebaarde naar een van de mannen om dichterbij te ko-

men, 'is Yassin, de man die de raket in de tank vuurde.' Ahmed lachte luid. Zijn duidelijke vreugde werd door de anderen gedeeld. Hij keek trots naar Demetrius. 'Demetrius.' Ahmed glimlachte en klopte hem op de schouder. 'Met nog tien van zulke strijders als jij zouden we het hele joodse leger kunnen verslaan!'
De Palestijnen begonnen elkaar te duwen en lachten en juichten.
Toen ze gekalmeerd waren vertelde Ahmed hen: 'Genoeg! We zullen later verder feest vieren.' Hij gaf een bevel. 'Pak jullie wapens. We moeten meteen weg.'
Ahmed keerde zich naar Demetrius en sprak rustig. 'Mijn broeder, je moet met ons meekomen. We zullen ons in de heuvels schuilhouden tot de joden terugkomen om hun doden op te halen. Dan vermoorden we ze allemaal!' Ahmed lachte bij de gedachte aan dode Israëliërs.
Demetrius antwoordde niet. De gedachte flitste door hem heen dat Ahmed Fayez een man was die makkelijker lachte dan glimlachte.
Beelden van het opzwellende gezicht van de dode Israëlische soldaat dreven omhoog, om te worden vervangen door de woorden van zijn geliefde vader. 'Demetrius, het ontnemen van een leven is de grootste zonde tegen God en de mens.'
'Demetrius!' riep Ahmed uit. 'Je hebt genoeg gedaan voor vandaag. Nu moet je rusten. Hawad! Breng Demetrius naar onze schuilplaats.'
Ahmed legde zijn hand op de schouder van Demetrius. 'Ga met Hawad mee, Demetrius. De anderen moeten over je dapperheid horen, zulke dapperheid brengt inspiratie.'
Demetrius wendde zich van Ahmed af en keek naar de man die Hawad heette terwijl hij op hem toeliep. Toen Demetrius sprak klonk zijn stem zacht en stierven zijn woorden weg. 'Ja, rust zal me goed doen.'
Demetrius stapte naar voren om Hawad te ontmoeten, maar zelfs toen hij een begroeting uitwisselde bleven zijn gedachten bij de woorden van Ahmed: dapperheid en moed. Demetrius wist de waarheid; dat hij niet uit dapperheid of moed had gehandeld, of uit onverschrokkenheid, maar eerder omdat op dat moment sterven makkelijker leek dan leven.
'God zij met je, Demetrius Antoun,' riep Ahmed hem na.
Demetrius antwoordde niet omdat hij opging in zijn gedachten.

11 Het vluchtelingenkamp Shatila

Toen in 1948 de staat Israël werd gecreëerd en de staat Palestina verdween, trok de machtige nationale beweging voor Palestijnse onafhankelijkheid zich terug van het politieke toneel door de verantwoordelijkheid voor de Palestijnse rechten over te dragen aan de Arabische Liga. Omdat hij na tien jaar nog altijd in ballingschap verkeerde en zich genegeerd voelde door de Arabische regeringen die beloofden Palestina te bevrijden vormde een jonge Palestijnse ingenieur met de naam Yasir Arafat een organisatie die Al Fatah heette. De Al Fatah die erop vertrouwde dat de Palestijnen voor hun eigen onafhankelijkheid zouden strijden, keerde zich af van alle Arabische regeringen. In 1965 begonnen leden van de militaire vleugel van de Al Fatah doelen aan te vallen binnen de Israëlische grenzen waardoor bij alle Palestijnen die nog ingesloten zaten in vluchtelingenkampen hoop werd gewekt.

Tijdens de jaren zestig, toen het Arabische nationalisme aan de andere kant van het Midden-Oosten groeide, begonnen Palestijnse intellectuelen de Arabische regeringen onder druk te zetten om de Palestijnse beweging te erkennen. In 1964 creëerde de Arabische Liga de Palestijnse Bevrijdingsorganisatie, de PLO. In het begin was de PLO eerder een politieke organisatie dan een militaire organisatie en haar eisen om teruggave van Palestina werden grotendeels genegeerd door de westerse regeringen.

In 1967, volgend op de derde felle nederlaag van de Arabische legers tegen de zionisten keerden wanhopige Palestijnen zich tot de Al Fatah in de hoop dat een radicalere benadering de aandacht van de wereldregeringen zou winnen. Tegelijkertijd begonnen de verslagen en gedemoraliseerde menigten in de Arabische landen, die drie oorlogen tegen de joden hadden verloren, de Palestijnse vluchtelingen de schuld te geven voor hun eigen verlies aan zelfachting. De Arabische regeringen, die op zoek waren naar een manier om zich terug te trekken als leiders van de beweging voor het bevrijden van Palestina, moedigden de inte-

gratie van de PLO en de Al Fatah aan en stelden Yasir Arafat aan als de nieuwe president van de PLO.
Nadat ze bij Karameh het bloed van joden hadden vergoten, werden de Palestijnse bevrijdingsstrijders van de Al Fatah plotseling de kampioenen van de Arabieren. De hele regio ondervond bijval van Arabische kant.

Juni 1968

Een diepbedroefde Demetrius Antoun ging van Karameh naar Amman in Jordanië en van daaruit naar Damaskus in Syrië. Bij de herinnering aan het bijna wanhopige verlangen van Walid om Damaskus te bezoeken draaide Demetrius rond in een emotionele draaikolk en vond weinig om van te genieten in de schoonheid van de oude stad. Na reeds een dag van omzwervingen door de oude stad en de *Souq al-Hamadiyyeh* begon hij de keistenen straten van Damaskus een sombere plaats te vinden. Toen hij langs een rij koffiehuizen liep die vol zaten met mannen die luide gesprekken voerden, stopte hij bij een die minder druk was. Nadat hij aan een tafel achterin was gaan zitten, bestelde hij een kaasbroodje en sterke Arabische koffie.
Terwijl hij in het café zat was Demetrius de onwillige getuige van een verhitte discussie tussen twee Turkse zakenmannen en een Libanese student. Het onderwerp was de door de Ottomanen toegebrachte hongersnood in 1917 waardoor 300.000 inwoners van Libanon de hongersdood stierven. De mannen uit Turkije wonden er geen doekjes om en zochten duidelijk ruzie. Demetrius zag al snel dat de verlegen student uit Beiroet werd overweldigd door de onverwachte confrontatie.
Demetrius, die was opgeleid aan de hand van zijn bescheiden maar geleerde vader, werd boos toen hij de dikste van de twee Turken tegen de student hoorde schreeuwen: 'Jij zoon van een ezel! De hongersnood van 1917 was niet meer dan een samenzwering tussen de Britse en Franse regeringen om de Ottomaanse heersers te ondermijnen.' Hij wuifde met zijn hand naar de jonge man. 'Bah! Ga terug naar school.'
De dikke man glimlachte zelfingenomen naar zijn vriend voor hij naar zijn hoofd wees en mompelde: 'De Arabieren hebben onderontwikkelde hersenen.' De man deed niets liever dan de vroegere onderdanen van het Ottomaanse Rijk belachelijk maken, de zoons van de mannen die zijn vader eens had aangevoerd.
Het gezicht van Demetrius liep rood aan van woede. Hij had al vroeg in zijn leven waargenomen dat hoe onwetender iemand was, hoe arroganter hij was. Hij haalde diep adem en zei tegen zichzelf dat hij zich niet in de onenigheid moest mengen, maar toen hij een blik op de student had

geworpen en de vernedering op zijn gezicht las, kon Demetrius zich niet meer inhouden. Hij draaide zich snel op zijn stoel om en pakte de dikke man bij zijn schouder. 'Je zult je moeten verontschuldigen,' zei hij, waarbij zijn zachte stem zijn ernst verborg. 'De Libanese hongersnood van 1917 was gefabriceerd door jouw volk. Het Turkse leger nam al het voedsel in beslag waardoor de burgers alleen nog maar gras te eten hadden.'
De dikke man aarzelde heel even. Hij probeerde zich los te trekken, maar Demetrius hield hem stevig vast. Terwijl hij zichzelf voorhield dat hij beschermd zou zijn in een land dat had gekozen voor een door de staat gesteunde tirannie in plaats van publiek anarchisme, keek de man om zich heen naar iemand in een uniform. Toen hij drie politiemannen zag, keerde hij zich naar Demetrius en zei met een van sarcasme druipende stem: 'Ah! Nog een Libanese ezel!'
De ogen van Demetrius vernauwden zich en zijn lippen trokken strak, maar hij zei niets.
Zijn zwijgen gaf zijn tegenstander moed. De man stootte zijn kin in de lucht en siste: 'Of misschien ben je wel een hoerenzoon!'
Demetrius Antoun was geïrriteerd. Zonder na te denken over de gevolgen handelde hij in een impuls. Met één enkele snelle beweging stond hij op en gaf de man een zware slag op zijn hoofd.
De uitdrukking van verbazing op het gezicht van de dikke man doofde langzaam uit terwijl hij in elkaar zakte, van zijn stoel op de betegelde vloer gleed en in een hoopje voor de voeten van Demetrius terechtkwam.
De menigte raakte in paniek. Een paar oude mannen struikelden over elkaar terwijl ze hun weg baanden uit het koffiehuis.
De vriend van de dikke man begon te gillen. 'Politie! Help!'
Kreten als 'wat gebeurt er? en 'een gevecht!' vulden het café.
Demetrius stak zijn hand in zijn zak en wierp een briefje van 50 Syrische lires op de tafel. Hij knipoogde naar de student en zei: 'Ga. Nu.'
De student raapte onhandig zijn papieren bij elkaar. Voor hij wegrende gaf hij Demetrius snel een waarderende glimlach.
Demetrius nam nog een slokje koffie en wachtte kalm op de autoriteiten.
De drie politiemannen gingen samen met de toeschouwers rond de dikke man op de vloer staan. De agenten gingen tijdens hun pauze duidelijk liever een kom koffie drinken. Als ze iemand naar het politiebureau moesten brengen, zouden er papieren ingevuld moeten worden.
De oudste politieman, die met zijn laars tegen de bewusteloze Turk duwde, vroeg vermoeid: 'Wat is er gebeurd?'
'Hij beledigde me, agent,' bood Demetrius zich vrijwillig aan. 'Ik reageerde.'

'En hoe werd je beledigd?'
'De eer van mijn moeder werd aangevallen.'
De politieman knikte begrijpend. Hij keek met belangstelling naar Demetrius. Een echte man zou nooit een belediging ongestraft laten. Trouwens, de meest jongemannen zouden het op een lopen hebben gezet bij het zien van autoriteit. De jongen zag eruit als het goede soort, precies het type dat zijn moeder zou verdedigen.
Een van de toeschouwers begon te lachen en schudde met zijn gebalde vuist. 'Ik zag alles, agent. De grote vent hier.' Hij wees naar Demetrius. 'Hij sloeg de man met zijn vuist op het hoofd. Eén klap en hij was meteen bewusteloos!'
Nadat ze met een zweem van bewondering naar Demetrius hadden gekeken, richtten de mannen hun aandacht weer op de bewusteloze figuur. Er was snot uit zijn neus gelopen dat over zijn lippen en kin liep.
Een van de jongere agenten krabde zich op het hoofd. 'Sloeg het snot er ook nog uit.'
Iedereen begon te lachen.
De vriend van de bewusteloze man begon te sputteren. 'Hij viel ons aan! Arresteer hem!'
De agent die de leiding had nam snel een beslissing. Hij keek naar Demetrius en beval: 'Ga. Maak dat je hier wegkomt. En sla niemand meer.' Hij wierp een blik op de gespierde armen van Demetrius. 'Je zou iemand kunnen doden.'
Demetrius ging weg. Toen hij weer op straat stond besloot hij dat het tijd was om weer naar Beiroet terug te keren.
Het onprettige incident had Demetrius teruggevoerd naar zijn jeugd. Net als alle jongens had hij ook zijn deel gehad aan ruzies en kleine schermutselingen. Hij had jaren eerder ontdekt dat hij iemand zelfs niet met de helft van zijn kracht kon slaan. Tijdens een vriendschappelijke stoeipartij had hij per ongeluk de ribben van een klasgenoot gebroken. Demetrius had de jongen alleen stevig vastgehouden om hem ervan te weerhouden met Walid te vechten. Later in datzelfde jaar had Demetrius de kaak van een jongen gebroken. De twee jonge mannen deden mee aan een bokswedstrijd in de buurt. Na het incident had Demetrius elk soort lichamelijk geweld gemeden en zich als het ware gedistantieerd van zijn eigen kracht, dat wil zeggen tot de afgelopen paar maanden toen zijn woede en frustratie zijn nuchtere verstand hadden overwonnen.
Demetrius liep snel terug naar het kleine hotel waar hij verbleef. Hij had nog geen uur nodig om zijn dingen op te ruimen en zijn kleine koffer te sluiten, waarna hij de rekening betaalde en haastig op weg ging naar een

taxistandplaats in de hoop geld te besparen door de taxirit naar Beiroet met een paar andere passagiers te delen. Toen de taxi eindelijk wegreed, zei Demetrius tegen zichzelf dat hij zich geen zorgen had hoeven maken. Om zijn winst te verhogen had de taxichauffeur nog vier passagiers opgehaald. Er zaten vijf volwassen mannen in de verroeste zwarte Mercedes vol deuken gepropt. Twee van de passagiers, een oude man en zijn kleinzoon, waren Libanese sjiïetische moslims. Ze waren arme mannen die terugkeerden naar de sloppenwijken van Beiroet.
Demetrius, die zijn hoofd probeerde leeg te maken van de problemen, zat er stil bij en luisterde.
De dochter van de oude man was getrouwd met een Syriër. Hij en zijn kleinzoon waren naar Syrië gegaan om de geboorte te vieren van het pasgeboren kind van zijn dochter. Ze waren geschokt geweest door de ontdekking dat het jongetje was geboren met een groot hoofd dat met de dag groter werd. Zonder iets te vragen wist Demetrius dat het kind een ernstig waterhoofd had, oftewel water in de hersenen. Hij wist dat de baby zou sterven, maar pas na veel lijden.
Demetrius wilde wanhopig graag dokter worden, maar hij had niet de moed iemand over deze ambitie te vertellen omdat hij wist dat de armoede van zijn familie deze droom onmogelijk maakte. In plaats daarvan troostte hij zichzelf ermee dat hij tevreden zou zijn met lesgeven, net als zijn vader.
Nadat de mannen het verdrietige verhaal hadden verteld merkte de taxichauffeur op dat hij een droge keel en een lege maag had. Demetrius, die naar het uitgemergelde gezicht van de man en zijn slordige kleren keek voelde in zijn zak en haalde zijn laatste lirabiljetten te voorschijn. Hij bood aan voor iedereen een maaltijd te kopen.
De taxichauffeur stopte bij een etenskraampje langs de kant van de weg en alle mannen stapten uit om hun benen te strekken en hun blaas te legen. Demetrius kocht een dozijn hardgekookte eieren, vijf tomaten, vijf plakken pitabrood en vijf flesjes mineraalwater. De eigenaar van het kraampje deed er gratis een handvol groene olijven bij.
Nadat ze de schrale maaltijd hadden gedeeld, vervolgden de mannen hun reis.
Demetrius was die enige passagier die wakker bleef terwijl ze door het anti-Libanongebergte langs de Syrische grens reden. Terwijl de taxichauffeur bekwaam de haarspeldbochten nam, staarde Demetrius naar de huizen met de rode dakpannen die tegen de rotsige bergen aangeplakt lagen. In de dorpen van de druzen zag hij mannen op ezels rijden en bergvrouwen druk in de weer om hun taken verrichten. Terwijl ze aan de Libanese grens de berg afdaalden ving hij door de groene bomen

op de hellingen van de berg door een glimp op van de helderblauwe Middellandse Zee.
In de ogen van Demetrius was Libanon een mooi land, veel lieflijker dan Jordanië of Syrië. Terwijl Demetrius met zijn hoofd tegen het vieze, gebarsten raam leunde en naar de welige pijnboombossen van Aleppo keek, dacht hij aan zijn vader. Zijn vader had hem eens verteld dat Libanon in alle opzichten een land van contrasten was; er was plaats voor iedereen, van de rijkste tot de armste. Als God glimlachte kon een man zijn leven beginnen in de sloppenwijken van Zuid-Beiroet en zijn leven eindigen in een landhuis op de heuveltop. Alles was mogelijk in Libanon. Demetrius, die verlangde naar een minder ingewikkeld leven, wenste even dat hij in Libanon was geboren in plaats van in Palestina.
Demetrius zuchtte. Tot dusver had God gelachen om de dromen van de Palestijnen.
Het verdriet dat zich op het gezicht van Demetrius weerspiegelde, begon te vervagen toen de taxi Oost-Beiroet naderde, en door de christelijke enclaves heen de buitenwijken van West-Beiroet inreed. Terwijl ze langs ommuurde, door palmbomen omringde villa's reden, die naast kleine winkels stonden, merkte Demetrius op dat de roze en witte oleanderstruiken in bloei stonden. Het was zomer geworden.
De straten van Beiroet werden bevolkt door mensen uit de hele wereld. Demetrius glimlachte toen hij mooie Libanese vrouwen, gekleed volgens de laatste Parijse mode, zag onderhandelen met oude, bebaarde mannen achter groentekarren. Stamleden van de druzen met rode fezzen op en slobberige broeken aan liepen stijfjes naast maronitische priesters in lange witte gewaden. Het aroma van geroosterde koffiebonen drong door het open raam de auto binnen waardoor de passagiers ontwaakten uit hun dutje.
Het verkeer zat vast en Demetrius bedacht dat hij de afstand sneller te voet zou kunnen afleggen dan de taxi door de geblokkeerde straten kon manoeuvreren. Hij werd ongeduldig. Hij was nog nooit eerder zo lang van zijn familie gescheiden geweest.
Eindelijk waren ze bij Shatila. Nadat hij zijn aandeel in de rit had betaald en van iedereen afscheid had genomen, stapte Demetrius uit de auto en liep het kamp in.
Het kamp Shatila was niet groter dan twee vierkante kilometer, maar vormde het thuis van 7000 mensen. En ondanks de nabijheid van het bedrijvige Beiroet was Shatila het armste vluchtelingenkamp in Libanon. Het kamp, dat werd omgeven door golvende heuvels, lag in een bekken dat tijdens het regenseizoen in een modderige rivier veranderde doordat de riolen overliepen.

Het kamp had niets van de rijke delen van Beiroet en bestond uit armzalige gebouwtjes die waren opgetrokken uit sintelblokken en beton. Weinig gebouwen waren geschilderd en de waterpijpen en elektriciteitsdraden hingen los aan de gebouwen. De meeste mannen waren van oorsprong boeren en verrichten nu als vluchtelingen dienstverlenend werk. Zelfs al werkten velen als schilders, timmerlieden of loodgieters die de mooie huizen van de rijke Libanezen onderhielden, waren hun vaardigheden niet aan Shatila af te zien.

Tijdens de drie maanden dat Demetrius weg was geweest was er niets in het kamp veranderd, maar hij zag de viezigheid van de plaats die hij zijn thuis noemde niet. Hij kon aan bijna niets anders denken dan zijn familie en de schok die ze zouden ervaren door zijn onverwachte terugkeer. Nog geen maand geleden had hij geschreven dat hij misschien nog een jaar of langer in Karameh zou blijven.

Terwijl hij dacht aan het geluk dat zijn komst zou brengen, begon Demetrius zich beter te voelen en begon te fluiten.

Het was altijd druk in het vluchtelingenkamp, maar deze dag was het overvol in de straten. Demetrius zocht zijn herinnering af, maar dacht niet ooit zo'n grote menigte te hebben gezien. Wat was er aan de hand? Plotseling hoorde hij het geluid van juichende stemmen en zag hij jeugdige soldaten. Een grote groep kleine jongens marcheerde door het kamp Shatila. De jongens vormden een enkele rij en hielden trots stokken vast terwijl ze riepen: 'Palestina! Palestina!' De inwoners van het kamp stonden langs de smalle, kronkelende straten en scandeerden: 'Jonge leeuwen! Jullie zullen ons redden! Jonge leeuwen! Jullie zullen ons redden!'

Demetrius, die nog geen vrienden of buren herkende, leunde tegen een klein gebouwtje en staarde naar het spektakel. Tot vreugde van de menigte en bij het teken van de leiders hurkte de jeugdige groep plotseling neer en begon te rennen alvorens hun benen onder hun lichaam te trekken en een salto te maken. Na de salto belandden ze op een daarvoor gemaakte zandheuvel en brulden terwijl ze probeerden zo veel mogelijk op de beesten uit de jungle te lijken. De menigte gaf onder veel kabaal blijk van hun goedkeuring waarbij ze tegelijk lachten en huilden en hun hysterie kolkte als een wervelwind door de lucht.

'Fatah! Fatah! Fatah!'

Nadat hij enkele ogenblikken had toegekeken, baande Demetrius zich een weg door de massa en begreep volkomen waar alle drukte om ging. Hij mompelde met ingehouden adem: 'Karameh.' Vóór het gevecht bij Karameh waren de Palestijnen de paria's van de Arabische wereld geweest. De Palestijnen werden door de Arabieren veracht. Maar nu, na-

dat ze een paar Israëlische soldaten hadden gedood, waren ze de helden voor iedere Arabier die ooit de pijn van een vernederende nederlaag door de handen van de joden had ervaren!
Demetrius verlangde er sterk naar uit te schreeuwen dat de enkele overwinning van de Al Fatah minder voorstelde dan het leek. Hij verlangde ernaar de waarheid te verkondigen: dat een paar Israëlische doden de blijvende strijd tussen de joden en Arabieren niet zou veranderen. En ja, dat die dode joden ook namen hadden, namen als Abe. Demetrius huiverde onwillekeurig.
Terwijl hij door het kamp liep werd hij overspoeld door het beeld van degenen die hij gedood had zien worden, inclusief Walid. Hij slaakte een diepe zucht en dacht dat de onenigheid tussen de Arabier en de jood de twee volken op een manier verbond die niemand ooit zou toegeven. Arabier en jood – jood en Arabier.
Demetrius baande zich door de grote groep mensen een weg naar het huis van zijn ouders waarbij hij de opschepperige roddels op de straten over hoe de Arabieren eindelijk de joden in de zee gingen smijten uit zijn gehoor bande.
Demetrius begon sneller te lopen en bukte terwijl hij onder de woningen doorliep die over de smalle straten uitstaken. Hij begon te zweten door de vochtige hitte. Soms bevond hij zich in straatjes die niet breder waren dan een meter. De mensen van Shatila hadden hun huizen op elke beschikbare plek gebouwd.
Eindelijk was hij thuis.
Mary Antoun stond buiten met haar rug naar de straat en vormde met haar lange, donkere haar in een keurige knot een silhouet tegen de zon. Demetrius stond stil een keek hoe Mary vol liefde een enkele, prachtige paarse bloem in een tinnen pot verzorgde.
Zijn moeder had altijd van bloemen gehouden.
Demetrius bleeft onopgemerkt door Mary terwijl ze de plant water gaf om zich vervolgens voorover te buigen en de geurige bloesem teder met haar neus en lippen te strelen. Toen ze zich omdraaide zag Demetrius een onbeschrijflijke vreugde over het gezicht van zijn moeder trekken. Toen zag ze hem.
Hun ogen ontmoetten elkaar en hielden elkaar gevangen voor er een kreet van vreugde uit haar losbarstte. Er gleed een glimlach van verwondering over haar gezicht. 'Demetrius!' Ze rende in zijn armen terwijl haar hart bonsde van opwinding bij de aanraking van haar zoon. 'Mijn zoon! Mijn leven!' riep ze dolgelukkig uit. 'Je bent thuis. Je bent thuis.' Ze streelde met haar vingers over zijn gezicht. 'Papa en grootvader zullen zo meteen thuiskomen. Wat zullen ze gelukkig zijn.'

Er viel een stilte en Mary werd zich bewust van de starende blik van haar zoon en ze wist meteen dat de dood van Walid Bader tussen hen stond. Zonder een woord te zeggen leidde Mary hem hun eenvoudige huis in.
Toen de deur was gesloten keek Mary naar haar zoon op, wreef over zijn gezicht en moedigde hem aan. 'Vertel me, Demetrius. Vertel me alles over Walid.'
Demetrius probeerde te spreken en opende en sloot zijn mond enkele malen. Toen zonk hij zonder een woord te zeggen op zijn knieën neer, begroef zijn hoofd in de boezem van zijn moeder en begon te snikken. Hij liet zijn diepe verdriet gaan dat hij voor zo'n lange tijd onderdrukt had gehouden.
Mary Antoun was een wijze vrouw. Ze wist dat veel mannen niet konden spreken over iets dat zoveel voor hen betekende. Walid had zoveel voor Demetrius betekend. Terwijl ze over de schokkende schouders van haar zoon wreef werd Mary overvallen door een vreselijk verdriet – ze voelde wroeging over het feit dat ze haar zoon niet kon beschermen tegen het leed in het leven.
Bij het zien van het vreselijke verdriet van Demetrius begon Mary met haar zoon mee te huilen tot ze beiden geen tranen meer over hadden.

12 Amin Darwish

De volgende middag stapte Demetrius naar buiten en sloot de deur van zijn ouderlijk huis. Zodra hij uit het zicht van zijn ouders was trok er een bleke schaduw van zorg over zijn klassieke gelaatstrekken. Hij ging de ouders van Walid Bader bezoeken en met elke loodzware stap werd hij overspoeld door een vreselijk gevoel van angst. Vandaag zou de eerste keer zijn dat hij Mustafa en Abeen Bader zou zien na de dood van hun zoon drie maanden geleden. In een poging zijn neerslachtigheid te overwinnen, floot Demetrius onzeker een melodietje. Toch knaagde de herinnering aan Walid nog altijd aan zijn geweten.

De dag na het gevecht bij Karameh had Mahmoud Bader de verminkte resten van zijn neef opgehaald en Walid naast zijn eigen dochter begraven, een jong meisje dat het jaar daarvoor, in november 1967, het leven had gelaten toen het Israëlische leger Karameh had gebombardeerd en een groep meisjes had geraakt die de school verliet.

Door een vreemde gril van het lot had de moord op het nichtje van Walid uiteindelijk de dood van Walid zelf voortgebracht.

De Palestijnse gemeenschap van Karameh was woedend geweest over de dood van de jonge meisjes en de fedayeen had wraak genomen door het Israëlische territorium te infiltreren en landmijnen neer te leggen. Op 18 maart 1968 reed een Israëlische schoolbus over een van de landmijnen waardoor een schooljongen en een arts werden gedood en 29 andere kinderen gewond raakten. Door het incident escaleerde het voortdurende geweld, waardoor de Israëlische regering een grootschalige militaire interventie op touw zette die erop was gericht hun grenzen voor eens en altijd te ontdoen van Arabische terroristen. Op de dag van de Israëlische aanval waren ook Demetrius en Walid daar aanwezig geweest.

Na de begrafenis van Walid had Mahmoud de verdrietige reis naar Shatila gemaakt om zijn broer op de hoogte te brengen van de dood van zijn jongste zoon. Demetrius, die getroffen was door schuldgevoel omdat Walid dood was en hij nog leefde, was niet met Mahmoud mee-

gegaan. Bovendien had de vernietigende gebeurtenis Demetrius in een staat gebracht die hij niet kende, een staat van verwarring over zijn Arabische identiteit en wat deze inhield. Omdat hij niet wist wat hij moest doen raakte hij verstrikt in het triomfantelijke gezelschap van de zegevierende Palestijnen. De ideeën van Ahmed Fayez met betrekking tot de bevrijding van Palestina hadden ongetwijfeld een verleidende invloed. Demetrius was met Ahmed Fayez en de strijders vlak bij de grens met Israël in Jordanië gebleven. Hij stuurde wel brieven naar zijn ouders en de familie Bader waarin hij vertelde wat er op die noodlottige dag was gebeurd – dat ene moment dat Walid aan zijn zijde was geweest en het volgende moment dat hij naar God was gegaan.
Nu, drie maanden later, was Demetrius weer terug in Shatila, gedesillusioneerd over de onsamenhangende strijd van de fedayeen. Het droombeeld van een Palestijnse overwinning was verdwenen.
Toen hij bij de voordeur van het huis van de familie Bader kwam sloeg hij zijn handen achter zijn rug ineen en begon hij gespannen heen en weer te lopen. Er stonden twee grote rode vlekken op de wangen van Demetrius. Hij haalde zijn hand door zijn dikke bruine haar voor hij luidruchtig uitademde. Met een uitdrukking van angst gemengd met vastberadenheid duwde Demetrius langzaam tegen de houten deur.
De deur was niet op slot, maar de scharnieren piepten luid terwijl hij openging.
Mustafa Bader was bijna blind zonder zijn bril op, maar er mankeerde niets aan zijn gehoor. Mustafa had zitten rusten op een klein plaatsje achter het huis toen hij het zachte kraken van de deur hoorde. Zich afvragend wie hen voor het avondeten kwam bezoeken liep Mustafa zonder problemen door de bekende kamers van zijn huis terwijl hij in de zak van zijn overhemd naar zijn bril tastte. Een jaar daarvoor was een van de glazen eruit gevallen. Dit zat nu met plakband vast. Mustafa voelde eerst voorzichtig met zijn vingers of het glas goed vastzat voordat hij het grote, groene montuur opzette. Zelfs met de dikke brillenglazen op het puntje van zijn neus kneep hij zijn ogen samen. Hij hield zijn adem in toen hij de onmiskenbare grote gestalte van Demetrius herkende.
'Demetrius!' Mustafa strekte zijn armen in een welkomstgebaar uit. 'Demetrius! Je bent terug!' Het dikke, grijzende haar van Mustafa sprong op en neer bij elke keer dat hij Demetrius omarmde. Hij raakte steeds opgewondener en wuifde met zijn armen terwijl hij uitriep: 'We hoorden gisteravond een gerucht dat je weer terug was!' Nadat hij hem drie of vier keer op beide wangen had gekust, riep Mustafa uit: 'Abeen, kom snel! Demetrius is er!'

Ze hoorden haar kreet nog voor ze te zien was. 'Demetrius! Lieveling!' Abeen Bader was een dunne, kleine vrouw en haar grimmige gezicht gaf de foutieve indruk dat ze een ernstige, gevoelloze persoon was. Ze was sinds de dood van haar jongste kind in de rouw en nog magerder geworden, waardoor ze er volkomen uitgemergeld uitzag. Ze ging van hoofd tot voeten gekleed in het zwart waardoor haar huidskleur er spookachtig wit uitzag en haar ogen haar gezicht domineerden.
Demetrius was van zijn stuk gebracht door de aanblik van Abeen en bedacht dat de moeder van Walid sinds de dood van haar zoon twintig jaar ouder was geworden. Toch werd Demetrius met een lieve glimlach begroet terwijl Abeen zwijgend lange tijd zijn gezicht bestudeerde alsof ze op zoek was naar een teken dat alleen zij kon begrijpen.
'Jij bent nu onze zoon,' verklaarde Abeen met hartstocht, waarbij haar amberkleurige ogen donker werden van emotie terwijl ze Demetrius recht in het gezicht bleef staren. Er klonk vertrouwen in de stem van Abeen, want ondanks haar tengere lichaam was ze sterk van geest. 'Is het niet zo, Mustafa?' vroeg Abeen aan haar man die instemmend knikte waardoor zijn weerbarstige haar op en neer danste.
Mustafa zag eruit alsof hij in tranen zou uitbarsten en Demetrius herinnerde zich wat Walid zo vaak over zijn ouders had verteld: zijn vader was nerveus en humeurig en had de gevoeligheid van een vrouw terwijl zijn moeder het logisch denkvermogen van een man bezat.
Walid vertrouwde hem eens toe dat hij er grote spijt van had dat hij het lichaam van zijn moeder en de opgewonden aard van zijn vader had geërfd. 'Een onwelkome combinatie,' had hij ironisch tegen Demetrius opgemerkt.
Demetrius begon te protesteren tegen de ouders van Walid en wilde wel uitschreeuwen dat hij nooit de plaats van hun zoon zou kunnen innemen, maar het protest stierf op zijn lippen toen hij een steelse blik op Mustafa wierp en zag dat de ogen van de man glinsterden van genoegen. Demetrius herinnerde zichzelf eraan dat hun genegenheid oprecht was, dat Mustafa en Abeen altijd van hem hadden gehouden als van hun eigen kinderen, ondanks het feit dat de familie Antoun het christelijke geloof aanhing en de familie Bader het soennitische moslimgeloof. Er waren meerdere moslimfamilies in het kamp die niets moesten hebben van de aanwezigheid van de familie Antoun in de grotendeels islamitische gemeenschap.
Demetrius die over Mustafa heen keek, slaakte een hoorbare zucht toen hij de foto van zijn glimlachende vriend aan de tussenmuur in de zitkamer zag hangen. De foto, die was omhangen door een zwarte doek, vormde een ereplaats en Demetrius kon zich alleen maar een voorstel-

ling maken van de lange uren van intens verdriet die zich in de woning van de familie Bader hadden afgespeeld. Toen hij naar de afbeelding van zijn vriend in betere dagen keek, deed Demetrius zijn uiterste best het beeld van de met bloed bespatte, dode Walid van zich af te schudden, maar de sombere werkelijkheid had hem in haar greep. Hij dwong zichzelf een schertsende klank in zijn stem te brengen toen hij zich omdraaide naar de moeder van Walid en zei: 'Abeen, je ziet er goed uit. Wat is het heerlijk je weer te zien!'
Abeen maakte een kleine buiging en was duidelijk blij.
Demetrius snoof in de lucht. 'Wat is dat voor heerlijke geur?' vroeg hij.
Het gezicht van Abeen klaarde op door een stralende glimlach. 'Wat denk je? Het is jouw favoriete maaltijd, wijnbladeren gevuld met lamsvlees!'
Mustafa sloeg zijn handen tegen elkaar en boog zijn hoofd in de richting van Demetrius. 'Abeen heeft vanaf vanochtend staan koken in de hoop dat je ons niet was vergeten.'
'Jullie vergeten? Nooit!' protesteerde Demetrius voor hij naar Mustafa knipoogde en plagend zei: 'Mustafa, jij wordt nog eens de dikste man in heel Shatila als je niet oppast!'
Mustafa slaakte een diepe zucht en klopte op zijn groeiende buik. Hij was een gedrongen man, maar zijn buik begon onder zijn brede borstkast uit te puilen. Mustafa knikte. 'Dat is precies wat Walid altijd tegen me zei.' Met een onnatuurlijke glimlach vroeg hij zijn vrouw: 'Is dat niet zo, Abeen?'
Er volgde een ongemakkelijke stilte omdat Mustafa wist dat hij iets verkeerds had gezegd.
Abeen verbleekte en verplaatste vervolgens haar gewicht op haar andere voet voor ze haar man terecht wees. 'Mustafa, je had het beloofd!' Ze legde aan Demetrius uit: 'Vanavond willen we alleen je veilige terugkeer vieren. Als God het wil zullen er genoeg dagen volgen om Walid te herdenken.'
De lippen van Demetrius verstrakten maar hij zei niets.
De grote klok in de kleine zitkamer tikte luid.
Ondanks haar ernstige uiterlijk en sterke persoonlijkheid was Abeen een vrouw die overliep van genegenheid. Ze glipte naast Demetrius en liet haar hoofd troostend tegen zijn borst rusten. 'Morgen. Morgen kun je ons alles vertellen.'
Demetrius klemde zijn tanden op elkaar en gaf geen antwoord. Zijn donkergrijze ogen werden nog donkerder toen hij opnieuw naar de foto aan de muur keek. Het schokkende verlies van zijn vriend raakte hem in Shatila zelfs nog dieper dan in Karameh. Demetrius realiseerde zich

met een verwoestend verdriet dat de vrolijke Walid nooit meer deel zou nemen aan zulke familiebijeenkomsten. Er kwamen tranen in zijn ogen terwijl hij zichzelf nogmaals in herinnering bracht dat Walid dood was en dat hij de beste vriend die een man kan hebben, had verloren.
Zich omdraaiend naar Abeen en vervolgens naar Mustafa, zei hij wat in zijn hart lag. 'Toen Walid stierf, is er meer dan één man verloren gegaan.'
Abeen knikte vaag en wist precies wat Demetrius bedoelde. Walid was een geliefde zoon, een aanbeden broer en een gekoesterde vriend geweest.
Mustafa, wiens keel zichtbaar haperde, redde het moment. 'Dat God het me vergeve! Ik heb je geen koffie aangeboden!' Mustafa haastte zich naar de keuken terwijl hij tegen zichzelf mopperde over zijn afgrijselijke gebrek aan manieren.
Abeen leidde Demetrius naar de enige grote stoel in het huis. 'Amin Darwish kwam eerder vandaag langs,' zei ze. 'Hij wil je spreken.'
Net zo snel als hij was gaan zitten, stond Demetrius weer op, op zoek naar een excuus om het huis van de familie Bader te verlaten. 'Ik zal hem halen.'
Abeen knikte bevestigend. 'Zou je dat willen doen?' Ze voegde er met een glimlach aan toe: 'Maar kom snel terug. Anders wordt je koffie koud.' Ze keek naar de klok en maakte een inschatting hoe lang ze nodig zou hebben om het eten klaar te maken. 'Ik zet over een uur het eten op tafel.'
'Maak je geen zorgen. Ik sterf van de honger.' Demetrius zou nooit toegeven dat hij al vol zat met het eten van zijn eigen moeder.
Na een snelle omhelzing en nog een kus liep Demetrius weg. Bij de deur keerde Demetrius zich om. 'Hoe gaat het met Amin?' vroeg hij.
Aben bracht haar hand naar haar hart en schudde bedroefd haar hoofd. 'Zo'n beetje hetzelfde.'

Het drie kamers tellende krot van Amin Darwish lag op nog geen twee minuten lopen van de woning van de familie Bader. Demetrius legde de afstand in de helft van deze tijd af, zelfs al wist hij dat hij ontsnapte uit het ene huis van rouw om het andere binnen te gaan. Toch, zo zei hij tegen zichzelf, wist hij dat het langdurige en doorgewinterde verdriet van Amin beter te verdragen was dan het ongewone leed van het echtpaar Bader.
Amin Darwish was in rouw sinds Demetrius hem kende.
Demetrius glimlachte toen hij de koperen gong zag die nog altijd tegen de zijkant van Amins huis rustte. Amin was de afgelopen 21 jaar gedeel-

telijk doof geweest nadat in november 1947 een bom in Jeruzalem Amins jeugdliefde en jonge bruid Ratiba samen met hun nog ongeboren kind had gedood. Demetrius volgde dezelfde routine als alle bezoekers van Amin: hij tilde een korte, dikke stok op en sloeg op de gong waarvan Demetrius wist dat deze verbonden was met een tweede gong midden in de kamer van Amins kleine huis. Demetrius voelde de vibratie vanaf zijn vingertoppen tot aan zijn schouder.
Binnen een paar seconden vloog de deur open en kwam een kleine, dikke Amin naar buiten rennen die zijn handen afveegde aan een keukendoek. Gillend greep hij Demetrius rond zijn middel beet en danste met de jonge man rond waardoor Demetrius zicht kreeg op zijn terugwijkende haar dat aan de achterkant te lang was en onverzorgd in elkaar verstrengeld zat.
Demetrius tilde de kleinere man op ooghoogte terwijl de genegenheid duidelijk op zijn gezicht zichtbaar was. 'Amin!' riep hij uit. 'Je wordt met de dag kleiner en dikker!' Lachend zette hij Amin op de grond.
Amin was een beeld van pure vreugde. 'Ik heb je gemist!' Hij reikte naar boven en kneep met een bezorgde blik in de wangen van Demetrius. 'Het is zoals ik dacht, je bent afgevallen.'
Demetrius ontkende dat dit het geval was. 'Nee! Je hebt het mis.'
'Je moet wel denken dat ik net zo blind ben als Mustafa Bader!' wierp Amin terug.
Tot het onverholen plezier van Demetrius waggelde Amin het huis binnen en kondigde aan: 'Ik heb amandelkoekjes gebakken. Alleen voor jou. Kom mee.'
Er was geen enkele vrouw in het kamp die het kon opnemen tegen Amins koekjesbakkunst. Demetrius volgde hem het huis in. Als teken van respect voor en hoffelijkheid tegenover het ongebruikelijke sentiment van de oudere man over zijn reeds lang gestorven vrouw stopte Demetrius in de voorkamer en keek naar het kleine altaar dat was gewijd aan Ratiba Darwish. Hoewel de meeste Arabieren een speciale plaats in hun huis hadden ter herinnering aan overleden geliefden, was het altaar voor Ratiba opmerkelijk uitgebreid. 'Amin, hoe gaat het met Ratiba?' vroeg Demetrius.
Amin riep vanuit de keuken: 'Wat?'
Demetrius schudde zijn hoofd en grinnikte in zichzelf.
'Wat zei je?'
'Ratiba? Hoe gaat het met haar?'
'O, ja. Ratiba.' Amin dribbelde naar Demetrius met een groot bord vol versgebakken koekjes in de ene hand terwijl hij met zijn andere hand naar Demetrius gebaarde dat hij op het grootste kussen moest gaan zit-

ten waarna hij de koekjes bij zijn voeten neerzette. 'Eet! Eet!' beval hij met een luide, schelle stem. Nadat hij zijn rug had gerecht trok Amin zijn wenkbrauwen samen en staarde naar de foto's van Ratiba als een gelukkig kind, Ratiba als een jong, glimlachend meisje en ten slotte Ratiba als een stralende bruid waarbij hij de foto's bekeek alsof hij ze vergeleek met wat hij zich herinnerde. Er klonk een vaag geluid in de keel van Amin toen hij zag dat een van de vazen met felroze plastic bloemen onder het altaar was omgevallen. 'Waarschijnlijk een van de kinderen van Yassine!' Hij nam de tijd om een paar bloemen te herschikken voordat hij antwoord gaf op de vraag van Demetrius, maar deze keer leek het noemen van Ratiba's naam geen melancholieke snaar te raken.
'Ratiba? Arme lieveling, dit was een van haar slechte dagen.'
Demetrius kauwde op de heerlijke koekjes terwijl hij naar de afbeeldingen van Ratiba keek en zich zoals zo vaak afvroeg hoe de niet bijzonder aantrekkelijke vrouw zo'n liefde van haar man had gewonnen, een liefde die twee decennia na haar dood nog leefde. 'Een slechte dag? Hoezo?' vroeg Demetrius volkomen serieus.
Amin trommelde met zijn vingers op de muur. 'Ze mist haar huis in Jeruzalem nog altijd.'
'Ah. Natuurlijk.'
Amin ging dicht naast hem zitten en wuifde met zijn kleine, plompe hand in de richting van het altaar. 'Genoeg over Ratiba. Als we weer in Palestina terug zijn, zal haar goede humeur weer terugkeren. Nu wil ik over jou weten.'
De bezorgdheid van Amin bracht onwelkome gedachten bij Demetrius naar boven en plotseling begon er een spier naast zijn rechteroog onbeheersbaar te trillen. Hij legde een hand over zijn ogen om de spier tot rust te laten komen.
Amin weigerde genegeerd te worden en besloot het onderwerp waarvan hij wist dat het de jongeman achtervolgde, te laten rusten. 'Demetrius, al onze harten zijn gebroken door de dood van Walid. Maar wat kunnen we doen?' Hij klopte Demetrius op de schouder. 'Laat je pijn een paar dagen rusten, dan kun je daarna vertellen wat er is gebeurd.'
'Je hebt gelijk,' zei Demetrius instemmend. 'De wond is te vers.'
Amin ging snel over op zijn op Ratiba na meest favoriete onderwerp. 'Vergeet nooit wat ik je vertel: Palestina zal niet terugkeren door een herenakkoord. Ieder van ons moet bereid zijn zich op te offeren.'
Demetrius knikte, maar was het toch niet eens met de logica omdat hij wist dat de dood van Walid de bevrijding van Palestina niet had geholpen.

Amin kwam dichterbij zitten. 'Ben je Palestina in geweest?'
Het zwijgen van Demetrius en zijn vage, veelbetekenende glimlach bevestigden voor Amin dat hij er inderdaad was geweest. Demetrius, die niet wilde vertellen over de teleurstellende ervaring, koos het grootste koekje uit en stopte het in zijn geheel in zijn mond.
De ogen van Amin brandden van emotie en zijn stem klonk opgewekt. 'Prachtig!' Amin, die hunkerde naar de geur van Palestina, naar de rotswanden, de heuvels en de diepe ravijnen leunde zo dicht naar Demetrius toe dat die elke dunne lijn op het gezicht van de oudere man kon zien. 'En, kolkte je bloed bij het zien van al die schoonheid?'
Demetrius verschoof zijn gewicht op het kussen en aarzelde om Amin de waarheid te vertellen die hij nu kende: de Palestijnen hadden in hun verstrooiing en ballingschap de verhalen over Palestina opgeblazen. Al zolang hij zich kon herinneren was Demetrius over de schoonheid van zijn thuisland verteld, maar toen hij met de harde waarheid werd geconfronteerd en de verdorde woestenij zijn ogen had begroet, had Demetrius gewankeld en had hij zich sprakeloos op de grond laten zakken. Dit, dacht hij, dit was het land waar mijn vader zich bijna dood om rouwde? Dit was het land van beloften?
De vingers van Amin raakten licht zijn arm aan. 'Nou?'
De lippen van Demetrius weken uiteen in een bedachtzame glimlach voor hij opnieuw naar zijn vriend keek. Toen hij het begerige gezicht van Amin zag werd Demetrius bevangen door een vreemde gewaarwording van verplichting waardoor hij het gevoel kreeg dat hij de dromen van de oudere man moest beschermen. Dus verzamelde Demetrius in zijn hoofd de waarheid die hij had ervaren, onderdrukte die waarheid en schoof haar terzijde. Toen deed hij het enige wat hij dacht te kunnen doen – hij loog. 'Amin! Wat een land! Vanaf het moment dat mijn voeten de aarde van Palestina betraden kon ik alleen de kleur groen zien. Groene heuvels, groene bomen met takken die letterlijk tot aan de grond reikten, zwaar van het rijpende fruit, En de stromen van zoet water. Ik zeg je, er is genoeg water in Palestina voor miljoenen mensen.'
Demetrius zei tegen zichzelf dat de macht van het woord en de mythe veel sterker was dan de waarheid, want het ronde gezicht van Amin kleurde roze van genoegen. Hij klampte zich aan elk woord vast en hij barstte in lachen uit. 'Ik moet het weten. Vertel het me. Heb je de Jaffasinaasappels geproefd?'
Demetrius verzekerde hem met verheven stem: 'Mijn God! Die Jaffasinaasappels zijn heerlijk!'
Het hele lichaam van Amin hobbelde op en neer terwijl hij instemmend knikte. 'De zoetste sinaasappels ter wereld!' Amins tong raakte bij de

gedachte hieraan zijn bovenlip terwijl hij genoot van de herinnering. Omdat hij werd herinnerd aan vergeten dingen zwierven de ogen van Amin weg van het gezicht van Demetrius naar zijn eigen handen die hij zo sterk ineen had geslagen dat de knokkels wit werden. Amin dacht aan de gouden tijd in zijn leven toen hij een huis in Jeruzalem had en deel uitmaakte van een grote familie die gedenkwaardige vakanties aan de kust hield om zoete sinaasappels te halen uit de bossen van Jaffa en verse vis uit de havensteden aan de Middellandse Zee.

Terwijl Amin aan zijn verleden dacht en het geluk herleefde waar hij nooit van was hersteld, wierp Demetrius een blik rond de kamer waarbij hij zich de talloze keren herinnerde dat hij en Walid hadden gespijbeld en zich in het huis van Amin voor hun ouders verborgen hadden gehouden. Demetrius vond het geruststellend dat er sinds zijn kinderjaren niets was veranderd.

Net als de meeste vluchtelingen had Amin weinig persoonlijke bezittingen. Zijn woning was schaars ingericht met een paar kleurrijke kussens om op te zitten en een paar kastanjebruin gekleurde gevlochten matten op de cementen vloer. Er stond een koperen koffiepot op een houten krat. Naast het favoriete kussen van Amin lag een versleten en gekreukeld exemplaar van de koran. De muren waren bedekt met foto's van Ratiba. Demetrius wist dat de slaapkamer niets meer was dan een kale kamer met een kleine stretcher, want hij had zich daar een keer moeten verbergen voor zijn vader, maar zijn voeten hadden onder de stretcher uitgestoken, waardoor hij was ontdekt. De kleine, open keuken stond vol met het favoriete keukengerei van een vaardige kok.

Voor de oorlog van 1948 had Amin een kleine bakkerij gehad in wat nu bekend stond als West-Jeruzalem, het joodse gedeelte van die uitgestrekte stad.

Demetrius kon niet vergeten dat Ratiba in diezelfde bakkerij de dood had gevonden. Hij had het verhaal duizend keer gehoord, wanneer Amin het feit verhaalde dat het kwam door de onverzadigbare trek van Ratiba in zoete dingen en door zijn vastberadenheid om zijn geliefde te voorzien van alles waarnaar zij verlangde, dat Ratiba 'ernstige verwondingen' had opgelopen.

Amin en Ratiba waren in dezelfde straat in Jeruzalem opgegroeid en hadden elkaar van kinds af aan gekend. Amin besloot dat hij met Ratiba zou trouwen vanaf het eerste moment dat hij haar zag. Hij was de tuin van Ratiba ingegaan om een bal te pakken die daar door zijn jongere broer in gegooid was. Ratiba had hem bij de poort ontmoet, waarbij ze de bal van zijn broertje stevig vasthield en koppig een snoepje eiste met de woorden dat de bal haar op het voorhoofd had geraakt en ze de bal als

losgeld zou houden. Amin was geschokt door haar brutaliteit maar mocht haar geestkracht wel; dat weerhield hem er echter niet van de bal uit haar handen te rukken en weg te rennen. Hij kon het pittige meisje niet uit zijn hoofd zetten en ging later die dag terug met een cakeje dat hij van zijn moeders tafel had gepikt.
In navolging van de intrige van het meisje stond hij erop dat hij een kus kreeg voor het cakeje.
Eén kusje op de wang en Amin was verliefd.
Toen Amin twintig was en Ratiba zestien verloofden ze zich. Tijdens de verlovingsperiode sloot Amin een kleine lening af en kocht een winkel in het joodse gedeelte van de stad. Hij had persoonlijk niets tegen de joden en het Arabische kwartier zat vol bakkerijen. Bovendien waren veel joden dol op Arabische snoepjes.
Een jaar later trouwden Amin en Ratiba. Het huwelijk vond plaats in de tuin van haar vader, precies op de plek waar de romance zoveel jaren daarvoor was begonnen. Tegen deze tijd was de spanning tussen de joden en de Arabieren over het bezit van Palestina toegenomen en werd er gespeculeerd dat er oorlog zou komen. Willekeurige gewelddadige aanvallen van zowel de joodse als de Arabische kant waren aan de orde van de dag. Amin was zo zelfvoldaan met zijn huwelijkszegen dat hij het wijze advies om zijn winkeltje te verkopen en zijn dagelijkse reis naar het joodse deel van de stad stop te zetten in de wind sloeg. Bovendien geloofde Darwish oprecht dat zijn joodse kennissen hem tegen joodse aanvallen zouden beschermen.
Nadat ze drie maanden getrouwd waren kwam Amin met het prachtige nieuws dat Ratiba hun eerste kind verwachtte. Ratiba hunkerde tijdens haar zwangerschap zelfs nog meer naar zoetigheid dan gewoonlijk. Op een avond na de maaltijd merkte Ratiba op dat ze zo'n zin had in een paar *atif*, Arabische pannenkoeken gedoopt in honing en besprenkeld met pistachenoten. Ratiba verklaarde dat niemand zulke lichte pannenkoeken kon maken als Amin, dat alleen haar echtgenoot de favoriete schotel naar tevredenheid kon klaarmaken. Amin kon niet anders dan Ratiba meenemen naar zijn bakkerij zodat ze een paar atif kon uitzoeken die hij eerder die dag gebakken had.
Net toen een trotse Amin op het punt stond Ratiba de bakkerij in te leiden passeerde een groep van drie joden in een razendsnel rijdende vrachtwagen de stoep waar Amin en Ratiba stonden. De banden van de vrachtwagen piepten en de auto denderde onbeheersbaar over het trottoir. Amin stond als aan de grond genageld door het lawaai en wist niet zeker wat al die opschudding te betekenen had. Hij zag wel een jood met geelbruin haar gevaarlijk aan het portier van de vrachtauto

hangen. Net toen de ogen van Amin die van de man, die hij niet kende ontmoette, gleed er een demonische glimlach over de lippen van de man voor hij schreeuwde: 'Arabische hond! Ga weg uit Jeruzalem!' Toen zwaaide hij zijn arm naar achteren en wierp een ontvlambaar apparaat gevuld met benzine.

Toen Amin wakker werd in de stilte van het ziekenhuis verzamelde zijn huilende familie zich rond zijn bed en vertelde hem een waarheid die Amin weigerde te accepteren: Ratiba noch hun ongeboren kind had de aanslag overleefd.

Vanaf die tijd had Amin Darwish tijdens de gehele oorlogsperiode, de vlucht en de ballingschap zijn eigen wereld gecreëerd waarin hij deed alsof Ratiba nog leefde, al zei hij vaak dat ze in de achterkamer was waar ze rustte vanwege hoofdpijn of de een of andere kleine ziekte. Verder deed Amin gewoon en mettertijd accepteerden de mensen in Shatila zijn vreemde gedrag en letten er altijd op naar Amins geliefde vrouw Ratiba te vragen, een vrouw die nu meer dan twintig jaar dood was.

Amin onderhield zichzelf door het bakken van speciale gerechten die hij in de straten van Beiroet verkocht. Hij was favoriet bij de kampkinderen, want Amin Darwish had altijd een speciale traktatie in de een of andere zak of tas verborgen en had voor ieder kind altijd een glimlach.

Een verontschuldigende klop op de deur onderbrak de gedachten van beide mannen.

'Verdomme! Dat moet Mustafa zijn,' zei Demetrius met een grimas. 'Ik was vergeten dat hij koffie aan het maken was.'

Amin vernauwde zijn ogen. 'Weet je het zeker? Ik heb niets gehoord.'

Demetrius lachte terwijl hij zijn kleine vriend overeind trok en luider sprak dan nodig was. 'Amin, laat me je meenemen de stad in.' Hij hield zijn lippen dicht bij het rechteroor van Amin en schreeuwde: 'Tegenwoordig hebben ze apparaatjes die je helpen te horen!'

Amin sprong naar achteren terwijl hij tegenwierp: 'Je hoeft heus niet te schreeuwen!'

Het hoofd van Mustafa verscheen in de deuropening terwijl hij bescheiden naar binnen tuurde. Hij had er altijd op gelet Amin niet te overvallen, want Mustafa was de mening toegedaan dat Amin op een dag in volledige krankzinnigheid zou wegzakken. Mustafa vroeg vaak aan wie ook maar wilde luisteren wat voor vorm de krankzinnigheid van Amin zou aannemen. Bovendien was Mustafa Bader een voorzichtig man en hij geloofde oprecht dat voorzichtigheid loonde.

'Is de koffie klaar, Mustafa?' vroeg Demetrius.

De nietszeggende uitdrukking zei meer dan een afkeurende blik gezegd zou hebben en Demetrius, die gevoelig was voor alle vibraties, wist dat

hij zich slecht had gedragen. Gekwetst zei Mustafa tegen hem: ‘De koffie is niet alleen klaar, hij staat te wachten.’
Demetrius trok aan de arm van Amin. ‘Kom mee, Amin.’ Hij glimlachte naar Mustafa. ‘Mijn verontschuldiging dat ik me de tijd heb laten ontglippen.’ Demetrius bereikte met zijn eenentwintig jaren het hoogtepunt van zijn charmes. Met zijn knappe gelaat en donkergrijze, van gevoeligheid sprankelende ogen kon niemand lang boos op hem zijn.
Mustafa glimlachte terug. ‘O, laat ook maar.’ Hij gebaarde met zijn hand. ‘Kom mee. Abeen zit te wachten.’
Mustafa en Amin sloften tevreden naast Demetrius voort. De drie mannen, met Demetrius in het midden, haakten hun armen in elkaar terwijl ze terugliepen naar het huis van Bader. De twee oudere mannen keken eerst naar Demetrius en toen naar elkaar en zagen in Demetrius Antoun de combinatie van kracht en intelligentie die nodig was om hun thuisland terug te winnen. Ze zetten hun wanhoop om in hoop en bouwden hun dromen op de jongere man.

13 De toekomst van Demetrius

Een paar weken na zijn terugkeer naar het kamp Shatila had Demetrius het gevoel alsof hij nooit was weggeweest. Het enige verschil was de schrijnende afwezigheid van Walid.
Toen Demetrius terugkeerde van een bezoek aan Hala Kenaan bereikte hij na het vallen van de avond zijn huis in Shatila en struikelde meer dan eens op het verwaarloosde pad dat door het kamp kronkelde. Terwijl hij het licht naderde dat door de scheuren in de gordijnen van het huis scheen, bereikte het geluid van een vriendschappelijke woordenwisseling zijn oren. De bekende stemmen van Mustafa Bader, Amin Darwish en grootvader Mitri klonken luid uit boven het geluid van de kinderen die in de aangrenzende tuin speelden.
Demetrius haalde opgelucht adem. Misschien zou het gezelschap hem van een dekmantel voorzien tegen de onverzadigbare nieuwsgierigheid van zijn familie naar zijn relatie met Hala Kenaan, een jonge vrouw die vanaf zijn zeventiende door Demetrius het hof werd gemaakt. Al zolang Demetrius zich kon herinneren, hadden zijn ouders, die hem adoreerden, hoogdravende veronderstellingen geuit en door de recente gebeurtenissen waren ze over Hala gaan denken als hun schoondochter.
Demetrius voelde dat zijn ontsnapping op het nippertje bij Karameh en zijn verblijf van drie maanden in Jordanië de familie de realiteit van het leven van een strijder duidelijk gemaakt had. Uit angst dat hun geliefde Demetrius zich bij de fedayeen zou voegen, hadden zijn ouders voor zichzelf besloten dat het tijd was geworden dat hij ging trouwen. Ze hielden zich krampachtig vast aan dit idee, ongeacht de keiharde protesten van Demetrius dat hij het zich niet kon veroorloven een vrouw en kinderen te onderhouden voor hij zijn opleiding had afgerond. Omdat hij zijn ouders respecteerde deed Demetrius alsof hij geïnteresseerd was in hun vermoeiende plannen en intriges om hem van het geld te voorzien dat nodig was voor zowel de opleiding als een gezin, maar hij dacht niet in ernst aan een overhaast huwelijk. Demetrius bleef geduldig omdat hij begreep dat zijn familie het moeilijk vond de jongen die hij eens was in overeenstemming te brengen met de man die hij

was geworden, een volwassene die volledig in staat was zijn eigen beslissingen te nemen.
Toen Demetrius het huis binnenging werden de schreeuwende stemmen nog luider en van de vier mannen die er waren maakte alleen zijn vader een snel begroetend gebaar waarbij hij met zijn ogen knipperde en met zijn hand Demetrius wenkte om naast hem te komen zitten.
Grootvader Mitri was meedogenloos in zijn poging gehoord te worden en schreeuwde uiteindelijk tegen Mustafa en Amin: 'Hebben jullie geen respect voor de ouderen?' waardoor de beide mannen van schaamte gingen blozen.
'Natuurlijk, je hebt gelijk,' zei Amin ontnuchterd terwijl hij uitnodigend met zijn arm zwaaide. 'Spreek, spreek, mijn oren wachten.'
De ogen van Mustafa Bader sperden zich wagenwijd van verbazing open. 'Wanneer heb ik ooit de ouderen beledigd?' Een gekwetste Mustafa keek met een gekwelde uitdrukking om zich heen en zocht iemand tegen wie hij kon volharden dat deze misdraging niet door zijn toedoen kwam. Hij keek hoopvol naar George Antoun, maar kreeg geen reactie, want Georges aandacht was gericht op zijn zoon.
Terwijl hij hard zijn best deed niet in lachen uit te barsten grijnsde Demetrius naar zijn vader voor hij met zijn vinger gebaarde dat hij over een paar ogenblikken terug zou komen. Hij liep naar de zijkant van de overvolle zitkamer en liep de keuken in om voor zichzelf iets te eten klaar te maken voor hij zich bij de groep voegde. Demetrius had nog steeds honger, zelfs na het diner dat hij bij de familie van Hala had gehad.
De familie Kenaan was groot maar hun inkomen was klein en Demetrius had weinig gegeten, omdat hij wist dat de drie jongere kinderen waarschijnlijk was verteld dat ze rijst en groenten moesten eten en geen kip tot Demetrius was bediend. Hij had een klein stuk van het donkere vlees genomen terwijl hij de moeder van Hala in herinnering bracht: 'Rozette, ik kan niet meer zo eten als vroeger. Mijn eetlust ging verloren op het moment dat Walid stierf.'
Omar, de vijf jaar oude broer van Hala die de opmerking hoorde, had verrukt gegild: 'Mama! Betekent dat dat ik een stuk kip mag?'
Demetrius, wiens vermoedens werden bevestigd, had zijn aandacht op het jongste meisje, de twee jaar oude Nadine gericht terwijl hij deed alsof hij niet merkte dat een beschaamde Rozette de ongelukkige Omar in zijn arm kneep waardoor de jongen nog harder gilde.
Terwijl hij nadacht over de avond en zichzelf een glas sinaasappelsap inschonk hoorde Demetrius de zachte stemmen van zijn moeder en Abeen Bader door de hal uit de kleine kamer komen die Mary Antoun

had gereserveerd als haar naai- en breikamer. Hij zei tegen zichzelf dat de twee vrouwen waarschijnlijk sokken zaten te breien of de versleten kleren van hun echtgenoten en kinderen zaten te verstellen, de kleine klussen die ze vaak verrichten terwijl de mannen koffie of thee dronken en de terugkeer naar hun thuisland beraamden.
De stem van grootvader Mitri steeg ver boven die van Amin Darwish uit. 'Zoals ik zei slachtte de wrede man die een onwillig land bezette en overheerste eerst zoveel inwoners als ze te pakken konden krijgen af en verbande vervolgens de rest alvorens zijn eigen stam te laten komen om de aarde te bewerken.' Grootvader Mitri trok zijn dikke, grijze wenkbrauwen op en zat korte tijd naar zijn toehoorders te kijken. Hij maakte de mannen razend door langzaam in zijn thee te roeren voor er een klein teugje van te nemen.
'Ga verder,' drong Amin aan die beleefd probeerde te blijven. Zijn plan om op tijd thuis te zijn om extra cakejes te bakken voor de ochtendverkoop, ontglipte nu grootvader Mitri draalde.
'Ken je dit verhaal niet?' vroeg grootvader.
George Antoun opende zijn mond. 'Pa!'
Toen hij glimlachte verdwenen de ogen van grootvader Mitri in zijn diep gegroefde gelaat en hij grinnikte van plezier. 'O, goed dan.'
Terwijl Demetrius in de keukenkasten naar iets te eten zocht weerklonken de stemmen van de mannen door elkaar en omdat hij met zijn gedachten ergens anders was volgde hij hun woorden niet. Uiteindelijk vond hij een paar noten in de dop. Hij leunde met zijn ellebogen op de smalle houten plank die de keuken van de zitkamer scheidde en kauwde op de noten terwijl hij met genegenheid naar de vier mannen voor hem keek. Net toen Demetrius begon te luisteren vervielen de mannen in stilzwijgen.
Grootvader Mitri genoot terwijl hij de handelingen verrichte die nodig waren om zijn pijp aan te steken.
Amin lachte even ongemakkelijk, maar hij zei niets.
George masseerde zijn nek met zijn hand. Voor het eerst in zijn leven kon hij niets bedenken om te zeggen en kon hij de gedachte niet van zich afzetten dat zijn vader met de jaren steeds excentrieker werd.
Na een paar tellen verontrust te hebben nagedacht balde grootvader Mitri van opwinding zijn vuist. 'Dit is wat ik jullie de hele avond probeer te vertellen: een onrechtvaardige heerser kan verslagen worden, zelfs zonder een leger. Er is maar één vastberaden man voor nodig!'
Mustafa keek wild de kamer rond voor hij zich tot grootvader Mitri wendde. 'Als ik het goed begrijp,' zei hij, zijn stem verheffend, 'suggereer jij dat Demetrius op de een of andere manier Jeruzalem in moet

glippen en Levi Esjkol, de eerste minister van Israël moet vermoorden?'
Demetrius' adem stokte in zijn keel en hij verslikte zich in een noot. George sprong naar zijn zoon toe en sloeg hem op de rug tot de noot loskwam.
'Wat gebeurt hier in vredesnaam?' drong Demetrius met een rood gezicht aan. Hij bedacht opeens dat ze allemaal gek waren. 'En wat heb ik te maken met Levi Esjkol?'
Amin en Mustafa begonnen tegelijkertijd te praten terwijl grootvader Mitri met groot genoegen naar de onaangename scène keek die hij had gecreëerd.

Amin sprong zenuwachtig overeind en kneep met zijn mollige vingers in de schouder van Demetrius. 'We bespraken je veelbelovende toekomst als leider in de beweging.'
Demetrius deed zijn best te begrijpen waar Amin het over had. 'Welke beweging?' vroeg hij, niet in staat zijn boosheid te beheersen. Hij keek de mannen om beurten kwaad aan toen hij zich plotseling realiseerde dat hij het onderwerp van gesprek was geweest.
De stem van Mustafa beefde. 'Nou, de Fatah natuurlijk, de bevrijdingsbeweging. We...'
Amin onderbrak hem en trilde bijna van opwinding toen hij met smekende stem zei: 'Je hebt zelf gezegd dat Ahmed Fayez tegen je zei dat je het ver zou schoppen als je dat zou willen. Hij heeft je zelfs een leidende rol in zijn gevechtseenheid aangeboden!'
George berispte de mannen. 'Je spreekt zonder na te denken. Mijn zoon hoort niet thuis in de Al Fatah.'
De woede van Demetrius vervloog. Hij voelde een koude rilling door zijn lichaam trekken toen hem iets vreselijks duidelijk werd: Mustafa Bader, Amin Darwish en zijn eigen grootvader geloofden oprecht dat hij een rol zou gaan spelen in de gevechten tegen de joden en het land zou terugwinnen dat ze nooit zouden kunnen vergeten. Terwijl de gedachten door zijn hoofd raasden wist hij dat hij deze mannen een beschamende waarheid had moeten vertellen, dat hij één hele belangrijke ontdekking had gedaan toen hij bij de fedayeen zat: George Antoun had zijn zoon opgevoed tot een onafhankelijk denkend mens, een mens wiens ziel was beïnvloed door abstracte ideeën over oorlog in plaats van tot een strijder die zichzelf ervan kon overtuigen dat moord geen moord was.
Huiverend herinnerde Demetrius zich de woorden die Ahmed Fayez had gesproken toen ze samen naar het lichaam van de soldaat hadden gekeken dat de Israëli's niet hadden weten mee te nemen na de strijd

van Karameh: 'Ah, Demetrius! Het lijk van onze vijand ruikt als een zoet parfum!'
Ja, Ahmed Fayez was precies het soort man naar wie de mannen die nu voor hem stonden verlangden, mannen die zelf te oud waren om helden te zijn, behalve in hun dromen. Ahmed bezat de mentaliteit van de volmaakte moordenaar: hij kon niet genoeg van moorden krijgen. Toen hij nog maar tien jaar oud was, was de hele familie van Ahmed omgekomen toen een joodse bom op hun huis in Karameh terechtkwam. Vanaf dat moment was zijn wraakgevoel zo heftig geweest dat hij met tastbaar genoegen de dood van elke jood vierde.
Gefrustreerd staarde Demetrius in het gezicht van Amin en mompelde: 'Ik ben niet de man die je denkt.'
Niemand zei iets.
Toen Demetrius naar de drie mannen om hem heen keek versomberde zijn gezicht door een vreselijk verdriet. Het moment was aangebroken om hun dingen te vertellen waarvan hij wist dat ze die niet wilden horen. Standvastig zei hij tegen hen: 'Ik heb een aparte vrede met de joden gesloten.'
Amin kromp ineen en hapte naar adem.
Mustafa staarde sceptisch naar Demetrius.
Vanuit de zitkamer maakte grootvader Mitri een rauw verstikt geluid in zijn keel.
George vroeg voorzichtig: 'Zoon, wat bedoel je?'
'Precies wat ik zeg. Ik heb in mezelf gekeken.' Het gezicht van Demetrius betrok en zag er gespannen uit. 'Ik laat de taak van het vechten voor Palestina over aan de mannen die deze roeping voelen.'
Amin lachte gekunsteld. 'Lieve jongen, je meent niet wat je zegt!'
Demetrius vocht tegen een vlaag van woede over de romantische gehechtheid aan vechten en geweld van de oude mannen terwijl ze zelf met de dood bedreigd werden. Sinds Karameh waren de gelederen van de Al Fatah toegenomen en hun aanvallen op Israël waren tijdens het afgelopen jaar twintig keer zo talrijk geworden. De grensoorlog met de joodse natie raakte verhit en de successen van Al Fatah hadden ervoor gezorgd dat veel mannen die uit hun huizen waren verbannen opnieuw over een terugkeer begonnen te dromen.
De ongemakkelijke stilte kwam tot een einde toen George zijn arm rond zijn zoons middel sloeg en verwijtend opmerkte: 'Ik heb het al eerder tegen jullie gezegd, Demetrius gaat gauw trouwen.'
George leek de verbijsterde blik van Demetrius niet op te merken.
'En voor daarna zijn er regelingen getroffen dat hij naar de American University of Beirut kan.' George staarde vol trots naar zijn briljante

zoon voor hij er een feit aan toevoegde dat de mannen al kenden. 'Mijn zoon haalde de toelatingsexamens met glans. In de herfst begint hij met zijn universitaire opleiding.'
Amin verklaarde geïnspireerd: 'Een ieder van ons weet wat de militaire deskundigen zeggen, dat fysiek geweld veel eerder tot de overwinning leidt wanneer er een mentale kracht achter staat. Met Demetrius hebben we onze kampioen!'
George Antoun schudde zijn hoofd. 'Nee, nee.'
Er liep een schok door het lichaam van Amin, wiens opwinding steeg. 'Ik zeg het jullie allemaal, Demetrius Antoun moet zijn mars naar zijn lotsbestemming afleggen!'
'Ja, Amin heeft gelijk!' verklaarde Mustafa met klem.
George keek de twee mannen uitdagend aan. 'Een geleerd man heerst alleen over zichzelf, en mijn zoon zal een wijsgeer worden.'
Mustafa antwoordde met vertrouwen: 'George, het kan de Libanezen geen zier schelen dat Demetrius een intellectueel is, alleen dat hij een Palestijn is. Demetrius zal worden beschouwd als een tweederangs burger. Is dat wat je voor je zoon wil?'
George schudde zijn hoofd en sprak toen met een duidelijke gewichtigheid in zijn stem. 'Demetrius zal met groot respect worden behandeld. Hij sprak op zachte toon. 'Ik heb garanties van de hoogste autoriteiten aan de universiteit.'
Mustafa keek hem achterdochtig aan. George Antoun was een hoog opgeleid man, toch had hij sinds hij Palestina had verlaten nooit een positie van enig belang gehad. Zijn laatste baan was een stapje hoger dan die ervoor maar George Antoun was echt niet meer dan een conciërge aan de universiteit. Daarvoor had hij de straten van Beiroet schoongeveegd. De familie Antoun zou verhongeren zonder de naaivaardigheden van Mary.
De ogen van Demetrius fonkelden van woede. Hij wist precies wat Mustafa dacht. Hij voelde zich vernederd voor zijn vader. Hij zoog zijn adem in en schreeuwde met samengeknepen lippen: 'Genoeg!' Er volgde een korte stilte. 'Jullie doen alsof ik er niet bij ben!' Demetrius staarde de mannen intens aan terwijl hij bij zichzelf dacht dat ze niets hadden gehoord van wat hij had gezegd. 'Zie ik er zo dom uit?'
George kromp ineen terwijl Mustafa en Amin elke beweging van Demetrius met hun ogen volgden. Toch durfde niemand te antwoorden omdat zijn boosheid hun kracht had weggenomen.
De stem van Demetrius beefde toen hij tegen de mannen zei: 'Luister heel goed naar me. Ik heb jullie advies niet nodig. Ik ben verantwoordelijk voor mijn eigen leven.'

George verschoof ongemakkelijk toen zijn zoon hem rechtstreeks aanstaarde.
'Pa. Hoe vaak moet ik het tegen je zeggen: ik kan Hala niet ten huwelijk vragen tot ik mijn opleiding af heb! Verwacht je dat ik de tweede stap zet terwijl ik de eerste nog niet heb gezet?' Nog nooit had Demetrius zo hard tegen een van de mannen die om hem heen stonden gesproken. Toen hij zag dat er tranen in de ogen van zijn vader verschenen stampte Demetrius naar de voordeur om geen woorden te uiten waar hij later spijt van zou krijgen. 'Ik geloof dat ik maar om een slaapbank vraag bij de *Asfourieh*!' schreeuwde hij met een intense uitdrukking op zijn donkere gelaat.
Zijn vader raakte in paniek en smeekte hem: 'Demetrius! Zoon! Ga niet weg!'
Demetrius riep fel uit: 'In de Asfourieh krijg ik tenminste advies van deskundigen!'
Grootvader Mitri wierp zijn kleinzoon een vreemde blik toe. Hij vond dat de jongen er dwaze ideeën op nahield. Een aparte vrede met de joden! Als iedere Palestijn dacht als zijn kleinzoon zouden ze allemaal in vluchtelingenkampen wegrotten. 'Kind, misschien hoor je daar wel,' zei hij met schelle stem. 'Er is mij verteld dat de idioten in de Asfourieh behoorlijk slim zijn en meer theorieën over van alles en nog wat weten te bedenken dan zelfs hun psychiaters kunnen weerleggen. Daar zou je mooi tussen passen!'
Er volgde een moment van stilte terwijl Demetrius zich afvroeg waar zijn grootvader het in 's hemelsnaam over had.
George begreep het wel. 'Pa, je praat te veel!' Hij waarschuwde zijn vader omdat hij plotseling besefte dat de avond een wending nam die moeilijk terug te draaien zou zijn.
Demetrius, die niet langer aarzelde, wierp zijn handen in de lucht en vluchtte, waarbij hij de deur luidruchtig achter zich dichtgooide.
Mary en Abeen kwamen de kamer in gerend.
'Wat is er in vredesnaam gebeurd?' vroeg Mary aan haar man, die erbij stond met een starre en verbijsterde uitdrukking op zijn gezicht. Omdat ze geen antwoord kreeg, keek ze de kamer rond. 'Waar is Demetrius?'
Grootvader Mitri kwam in beweging en kwam langzaam overeind waarbij hij zich met zijn stok in evenwicht hield. Met grote waardigheid liep hij langzaam naar zijn schoondochter, stond even stil, en zei toen droogjes en bijna fluisterend: 'Mary, je zoon zei dat hij naar de Asfourieh ging.'
Mary, die dacht dat ze het niet goed verstaan had, herhaalde de woorden van haar schoonvader. 'De Asfourieh?'

Mary en Abeen wisselden een blik van verwarring. De Asfourieh, wat vogelkooi betekent, was een enorm stenen gebouw in het centrum van Beiroet, een donkere en angstaanjagende plaats waarin de psychisch gestoorden waren gehuisvest.
Abeen vroeg zich af of haar man een rol had gespeeld in de ergernis van Demetrius. Met een stem waarin een zweem van boosheid doorklonk, vroeg ze: 'Op dit uur?' Abeen herinnerde zich twee jongemannen die Demetrius kende en die een zenuwinstorting hadden gehad. Ze waren patiënt in de instelling maar het was te laat voor een sociaal bezoekje. Bang voor de reactie van zijn vrouw opende Mustafa zijn mond maar wist niet met een verklaring te komen.
George antwoordde behoedzaam voor zijn vriend. 'Hij is er niet echt naartoe, Abeen.' Hij zuchtte berouwvol en bekende met een zwakker wordende stem: 'Dat was alleen de manier waarop Demetrius wilde duidelijk maken dat we ons niet meer met zijn leven moeten bemoeien.'
Grootvader Mitri gebaarde ongeduldig met zijn pijp in de lucht. 'Bah! De jongelui van tegenwoordig zijn te onafhankelijk. Wij zijn zijn familie! Wij hebben het recht ons ermee te bemoeien!'
'Probeer je niet te veel op te winden, pa,' drong George aan.
Abeen keek wantrouwend naar Mustafa en voelde aan dat er meer aan het verhaal vastzat. Veel meer.
Mary keek naar haar man met een blik waaruit sprak dat ze gedeeltelijk begreep wat er was gebeurd en wist dat George haar alles zou vertellen als ze eenmaal weer alleen waren. Ze schraapte haar keel. 'Heeft onze zoon ook gezegd of hij nog terugkomt?'
'Nee,' antwoordde George ernstig.
Het gezicht van Amin was vertrokken en hij voelde een steek van spijt in zijn hart over alles wat hij had gezegd. Zijn herinneringen speelden op en hij wist nog dat wanneer Demetrius van streek was, hij vaak zijn huis als toevluchtsoord gebruikte. Het leek erop dat hij Demetrius vanavond deze troost niet kon bieden. Amin wreef in zijn ogen en gaapte terwijl hij naar de voordeur keek. 'Bedtijd,' mompelde hij voor hij naar de deur liep, waarbij zijn kleine voeten nauwelijks geluid maakten. 'Ratiba zal zich afvragen waarom ik zo laat ben. Welterusten allemaal.'
Mustafa, die de vragen van zijn vrouw wilde uitstellen, draaide zich om en volgde hem snel waarbij hij riep: 'Abeen, blijf zolang als je wilt, liefste. Ik ga met Amin mee.'
Abeen staarde verwijtend naar haar man terwijl hij haastig de kamer verliet.

14 Hala Kenaan

Er werd heel even een kanten gordijn opzij geschoven toen Demetrius Antoun in het zicht van de kleuterschool van het kamp kwam. Een klein gezicht tuurde door het raam. 'Hij is er,' kondigde Omar Kenaan blij aan.

Maha Fakharry, het schoolhoofd, voelde haar opwinding toenemen terwijl ze Omar voortduwde. 'Prachtig, Omar,' zei ze tegen hem. 'Ga nu maar naar de andere kinderen. Snel!' Maha glimlachte naar niemand in het bijzonder. De aanwezigheid van een held van de fedayeen zou het succes van de dag aanzienlijk vergroten.

Enkele kinderen schreeuwden tegelijkertijd toen Omar de andere kamer in rende en uitriep: 'Demetrius is er! We kunnen beginnen!'

Hala gaf een laatste aanwijzing aan de jonge jongen die als konijn de hoofdrol had in het toneelspel. Een plotselinge, stralende glimlach lichtte het gezicht van Hala op terwijl ze naar de voorkamer van de kleuterschool liep. Demetrius was dus toch gekomen.

Maha keek met grote aandacht naar Hala. Hala Kenaan werd in heel Shatila geprezen vanwege haar uitzonderlijke combinatie van liefelijke kwaliteiten en Maha vocht tegen het overweldigende gevoel van spijt waardoor ze altijd werd overspoeld bij het zien van de veel jongere en verbluffend mooie vrouw: spijt dat iemand niet eeuwig jong kon zijn. Alles wat Hala was, was Maha eens geweest. Een hard leven had Maha uitgeput. Haar eens gladde gezicht werd nu verzwaard door rimpels, haar dikke haar was al lang geleden dun en grijs geworden terwijl haar slanke meisjesfiguur was uitgedijd.

Plotselinge, ondraaglijke herinneringen flitsten door Maha heen: haar geliefde man, de vader van haar zes kinderen, was kort daarvoor een langzame, vreselijke dood gestorven aan kanker. Maha, die eind veertig was en de herinnering aan haar charme samen met haar man had begraven, begreep dat ze waarschijnlijk de rest van haar leven zou doorbrengen zonder de liefde van een man.

De vreugde van Hala was duidelijk zichtbaar toen ze fluisterde: 'Is hij er?'

Maha opende haar mond in een vriendelijke glimlach terwijl ze probeerde haar afgunst te verbergen en te delen in de gevoelens van verwachting van de jongere vrouw. Maha gebaarde even met haar hand. 'Omar zag hem deze kant op lopen.'
Hala schikte snel even haar ravenzwarte haar en trok aan haar nieuwe blouse in een vruchteloze poging de kreukels te laten verdwijnen. Ze keek plotseling peinzend, bijna afgeleid, terwijl ze de oudere vrouw vroeg: 'Hoe zie ik eruit?'
Maha nam Hala opnieuw van top tot teen nauwkeurig op terwijl ze dacht dat het gebrek aan zelfwaardering van Hala volkomen onbegrijpelijk was. Zelfvertrouwen zou van nature moeten komen bij iemand die zo gezegend was door God. Maha had in haar jeugd de macht van schoonheid gevoeld. Nadat ze met haar hoofd had geschud en zachtjes had gelachen vertelde Maha haar assistente de waarheid. 'Hala, mijn liefje, je ziet er allerliefst uit.' Er trok een zweem van irritatie over haar gezicht toen ze eraan toevoegde: 'Hala, je beseft toch zeker wel dat iedere man die jou ziet, je begeert?'
Hala bloosde, waardoor haar roze gelaat nog lieflijker werd. 'Plaag me toch niet zo!' Ze keek Maha in totale verwarring aan bij dit idee.
Maha haalde haar schouders op. 'Zo zij het.' Haar stem klonk enigszins bitter. 'Hala, luister naar mijn advies. Geniet van je schoonheid, liefje. Deze vergaat snel genoeg.' Maha begon weg te lopen maar voelde de vragende blik van Hala in haar rug. Ze draaide zich snel om, sloeg vriendschappelijk haar arm om Hala's middel en drukte haar even tegen zich aan terwijl ze fluisterde: 'Let maar niet op mij, liefje!' Ze gaf de jongere vrouw een zacht duwtje. 'Nu, ga naar je geliefde!'
Hala sloeg haar ogen neer. 'Maha, dank je dat je me moed hebt gegeven.'
Plotseling verscheen er een gespannen uitdrukking op het gezicht van Maha omdat ze zich haar verplichtingen herinnerde. Ze was opeens een en al drukte. 'Ik moet de kinderen tot de orde roepen. Zodra je Demetrius een stoel hebt aangewezen, geef ik het signaal dat het spel kan beginnen.' Met die laatste instructie liep Maha snel weg terwijl ze binnensmonds [over een paar dingen tegelijk] mopperde.
Hala ademde diep uit en keek verwachtingsvol naar de straat aan de voorkant van de school. Waar was Demetrius?
Hala was recent aangesteld als een van de drie assistenten op de kleuterschool en vandaag zouden de kinderen een toneelspel opvoeren. De assistenten was verteld dat ze naast hun familie ook een gast mochten uitnodigen. Hala had Demetrius Antoun uitgenodigd.
Hala en Demetrius waren al drie jaar verliefd op elkaar en Hala werd

ongeduldig omdat ze niets meer wilde dan de vrouw zijn van Demetrius. Door het advies van Maha op te volgen – 'om te overwinnen, moet je durven' – hoopte Hala dat bij Demetrius door het zien van de aanbiddelijke kinderen het verlangen vader te worden hem aan zou sporen haar een aanzoek te doen.
Net op dat moment hoorde Hala een vastberaden klop op de deur. Niemand behalve Demetrius kondigde zijn komst met zo'n autoriteit aan. Ze beefde vanbinnen toen ze naar de deur liep om aan het geklop gehoor te geven, maar pauzeerde even om haar lippen met de punt van haar tong te bevochten voor ze de deur opendeed.
Hala keek met schitterende ogen naar haar geliefde terwijl ze deed alsof ze verbaasd was. 'Demetrius! Je bent gekomen!'
Demetrius die naar binnen was gestapt knipperde met zijn ogen en dacht bij zichzelf dat Hala er vandaag bijzonder mooi uitzag. Met haar donkere haar en ogen zag haar lichte huid eruit als volle room tegen het heldergroen van haar blouse. Demetrius nam haar handen in de zijne en het stel staarde elkaar intens in de ogen. Hij zweeg zo lang dat Hala zich niet op haar gemak begon te voelen en dacht dat hij geen antwoord zou geven.
'Demetrius?' vroeg ze vol twijfel.
Hij keek om zich heen om er zeker van te zijn dat niemand keek en leunde toen naar voren en plantte een snelle kus op Hala's lippen. 'Je bent mooi!' zei hij zachtjes.
Hala lachte. 'Demetrius! Straks ziet iemand ons nog!'
Demetrius voelde de liefde in haar stem. 'Laat ze,' zei hij met een hese stem tegen haar. 'Ik ben een eerbaar man.'
Hala, die probeerde haar verrukte gevoel van verbazing te overwinnen, nam hem bij de arm en leidde hem naar de laatste en grootste kamer van het drie ruimtes tellende gebouw en liet hem vlak bij het toneel plaatsnemen. Hala voelde alle ogen in het auditorium op hen gericht en ze vond het moeilijk haar trots te verbergen. Haar vriendinnen hadden haar vaak verteld dat Demetrius Antoun de meest begerenswaardige man in heel Libanon was, mogelijk in de hele wereld! Hij was niet alleen lang, knap en slim, maar ook zachtmoedig en vriendelijk. Hala had niemand nodig om haar te vertellen dat ze geluk had.
Uit haar ooghoek zag Hala dat Maha panisch signalen naar haar stond te geven en naar het gordijn wees dat ze eerder die dag hadden opgehangen. De rij witte lakens was gevaarlijk gaan zwaaien omdat ze werden opengetrokken door kleine, ondeugende handjes.
Zonder iets te zeggen rende Hala naar de kinderen.
De verschijning van Demetrius Antoun veroorzaakte een lichte commo-

tie en er klonk een geroezemoes van opwinding terwijl de ongetrouwde meisjes en vrouwen opleefden door de onverwachte komst van Demetrius.
Hoewel hij een christen was binnen een gemeenschap van grotendeels soennitische moslims had hij niettemin, dankzij het respect dat zijn familie genoot en zijn knappe uiterlijk en charme, nooit geleden onder een gebrek aan vrouwelijke aandacht. Er waren hordes ongetrouwde moslimmeisjes in het kamp Shatila die verlangden naar de kans zijn hart te winnen, zelfs als dit een aanhoudende strijd betekende met hun eigen ouders over de kwestie van een gemengd huwelijk. Het feit dat Demetrius Antoun nooit met iemand serieus was uitgegaan behalve met Hala Kenaan, een begerenswaardig meisje uit een christelijke familie, maakte geen verschil voor die ongebonden vrouwen. Tot hij formeel gehuwd was, was hij 'eerlijke prooi'.
De oudere getrouwde vrouwen die aanwezig waren, wisselden knipoogjes en opgetrokken wenkbrauwen. Al deze vrouwen waren onafhankelijk van elkaar tot de conclusie gekomen dat er een heel belangrijke beslissing was genomen omdat Demetrius aanwezig was. Ze speculeerden dat over niet al te lange tijd Demetrius en Hala hun verloving zouden aankondigen. Ze waren opgewonden. In de Arabische wereld vormde een ongetrouwde man een uitdaging.
Demetrius was zich bewust van de sensatie die hij veroorzaakte. Hij probeerde zo min mogelijk op te vallen terwijl hij beleefde woorden uitwisselde met de mensen die hij kende en probeerde comfortabel op de kleine vouwstoel te zitten.
Maha Fakharry zocht hem met opzet op om hem bij het toneelstukje te verwelkomen. 'Demetrius, wat aardig van je om te komen. Je moet naderhand voor de versnaperingen blijven,' drong ze aan met een stem die ongewoon schel en luid klonk. 'Ik wil alles over de strijd bij Karameh horen.' Maha wierp hem wat naar haar idee een verwachtingsvolle glimlach was toe, maar in werkelijkheid was het een grotesk grimas met haar grote, geel wordende tanden.
Omdat hij niet wist wat hij anders moest doen glimlachte Demetrius fijntjes en knikte, maar verschoof ongemakkelijk op zijn stoel terwijl hij toekeek hoe Maha achter de coulissen verdween.
Hij herinnerde zich dat zijn moeder hem ooit eens had verteld dat Maha Fakharry in haar jeugd een grote schoonheid was geweest, maar dat kon hij zich moeilijk voorstellen. Mary Antoun had eraan toegevoegd dat Maha, nadat de bloesem van haar jeugd was uitgebloeid, helaas een onverzadigbare honger naar de aandacht die ze als jonge, begerenswaardige vrouw had genoten, niet wist te overwinnen. Het was bekend dat de

ouder wordende schoonheid openlijk flirtte met de echtgenoten van andere vrouwen. Demetrius kon in zijn verbeelding de jaren niet terugdraaien en in zijn ogen was Maha Fakharry alleen een intense, nogal strijdlustige vrouw die oud genoeg was om zijn moeder te zijn. Toen hij zich herinnerde wat ze over Karameh had gezegd, kreeg hij er twijfels over of het verstandig was geweest in te gaan op de uitnodiging van Hala en hij vroeg zich af of hij geen vergissing had begaan door hier te komen. Wie weet wat Maha van hem verwachtte? Opnieuw verschoof hij onrustig op zijn stoel.

Om zijn hoofd te bevrijden van vervelende gedachten keek Demetrius rond in de ruimte en tuurde hij via een open deur naar een tweede ruimte. Er was veel veranderd sinds hij een kleine jongen was. Hij was verbaasd bureaus en stoelen te zien, schoolboeken, stapels geel papier en felgekleurde potloden.

Hij en Walid hadden als kinderen op deze school op rieten matten gezeten. Er waren geen schoolboeken geweest en hun schrijfpapier had bestaan uit weggegooide papieren zakken. In een paar kartonnen dozen hadden gedoneerde voorraden en kapot speelgoed gezeten. Hij herinnerde zich dat het verstikkend heet werd op zonnige dagen. Demetrius en Walid kregen dan samen met de andere schoolkinderen buiten les. Vaak schreven ze hun letters nauwgezet in het zand waarbij ze hun vingers als potloden gebruikten.

Hun leerkracht Amal Atwi had bitterzoete grappen gemaakt over hun armoede met de woorden dat eenvoud goed was en overdaad in het leven volwassenen zonder een doel creëerde.

Demetrius fronste. Raadsels, ze hadden alleen maar raadsels gekregen, zei hij tegen zichzelf voor hij verder rondkeek in het kleine gebouw. De muren waren nog steeds dof grijs geschilderd maar opgefleurd door een slim gebruik van kleurrijke posters waarvan sommige door de kinderen waren gemaakt. Andere posters over voeding en een goede gezondheid van kinderen waren geschonken door de hulporganisaties van de Verenigde Naties.

Zijn ogen bleven rusten op de grootste poster en hij bewoog zijn lippen zonder geluid te maken. 'Palestina voor de Palestijnen.' Voor hem creëerde die poster een nogal onaangename sfeer omdat hij hem eraan herinnerde dat Palestijnse volwassenen nog altijd dromen opbouwden, dromen waarvan Demetrius wist dat ze nooit zouden uitkomen.

Het geroezemoes van gefluister veranderde in stilte toen Maha het signaal gaf en de eerste kinderen geestdriftig het toneel oprenden. Na een versnipperd begin van een applaus liep Maha naar het midden van het toneel. 'Ouders, familieleden en vrienden. Welkom. Uw kinderen heb-

ben lange uren geoefend en gewacht op dit moment.' Maha pauzeerde en keek de ruimte rond. 'Hoewel wij als Palestijnen zijn gekweld door duizenden tegenslagen, zien wij onszelf niet langer als een volk dat is getroffen door armoede of te schande is gemaakt door nederlaag.'
Demetrius kromp ineen toen hij zag dat Maha hem met haar ogen zocht. Ze ging verder met haar toespraak. 'Nee! Niet na onze overwinning bij Karameh!' Terwijl ze rechtstreeks naar Demetrius keek en opgewekt glimlachte werd het onmiddellijk stil. Iedereen luisterde nieuwsgierig. 'Onze spectaculaire overwinning bij Karameh heeft de kinderen geïnspireerd.' Maha keek trots naar haar leerlingen. 'Ja! Terwijl onze helden met geweren vechten, vechten wij vrouwen op onze eigen manier voor Palestina. En hoe doen we dat? Door kinderen te krijgen en die kinderen op te voeden tot revolutionairen! En vandaag zullen deze jonge revolutionairen onze martelaren eren door een kleine parodie op te voeren over de voortdurende strijd om ons thuisland terug te winnen!'
Demetrius kreunde en raakte met elk woord dat Maha uitte steeds geïrriteerder. Hij staarde naar de onschuldige kinderen die aan haar lippen hingen. Het waren nog maar baby's die werd geleerd dat het een eer was om te sterven, voor wat? De onaangename gedachte kwam in hem op dat de volwassen Palestijnen bereid waren hun kinderen op te offeren om hun eigen energie en idealisme in leven te houden.
Hij kromp ineen toen hij zag dat Maha opnieuw naar hem staarde. Hij kreeg het weeë gevoel dat hij door Maha of Hala, of beiden, was gemanipuleerd. De volgende opmerking van Maha bevestigde dat dit zo was. Maha maakte een dramatisch gebaar met haar armen. 'Ik wil u verkondigen dat we ons geëerd voelen vandaag een held van Karameh in onze kleine school te hebben.'
Er klonk een algeheel geroezemoes van opwinding in de ruimte.
'Demetrius Antoun!' schreeuwde Maha. 'Een Shatila-held! Demetrius, ga staan!'
Luid applaus en gejuich vulde de ruimte. Het wemelde van de geruchten in Shatila dat Demetrius Antoun bij Karameh had gevochten maar na zijn terugkeer had hij die geruchten niet beaamd of ontkend waardoor de mensen zich afvroegen af het klopte wat ze hadden gehoord. Nu werden deze geruchten bevestigd als zijnde waar en de vrouwen stampten met hun voeten op de grond en schreeuwden en de mannen floten schel. Veel mensen die aanwezig waren hadden zoons, broers of echtgenoten binnen de beweging.
Alle Palestijnen, of ze nu christen of moslin waren, wijdden zich aan de bevrijding van Palestina van de joden en Demetrius was nu voor iedereen in Shatila een held.

Hij keek met consternatie om zich heen, maar kwam uiteindelijk uit de stoel overeind. Hij zwaaide op een vreemde manier en glimlachte zuur naar de opgewonden menigte.
Maha bleef doorpraten maar haar woorden werden overstemd door het algehele rumoer.
Een met stomheid geslagen Demetrius ging weer zitten zonder iets te zeggen, hoewel het hem niet lukte zich los te maken van de handen die zich naar hem uitstrekten om hem te omhelzen of te ontsnappen aan de gefluisterde felicitaties die hem van alle kanten werden toebedeeld. Net toen zijn woede op Hala begon te stijgen zag hij dat ze met een verbaasde blik in haar ogen naar Maha staarde waardoor hij enige opluchting voelde omdat hij wist dat ze niets met de actie van Maha te maken had. Hij was blij. Hij wist dat hij Hala nooit had kunnen vergeven als dit wel het geval was geweest, want ze wist heel goed met hoeveel tegenzin hij over Karameh praatte.
De donkere ogen van Maha schitterden van verrukking door de reactie van het publiek en ze flapte onvoorzichtig uit: 'Demetrius Antoun zal onze speciale eregast zijn bij de receptie die volgt op de gebeurtenissen van vandaag. Voor diegenen onder u die graag uit de eerste hand over de laatste overwinning van het Palestijnse leger willen horen, welkom!'
Demetrius trok wit weg en zweeg, inwendig bevend van woede, hoewel hij de menigte een volkomen beheerst gezicht liet zien. Als hij Hala hiermee niet zou beschamen of haar positie op de school in gevaar zou brengen, had hij het op een rennen gezet.
Maha, die nog opgewondener raakte, liep op het toneel heen en weer. 'Dank u, dank u. En nu de show!' Ze begon de speelse kinderen eerst op de ene plek in een rij te zetten en vervolgens op een andere plek en er brak gelach uit toen de kleinste kinderen over het toneel begonnen te huppelen omdat ze dachten dat het stuk was begonnen.
Maha begon ook te lachen en wierp haar handen in overgave in de lucht. Uiteindelijk, net toen de menigte rusteloos begon te worden en dacht dat de vrouw het toneel nooit zou verlaten, stapte ze naar voren om haar inleiding af te maken. 'Het volgende toneelstuk dat de titel *De eerbare konijnenfamilie van Palestina* heet, zal door mijn en uw kinderen worden verteld en gespeeld.' Ze wuifde met haar handen naar haar leerlingen. 'Onze kinderen! Onze hoop voor de toekomst!'
Iedereen applaudisseerde behalve Demetrius.
En lieflijk meisje met de naam Nadia, dat ongeveer twaalf jaar oud, charmant en duidelijk intelligent was, nam haar plaats in aan de linkerkant van het toneel. Nadia was de verteller. Zonder ook maar een keer

naar haar tekst te kijken begon ze met een heldere en prachtige stem het verhaal te vertellen.
'Er was eens een mooie wei. In deze wei leefden alle vogels en dieren gelukkig samen.'
Een paar meisjes spreidden hun armen uit en deden alsof ze vlogen terwijl twee jongens de hoge sprongen van gazellen nadeden.
'Een bepaalde konijnenfamilie had vele, vele jaren op een speciale plek in de wei geleefd. Het moederkonijn en het vaderkonijn bouwden een prachtig huis voor hun babykonijntjes. Een boom wierp zijn schaduw over het nest. Er groeide een overvloed van vers eten naast hun zorgvuldig gebouwde huis. Vlakbij stroomde een heldere beek.'
Vijf kinderen huppelden het toneel op. Er weerklonk gegiechel toen een van de meisjes aan een slablaadje knabbelde en een vies gezicht trok waarbij ze haar tong uitstak en haar hoofd heen en weer wiebelde.
'Op een verdrietige dag kwam er een familie hongerige vossen in de wei.'
Niemand in het publiek kon zijn lachen inhouden toen een jonge jongen die de rol van vos speelde begon te huilen en schreeuwde: 'Ik zei het toch al! Ik wil geen Israëliër zijn!'
Later, toen het toneelstuk het gewenste einde had bereikt waarbij de vossen waren verslagen door de konijnen, stond het publiek op en applaudisseerde. 'Lang leve Palestina!' riepen ze uit. 'Lang leve Palestina!'
Het toneelstuk was een enorm succes. Nadia maakte trots een buiging met de hele cast terwijl Maha zich over het toneel haastte en ieder kind om beurten een kus gaf.
Demetrius keek toe hoe Hala probeerde het jongetje te troosten dat nog altijd huilde omdat hij een Israëliër had moeten spelen. En hoewel het stuk een vieze nasmaak bij hem achterliet, verscheen er ook een lichte uitdrukking van respect op het gezicht van Demetrius. Zijn eigen volk was een meester in manipulatie. Op dit moment was er geen enkele volwassene in het huis die zijn of haar kind niet zou opofferen voor de strijd om Palestina. Nog erger, ieder kind wilde een martelaar worden.
Uren later, na de langdurige felicitaties van de meeste mensen die bij het toneelstuk aanwezig waren geweest verhief een vreselijk geërgerde Demetrius zijn stem toen Hala vrijpostig liet doorschemeren dat enkele mensen haar hadden gevraagd wanneer zij en Demetrius hun verloving zouden aankondigen.
'Hala!' Demetrius raakte steeds geïrriteerder. Hij haatte die spanning die in hun relatie duidelijk werd naar aanleiding van Hala's vastbeslotenheid dat ze binnen het jaar zouden moeten trouwen. 'Hala, er zijn

momenten dat ik het gevoel heb dat jij en ik twee mensen zijn die met elkaar dansen maar een andere melodie horen!' Hij gebaarde met zijn hand. 'Jij en ik lopen niet synchroon.'
De glimlach van Hala veranderde in een frons. Ze keek Demetrius met een berekenende blik aan. Haar plan had niet gewerkt en het leek zelfs alsof het idee van Demetrius om het huwelijk uit te stellen in de loop van de middag hardere vormen had aangenomen. Toch wilde ze het nog niet opgeven. 'Ja!' wierp ze terug, 'en terwijl we dansen word ik oud! Nog even en ik heb net zoveel rimpels als Abeen Bader! En dan vraag je een ander ten huwelijk!' Toen Hala aan dat vreselijke vooruitzicht dacht begon ze in alle ernst te huilen en waren haar woorden nog maar nauwelijks verstaanbaar. 'Demetrius, je bent niet eerlijk! Je zegt het ene maar je handelingen duiden op iets anders!'
Demetrius schrok van haar beschuldiging. Hij slaakte een diepe, vermoeide zucht. Omdat hij begreep dat de meeste vriendinnen van Hala zich op een huwelijk voorbereidden voelde hij enig medeleven met haar dilemma. 'Liefste.' Demetrius tilde met een vinger de kin van Hala op en zijn stem liep over van belofte. 'In mijn ogen zul je altijd mooi zijn, zelfs als we samen oud worden.' Demetrius was gefrustreerd omdat hij wanhopig graag met Hala wilde trouwen maar werd belemmerd door zijn armoede. 'Je kent mijn situatie.' Met een dramatisch gebaar trok hij zijn lege broekzakken binnenste buiten. 'Zie je wel? Ik ben een arm man!'
Hala lachte verstikt en met een peinzende en verdrietige uitdrukking duwde ze zijn broekzakken weer terug terwijl ze wenste dat haar geliefde een ogenblik niet zo briljant en minder ambitieus was. 'Demetrius, wie in Shatila is er niet arm?' Ze wachtte voordat ze voorzichtig vroeg: 'Heb je erover gedacht om je bij de strijders te voegen? Veel strijders hebben een politieke positie en zijn in de stad gestationeerd. Elke maand ontvangen ze een som geld voor hun diensten.' Hala zou er alles voor over hebben om te trouwen, zelfs hem vragen bij de Al Fatah te gaan, iets waarvan ze wist dat hij dat niet wilde.
Demetrius staarde Hala met een woedende blik aan. Hij begon de kamer uit te lopen, maar besloot dat ze niet zichzelf was. Hij dwong zichzelf zijn boosheid te beheersen. 'Liefste, hoe vaak moet ik het je vertellen? Hoezeer ik hun offers ook respecteer, ik ga niet bij de Al Fatah.' Een koppige vastberadenheid dreef hem verder. 'Hala, iedere man moet zijn eigen weg volgen. Ik zal de Palestijnse zaak helpen door mezelf een opleiding te geven en genoeg geld te verdienen om onze kinderen naar de beste scholen te sturen. Maar denk geen ogenblik dat ik kinderen op deze wereld zal zetten die moeten leven zoals wij.' Zijn koortsige ogen

keken haar dwingend aan. 'Om van liefdadigheid te moeten leven! Elk overhemd dat ik had was eerst door een ander gedragen! Elk stuk speelgoed was weggegooid door een kind dat ik niet kende voor het zijn weg naar mijn huis vond!'
'Wind je niet zo op,' smeekte Hala.
Hij kon niet stoppen. 'Feest vieren om een magere kip alsof die kip onbetaalbare kaviaar was!' Demetrius wilde wanhopig graag dat Hala zijn beeld zou delen, naar iets anders zou verlangen dan het vertrapte leven dat hun ouders hadden moeten ondergaan. 'Hala, luister naar me. De Palestijnen moeten ophouden te dromen en het beste maken van het leven dat ze hebben gekregen. Ik moet een manier vinden om de kost te verdienen!'
De uitdrukking op Hala's gezicht vervaagde, net als haar hoop.
Demetrius probeerde haar te overtuigen. 'Luister, ik volg wel dubbele cursussen. Je weet dat ik dat kan. Ik studeer zo snel mogelijk af. Daarna hebben we een prachtige bruiloft.' Hij deed een roekeloze belofte. 'En dan neem ik je mee naar Parijs voor onze huwelijksreis!'
Ze hadden het hier eerder over gehad. 'Vier jaar?' Hala's stem klonk vlak en ze was wit weggetrokken terwijl ze bedacht wat ze haar vriendinnen en haar familie moest zeggen.
'Drie jaar!'
Hala jammerde: 'Dan ben ik tweeëntwintig!'
'Hala, vertrouw op mij. Drie jaar zijn snel voorbij en op je tweeëntwintigste ben je op je mooist.'
Hala bleef mokken. 'Wat moet ik tegen iedereen zeggen?' Haar stem kreeg een beschuldigende klank. 'Ik bedoel, Demetrius, dat je me nooit ten huwelijk hebt gevraagd!'
Demetrius tuurde naar haar gezicht alsof hij iets herkende dat hij nooit eerder had gezien. 'Maak je je daar zorgen om, liefste?' Hij lachte kort. Het was bij Demetrius nooit een moment opgekomen dat hij en Hala op een dag niet getrouwd zouden zijn. Hoewel er veel jonge vrouwen waren die duidelijk hadden gemaakt dat zijn toenadering welkom zou zijn, had hij nooit iemand anders dan Hala Kenaan gewild.
Hij had een idee. Met een innemende glimlach legde hij zacht zijn rechterhand op haar schouder en duwde haar neer om plaats te nemen op de bank. Voor ze wist wat hij deed viel Demetrius voor haar op zijn knieën. Zijn ogen waren op de hoogte van de hare. Van zo dichtbij werd hij geraakt door de uitzonderlijke schoonheid van het gezicht van Hala.
Haar gezicht kleurde rood.
Er sprak immense liefde uit de uitdrukking op het gezicht van Demetrius, tezamen met iets stralends en vriendelijks. 'Hala Kenaan, ik hou

van je. Ik heb nooit van een andere vrouw gehouden. Hala, wil je met me trouwen?'
Hala beet op haar lip en giechelde.
Demetrius glimlachte. 'Nou? Ik vraag de vrouw van wie ik hou met mij te trouwen, en zij giechelt?'
'Je ziet er zo dwaas uit zo op de vloer.'
Demetrius hield haar gezicht tussen zijn beide handen. 'Geef me antwoord, nu! Of ik kus je tot je ja zegt. Dan hebben we een schandaal!'
Hala lachte hardop en antwoordde toen: 'Ja!'
Demetrius keek haar diep in de ogen. 'Zul je op me wachten? Drie jaar?' Hij wilde haar belofte zodat ze het onderwerp voor eens en voor altijd konden vergeten.
'Ja! Maar niet meer dan drie jaar! Als je daarna niet met me trouwt ga ik er vandoor met een knappe vreemdeling.' Hala had zich in lange tijd niet zo gelukkig en zelfverzekerd gevoeld. Nu kon ze haar vriendinnen en haar familie tenminste vertellen dat zij en Demetrius officieel verloofd waren.
Demetrius beantwoordde haar grapje. 'Als jij met een knappe vreemdeling trouwt dan ben ik gedwongen een moord te begaan!'
Hala bloosde terwijl ze zich afvroeg of Demetrius genoeg van haar hield om iets dergelijks te doen.
Hij keek haar lange tijd in de ogen waarbij zijn verlangen naar haar zichtbaar was. Hij trok haar gezicht dicht bij het zijne. 'Liefste,' mompelde hij.
Hala verzette zich eventjes.
'Je ben nu mijn verloofde,' fluisterde Demetrius voor hij hartstochtelijk de vrouw kuste van wie hij wanhopig veel hield.

15 Beiroet

Tussen 1968, het jaar waarin Demetrius Hala vroeg om zijn vrouw te worden, en 1982, het jaar waarin Israël Libanon binnenviel, ontvouwde zich een reeks politieke en militaire gebeurtenissen in de regio die de toekomst van alle Palestijnse vluchtelingen in Libanon bedreigde.

Na de slag bij Karameh in 1968 escaleerde de spanning tussen Israël en de PLO. In een roes over de overwinning bij Karameh ondernam de PLO, onder leiding van Yasir Arafat, talrijke aanvallen over de grenzen van Jordanië en Libanon op Israël, waardoor grote aantallen joodse burgers gewond raakten. Toen de Israëlische regering de gastlanden voor de PLO verantwoordelijk begon te stellen voor de gewelddadige tactieken van de PLO, kwamen de relaties tussen de Palestijnen en de regeringen van Jordanië, Libanon en Syrië onder druk te staan.

Toen de aanwezigheid van de PLO in Jordanië politiek te ontwrichtend werd, kreeg het Jordaanse leger het bevel van koning Hoessein zijn autoriteit over de PLO-strijders te verzekeren. Hieruit vloeide een vreselijk conflict voort dat de stabiliteit van het hele land in gevaar bracht. Na een jaar van gevechten trokken de Palestijnse guerrilla's zich uit Jordanië terug naar Libanon waar ze zich bij de PLO-troepen in dat land voegden. De aanvallen op Israël bleven vanaf de zuidelijke grens van Libanon doorgaan.

De Israëlische regering, razend over het verlies van joodse levens door de PLO-aanvallen vanuit Libanon, eiste dat de Libanese leiders zouden voorkomen dat de gewapende PLO-facties Israël aanvielen. Toen de Libanese regering de PLO niet wist te beteugelen, begonnen de Israëlische strijdkrachten aan de eerste van vele aanvallen op PLO-posities in Libanon.

Zelfs zonder het Palestijnse probleem was het evenwicht in Libanon ernstig verstoord. De christenen bezaten een grotere politieke macht en de moslims beweerden terecht dat ze buitenstaanders in hun eigen land werden door de bestaande politieke structuur ondanks het feit dat de moslims de christenen nu in aantal overtroffen. In een poging de christenen uit het zadel te werpen, spraken de moslims, zowel de soen-

nitische als de sjiïetische sekten, openlijk hun steun uit aan de Palestijnen.
Het Palestijnse probleem in combinatie met de voortdurende spanningen tussen moslims en christenen wierp het land in een politieke chaos. Op 13 april 1975 vond een gewapende aanval plaats op de christelijke buitenwijk Ain al Rummaneh in Beiroet. Zes mensen vonden de dood. In de overtuiging dat de aanvallers Palestijnen waren namen christelijke milities wraak door een bus met Palestijnse burgers aan te vallen die tussen twee vluchtelingenkampen reisden. Negenentwintig Palestijnen verloren het leven.
De sudderende onvrede in Libanon barstte uit in een felle burgeroorlog. Moslims vochten tegen christenen. Palestijnen vochten tegen Libanezen. Druzen vochten tegen maronieten. Omdat er geen enkele groep was die sterk genoeg was om alle andere te verslaan, stortte Libanon ineen. Syrische interventie bracht de Israëliërs in het conflict.
In 1977 werd Menachim Begin tot premier van Israël gekozen. Begin, die zijn ouders en een broer in de concentratiekampen van de nazi's had verloren, zag het gezicht van Hitler in alle vijanden van de joden. Hij nam een onbuigzame houding aan ten opzichte van de Palestijnen en zag mogelijkheden in de Libanese oorlog een kans voor Israël om zijn Palestijnse vijand te verslaan. Met de PLO-aanval van 3 juni 1982 op de ambassadeur van Israël voor Groot-Brittannië, Shlomo Argov, als excuus, gaf Begin op 6 juni 1982 het Israëlische leger de opdracht Libanon binnen te vallen.

Hoewel het huwelijk tussen Demetrius Antoun en Hala Kenaan door onverwachte persoonlijke gebeurtenissen niet doorging werd een van de dromen van Demetrius bewaarheid toen hij in de zomer van 1978 afstudeerde aan de Amerikaanse medische universiteit van Beiroet. Toen in 1982 de Israëlische invasie van Libanon begon leidde Demetrius Antoun een medische kliniek in het kamp Shatila.

De Israëlische belegering van West-Beiroet, 12 augustus 1982
In een crescendo van geluid hoorde Christine Kleist de golf van Israëlische F-16 gevechtsbommenwerpers laag over de Middellandse Zee naderbij komen. Ze wierp een blik op de kleine wekker die ze op een vroeg uur had ingesteld. Het was precies zes uur 's morgens. Bij het horen van het geluid van de vliegtuigen greep ze haar verrekijker, sprong uit haar kleine bed en haastte zich, zich geen tijd gunnend om een ochtendjas over haar dunne nachtjapon aan te trekken, naar het balkon van haar appartement. Terwijl ze met samengeknepen ogen naar de gestroomlijnde

vliegtuigen keek, vloekte ze met ingehouden adem en vroeg ze zich af wat er met de wapenstilstand was gebeurd.
Nog de dag ervoor had de radio-omroeper in vervoering aan een opgeluchte stad gemeld dat de lange onderhandelingen tussen de Libanezen, de PLO en de Israëliërs tot een bevredigend einde waren gekomen. Yasir Arafat en de PLO-strijders zouden spoedig het land verlaten. De Israëliërs zouden de bombardementen stoppen en de lijdende oosterse stad met rust laten.
Christine duwde de takken van de sering opzij die op het balkon stond te bloeien en ging zo staan dat ze de route van de vliegtuigen met haar ogen kon volgen. De Israëlische piloten raceten boven de kust in de richting van West-Beiroet en de Palestijnse kampen Sabra en Shatila. Sinds de eerste dag van de oorlog hadden de meest gewelddadige aanvallen zich gericht op de vluchtelingenkampen. Christine kromp ineen op het moment dat de vliegtuigen hun vreselijke explosieven lieten neerkomen op het westelijke gedeelte van de belegerde stad. Terwijl de betonnen gebouwen van Beiroet ineenstortten, rezen er zwarte, vreselijke wolken rook boven de stad uit en dreven in de richting van de zee.
Christine greep onbewust naar haar hals en fluisterde: 'Demetrius. O, God. Demetrius.' Haar ledematen waren gevoelloos door vermoeidheid en angst terwijl ze uur na uur, vlucht na vlucht, stond te kijken hoe de genadeloze Israëlische piloten de vluchtelingenkampen verpletterden.
Christine had nog geen dag ervoor met tranen in haar ogen afscheid genomen van Demetrius, het kamp Shatila en het moslimgedeelte van West-Beiroet na twee maanden lang luchtaanvallen te hebben doorstaan. Hoewel ze nu in veiligheid was in het christelijke Oost-Beiroet, kende ze de gewelddadigheid van de Israëlische aanvallen maar al te goed en het oorverdovende geluid van de exploderende bommen en granaten, de blauwe lucht waaruit het granaatscherven regende, de uitgeholde gebouwen, de puinhopen, de zwarte lijken. Toch was geen enkele dag zo wreed geweest als deze. Ze kon zich de verschrikking van het in de vuurzee vast te zitten alleen maar voorstellen.
Drie uur na de eerste bombardementaanvallen besloot een panische Christine een kennis te bellen, een Noorse verslaggever die een appartement in de straat Sidini had die in de buurt van het Hamra-district van West-Beiroet lag. Het appartement van deze man lag op een hoge verdieping en hij had een helder uitzicht over de kampen. Ze moest weten wat er gebeurde.
Net toen Christine haar appartement weer wilde binnengaan, liep er recht onder haar appartementgebouw een Israëlische soldaat voorbij. Christine liet haar handen langs haar zij vallen en merkte nauwelijks

de klap op waarmee de verrekijker op de grond viel. Ze staarde recht in het gezicht van de man.
Michel Gale liep met opgeheven hoofd en een opgewekt melodietje fluitend vlot over het trottoir. Hoewel er opdracht was gegeven voor het afwerpen van saturatiebommen op de terroristen in de vluchtelingenkampen verliep het leven in het christelijke Oost-Beiroet normaal. De koffiehuizen deden goede zaken en Libanese vrouwen lagen op het strand van de Middellandse Zee te zonnebaden.
Michel glimlachte gelukkig terwijl hij bedacht dat dit beslist de manier was om oorlog te voeren. Terwijl hij voortslenterde en probeerde te beslissen wat hij voor het ontbijt zou nemen, had hij er geen idee van dat hij door een vreemde nauwgezet in de gaten werd gehouden.
De Israëliërs bevonden zich overal in de stad en Christine vond het moeilijk de vrolijke gezichten van de jeugdige soldaten in verband te brengen met de wreedheid van hun aanvallen op West-Beiroet. Wie waren deze jonge mannen die hele families afslachtten? De aantrekkelijke man voor haar kon toch zeker geen moordenaar zijn? Hij was een man die eruitzag alsof hij geen enkele zorg aan zijn hoofd had.
Terwijl ze naar de soldaat keek vroeg Christine zich af of de vader van Demetrius gelijk had gehad toen hij tegen haar verklaarde: ‘De Duitse vervolging van de joden heeft die joden die de holocaust overleefden ongevoelig in plaats van gevoelig gemaakt.’ Op dit moment kon ze het gezicht van George Antoun zien alsof hij voor haar stond. George had droevig geknikt toen hij verder ging: ‘Helaas toont de geschiedenis aan dat dit vaak het geval is, dat veel slachtoffers, nadat ze onder vreselijke tragedies hebben geleden, op onverklaarbare wijze worden gedreven tot het toebrengen van pijn en leed aan de mensen van wie zij menen dat zij hun vijanden zijn.’ De vader van Demetrius had vriendelijk naar Christine geglimlacht en op samenzweerderige toon gefluisterd: ‘Jij en ik zijn een schakel in deze keten, Christine. De joden die door jouw volk op onmenselijke wijze zijn behandeld, behandelen nu mijn volk op onmenselijke wijze.’
Destijds had Christine haar hoofd in schaamte gebogen en zich afgevraagd of de acties die de nazi's hadden ondernomen nu het lot bepaalden van ontheemde Arabieren, zelfs van haar eigen geliefde Demetrius. Nu, na de wrede Israëlische aanval op Libanon, begon Christine zich te realiseren dat George Antoun het bij het rechte eind had. De Israëliërs leken niet te worden geraakt door de afgrijselijke moorden en massale vernietiging die ze hun Arabische vijand toebrachten. De joden hadden als volk vreselijk geleden, maar nu brachten ze dezelfde pijn en hetzelfde lijden toe aan een ander volk: de Arabieren.

Gedurende het afgelopen jaar was Christine, nadat ze had toevertrouwd dat haar vader een SS-officier in het leger van Hitler was geweest, het middelpunt van levendige discussies geworden terwijl ze als verpleegster in het kamp Shatila werkte. Hoewel een opgeluchte Christine niet verantwoordelijk werd gehouden voor de misdaden van de nazi's hadden de Arabieren een onverzadigbare nieuwsgierigheid naar waarom de Duitsers zich gedwongen hadden gevoeld een heel ras uit te roeien. Christine had ontdekt dat de treinkonvooien, de gaskamers en de verbrandingsovens vol met baby's te veel waren voor de geest van de Arabier om zich te kunnen voorstellen. De Arabieren waren te emotioneel voor een dergelijke Europese organisatie in het doden van hun vijanden en hun moordende woede eindigde net zo snel als hij de begon. Gedurende deze tijd met de Arabieren was Christine verbaasd geweest bij de ontdekking dat de Palestijnse Arabieren sympathie voelden voor slachtoffers van de holocaust en die kwestie wisten te scheiden van hun voortdurende strijd tegen de Israëliërs over een stuk land waarvan beide volken beweerden dat het hun toebehoorde.
Christine zuchtte voor ze haar ogen opnieuw op de Israëlische soldaat richtte.
Op datzelfde moment keek Michel Gale omhoog. Zijn ogen glansden bij het zien van een mooi meisje met grote borsten. Haar tepels waren zichtbaar door haar kleding. Door haar donkere haar zag hij haar aan voor een plaatselijk meisje. Michel wuifde enthousiast met zijn arm en riep in vloeiend Arabisch: 'Kom naar beneden en drink een kop koffie met me! We gaat het vieren!' Hij lachte opgewekt ter aanmoediging en zei: 'Na vandaag zal er geen terrorist meer over zijn in Beiroet!
Christine klemde zich zo stevig vast aan de leuning van het balkon dat haar handen begonnen te kloppen. Ze kon de woorden van de soldaat gewoonweg niet geloven! Terroristen? Wist hij echt niet dat Shatila en Sabra drukke buurten waren die vol zaten met niet-strijders? Ze wierp Michel een lange, kille blik toe terwijl ze zich een beeld vormde van haar mooie, zachtmoedige Demetrius, de man van wie ze hield en die zich midden in de strijd bevond en heen en weer rende tussen de gewonden en diegenen troostte die hij niet kon redden. Flitsen van wat hij moest doorstaan, maakten dat Christine een stap naar achteren deed en jammerde van vertwijfeling.
'Kom naar beneden!' Michel, die haar intense uitdrukking verwarde met belangstelling, bleef aanhouden. Michel had even last van een schuldgevoel wat betrof Dinah, die al twee jaar zijn vriendin was, maar Jeruzalem en Dinah leken zo ver weg. Trouwens, de Libanese meisjes waren koket en sexy. Opnieuw riep hij naar boven: 'Heb je me niet ge-

hoord? Ik nodig je uit voor een ontbijt.' Tevreden over wat er die dag werd gedaan, hield hij zijn hoofd schuin. 'We verlossen Libanon van terroristen.' Hij pauzeerde voor hij eraan toevoegde: 'Jullie Libanezen zouden dankbaar moeten zijn.'
Christine barstte uit als een razende vulkaan. Er klonk geen angst in haar stem, alleen een bodemloze woede. Ze spuugde de woorden met vernietigend sarcasme uit. Haar gezicht was vervormd en haar zware borsten deinden op en neer terwijl ze met haar handen in de richting van West-Beiroet wuifde. 'Jij dwaas! Geloof je echt in je eigen leugens? Terroristen? Jullie zijn vrouwen en kinderen en oude mannen aan het vermoorden! Geen terroristen!'
Michel kromp ineen. Verscheurd door het onverwachte conflict met een mooie vrouw wuifde hij hulpeloos met zijn armen en herhaalde: 'We doden terroristen!'
Christine barstte opnieuw uit. 'Nee! Jullie vermoorden kleine baby's!' Ze strekte haar handen uit alsof ze de grootte aan wilde geven van het laatste bebloede en verscheurde kind dat ze in haar armen had gehouden. 'Baby's! Baby's!' Toen ze zich herinnerde dat de Israëlische regering de Amerikanen misleidde, die de Israëlische propaganda echt geloofden, voegde ze eraan toe: 'En nu jullie toch bezig zijn, zeg dan ook maar tegen de domme Amerikanen dat het hun bommen zijn die deze baby's uiteen rijten!'
Michel was met stomheid geslagen en wreef over zijn kin terwijl hij zich afvroeg wat hij moest doen. Tot aan dit incident had hij de Libanezen in Oost-Beiroet hartelijk en vriendelijk tegen hun joodse bezetters gevonden.
Christine pauzeerde om op adem te komen en haar lippen staken blauw af tegen haar blanke huid. Ze werd verteerd door haar woede over de zinloze aanvallen en haar oprechte angst voor Demetrius. Ze werd hysterisch, prikte met haar vinger tegen haar borst en schreeuwde: 'Waarom dood je mij niet! Ik ben net zozeer een terrorist als degenen die jullie vermoorden! Dood me! Vermoord me!' Christine begon tegen de muur aan te kronkelen voor ze op de grond gleed. Huilend en met een stem niet nauwelijks luider klonk dan een fluistering, riep ze: 'Dood ons allemaal, dood ons gewoon allemaal.'
Michel, in wiens ogen grote onzekerheid blonk, bleef rustig staan en probeerde een glimp van de vrouw op te vangen alvorens langzaam weg te lopen. Hij was niet langer goedgehumeurd en voelde hoe zijn schouders naar voren zakten. Hij probeerde het incident te rationaliseren om zijn opgewekte gemoedstoestand terug te vinden. De vrouw was duidelijk niet goed snik. Iedereen wist dat het in West-Beiroet we-

melde van de terroristen en dat de niet-strijders waren gewaarschuwd om weg te gaan. Trouwens, mompelde hij in zichzelf, hij wilde alleen maar vrouwelijk gezelschap en een kop goede Turkse koffie. Nog altijd in de overtuiging dat de vrouw Arabisch was, dacht hij terug aan hoe hij bij de training was gewaarschuwd: De Arabieren liggen aan je voeten of ze vliegen je naar de keel. De vrouw die hij net had gezien, was hem absoluut naar de keel gevlogen!
Het flitste even door Michel heen dat hij misschien terug kon gaan om de vrouw te arresteren. Maar dat deed hij niet.

Jeruzalem
In haar huis in Jeruzalem trok Ester Gale de gordijnen open voor ze het kleine balkon op liep dat aan hun woonkamer grensde. Vanuit de kamer had het buiten schemerig geleken, maar Ester kon zien dat de zon al felgeel was. Ze bedacht dat het een heel warme dag zou worden.
Terwijl ze wachtte tot haar man en dochter terugkwamen van het postkantoor ging Ester druk in de keuken aan de gang om sterke koffie te zetten. Ze hadden al meer dan twee weken niets van Michel gehoord en Ester maakte zich zorgen. De rampzalige oorlog in Libanon bleek dodelijk. Ester wist dat zij noch Jozef het verlies van nog een kind zou kunnen overleven.
Ze hoorde de voordeur opengaan en haastte zich om te zien of er een brief van Michel was gekomen. Zonder iets te vragen wist ze wat het antwoord was toen ze de tevreden glimlach zag op de gezichten van Jozef en Jordan.
'Jozef! Een brief?'
'Ja, schat.' Jozef hield de ongeopende communicatie op zodat Ester hem kon zien. 'Een mooie, dikke brief.'
Zelfs na vierenveertig jaar huwelijk voelde Jozef zijn gezicht warm worden bij het zien van zijn vrouw. Ondanks de weerzinwekkende dingen die ze tijdens de Tweede Wereldoorlog had ondergaan was Ester nog altijd een mooie vrouw en ze zag er zeker tien jaar jonger uit dan haar tweeënzestig jaar.
Jordan porde haar vader in zijn rug. 'Maak de brief open!' eiste ze. Ze huppelde naar haar moeder en gaf haar een snelle omhelzing voor ze zei: 'Papa weigerde de brief open te maken voor we thuis waren!'
Ester glimlachte naar haar lange, levendige dochter wier gezicht gloeide van verwachting. Ze streelde Jordans lange, rode haar. 'Kom mee naar de keuken. Ik heb koffie en broodjes. We zullen de brief samen lezen.'
Nadat ze drie koppen koffie had ingeschonken nam Ester plaats op een

stoel en legde haar voeten op de houten spijlen van een andere stoel. Terwijl Jozef en Jordan stonden toe te kijken opende ze de brief van Michel. Ester fronste van teleurstelling toen er een brief in zat van maar één bladzijde en verder een stapel foto's. Voor ze de foto's ging bekijken las ze eerst hardop het bijna onleesbare zwarte gekrabbel dat haar zoon op het witte papier had gezet.

1 augustus 1982, 11 uur 's morgens

Lieve mam, pap, en zusje,
Kennen jullie het oude gezegde nog dat het makkelijk is in een oorlog terecht te komen maar moeilijk om er weer uit te komen? Zo is het in Libanon! Ik heb het gevoel dat we al twee jaar in Libanon zitten in plaats van twee maanden. Het is veel moeilijker dan ik me had voorgesteld om de terroristen te verdrijven. De krottenwijken van West-Beiroet zitten vol met Arafats strijders en tot we daar in kunnen om het nest van de slang schoon te vegen, zal er geen oplossing zijn. We weten dat het in Shatila en Sabra wemelt van de terroristen, dus concentreren we onze inspanningen op de kampen. Onze piloten voerden vandaag 120 vluchten uit. Bovendien trekken onze grondtroepen vanuit het westen en het zuiden binnen en de goede kerels van de marine bombarderen PLO-posities.
Ik heb mezelf wel een miljoen keer afgevraagd waarom de Palestijnen het niet gewoon opgeven en weggaan. Er is niet langer een plek voor hen in dit deel van de wereld.
Ik zal jullie niet vervelen met mijn oorlogspraat. Ik voel me energiek en bevind me niet meer in gevaar. Voor de Libanese christenen hier in Oost-Beiroet zijn we helden en zelfs de kleine meisje werpen bloemen op onze weg. (Zeg het niet tegen Dinah, maar de grote meisjes laten ons ons op andere manieren welkom voelen!)
Maar serieus, als we ervoor kunnen zorgen dat de Palestijnen verdwijnen, zou Libanon een geweldig buurland zijn. Dus misschien bewerkstelligt deze oorlog iets als alles voorbij is.
Ik stuur Zwitserse chocolade en Deense koekjes via een van mijn vrienden die een lichte beenwond heeft en naar huis gestuurd wordt. Je zou verbaasd staan over alle lekkere dingen die ik heb gekocht: christelijk Oost-Beiroet is als één groot winkelcentrum. Het is moeilijk te geloven dat deze mensen jarenlang in een burgeroorlog verwikkeld zijn geweest!
Zo zie je, jullie hoeven je geen zorgen over mij te maken. Ik ben redelijk veilig. Bekijk de bijgesloten foto's als bewijs! Een dikke kus voor jullie allemaal.
Je liefhebbende zoon en grote broer,
Michel

Ester bewonderde de foto's van haar knappe zoon alvorens ze een voor een door te geven aan Jozef. 'Hij ziet er goed uit,' merkte Ester met een glimlach op.
Jordan, die naast haar vader zat, liet haar hoofd op zijn schouder rusten en tuurde naar haar broer die met een wapen in zijn hand naast de zee stond. Op de achtergrond was een aantal in bikini geklede Libanese vrouwen te zien.
Jozef knipoogde naar zijn dochter en lachte even. 'Laat deze maar niet aan Dinah zien.'
'Michel ziet eruit als een toerist,' zei Ester peinzend.
Jordan maakte een geluidje met haar tong voor ze haar kop optilde om een slok koffie te nemen. Plotseling zette ze, niet in staat zich te beheersen, haar kop met klap op de tafel neer waardoor de koffie op het witte kleed morste. Haar donkergroene ogen flitsten van boosheid. 'We hebben niets te maken in Libanon!' riep ze luid uit. 'Michel moet zich uit het leger terugtrekken. En naar huis komen!'
Jozef kreunde en wenste dat zijn dochter minder emotioneel was. Na de dood van haar geliefde Stephen het afgelopen jaar was Jordan steeds gedesillusioneerder geraakt door de voortdurende confrontatie met de Arabieren en was tot ongenoegen van haar familie een joods pacifiste geworden. Het eindeloze gepraat van Jordan over de zinloze joodse agressie irriteerde haar familie alleen maar, met name haar broer Michel, die het tegenovergestelde standpunt had. Michel Gale was een militair die een grondige hekel had aan de Arabische bevolking in Israël en ervan overtuigd was dat de Israëlische natie pas vrede zou kennen wanneer iedere Arabier het land uitgedreven was.
Met één kind als gehard strijder en het andere als pacifiste heerste er nooit vrede in het huishouden van de familie Gale.
Tot groot verdriet van Jozef en Ester was Michel opgegroeid met het idee dat oorlog en doden een gewoon onderdeel van het leven vormden. Toen hij tijdens de oorlog van 1948 tegen de Arabieren nog maar een kind was en toen heldhaftige joodse soldaten het huis van de familie Gale vulden, had Michel maar één ambitie gehad en dat was lid worden van de Haganah. Toen hem gevraagd werd waarom hij dat wilde had hij zijn ouders geshockeerd en de soldaten verrukt door met zijn kinderstemmetje te antwoorden: 'Zodat ik Arabieren kan doden.'
Jordan herhaalde opzettelijk uitdagend dezelfde woorden die ze al vele malen had geuit: 'Ik wou dat jullie tweeën zouden toegeven dat ik weet wat jullie denken, dat ons land is gebouwd op onrechtvaardigheid!'
Jozef, die de tegenwerping die hij graag wilde uiten verdrong, klopte op Jordans hand. 'Jordan, alsjeblieft.' Hij haalde diep adem.

Jordan, die de tegenpool was van haar ouders en broer, wentelde zich graag in dramatische uitbarstingen. Toen ze weer sprak, klonk haar stem hatelijk. 'Oorlog en overwinning! Oorlog en overwinning! Er bestaat niet zoiets als overwinning in een oorlog. Elke overwinning zit vol gaten!'
Ester wierp een blik naar haar dochter. 'O, hou toch op, Jordan!'
In de hoop de emoties van Jordan te kalmeren keerde Jozef terug naar het onderwerp Michel. 'Je broer komt spoedig thuis, liefje. Ik weet zeker dat als je de details van zijn missie hoort, je het ermee eens zult zijn dat hij geen andere keuze had dan de terroristen te bevechten.' Toen hij zag dat het gezicht van Jordan knalrood werd, vervolgde hij: 'Probeer jezelf niet zo van streek te maken, liefje.'
Jordan werd overspoeld door haar bittere herinneringen en ze trok met een ruk haar hand weg, rende de keuken uit en schreeuwde schril tegen haar vader: 'Hoe komt Michel thuis? In een lijkenzak? Net als Stephen?'
Jozef moest naar adem happen. Hij stond op en begon achter zijn dochter aan te lopen, maar Ester zei minzaam: 'Laat haar gaan, Jozef. Dit is een van haar slechte dagen.'
Bij het horen van Jordans gesnik door de dunne muren heen voelde Jozef zich afgetobd en moe. Na een lange stilte zei hij ten slotte: 'Wat jammer. Sinds de dood van Stephen ziet onze dochter niets goeds meer in ons land.'
Ester was het met hem eens. 'Daar heb je gelijk in, schat. Jordan kan alleen maar de onvolkomenheden zien.'
Jozef en zijn vrouw staarden elkaar een ogenblik aan voordat Ester haar aandacht weer op de foto's van Michel richtte.
Terwijl zijn vrouw naar het portret van hun zoon bleef staren liep Jozef naar het balkon en keek uit over de daken van hun buren. De gedachten aan het verdriet van zijn dochter en aan de wrede manier waarop haar verloofde was gestorven vermengden zich en raakten Jozef als een dolk. 'Arme Stephen,' mompelde hij.
Net als alle Israëlische mannen had Stephen Grossman drie jaar dienstplicht moeten vervullen. Tijdens de laatste zes maanden van zijn diensttijd werd Stephen vlak bij het kamp Gaza Beach gestationeerd, een van de gevaarlijkste opdrachten.
In tegenstelling tot Michel Gale was Stephen Grossman een te gematigd man om in een land in oorlog te zijn geboren. Toen hij in Gaza was begon Stephen vraagtekens te stellen bij de politiek van zijn eigen land. Hij dacht dat de Arabieren oneerlijk werden behandeld en hij vertelde de familie Gale vaak dat de joden, als ze wilden overleven, op een dag de Arabieren zouden moeten aanvaarden als hun gelijken.

Tijdens zijn laatste verlofweekend had Stephen Jordan toevertrouwd dat hij blij was Gaza te kunnen verlaten, dat hoe vriendelijk hij ook was, de Arabieren hem aankeken met een blik van gepijnigde lijdzaamheid, als haat die op zijn tijd wacht.
De woorden van Stephen hadden een griezelige profetie in zich gedragen. De week daarop werd Stephen Grossman ontvoerd, gemarteld en met een kromzwaard in stukken gehakt. Zonder het te weten hadden Arabieren een jood gedood die sympathie voor hun situatie koesterde.
Jordan was het verlies van Stephen nooit te boven gekomen. De ene dag was ze de gelukkigste vrouw van de wereld geweest en de volgende dag werd ze verscheurd door de bitterste ellende.
De sombere gedachten van Jozef werden onderbroken door een luide commotie. Zijn dochter schreeuwde tegen zijn vrouw. Hij snelde terug naar de keuken en zag dat Jordan een kleine koffer had gepakt. Geschokt stond hij te luisteren terwijl Jordan hem met een van woede en verdriet verwrongen gezicht uitdagend vertelde: 'Ik verlaat dit land voor altijd! Ik word ziek van al dat moorden!' Ze stond hem enkele seconden boos aan te kijken voor ze eraan toevoegde: 'En probeer me niet te vinden! Dan meen ik!'
De kamer dreunde door de rennende voetstappen van Jordan.
Ester staarde haar in grimmig stilzwijgen na.
Jozef riep uit: 'Jordan! Kom terug!'
De voordeur sloeg dicht en er viel een stilte in de kamer. Jozef voelde zijn hele lichaam beven. Hij keek naar Ester alsof hij niet kon begrijpen wat er was gebeurd. 'Hoe kan dit?'
Ester was verbazingwekkend kalm. 'Maak je niet druk, schat,' zei ze tegen haar man. 'Ik heb zelfs gedacht dat Jordan een volledige verandering nodig heeft.' Zich bewust van de blik van verbijstering van haar man voegde ze eraan toe: 'Jij en ik gingen naar Palestina vanwege een vreselijke tragedie. Wij vonden een nieuw leven hier.' Ze pauzeerde. 'Onze dochter moet haar eigen weg vinden.' Ze keek Jozef aan en probeerde hem te troosten. 'Maak je geen zorgen. Jordan komt wel weer terug.'
Jozef voelde zich hiermee niet op zijn gemak. Hij kon zich niet losmaken van de vreselijke gedachte dat van de vier kinderen er maar twee hadden overleefd. Nu Jordan was vertrokken en Michel in Libanon zat waren hij en Ester opnieuw totaal alleen.

Beiroet

Bij het horen van de vertrekkende voetstappen van de soldaat sleepte Christine Kleist zich weer overeind en wankelde het appartement bin-

nen. Ze stortte neer op de bank in het midden van de schaars ingerichte woonkamer en voelde zich alleen en leeg.
Terwijl ze half op en half naast de bank lag werd Christine overspoeld door het verlangen Demetrius te zien, te weten of de man van wie ze hield de aanval van die dag had overleefd. Ze begroef haar gezicht in de muf ruikende bank en riep uit: 'O, God! Zorg dat hij veilig is!' Christine wist dat als Demetrius zou sterven ze de rest van haar leven losgeslagen rond zou drijven.
De kracht van Demetrius Antoun raakte haar en ze wist plotseling dat ze Libanon niet zou kunnen verlaten. Ondanks het feit dat Demetrius erop had aangedrongen dat ze zich in veiligheid zou brengen en ondanks de panische verzoeken van haar ouders aan hun enige kind om naar West-Berlijn terug te keren, had Christine net haar plannen veranderd. Ze zou de veerboot van Jounieh niet nemen, noch op Cyprus van boord gaan, noch aan boord van het vliegtuig stappen dat haar naar de veiligheid van haar ouders' huis in Duitsland zou brengen. Op het moment dat de bombardementen en granaataanvallen verstomden zou Christine de beruchte Groene Lijn overgaan die het christelijke Oost-Beiroet scheidde van het West-Beiroet van de moslims en terugkeren naar het kamp Shatila.
Een kleine glimlach streek de zorgelijke lijnen op haar voorhoofd glad toen ze haar eerste aangename gedachte van die dag had; spoedig zou ze terugkeren in de armen van Demetrius Antoun.
Later die middag, tijdens een onderbreking in de Israëlische aanvallen en op weg naar de kliniek van Demetrius bevond Christine zich in een smalle straat in Shatila die verstopt zat door hysterische familieleden van de doden en gewonden. Vermomd als een Arabische vrouw in een zwart gewaad hadden de Israëliërs geloofd dat ze een Arabische was en Christine was met verbazingwekkend weinig moeite de Groene Lijn gepasseerd. Maar nu kwam de beangstigende gedachte bij haar op dat ze doodgedrukt kon worden door dezelfde mensen die ze was komen helpen, slechts een paar meter verwijderd van de kliniek van Demetrius.
Christine wist door haar ervaringen in het kamp dat de burgers van West-Beiroet tussen de bombardement- en granaataanvallen door hun gewonden haastig naar de medische klinieken brachten. De gelukkigen die niet gewond waren geraakt, gebruikten de onderbrekingen om zich voor te bereiden op de volgende aanvalsronde. Vandaag vormde geen uitzondering. De kronkelende straten van Shatila leken mensen te bloeden.
Terwijl ze naar de bleke, opgewonden gezichten van de Palestijnen keek, die zich verwrongen in ellende en bevlekt waren met het bloed

van hun geliefden wist Christine dat de kliniek werd overspoeld door gewonden en stervenden. Ze moest naar Demetrius! Hij had haar nodig! Christine riep luid in het Arabisch: 'Maak plaats, ga opzij! Laat me erdoor! Ik ben verpleegster!' Maar haar woorden hadden geen invloed. Het geluid van haar kreten ging verloren in het tumult van Arabische klanken – gegil, gekreun en geroep. Christine verloor haar geduld en begon met haar handen en schouders te duwen. Ze verhief haar stem en riep in het Duits: 'Maak de weg vrij! Ik ben nodig in de kliniek van dokter Antoun!' Ze werd nog steeds niet gehoord waardoor ze begon te knijpen, duwen en schoppen waarbij haar stijfkoppige vastberadenheid haar door de massa mensen heen droeg.
Christine, die werd voortgestuwd door de kracht van de zich verdringende menigte, arriveerde eindelijk in de kliniek van Demetrius. Met een zucht van verlichting zag ze al snel dat het ruw opgetrokken, een verdieping tellende gebouw van cementblokken geen grote schade had opgelopen, hoewel de schade van de strijd duidelijk zichtbaar was. Christine liet haar hand over de door granaatscherven doorzeefde muur glijden terwijl ze over een stapel lege jutezakken stapte die klaar lagen om te worden gevuld als zandzakken. Zonder elektriciteit was het schaduwachtig in de kliniek die slechts vaag verlicht werd door lantaarns. Christine stond een ogenblik stil om haar ogen aan het vage licht te laten wennen. Haar angst vermengde zich met opluchting toen ze in de verte de krachtige stem van Demetrius hoorde. Hij schreeuwde dat iemand bloed voor een transfusie moest zoeken, en snel!
Christine slaakte een kreet van vreugde en rende door de kleine wachtkamer die vol zat met familieleden van de gewonden. Ze hield haar adem in toen ze een onthoofd kind zag. Een vrouw hield het lichaam van het kind in een wollen deken terwijl een man het hoofd van het kind in een bebloed laken tegen zich aan hield. Christine zag dat ze in shock moesten verkeren. Beide volwassenen hadden dezelfde kalme uitdrukking op hun gezicht, alsof ze in volledig vertrouwen op de dokter zaten te wachten om het kind weer in elkaar te zetten. Christine huiverde en keek de andere kant op. Ze wilde alleen Demetrius vinden, zichzelf in zijn armen werpen en overvloedig huilen.
Omdat ze Demetrius kende, wist ze dat hij zich in de enige operatiekamer van de kliniek zou bevinden om de ernstigste gewonden te helpen. Terwijl ze zich een weg baande door de overvolle hal herkenden enkele vrijwilligers in de kliniek haar en pauzeerden met vragende blikken over haar onverwachte terugkeer om haar een snelle omhelzing te geven terwijl ze op weg waren gewonden te verbinden of medicijnen uit te delen. Omdat Christine niet wilde dat iemand haar naam zou roe-

pen legde ze haar vinger op haar lippen en gebaarde ze dat ze Demetrius wilde verrassen.
Demetrius stond met zijn rug naar de muur. Christine kon niets anders horen dan zijn ernstige, zachte stem. Hij ging altijd teder met zijn patiënten om, dacht ze bij zichzelf met een trotse glimlach. Die innemende karaktertrek was slechts een van de redenen waarom ze verliefd was geworden op Demetrius Antoun.
Omdat ze zijn werk niet wilde onderbreken leunde Christine naar voren en luisterde in afwachting van het juiste moment om haar aanwezigheid bekend te maken.
De patiënt van Demetrius was een vrouw. In een kort verwarrend moment begreep Christine dat ze stoorde bij een intiem tafereel. Demetrius en de onbekende vrouw hadden een smartelijk en ingewikkeld gesprek. De vrouw fluisterde met een lage, afgemeten stem en zei enkel heel vreemde dingen. 'Demetrius. Ik weet het. Ik weet dat het leven uit mij vloeit. Alsjeblieft, mijn geliefde, zeg dat je me vergeeft.'
De krachtige schouders van Demetrius zakten naar voren. Met een gepijnigde stem probeerde hij de vrouw te laten zwijgen. 'Shhh. Hala, je put jezelf uit. Je gaat niet dood.' Een korte snik ontsnapte zijn lippen. 'Ik laat je niet sterven.'
Christine begreep niets van hun woorden, helemaal niets.
Hala's gekwelde toon werd luider. 'Het staat geschreven. Ik ga dood.'
De vrouw die Hala heette hoestte en door het vervormde geluid wist Christine dat ze een borstwond had opgelopen. Hoewel ze slechts een jaar als assistent van Demetrius bij de behandeling van traumapatiënten had gewerkt, kende Christine het geluid maar al te goed.
Demetrius bukte zich dieper over Hala heen en streek zachtjes losse haarlokken uit haar gezicht. 'Je moet nu niet meer praten.'
Hala's handen klauwden in de lucht in haar strijd om te spreken. 'Liefste, kijk niet zo verdrietig. De dood is mijn bondgenoot geworden.'
'Hala, nee! Zeg zulke dingen niet.'
'Allemaal dood. Bijna iedereen van wie ik hield is dood. Behalve jij en moeder.' Ze hoestte opnieuw voor ze verder ging. 'Alsjeblieft, Demetrius, willig me een wens in. Zeg me dat je me vergeeft.'
De schouders van Demetrius schokten door een stille snik en plotseling gaf hij toe aan zijn emotie en sprak snel, alsof hij bang was wat de tijd zou kunnen brengen. 'Natuurlijk vergeef ik je, lieveling. Trouwens, het was mijn schuld dat je niet wachtte.'
Christine voelde de glimlach die ze niet op zijn gezicht kon zien.
Hala werd intenser. 'Nee! Nee! Ik was slecht door met de ene man te trouwen terwijl ik van de andere hield.'

De stem van de vrouw zakte weg naar gefluister en Christine moest zich inspannen om haar woorden te kunnen horen. ‘Demetrius, geloof je dat dit alles een straf is, dat God me straft? Me straft omdat ik met Nicola trouwde terwijl ik nog van jou hield?’
Christine bleef als aan de grond genageld staan terwijl ze wist dat ze als een haas moest verdwijnen, maar ze vond de kracht niet. Ze probeerde tevergeefs haar benen te bewegen, maar voelde niets meer dan alleen een tinteling in haar dijbenen.
‘Hala! Geen woord meer. Je verzwakt jezelf. Majida haalt bloed voor je operatie. Je hebt kracht nodig om te herstellen. We praten later wel.’
‘Nog één ding.’
‘Wat je wilt.’
‘Zeg tegen me dat je van me houdt. Alsjeblieft.’
Christine was bang dat Demetrius in de krappe ruimte het bonzen van haar hart zou kunnen horen.
Demetrius ademde diep in maar gaf geen antwoord.
Hala’s stem klonk licht beschuldigend. ‘Demetrius, nadat Nicola was gedood, wachtte ik tot je bij me zou komen.’
Demetrius schudde zijn hoofd en zuchtte luid.
Hala drong aan. ‘Vertel me, komt het door die Duitse vrouw? Kwam je daarom niet terug?’ Hala verhief zich om dichter bij Demetrius te komen. ‘Hou je van haar zoals je eens van mij hebt gehouden?’
Demetrius duwde haar schouders zacht naar beneden. ‘Hala. Morgen zul je spijt van deze woorden hebben. Je bent een weduwe met twee prachtige kinderen.’
Hala’s stem klonk droog omdat ze de waarheid kende. ‘Mijn twee prachtige kinderen zijn dood. Ik zag hen voor ik het bewustzijn verloor. De arme Ramzi verloor zijn hoofd.’
Demetrius zei niets. Er klonk een vaag geluid achter in zijn keel.
Plotseling klonken Hala’s woorden met de kracht van een vrouw die haar ware emoties te lang heeft onderdrukt, luid in de ruimte. ‘Demetrius, luister naar me, mijn man is dood, mijn kinderen zijn dood. Voor ik me bij hen voeg in het donkere graf moet ik het verkeerde ten goede keren. Demetrius, in mijn hart was ik altijd met jou getrouwd. Elke keer dat Nicola me aanraakte voelde ik jouw streling. Elke keer dat ik naar hem keek zag ik jouw gezicht.’
‘Hala’
‘Hou je nog van me?’ Ze sprak de woorden gehaast uit, bijna alsof ze aan het onderhandelen was. ‘Als je tegen me zegt dat je van me houdt, zal ik zal ik mijn uiterste best doen in leven te blijven.’
Demetrius, zwichtend voor wat eens was geweest, bukte zich uiteinde-

lijk dichter naar Hala toe. Zijn stem was vervuld van een zachte genegenheid die Christine nooit had gehoord. 'Hala, ik zeg het je één keer en niet meer dan één keer. Ik ben altijd van je blijven houden, en dat weet je.'
Hala lachte zwakjes. 'Dan, mijn lieveling, sterf ik gelukkig.'
Christine begroef haar gezicht in haar handen en glipte de kliniek uit. Ze rende als een blinde door het doolhof van de drukke straten van Shatila naar het huis van Amin Darwish. Amin was haar vriend. Misschien kon hij haar vertellen over de vrouw die Hala heette.
Ze snelde langs de koperen gong bij de deur van Amin en nam geen tijd om zich aan te kondigen. Een snikkende Christine duwde de gedeeltelijk openstaande deur open en riep: 'Amin?'
Er kwam geen antwoord. Ze riep nog een keer: 'Amin! Ik ben het, Christine!'
Toen zag ze hem.
Haar gezicht werd lijkbleek en haar benen werden slap. Toen begon ze te schreeuwen. Ze gilde zo luid en zo lang dat ze de aandacht trok van alle buren in de straat, een straat die de laatste tijd gewend was geraakt aan de kreten van leed.
Mustafa en Abeen Bader waren als eerste ter plekke. Het stel ontfermde zich snel over Christine in een poging erachter te komen wat de reden van haar smart was.
Abeen greep haar bij de arm beet. 'Meisje, wat is het probleem?'
Christine, die nog steeds niet in staat was iets te zeggen, wees naar het midden van de kamer.
Abeen keek als eerste. 'God redde zijn ziel!' Ze trok snel de onderkant van haar schort naar haar mond en bleef in verbijsterde stilte staan.
Mustafa volgde de blik van zijn vrouw. 'Mijn vriend!' Hij snelde voorwaarts.
Het kleine lichaam van Amin Darwish lag als verschrompeld onder het altaar voor zijn vrouw Ratiba. Zijn rechterhand hield de foto omklemd van Ratiba als gelukkige bruid. Hij hield hem dicht bij zijn gezicht alsof hij het laatste kostbare moment van leven had gebruikt om haar nog eenmaal te zien.
Tegen die tijd was het kleine huis volgestroomd met nieuwsgierigen.
'Is er een vrouw aangevallen?'
'Ik zweer tegenover God dat de Israëlische vliegtuigen niet eens zoveel lawaai maakten!'
'Wat is er gebeurd?'
Eén man wees naar zijn hoofd en verklaarde: 'Het is die gekke vent.'
'Zal ik een dokter halen?' vroeg iemand.

Christine sprak voor het eerst en haar stem klonk hees en schor. 'De dokter is bezig.'
Een glazig kijkende Mustafa zei: 'Er is geen dokter nodig.' Hij kon zijn lippen niet weerhouden te trillen. 'Amin is dood.'
Er volgde een lange stilte. De kleine bakker zou zwaar gemist worden.
'Was het zijn hart?' vroeg de oude man.
Christine haalde diep adem en probeerde te kalmeren. Ze had nog nooit haar beheersing verloren ten tijde van een crisis. Beschaamd baande ze zich een weg naar Amin. 'Sorry, neem me niet kwalijk. Ik zal kijken.'
Er zat geen bloed op het lichaam van Amin. Na een snel onderzoek vond Christine de kleine wond. Ze wees. 'Hier. Kijk. In zekere zin was het zijn hart.'
Mustafa en enkele andere mannen bogen zich voorwaarts. Een granaatscherf had het hart van Amin doorboord. Er waren geen andere wonden en er zat slechts een kleine vlek bloed onder zijn overhemd.
George en Mary Antoun kwamen de deur door stormen. Ze hadden gehoord dat er iets mis was in het huis van Amin Darwish en waren zo snel mogelijk gekomen.
Abeen sloeg haar armen rond Mary om de klap te verzachten. 'Mary, Amin is bij Ratiba.'
'O, nee!'
George Antoun rende de kamer in en legde Amins hoofd in zijn schoot.
George keek eerst naar Mustafa en toen naar Christine en zei met een gebroken stem: 'Weet je, Christine, op een bepaalde manier is Amin al vanaf 1947 dood.'
'Ja, ik weet het,' antwoordde Christine terwijl ze zachtjes klopjes op het hoofd van Amin gaf.
Een droevige George Antoun vertelde hen: 'Amin Darwish is een van die zeldzame mannen die wisten dat tijd altijd het probleem van iedere man oplost.'
Tranen baanden zich een weg over het rimpelige gelaat van Mustafa Bader. Hij knikte instemmend.
Christine zei niets. Ze staarde naar Amin Darwish. Sinds ze naar Beiroet was gekomen had ze vele gezichten van de dood gezien: angst, doodsstrijd en nog veel vaker verbazing, maar nog nooit had ze zo'n uitdrukking op het gelaat van een lijk gezien.
Op het gezicht van Amin Darwish lag een prachtige glimlach..

16 De dood

Het enige bekende, nog in leven zijnde familielid van Amin Darwish was een oudere broer die in Amman in Jordanië woonde. De broers waren door de jaren heen uit elkaar gegroeid doordat Amin had volgehouden dat Ratiba nog leefde en doordat zijn broer hiervoor geen geduld had. Aangezien er geen familielid voor Amin kon zorgen wasten Mustafa en Abeen Bader samen met nog een paar buren in Shatila het lichaam van Amin en wikkelden hem in een wit kleed waarna ze het kleed besprenkelden met een zoet parfum.
Volgens de moslimwetten moeten de doden zo snel mogelijk worden begraven en daarom werd besloten Amin binnen de eerstvolgende vierentwintig uur te begraven.
Mustafa Bader stelde George Antoun gerust. 'Wij zullen de nacht bij Amin doorbrengen. Ga, mijn vriend. Demetrius komt zo thuis. Hij zal je nodig hebben.'
Mary, die altijd rationeel was, was het hiermee eens. 'Ja. Dat is het beste.' Ze wierp een blik op het Duitse meisje dat er nu bleek uitzag en vreemd stil was. 'Christine, kom met ons mee, liefje.'
George knikte. 'Demetrius zal geschokt zijn.' George zag eruit alsof hij in tranen zou uitbarsten. 'Hoe kan ik mijn zoon dit pijnlijke bericht overbrengen?'
Zonder verder iets te zeggen keerde het verdrietige trio terug naar het huis van de familie Antoun.
Ze waren nog niet binnen of George zei met een beverige stem: 'Ik zal pa wakker maken en hem het nieuws vertellen.'
Christine voelde haar gezicht warm worden terwijl ze rustig stond te luisteren.
Mary was het ermee eens. 'Ja. En George, zeg tegen je vader dat hij zich aankleedt en bij ons komt in de zitkamer. Ik zal sterke koffie zetten.'
Christine stond erop Mary in de keuken te helpen. 'Ik moet aan iets anders denken dan aan deze vreselijke avond.' Hoewel ze van afschuw vervuld was door de dood van Amin had Christine het gevoel alsof ze

levend werd opgegeten door de kwelling over het feit dat ze niet wist welke relatie Demetrius met deze vrouw Hala had.
Normaal gesproken zou Mary het aanbod hebben afgeslagen. Haar kleine keuken kon geen twee mensen bevatten, maar er brandde een onrustig vuur in de ogen van Christine en het instinct van Mary vertelde haar dat de toestand waarin het meisje verkeerde een andere oorzaak had dan de dood van Amin.
Niet-gestelde vragen spookten in het hoofd van Mary rond. Waarom was Christine uit de veiligheid van Oost-Beiroet naar de gevaren van Shatila teruggekeerd? Waarom was ze niet in de kliniek bij Demetrius waar ze normaal gesproken zou zijn? Maar Mary was terughoudend in het stellen van persoonlijke vragen aan het meisje. Ze had met opzet een afstandelijke houding tegenover Christine aangenomen vanaf het moment dat ze besefte dat haar zoon en de buitenlandse een intieme relatie hadden. Ondanks het feit dat Christine ook van het christelijke geloof was, waren de culturele verschillen tussen Europeanen en Arabieren immens. Mary redeneerde dat haar zoon gelukkiger zou zijn met een Arabische vrouw, een echtgenote die hem zou begrijpen. Gedurende het voorgaande jaar had ze vaak tegen haar zoon gezegd: 'Demetrius, vergeet niet dat er een reden is waarom zwarte vogels alleen met zwarte vogels vliegen.'
Mary was niet ongelukkig geweest toen het meisje Shatila zou verlaten om naar Duitsland te gaan hoewel ze haar, nu ze terug was, met alle hoffelijkheid zou behandelen. Mary keek naar Christine en glimlachte even naar haar terwijl ze knikte. 'Ja. Ik begrijp het. Laten we proberen het beeld van Amin uit ons hoofd te zetten.' Ze kneep in de hand van Christine. 'Het leven is hard, Christine. Ik heb ontdekt dat ik mezelf er voortdurend aan moet herinneren dat de winter altijd wordt gevolgd door de lente.'
Christine huiverde alsof ze een stem van ver weg hoorde. Haar eigen vader had vaak dezelfde woorden gesproken.
Niet in staat haar intense verlangen te beheersen om te weten te komen wie die vrouw Hala was ging Christine dicht bij Mary staan, omdat ze niet wilde dat George hen vanuit de andere kamer kon horen. 'Mary, ken jij een vrouw die Hala heet?' fluisterde ze.
Mary rilde alsof ze geschokt was door die ene vraag die ze niet van Christine had verwacht. 'Hala Kenaan?'
Nu ze het onderwerp te berde had gebracht kon Christine niet meer stoppen. 'Ik weet het niet. Ik hoorde alleen de naam Hala. Een vrouw die Hala heette.' Haar stem veranderde hoorbaar. 'Een vrouw die Hala heet en van Demetrius houdt.'

‘Waarom stel je die vraag?’ antwoordde Mary schel.
Christine liet haar voorzichtigheid varen. Haar ernstige bruine ogen fonkelden van gevoelens toen ze uitlegde: ‘Mary, Demetrius houdt nog steeds van Hala. Ik heb het hem met eigen oren horen zeggen.’
Mary keek het Duitse meisje ongelovig aan. Het was geen moment in haar opgekomen dat de sombere gemoedstoestand van Christine te maken had met Hala Kenaan. Ze sprak snel omdat ze het onaangename onderwerp achter de rug wilde hebben. ‘Kind, dat is onmogelijk. Mijn zoon en Hala Kenaan verbraken vele jaren geleden hun verloving.’
Het gezicht van Mary veranderde en haar mondhoeken trokken naar beneden terwijl ze dacht aan die woelige tijd in het leven van haar zoon.
Het hoofd van George Antoun verscheen om de hoek waarna hij vervolgens de keuken instapte. De drie mensen stonden op enkele centimeters van elkaar. Hij keek de vriendin van zijn zoon verbijsterd aan voor hij haar liet weten dat hij een groot deel van het gesprek had gehoord.
‘Christine, hebben de Israëlische bombardementen misschien je gehoor aangetast?’
Christine kreunde licht terwijl ze zich afvroeg wat de vader van Demetrius had gehoord. Van wat ze had waargenomen deelde George alles met zijn zoon en Christine wist dat Demetrius woedend zou zijn als hij hoorde over haar gesprek met Mary. Ze klemde haar tanden op elkaar en dacht hard na. Nadat ze zichzelf in herinnering had gebracht dat Demetrius nog diezelfde avond tegen een andere vrouw had gezegd dat hij van haar hield voelde Christine opnieuw boosheid in zich opwellen. Met een onwrikbaar gezicht schudde ze heftig haar hoofd. ‘Ik hoorde toevallig Demetrius tegen een vrouw met de naam Hala zeggen dat hij altijd van haar was blijven houden,’ hield ze vol.
George en Mary wisselden een lange blik.
‘En?’ Christine raakte de arm van Mary aan. Omdat ze voelde hoe kwetsbaar Mary was had ze het idee dat dit haar enige kans was om iets over Hala te weten te komen. Demetrius zou gauw thuiskomen en ze wist dat hij geen woord zou zeggen en Christine niets zou vertellen over wat zij moest weten.
George trok Christine bij de arm mee naar de kleine woonkamer. ‘Kom. Ga zitten. Vertel ons wat er is gebeurd.’
Mary vergat de koffie en volgde hen. Zij wist, net als haar man, dat Demetrius hun zoiets nooit zou toevertrouwen. Al jaren lang, sinds zijn terugkeer van Karameh, was hij zeer gesloten. Hun enige kind was zo anders dan de meeste Arabische kinderen die over het algemeen hun persoonlijke leven aan hun ouders onthulden.
Christine voelde hoe ze begon te twijfelen terwijl haar geweten begon

op te spelen. Ze wist dat ze het zwijgen moest bewaren over dit persoonlijke onderwerp, maar haar vastbeslotenheid alles te weten te komen over haar rivale maakte dat ze doorging. Ze ging op een van de versleten maar nog altijd dikke kussens zitten en wachtte ongeduldig tot Antoun een gemakkelijke plaats had gevonden.
George nam zijn tijd om het zich comfortabel te maken, schikte de kussens opnieuw en stak eerst een sigaret op voor hij Christine op de hand klopte. 'Nu. Vertel het ons. Wat is dit over onze zoon en Hala Kenaan?'
Mary staarde zwijgend in het gezicht van Christine. Ze zaten midden in de kamer waarbij hun knieën elkaar bijna raakten.
Er verschenen tranen in de ogen van Christine toen ze haar verhaal vertelde. 'Ik kon Libanon niet verlaten. Niet na de aanval van vandaag. Ik was bang voor Demetrius. Toen ik naar de kliniek terugging hoorde ik Demetrius toevallig tegen deze vrouw Hala spreken.'
Mary dacht voor het eerst aan de veiligheid van Hala en vroeg snel: 'Was Hala gewond?'
'Ja. Demetrius ging haar opereren.'
Mary klakte met haar tong. 'Ernstig?'
'Ik weet het niet zeker, maar ik geloof van wel.'
Mary keek naar haar man en raakte met een bezorgde blik met haar vingers haar lippen aan.
'Demetrius zal haar redden,' verklaarde George nadrukkelijk. George had, net als Mary, altijd verdriet gehad over het feit dat Demetrius en Hala niet waren getrouwd. George wilde niets liever dan de zoon van zijn zoon in zijn armen houden en als Demetrius niet snel zou trouwen, zou George die prachtige vreugde niet kennen.
'Ja. Ze ligt waarschijnlijk al in de verkoeverkamer.' Christine zag de zorg op hun gezichten en realiseerde zich plotseling dat de vrouw Hala eens iets heel speciaals had betekend voor George en Mary Antoun. 'In elk geval, toen ik stond te wachten hoorde ik deze vrouw tegen Demetrius zeggen dat ze altijd van hem had gehouden en op zijn terugkeer had gewacht toen haar man was overleden. Ze smeekte Demetrius haar te vergeven en vroeg toen of hij nog van haar hield.'
Er ontsnapte een gepijnigde zucht aan de lippen van Christine waarna ze zwijgend met haar handen in haar schoot stil bleef zitten waarbij ze eerst de ene hand en vervolgens de andere nauwkeurig bestudeerde en wenste dat ze niet naar Shatila was teruggekeerd, maar in plaats daarvan op weg was naar Duitsland.
'En jij zegt dat onze zoon tegen Hala zei dat hij nog van haar hield?' vroeg Mary.
Christine knikte terwijl de tranen over haar wangen stroomden. 'Ja. Ik

zal het nooit vergeten! Zijn precieze woorden waren: "Ik ben altijd van je blijven houden, en dat weet je."'
George keek bedroefd. Hij schraapte zijn keel en wreef over zijn kin terwijl hij zich afvroeg welke geheimen zijn zoon in het leven koesterde.
Christine legde haar hoofd in haar handen en snikte heftig. 'Alsjeblieft, vertel me over deze vrouw. Ik moet het weten!'
Aangedaan door het leed van het meisje sprong Mary overeind, pakte een kleine handdoek en depte het gezicht van Christine. 'Je moet ophouden met huilen. Je wordt nog ziek.' Ze voegde er op gedempte toon aan toe: 'Ik zal je vertellen wat je wil weten.'
Alhoewel ze zich bezwaard en bedroefd voelde bij het idee van dit liefdesverhaal over Demetrius en Hala, keek Christine verwachtingsvol op.
George wierp een blik naar de voordeur. 'Snel, Mary. Voordat Demetrius thuiskomt.'
Mary ging zitten waarbij ze haar benen onder haar lichaam vouwde en de rand van haar felgebloemde jurk onder haar voeten stopte terwijl ze nadacht over wat al zo lang geleden had gespeeld. Enkele lange ogenblikken keek ze Christine zonder een woord te zeggen aan en begon uiteindelijk te spreken. 'Christine, er valt niet veel te zeggen. Demetrius en Hala waren vele jaren verliefd op elkaar. Ze verloofden zich toen Demetrius met zijn studie aan de Amerikaanse universiteit van Beiroet begon.' Mary wierp haar echtgenoot een oprechte glimlach toe. 'Zijn vader had geregeld dat hij werd toegelaten.' Ze richtte haar aandacht weer op Christine. 'Hala wilde heel graag trouwen, maar ze beloofde drie jaar op Demetrius te wachten. Demetrius ontdekte dat hij een grote liefde bezat voor de medische professie. Hij was een uitmuntend student en verwierf de steun van de staf. Zelfs de decaan zei tegen George dat Demetrius een natuurlijke aanleg voor de geneeskunde bezat.'
'Hij had gelijk, Mary. Demetrius is een fantastische arts.' Vanaf de eerste dag dat ze in Shatila was aangekomen had Christine verbaasd gestaan over de medische kundigheid van Demetrius. Ze was naar Libanon gegaan met het idee dat haar kennis als verpleegster die van de artsen in dat Arabische land zou overstijgen. Ze had het mis gehad. Demetrius Antoun was een even goede, of zelfs betere arts dan de artsen die zij in Duitsland had geassisteerd. Zij had, net als veel Europeanen in het kleine land, ontdekt dat er aan de universiteit van Beiroet artsen afstudeerden die minstens even goed waren als artsen waar ook ter wereld.
Er was geen enkel teken van verbazing op het gezicht van Mary waar te nemen. Ze had al veel andere mensen over de grote vaardigheden van haar zoon horen praten. Ze knikte in de richting van George en keek

toen peinzend naar Christine. 'Demetrius bevond zich in een dilemma. We zijn arme vluchtelingen. Hij was gedwongen te kiezen tussen een huwelijk en de universiteit.' De pijn van de vroegere kwelling van haar zoon stond op Mary's gezicht geschreven. 'O! Hij vond het zo vreselijk Hala te moeten vertellen dat hij tot de beslissing was gekomen hun huwelijk voor een nog langere periode uit te stellen.'
'Demetrius beefde toen hij naar Hala ging om het haar te vertellen,' herinnerde George zich. Hij keek naar zijn vrouw. 'Mary, weet je nog hoe nerveus hij was?'
'Ja. Hij wilde Hala niet teleurstellen. Maar hij wist dat er na dit korte en ongelukkige uitstel een aanzienlijke beloning zou volgen voor de rest van hun leven. Hij moest alleen Hala zijn visie duidelijk maken.'
Christine begon te begrijpen wat er was gebeurd. Alle ongebonden Arabische vrouwen die ze had ontmoet, dachten nergens anders aan dan trouwen.
'Hala was kapot en toen boos. Ze vertelde hem dat ze geen seconde langer zou wachten.' Mary legde uit wat Christine al wist. 'In onze cultuur beginnen mensen te roddelen als een meisje op haar tweeëntwintigste nog niet is getrouwd. Ze zei dat ze te oud zou zijn tegen de tijd dat Demetrius arts zou zijn. In haar frustratie beging Hala een vreselijke vergissing. Om onze zoon jaloers te maken begon ze met Nicola Fayad te flirten.' Mary keek naar haar man voor bevestiging. 'Hala was een mooi meisje en ze kon iedere man krijgen die ze maar wilde.'
George gromde instemmend.
Christine vocht tegen de felle steek van jaloezie die door haar hele lichaam schoot bij de gedachte aan de ongeziene schoonheid van Demetrius' eerste liefde.
'Maar de flirt liep uit de hand. Toen Demetrius het gerucht hoorde dat Hala met een andere man omging weigerde hij thuis te komen en bleef twee volle maanden in zijn appartement aan de universiteit.' Mary maakte een klikkend geluid in haar keel. 'Toen Demetrius eindelijk thuis kwam, was hij vreselijk opgewonden. Onze zoon had een beurs gewonnen van de Amerikanen die de universiteit steunden. Dit betekende dat hij met Hala kon trouwen en tegelijkertijd studeren.' Mary glimlachte droevig. 'Maar tegen die tijd had de tijd zijn tol geëist. Hala was in haar boosheid Nicola blijven zien en hij had haar ten huwelijk gevraagd. Ik kende Hala Kenaan goed. Het meisje was niet van plan geweest om haar intrige zulke vormen te laten aannemen. Toen Demetrius van zijn vrienden hoorde dat Nicola haar ten huwelijk had gevraagd, volgde er een vreselijke confrontatie en spuugde onze zoon voor de voe-

ten van Hala waarbij hij hun relatie verbrak. Zijn trots dreef hem weg en Demetrius weigerde Hala verder nog te zien.'
'Arabische mannen zijn veel te trots!' riep George verhit uit waardoor Christine opschrok.
Mary hield een protesterende hand naar haar man op terwijl ze snel het verhaal afmaakte. 'Het hart van onze zoon was gebroken, maar hij noemde de naam Hala nooit meer in onze aanwezigheid en verbood ons het over het meisje te hebben. Het leek alsof elk spoor van hun liefde verdwenen was. Na een korte periode trouwden Hala en Nicola en kregen ze twee kinderen voordat Nicola werd gedood in een buitenissig ongeluk in Beiroet.'
George kwam tussenbeide. 'Dat was vorig jaar nog maar, een paar weken nadat jij in Shatila kwam, Christine. De arme Nicola was de ramen van een gebouw in Beiroet aan het wassen toen een van de militiegroepen midden in de stad een autobom tot ontploffing bracht. Hala's echtgenoot viel drie verdiepingen naar beneden zijn dood tegemoet.'
'Het is waar dat Hala op Demetrius wachtte, maar onze zoon reageerde niet,' zei Mary met een spoor van verdriet.
George onderbrak haar. 'En vergeet niet dat de Libanese burgeroorlog nog altijd woedde. In plaats van een gezin te hebben, begroef Demetrius zich in zijn werk in een poging levens te redden.'
Christine had zelf de felle gevechten gezien waarin het kleine land al zoveel jaar werd verzwolgen. De oorlogsslachtoffers hadden Christine naar Libanon gebracht. Voor het eerst was zij de Libanezen dankbaar dat ze elkaar al zoveel jaar bevochten, als dit de voornaamste reden was waarom Demetrius zijn huwelijk had uitgesteld.
Ze wilde met Demetrius trouwen. Haar hart sloeg meer dan een slag over toen er een afschuwelijke gedachte in haar opkwam. Misschien zou Demetrius nu wel met Hala Kenaan trouwen! Ze keek alsof ze iets ging zeggen, maar er ontsnapte alleen een jammerklacht aan haar lippen. Ze kon haar pijn niet verwoorden terwijl ze terugdacht aan de tederheid die Demetrius aan de dag had gelegd toen hij zijn eeuwige liefde aan de gewonde vrouw verklaarde.
Mary keek het Duitse meisje doordringend aan en dacht bij zichzelf dat alle vrouwen, ongeacht hun nationaliteit, hetzelfde waren. Ze werd ontroerd door de wetenschap dat het Duitse meisje oprecht van haar zoon hield en door die gedachte kreeg Mary een prettiger indruk van Christine. Voor deze avond had ze gedacht dat Christine Kleist niet meer was dan weer een westers meisje dat supervisie nodig had. Mary zei tegen zichzelf dat ze het mis had gehad. Met een licht schuldgevoel

troostte ze Christine. 'Toen, Christine, ontmoette mijn zoon jou en liet al zijn verdriet achter zich.'
George zag wat zijn vrouw deed en was blij. 'Christine,' voegde hij eraan toe, 'ik geloof dat jij, naast Hala, de enige vrouw bent van wie onze zoon heeft gehouden. In tegenstelling tot Hala ben jij de eerste vrouw die onze zoon ons huis heeft binnengehaald.'
Christine was ontroostbaar. Haar gezicht werd helderroze en ze trok een pijnlijke conclusie uit de gebeurtenissen van de avond. Met nadruk zei ze: 'Dat is de reden waarom Demetrius wilde dat ik uit Shatila wegging. Hij was van plan naar deze Hala terug te gaan.' Ze keek eerst naar George en toen naar Mary en was niet in staat een heftige huivering te onderdrukken.
'Nee. Zo is onze zoon niet,' verzekerde George haar. 'Demetrius is geen man die spuugt om vervolgens het spuug op te likken. Toen hij eenmaal met Hala had gebroken, was het voorbij.' George had het Duitse meisje altijd gemogen en voor het eerst bedacht hij dat ze een goede vrouw voor zijn zoon zou zijn.
'George heeft gelijk, Christine. Demetrius is te eerlijk om zoiets te beramen. Als dat het geval was geweest, dan had hij je dat verteld.' Ook Mary was in de loop van de avond van gedachten veranderd. Misschien zou een huwelijk met Christine het beste voor Demetrius zijn. Hala zou met een dode echtgenoot en twee jonge kinderen een zware last vormen. De zwakke pogingen om hun zoon te verdedigen maakten dat Christine opnieuw in tranen uitbarstte.
Mary leunde naar Christine toe en streek haar donkere haar naar achteren. 'Lief kind, wees niet verdrietig over dingen die je niet weet. Je weet nog niet wat de avond betekende.'
Net toen Christine haar mond opende om te antwoorden, kwam Demetrius met rood doorlopen ogen het huis binnenstormen. Duidelijk met stomheid geslagen verstarde zijn hele lichaam. Zijn ogen flitsten wild van de ene persoon naar de andere en zijn stem bulderde als de donder. 'Christine! Wat doe jij in Shatila?' Zijn blik ging heen en weer tussen zijn ouders. 'Wat is er gebeurd?'
Bang voor de ontdekking wachtten alle drie de volwassenen tot de ander iets zou zeggen.
Grootvader Mitri redde de situatie door de kamer binnen te komen. 'Demetrius!' flapte hij eruit. 'Heb je het gehoord van Amin?'
Demetrius beefde zichtbaar. Omdat hij wist dat het geen goed nieuws kon zijn werden zijn ogen plotseling groot en kregen tegelijkertijd een gepijnigde blik. 'Amin? Is er iets met Amin gebeurd?'
George sprong overeind en liep naar zijn zoon. Hij legde zijn korte arm rond het middel van Demetrius. 'Zoon, kom en ga zitten.'

Zijn zoon staarde op hem neer. 'Nee, pa. Vertel het me nu. Wat is er gebeurd?'
George wiebelde heen en weer op zijn hielen en wilde de pijn voor zijn zoon uitstellen. 'We moeten eerst gaan zitten.'
Demetrius pakte zijn vader bij de schouder beet. 'Pa. Je moet het me vertellen.'
George liep rood aan en sloeg zijn ogen neer. 'Amin is gedood. Door de Israëliërs.'
Demetrius sloot heel even zijn ogen. Zijn lichaam zwaaide heen en weer. Een uitdrukking van grote pijn gaf langzaam zijn gezicht vorm. Zijn stem klonk gekweld toen hij eindelijk fluisterde: 'Niet ook Amin, pa. Niet... niet Amin.'
George voerde zijn rouwende zoon naar de zitruimte.
Mary ging dicht bij haar zoon zitten, sloeg haar arm rond zijn nek en fluisterde woorden die alleen hij kon horen.
Alle ogen in de kamer werden naar dit tedere tafereel getrokken.
Christine voelde zich een indringer en dwong zichzelf weg te gaan door naar de keuken te lopen om de koffie te zetten die iedereen nodig had. Toch kon ze hun gesprek opvangen.
'Het spijt me zo, zoon,' zei Mary tegen Demetrius. 'We hielden allemaal van Amin.'
Christine verstijfde toen ze Demetrius hoorde antwoorden: 'Ma, dat is nog niet alles.' Hij duurde lange tijd voor hij verder sprak. 'Hala stierf vannacht.'
Mary was met stomheid geslagen. 'O God! Nee!' riep ze uit.
George keek zijn zoon hulpeloos aan.
Het sombere gezicht van Demetrius verloochende de kalme toon van zijn stem. 'Ja. Hala en haar beide kinderen. De kinderen stierven direct. Alleen Hala leefde nog, maar...' Hij hief zijn handen met de palmen naar boven gekeerd op en klapte ze toen berustend tegen elkaar aan. 'Ik kon haar niet meer redden.'
Christine staarde naar de secondewijzer terwijl hij over de klok aan de keukenmuur voort schoof. Hala Kenaan was dood! Dood! Dood! Ze zou Demetrius toch niet kwijtraken aan de mooie Libanese vrouw! Christine moest zich aan het aanrecht vastklemmen om niet te gaan dansen. Ze glimlachte voordat de afgrijselijk reactie tot haar doordrong. Ze liep rood aan en schaamde zich enorm over haar geluk. Ze huiverde, bang dat ze op een dag, terecht, gestraft zou worden voor haar onbeschrijflijke opluchting bij de dood van een andere vrouw.
Christine droeg de koffie rustig en afstandelijk naar de zitkamer om Demetrius de tijd te geven met zijn familie te rouwen.

Nu, aan het einde van de avond, woedde er een innerlijke strijd in Christine en er fluisterde een schuldgevoel in haar over haar nog steeds voortdurende vreugde; niettemin was voor het eerst sinds haar terugkeer naar Shatila haar gevoel van hopeloosheid afgenomen.

17 Christine Kleist

'En?' vroeg Demetrius Antoun.
Christine Kleist nam lang de tijd om te antwoorden en liet twee klontjes suiker in een kop hete thee vallen waarna ze langzaam roerde tot de harde witte klontjes verdwenen waren. Terwijl ze naar Demetrius keek, kreeg ze de vreemde gedachte dat er een hoofd van een vreemde op zijn lichaam zat. Zijn gezicht was vertrokken en hij leek niet op zichzelf.
'Je ben van harte welkom om met ons mee te gaan, Christine,' zei Demetrius. 'Ik wil dat je dat weet.'
'Dat weet ik, lieveling.' Christine nam een slokje van de hete drank en glimlachte vervolgens vaag naar hem. Ze kon de waarheid niet ontkennen. 'Hala Kenaan behoorde tot een andere tijd, een ruimte in je leven die ik niet deel. Ik zou me niet op mijn gemak voelen op de begrafenis.'
Het gesprek werd steeds gespannener, hoewel Demetrius zijn opluchting wist te verbergen toen hij eraan toevoegde: 'Weet je het zeker?'
Christine liet zich achterover zakken in haar stoel en liet haar vinger langs de rand van het kopje glijden. 'Ja. Ik weet het zeker.' Ze dacht aan de overwerkte verpleegsters in de kliniek van Demetrius. 'Trouwens, ik kan deze ochtend beter in de kliniek werken. Ik zal tegen Majida zeggen dat ze de dag vrij kan nemen.'
Demetrius pauzeerde en haalde diep adem voor hij instemde. 'Majida kan de rust goed gebruiken. Ze heeft al meer dan twee maanden geen dag vrij genomen.'
Christines blik versluierde terwijl ze over Demetrius' schouder keek. Twee maanden. Was het echt al twee maanden sinds de Israëliërs Libanon aanvielen? Er was sinds die tijd zoveel gebeurd. Te veel. Toen ze zich plotseling herinnerde dat er vandaag twee begrafenissen zouden zijn verdween haar versluierde blik en keek ze weer naar Demetrius. 'Maar kom daarna naar me toe. Ik wil wel met je naar de begrafenis van Amin.'
Even flitste er een dodelijke haat in de ogen van Demetrius voor zijn vijanden, de eerste emotie die hij sinds de avond daarvoor had laten zien. Met zichtbare inspanning deed hij hard zijn best niet te denken

en nog harder om niet te voelen terwijl hij de joden uit zijn hoofd verdreef en zich beheerste. 'Dat moet je doen. Amin hield van je.'
Bij die gedachte werd Christine overspoeld door een vreselijk verdriet en ze knipperde snel drie of vier keer achter elkaar met haar ogen in een poging niet te gaan huilen. Haar lippen begonnen te trillen maar ze kneep ze hard samen om het trillen te stoppen. Ze miste Amin Darwish nu al. Hij was voor het Duitse meisje de interessantste persoon in Shatila geweest.
Demetrius keerde zich om en keek naar de deuropening toen hij de geluiden van zijn ouders en grootvader hoorde die uit hun slaapgedeelten door de smalle hal kwamen aanlopen. De kamer was opeens vol toen George samen met Mary en grootvader Mitri zich bij Demetrius en Christine voegden en rond het jonge stel aan de kleine houten tafel gingen zitten.
Christine glimlachte naar hen, al zonk haar hart in haar schoenen. De familie Antoun was vreselijk arm. In betere tijden of in andere steden zou Demetrius als arts een prettig inkomen verdienen, maar in de armoede van het kamp Shatila zou hij net zo arm blijven als zijn patiënten. Christine had al snel gezien dat Demetrius het niet over zijn hart kon verkrijgen zijn arme patiënten iets te rekenen. Vaak verliet de dokter na een lange, vermoeiende dag zijn kliniek met niet meer dan een magere kip in zijn hand.
Ze staarde naar George Antoun. De vader van Demetrius droeg zijn enige pak, een versleten bruin ding dat zijn status van arme man meer dan duidelijk maakte. Mary droeg haar beste zwarte jurk, die ze de nacht ervoor had versteld. Haar haar was bedekt met een donkerblauwe sjaal, een kerstgeschenk dat Christine haar het jaar ervoor had gegeven. Grootvader Mitri's enige pak was al jaren eerder versleten, maar hij droeg een schoon wit overhemd en een pas geperste blauwe broek waarvan hij beweerde dat die nog uit zijn jeugd stamde. Eerder die ochtend had hij, terwijl hij nadrukkelijk naar het uitpuilende buikje van George had gekeken, de familie er trots van op de hoogte gebracht dat hij op de leeftijd van negenenzeventig jaar nog altijd dezelfde maat had als op zijn huwelijksdag, bijna zestig jaar geleden.
Christine begon breed en bijna toegeeflijk te glimlachen terwijl ze dacht aan de zichtbare trots van de oude man dat hij zijn slanke figuur had behouden. 'Kijk eens.' Christine wuifde met haar hand naar de ouders en de grootvader van Demetrius. 'Iedereen ziet er zo mooi uit. En vooral u ziet er goed uit, grootvader.'
Grootvader Mitri wreef over zijn kin en keek alsof hij tevreden met zichzelf was.

Mary wierp Christine een vriendelijke blik toe terwijl ze bij zichzelf dacht dat het meisje echt prettige manieren had, wat bij veel Europeanen die ze had ontmoet niet het geval was, die uit de hoogte leken en geen gevoelens leken te hebben in vergelijking met de gastvrije cultuur van de Arabieren.
'Zoon, we zijn klaar,' zei George.
Demetrius knikte. 'Goed, pa.'
Christine duwde haar stoel naar achteren, stond op en volgde de familie naar de voordeur. Terwijl de familie Antoun wegliep stond Christine stil toe te kijken terwijl de vier volwassenen de smalle straat afliepen. De familie Antoun was fortuinlijk dat ze een hechte familie waren. Ze had het gevoel dat als ze alleen waren geweest, geen van hen de moed had weten te vinden om op dezelfde dag naar zowel de begrafenis van Hala Kenaan als die van Amin te gaan.
Er kwamen angstige gedachten in haar op. Waren alle Palestijnen voor altijd verdoemd? Ze vroeg zich zoals zo vaak af of de familie Antoun ooit naar hun thuisland zou terugkeren, of dat ze waren voorbestemd eindeloos rond te zwerven zonder ook maar een vierkante meter aarde die ze de hunne konden noemen. Ze kende de verwarrende complicaties die de weg naar vrede voor deze mensen belemmerde. Ze waren altijd door anderen overheerst; de Egyptenaren, Babyloniërs, Perzen, Romeinen, de Kruisvaarders, de Turken en de Britten voordat de komst van de Israëliërs, de laatste bezetters, had geresulteerd in hun huidige status van vluchtelingen. Nu waren ze verbannen naar een land dat was uitgebarsten in een burgeroorlog en te midden van die oorlog leden ze onder een invasie van hun vastberaden vijanden!
Wat een levens hadden de Palestijnen geleid!
Bang dat er geen verlichting in zicht was voor hun speciale soort kwelling schudde Christine medelevend haar hoofd voor alle Palestijnen alvorens zich om te draaien en weer naar binnen te gaan.
Nadat ze een overrijpe appel had gegeten haastte Christine zich naar de kliniek. Later, toen ze een bad nam, hield Christine het rafelige washandje tegen haar gezicht en fluisterde zachtjes: 'Ik zal ervoor zorgen dat hij haar vergeet. Echt.'

Door haar ongewone schoonheid was Hala Kenaan een gevierd persoon in Shatila geweest en haar vriendelijke, milde aard had haar vele oprechte vrienden geschonken. Ondanks de angst dat de Israëliërs hun bomaanvallen zouden hervatten liepen enkele honderden inwoners van Shatila het kamp uit en door de straten van Beiroet naar de begraafplaats der Martelaren, die twintig minuten lopen van het kamp lag.

Al holden de mensen van West-Beiroet heen en weer in een poging voorraden aan te vullen in geval de joden hun aanvallen op hun belegerde stad zouden hervatten, toch stopten ze om hun stille respect te tonen terwijl de processie voorbij liep. Mensen keken vanuit beschadigde winkelpuien en vanaf de trottoirs toe en probeerden een glimp op te vangen van de grote foto van Hala Kenaan en haar twee kinderen die aan de ruwe, veel te grote kist was vastgemaakt. Er ging een opgewonden gefluister rond in de menigte: de kist bevatte een mooie jonge vrouw en haar twee kinderen. De toeschouwers sloten hun ogen en dankten God in stilte dat zij die dag geen familielid hoefden te begraven.
Als de oorlog hun leven niet had overheerst, was er een kerkdienst voor Hala en de kinderen gehouden. Net als Demetrius behoorde Hala tot het Grieks-orthodoxe geloof. Maar de families in het door oorlog geteisterde West-Beiroet konden zich een dergelijke luxe niet veroorloven, al had een priester erin toegestemd de familie bij het graf te ontmoeten voor een korte dienst.
Tijdens de dienst bewogen de lippen van de rouwenden in een stil gebed terwijl angstige, nerveuze ogen de lucht afzochten in de hoop dat de Israëlische vliegtuigen niet dit moment zouden uitzoeken om hun aanval te hernieuwen.
De gekwelde kreten van Hala's moeder Rozette, Hala's overlevende zusters en haar nichtjes waren vreselijk om aan te horen. Bijna buiten zinnen van verdriet door het verlies van haar eerstgeboren kind en twee kleinkinderen sloeg Rozette Kenaan op haar gezicht, trok ze haar haren uit en verscheurde ze haar kleren. Uiteindelijk viel Rozette flauw toen de jongste zuster van Hala, de zestien jaar oude Nadine, probeerde zich in het pasgedolven graf te werpen.
Demetrius stond tijdens het emotionele tafereel rustig tussen zijn ouders in. Grootvader Mitri, Mustafa en Abeen Bader stonden dichtbij. Terwijl de tranen over de gezichten van degenen om hem heen stroomden, ging de smart van Demetrius dieper dan tranen. Hij keek maar zag niets toen Hala en haar twee kinderen in een gemeenschappelijk graf naast dat van haar overleden man werden begraven. Demetrius, die terugdacht aan die dag zo lang geleden dat hij haar ten huwelijk had gevraagd, probeerde met elke vezel in zijn lichaam te begrijpen waarom hun jeugddromen in rook waren opgegaan.
Terwijl het laatste restje van de stenige aarde in een heuveltje over de houten kist van Hala werd geduwd zei hij tegen zichzelf dat hij met Hala getrouwd had moeten zijn en dat ze bij haar dood aan zijn zijde had moeten rusten en niet aan de zijde van een man van wie Hala beweerde

dat hij een vreemde voor haar was, zelfs na jaren huwelijk en twee kinderen. Nu kon hij alleen maar bidden dat zijn geliefde Hala in het hiernamaals haar geluk zou vinden.
De moslimdienst voor de begrafenis van Amin Darwish was minder emotioneel, want hij had geen vrouw en kinderen achtergelaten om over hem te rouwen. Bovendien voelden velen die hem kenden vreugde over het feit dat hij nu herenigd was met zijn vrouw Ratiba.
Demetrius had tranen in zijn ogen toen hij een klein gedicht voorlas dat Amin jaren daarvoor ter ere van zijn bruid Ratiba had geschreven:

'Ik heb alle werken gezien
gedaan door onze grote meester,
en jou te kennen, mijn vrouw Ratiba,
is alsof ik mijn hart aan het fijnste werk geef,
en ik prijs Allah voor zijn wijsheid
bij het vervaardigen van zo'n schoonheid
voor een eenvoudig iemand als ik.'

Met trillende vingers plaatste Demetrius de bruine, gekreukelde bladzijde van het gedicht tussen de ineengeslagen handen van Amin, samen met drie foto's van Ratiba en Amin op een gelukkige dag lang geleden.
Aan het einde van de begrafenis was Demetrius in een sombere stemming. Omdat hij de grote bijeenkomst van de mensen bij de begrafenis van Amin die in het huis van de familie Antoun zou plaatsvinden, wilde vermijden nam hij zijn vader terzijde en zei: 'Christine en ik zijn in het huis van Amin. Ik zal een paar spullen van hem inpakken.'
Eerder die ochtend had Mustafa een keurig geschreven brief van Amin gevonden die hij jaren daarvoor had geschreven en waarin de kleine bakker alle aardse bezittingen naliet aan Demetrius Antoun, met de woorden dat hij net zoveel van hem hield alsof hij van zijn eigen vlees en bloed was geweest.
'Zoon,' protesteerde George. 'Je zenuwen staan daarvoor veel te veel onder spanning. Je moeder en ik zullen je er morgen bij helpen.'
'Nee,' zei Demetrius volhardend. 'Ik moet iets doen, pa. Trouwens, ik wil een paar persoonlijke dingen van Amin naar zijn broer in Jordanië sturen.'
Een PLO-functionaris die in West-Beiroet was gestationeerd had met succes de broer van Amin weten te lokaliseren.
George trok peinzend aan zijn snor. 'Goed dan.'
Demetrius boog zich naar zijn vader over en kuste hem op beide wangen. 'Maak je geen zorgen, pa. Er zal mij niets overkomen.'

George zweeg terwijl hij tegen de deurpost leunde en de bewegingen van zijn zoon en Christine volgde terwijl het stel naar de deur van het drie kamers tellende huis van Darwish liep. Zijn hart deed pijn. Georges gedachten dwaalden af naar het verleden. Er kwam een daad in zijn herinnering die hem nu kwelde, maar hij zei snel tegen zichzelf dat hij het verleden moest vergeten. 'Wie kon weten wat ons zou overkomen?' mompelde George binnensmonds.
Mustafa raakte de schouder van George aan omdat hij hem in een gesprek wilde betrekken over het laatste nieuws van een vredesovereenkomst.
George schreeuwde met een rood aangelopen gezicht en met opgezwollen aderen in zijn nek tegen zijn vriend: 'Dat God zelf het vreselijke leven dat de Palestijnen gedwongen zijn te leven verbiedt!'
Mustafa's mond viel open van verbazing en hij krabde zich op het hoofd terwijl George boos wegliep.

Zonder een woord te zeggen wandelden Demetrius en Christine op hun gemak het bekende pad af naar het huis van Amin. Terwijl Demetrius stilletjes alle vrienden telde die hij door joodse handen had verloren, hoopte Christine dat ze een kans zouden krijgen om te vrijen. Sinds de dag dat de Israëliërs Libanon waren binnengevallen had ze geen moment alleen met hem gehad.
Het was niet ongewoon om alleen het huis van Amin binnen te gaan. Ze waren er in het verleden talloze keren geweest om het huis van de bakker voor een discreet rendez-vous te gebruiken. Amin was vaak met opzet bij de kliniek langsgekomen om Demetrius te vertellen dat hij de hele dag weg zou zijn om zijn snoepgoed huis aan huis te verkopen in de rijke buurten van Beiroet. Amin wist dat Demetrius en Christine elk kostbaar moment van intimiteit aangrepen. Privacy was niet makkelijk voor een ongetrouwde man en ongetrouwde vrouw in het kamp Shatila. De meeste stellen moesten zich tevreden stellen met een stiekeme kus of een teder kneepje in het voorbijgaan. De Arabische gemeenschap hield hun ongetrouwde zoons en dochters nauwlettend in de gaten.
Nadat hij de deur achter zich op slot had gedaan liep Demetrius naar de keuken, pakte een fles cola en vond toen een klein blikje gevuld met rijstekoekjes. Amin had de dag voor zijn dood speciaal voor Demetrius rijstekoekjes gemaakt en Demetrius wist dat Amin had gewild dat hij de laatste koekjes met smaak zou verorberen. Hij werd geraakt door de gedachte dat hij nooit meer aan Amins tafel zou eten.
Christine sprak uit wat Demetrius had gevoeld vanaf het eerste moment

dat hij het huis van Amin was binnengegaan. 'Demetrius,' riep ze uit, 'ik heb het vreemde gevoel dat Amin niet echt dood is.'
Toen een zwijgende Demetrius naar de zitkamer terugkeerde zat ze de foto's van Ratiba te bekijken die voor het altaar verspreid lagen, waarbij ze elke foto omhoog hield en er met belangstelling naar keek. 'Het lijkt meer alsof hij is verdwenen.'
Demetrius wist wat ze bedoelde. 'We zijn hier zo vaak zonder hem geweest. Het lijkt inderdaad of Amin elk moment kan opduiken.' Toen liet hij zich op de grond vallen en plaatste een paar kussens in zijn rug. Hij legde het blik en de fles cola in zijn schoot. 'God. Als dat toch eens waar was.' Sinds de dood van Walid had Demetrius zich veilig gevoeld door zich op een afstand van zijn leeftijdsgenoten te houden en Amin was zijn laatste goede vriend in het kamp geweest.
Demetrius Antoun was in feite uitgegroeid tot een eenzaam man en had vaak het gevoel dat hij niet thuis hoorde in de Arabische gemeenschap die hij zijn thuis noemde. De Arabieren lieten zich vaak leiden door hun emoties en hij was te rationeel voor zijn eigen volk.
Toen hij eenmaal ontspannen in de kussen lag gebaarde hij naar Christine om te gaan zitten. 'Laten we vanavond proberen deze dag te vergeten.' Toen verraste hij Christine met een vraag die hij nooit eerder had gesteld.
'Christine, haat je de joden?'
Christine verstijfde en opende toen haar mond om iets te zeggen maar kon geen woord uitbrengen. Ten slotte zei ze: 'Stel deze vraag nooit aan een Duitser, Demetrius. Ik heb niets tegen de joden.' Christine stelde zich voor dat de vraag voortkwam uit het wereldwijde idee dat de Duitsers het joodse ras haatten.
Demetrius hield zijn ogen op haar gericht terwijl hij een slok cola nam. Hij wist dat Christine meer wilde zeggen.
Ze zweeg een minuut voor ze er dringend aan toevoegde: 'Eigenlijk hou ik van de joden, van elke jood.' Vanwege het nazi-verleden van haar vader had Christine de neiging haar bewondering voor de joden te overdrijven, vastbesloten de vooroordelen tegen de joden niet te versterken.
'Echt waar? Ik niet. Ik haat hen,' kondigde Demetrius aan terwijl hij in het blikje naar een koekje zocht om aan haar te geven.
'Demetrius! Dat meen je niet!' Christine was in de loop van het jaar Demetrius langzaamaan beter gaan leren kennen dan hij zichzelf. Hoewel ze vaak dacht dat hij emoties vermeed was hij een zachte man die niet in staat was tot verbittering en haat. 'Demetrius, ik geloof dat je bedoelt dat je de personen haat die verantwoordelijk zijn voor de dood van degenen van wie je houdt.' Ze veegde met haar vinger de kruimels van

zijn volle snor en wenste dat Demetrius haar naar zich toe zou trekken en haar met zijn snor in haar nek zou kietelen, zoals hij zoveel keer eerder had gedaan. Het idee bracht het bekende kippenvel op haar huid. Hij deed niets, dus ging ze verder. 'En niemand kan je dat kwalijk nemen, lieveling. Bepaalde joden hebben mensen gedood van wie jij houdt. Je haat het individu dat de daad beging, niet het hele ras.'

Hij hield haar glimlachend een koekje voor. Gestimuleerd door zijn bevrijdende bekentenis hield hij vol: 'O, jawel, dat doe ik wel. Ik haat het hele joodse ras.'

Zonder iets te zeggen pakte Christine het koekje aan.

De glimlach verdween als sneeuw voor de zon op het gezicht van Demetrius. 'Het is jammer dat je vader en zijn vrienden hen niet allemaal hebben afgemaakt.'

Christine liet het rijstekoekje in haar schoot vallen en bedekte met een blik van walging in haar ogen met beide handen haar oren. 'Ik wil dergelijke dingen niet horen. Dat wil ik niet!'

Demetrius keek haar licht verrast aan. 'Vergeet niet, Christine, dat je de vijanden van de joden helpt en bijstaat.'

'Nee, nee. Zo denk ik er nooit over.'

Demetrius keek het meisje met hernieuwde belangstelling aan. 'Mmm.'

Er kwam een nieuw idee in Demetrius op terwijl hij zich afvroeg of Christine werd gekweld door zelfhaat omdat ze de dochter van een nazi was, een man die zich schuldig had gemaakt aan een van de ergste misdaden van de mensheid. En als Christine inderdaad gebukt ging onder een schuldgevoel, waarom had ze zich dan opgegeven als vrijwilligerster om de vijanden van de joden te helpen? Dat klopte voor hem niet. Demetrius wilde meteen de bron van Christines schuldgevoel vinden. Hij draaide vragend zijn hoofd naar haar toe. 'Christine, vertel me eens. Waarom zit je in Beiroet in plaats van in Jeruzalem?'

Christines vingers plukten aan haar haar terwijl ze over de vraag nadacht alvorens ze een verbazingwekkende bekentenis deed. 'Ik bood me aan als vrijwilligster in Israël, maar ik ben er na een paar maanden weggegaan.' Ze glimlachte. 'De joden kunnen heel goed voor zichzelf zorgen.'

De ogen van Demetrius vernauwden zich. Alhoewel hij en Christine nu bijna een jaar een seksuele relatie hadden, wist hij maar weinig over haar. Aangezien Christine niet Arabisch was had hij de relatie nooit serieus genomen, zelfs hoewel ze mooi en intelligent was en zeer werd gerespecteerd binnen de gemeenschap van Shatila. Sinds zijn breuk met Hala Kenaan jaren daarvoor had Demetrius enkele korte liefdesaffaires met Europese verpleegsters gehad en met verscheidene Libanese vrou-

wen die hij in Beiroet had ontmoet. Eén keer was hij bijna vermoord door een boze Libanese man die er bezwaar tegen had gemaakt dat zijn zuster uitging met een Palestijn. Sinds het begin van de Libanese burgeroorlog hadden de meeste Libanezen zich tegen de Palestijnen gekeerd in de overtuiging dat de vluchtelingen de enige oorzaak waren van het conflict dat vele facetten kende.
Zijn gedachten keerden terug naar het nu. Hij staarde naar Christine. Plotseling en voor het eerst besefte hij dat al leek Christine aan het oppervlak kalm en zelfs onbewogen, ze daaronder bestond uit een kolkende massa van conflicten. Hij voelde opeens een brandend verlangen deze zeer gecompliceerde Duitse vrouw beter te leren kennen.
Christine staarde intens naar het gezicht van Demetrius terwijl ze wenste dat ze zijn gedachten kon lezen.
Hij zette het blikje met koekjes opzij en dronk de cola op voordat hij languit op de grond ging liggen. Hij ondersteunde zichzelf met zijn elleboog, legde zijn kin in zijn hand en zei toen: 'Christine, vertel me eens.'
'Wat?'
'Alles.'
Ze was stiekem opgetogen. Sinds ze voor het eerst in het kamp Shatila arriveerde hadden alle Palestijnen haar uitgehoord over alle aspecten van haar leven. Alle Palestijnen, behalve Demetrius Antoun. Hij had haar uitleg dat ze niets meer was dan een verpleegster die de wereld wilde rondreizen en andere culturen wilde leren kennen terwijl ze de zieken en gewonden hielp, aanvaard. Nu wilde hij, alsof hij haar voor het eerst zag, eindelijk over haar leven weten.
Ze verwelkomde de vraag die al zo lang op zich had laten wachten!
Christine was gedurende het voorgaande jaar intens van Demetrius gaan houden. Ze had elke mogelijkheid onderzocht om de man beter te leren kennen. Maar hij was van het begin af aan terughoudend geweest en niet bereid zijn verleden te delen. Christine was een paar onbelangrijke feiten te weten gekomen van zijn vrienden, maar hij bleef een raadsel. Nu leek Demetrius tenminste geïntrigeerd door haar levensverhaal.
Ze hoefde niet lang na te denken om tot de beslissing te komen het hem te vertellen. Ze keek hem recht aan. Demetrius was zo vol aandacht dat ze zich vreemd verlegen voelde. Ze sloeg haar ogen neer en staarde naar haar handen, haar voeten, het plafond, alles om zijn ogen te vermijden die op haar waren gefixeerd.
Ze sprak onverstoorbaar. 'Er valt niet veel te vertellen. Mijn ouders waren nazi's. In Berlijn. Ze wedden op Hitler en verloren de gok. Mijn vader was SS'er in het getto van Warschau.' Haar stem werd levendiger. 'De vader van mijn moeder en haar enige broer werden door de Russen

gevangengenomen. Haar moeder werd gedood tijdens het bombardement op Berlijn. Moeder was alleen toen de Russen Berlijn binnentrokken. Ze miste de laatste trein naar het westen voor de Amerikaanse en Britse sector en zat vast in Berlijn, overgeleverd aan de genade van een heel boos Russisch leger.' Ze pauzeerde om na te denken. 'Dat was begrijpelijk. Ik ontzeg de Russen het recht niet boos te zijn en de Duitsers te haten. Trouwens, ze werd ontvoerd door een eenheid Mongoolse soldaten toen ze de schuilplaats verliet op zoek naar eten. Moeder werd meer dan een week door die soldaten gevangengehouden. Ze werd herhaaldelijk verkracht.'
Demetrius fluisterde: 'O, God, nee.'
'Ja. En ze zouden haar hebben vermoord als een Russisch officier niet had vernomen wat er gebeurde en erop stond dat ze mijn moeder aan hem uitleverden. Moeder rende volkomen naakt weg van haar verkrachters. De officier trok zijn jas uit en bedekte haar alvorens haar naar een onbeschadigd appartement te brengen dat hij had geconfisqueerd. Moeder dacht dat ze gered was, maar deze officier hield haar drie maanden lang opgesloten en hoewel hij haar goed te eten gaf en haar niet sloeg, verkrachtte hij haar in die drie maanden elke dag.' Christine had een afwezige uitdrukking op haar gezicht. 'Die Russische officier was een vreemde man! Hij liet mijn moeder doen alsof ze zijn vrouw was en liet haar maaltijden klaarmaken en zijn voeten masseren en zei toen tegen haar dat als ze niet minstens deed alsof ze genoot van de seks met hem, hij haar zou doden. Hij moet gevoelens voor haar hebben gekregen, want toen ze zwanger werd regelde hij een abortus en liet haar vervolgens gaan. Hij had tegen die tijd een jongere Duitse vrouw voor zijn genot gevonden.'
'O, Christine, het spijt me.'
'Ja. Ik weet het. Heel weinig mensen kennen die kant van het Duitse verhaal.' Er flitsten andere, even afgrijselijke incidenten door haar hoofd die waren verteld door vrienden van haar moeder. 'Er waren niet veel Duitse vrouwen, of zelfs jonge meisjes, in Oost-Duitsland die ontsnapten aan de verkrachtingen van de Russen. Geloof me, het Duitse volk heeft een hoge prijs betaald voor zijn misdaden.' Ze pauzeerde terwijl ze bedacht dat dat een ander verhaal was – zc wilde niet afdwalen van het verhaal van haar familie. 'Een paar maanden later wisten moeder en vader elkaar te vinden. Ze leefden tot 1961 onder de Russen. Vlak voordat de Berlijnse Muur werd gesloten ontsnapten ze van Oost-Berlijn naar West-Berlijn. Ik was toen drie jaar oud.'
Demetrius ging gefascineerd zitten. 'En je vader? Je zei dat hij bij de SS zat?'
Christine knikte.

'Wat voor rol speelde hij in de holocaust?'
Christine glimlachte. 'Je zult me niet geloven als ik het vertel.' De paar keer dat ze anderen over haar vaders ervaringen in Polen had verteld, was ze met geïrriteerd ongeloof aangekeken.
'Vertel het me, dan zien we wel.'
Christine aarzelde en ordende haar gedachten omdat ze wilde dat Demetrius wist dat haar vader geen kwaadaardig persoon was. 'Nou, geloof het of niet, mijn vader was niet de typische SS-officier. Friedrich Kleist was, en is, een goede man. Hij probeerde zelfs een paar joden te redden.' Zachtmoedige herinneringen aan haar vader, die nu een oude en gebroken man was, veroorzaakten een innerlijke pijn. Ze keek naar Demetrius en rechtte haar schouders alsof ze zich schrap zette tegen zijn scepsis.
Terwijl hij probeerde geen twijfel in zijn stem te laten doorklinken vroeg hij: 'Hoezo?' Demetrius wist iets over de Tweede Wereldoorlog, dat sommige onschuldige Duitsers waren beschuldigd van oorlogsmisdaden, maar hij had nog nooit iets gelezen over barmhartige Samaritanen vermomd als SS-officieren.
Christine schudde haar hoofd. 'Het is een vreselijk verhaal.'
'Christine. Verleid me niet om je vervolgens terug te trekken. Ik wil alles weten.' Hij wreef over haar hand en bracht hem naar zijn lippen en knabbelde eraan en kuste haar vingers.
'Dan moet je daarmee ophouden!'
Hij glimlachte en kuste haar vingers voor een laatste keer voor hij haar hand weer in haar schoot teruglegde en haar een belofte deed. 'Ik heb je gemist. Ik zal je straks laten zien hoezeer ik je heb gemist. Maar nu moet je doorgaan met het verhaal van je vader.'
Christine glimlachte terug terwijl ze dacht dat er geen enkele andere man op aarde zo'n seksuele aantrekkingskracht had als Demetrius.
'Ga door.'
'Nou, zoals ik al zei wist vader de oorlog te overleven zonder iemand te doden. Dat was geen geringe prestatie, zeker niet met de superieur onder wie hij diende, een man met de naam Karl Drexler.' Christine trok aan een lok haar terwijl ze zich alles probeerde te herinneren over een bepaalde jood in het getto. 'Vader zei dat kolonel Drexler om de een of andere onverklaarbare reden al zijn haat voor de joden had geconcentreerd op deze ene man. De oude jood vluchtte, maar liet een grote familie achter en kolonel Drexler gijzelde een paar kinderen. Toen de jood zichzelf aangaf en smeekte dat zijn kinderen losgelaten zouden worden gaf kolonel Drexler mijn vader de opdracht de man te martelen. Vader weigerde en verwachtte hiervoor neergeschoten te worden, maar kolo-

nel Drexler lachte alleen maar en beschuldigde vader ervan een slappeling te zijn die het de ijzeren wil ontbrak om het heilige werk van Hitler uit te voeren.'
De stem van Christine klonk zachter en Demetrius moest zich concentreren om haar woorden te horen: 'O, Demetrius, die oude jood werd voor de ogen van mijn vader gemarteld en vermoord, langzaam gewurgd met een pianosnaar.'
Demetrius nam de hand van Christine en hield hem stevig vast tussen zijn eigen twee handen. Hij huiverde. 'En de kinderen?'
De ogen van Christine werden vochtig. 'Ik weet niet zeker wat er met hen is gebeurd. Vader stortte in en weigerde het verder nog over die dag te hebben. Maar hij vertelde me wel dat toen hij het plan van kolonel Drexler ontdekte om de hele familie naar Treblinka te sturen om te worden vergast, hij het risico nam hen te waarschuwen.' Christine zuchtte spijtig. 'Op één man na heeft vader nooit geweten hoeveel leden van die familie zijn ontsnapt, maar hij geloofde dat ze eindigden als rook in de schoorstenen van Treblinka.'
'Heeft je vader die mensen verteld wat er met de oude man was gebeurd?'
Ze haalde haar schouders op. 'Dat weet ik niet. Maar er is meer. De goede daad van mijn vader redde in feite zijn eigen leven. Tegen het einde van de oorlog kreeg vader een schokkende verrassing te verwerken. Hij ontmoette toevallig een van de joden van wie hij dacht dat ze in Treblinka waren omgekomen. Hij was een grote, knappe Franse jood en vader zei dat hij hem direct herkende. Hij was ontsnapt aan de gaskamers van Treblinka, god mag weten hoe, en hij vocht in Warschau mee in de opstand tegen de Duitsers. Vader zei dat het een grote chaos was. De Polen vochten tegen het Duitse leger. De Russen stonden aan de rand van de stad. In elk geval probeerden vader en kolonel Drexler terug te komen naar het vaderland toen ze door gewapende mannen werden gevangengenomen. Deze Fransman herkende vader in eerste instantie niet, maar hij herkende kolonel Drexler onmiddellijk. De jood bood kolonel Drexler zijn leven aan in ruil voor informatie. Hij wilde weten waar de kinderen waren. De kolonel lachte, zei vader. En toen zei hij tegen de jood dat hij die kinderen voor adoptie naar Duitsland had gestuurd. Hij spotte met de jood door te zeggen dat de joodse baby's als goede nazi's zouden opgroeien. De jood sloeg de kolonel dood. Vader dacht dat hij ook vermoord zou worden maar toen de man weer bij zinnen was herinnerde hij zich dat vader zijn familie had gewaarschuwd en drong er bij zijn kameraden op aan dat vader werd vrijgelaten om te kunnen proberen te ontsnappen.'

Christines gezicht vertrok. 'Dat is het einde van het verhaal. Vader rende weg. Hij is nooit te weten gekomen wat er met die jood is gebeurd maar om de een of andere reden wordt hij nog altijd achtervolgd door die familie.'
'Tjonge!' zei Demetrius. 'Wat een bewogen leven!'
'Van wie?'
'Van je vader.' Demetrius ging snel rechtop zitten. 'Denk je eens in.' Demetrius gebaarde met zijn handen. 'Hij overleefde de nazi-opkomst tot de macht. Hij diende in de SS, een inherent kwaadaardige organisatie. Toch bezweek hij niet voor de morele filosofie van de SS. Je vader bleef menselijk te midden van diegenen die hun menselijkheid kwijt waren geraakt en riskeerde zelfs zijn leven om mensen te redden terwijl hem was geleerd hen te haten en hij soms de opdracht kreeg hen te vermoorden. Hij was getuige van de hele Tweede Wereldoorlog, de meest gedenkwaardige gebeurtenis van de twintigste eeuw. Hij leefde een tijd onder de Russen en ontsnapte toen met zijn vrouw en kind.' Demetrius nam Christine met een veelbetekenende blik op. 'En in plaats van het leven afschuwelijk te vinden, leerde hij zijn kind voor anderen te zorgen.'
Christine trok twijfelachtig haar wenkbrauwen op en dacht na over de woorden van Demetrius. Ze had haar erfenis altijd als iets schaamtevols gezien. Een keer, nadat ze het dodenkamp Auschwitz in Polen had bezocht, had ze tegen haar vader gegild dat ze walgde van zijn rol in de afslachting van de joden. Friedrich Kleist had gehuild en zijn enige kind bekend dat hij zijn schuldgevoel alleen wist te overleven door het grootste gedeelte van zijn ervaringen in de SS te vergeten.
Maar zoals Demetrius het verwoordde kwam haar vader over als een heldhaftige man in plaats van een nazi-misdadiger. Christine had nu spijt van haar harde woorden tegen haar liefhebbende ouder. Ze glimlachte dankbaar naar Demetrius. 'Demetrius, dank je wel dat je dit gezegd hebt.'
Hij strekte zijn hand naar haar uit en raakte haar ondanks zijn enorme kracht met buitengewone tederheid aan. 'Ik zou je vader heel graag een keer ontmoeten, Christine. Er zijn niet veel mensen die zijn moed bezitten.'
Christine was verheugd over dit prachtige idee. 'Zeg maar wanneer, lieveling,' mompelde ze voor ze zich overgaf aan de plotseling dringende strelingen van Demetrius.

18 De PLO

Tijdens de Israëlische belegering van West-Beiroet vond er een spervuur van briefwisselingen en telefoongesprekken plaats tussen de Amerikaanse president Ronald Reagan en de Israëlische eerste minister Menachim Begin. Toen president Reagan protesteerde tegen de voortdurende Israëlische aanvallen op de belegerde stad wierp Begin tegen: 'In een oorlog die tot doel heeft de leider van de terroristen in West-Beiroet te vernietigen heb ik het gevoel alsof ik een leger naar Berlijn heb gestuurd om Hitler uit zijn bunker te verdrijven.'
Toen de Amerikaanse president Begin er niet van kon overtuigen te stoppen met de bombardementen en de Libanese politici Yasir Arafat smeekten Beiroet te redden, stemde een geïsoleerde Arafat ermee in zijn laatste eisen te laten vallen en zijn strijders uit Libanon terug te trekken.

Demetrius en Christine keerden na tien uur in de avond terug in het huis van de familie Antoun. Toen hij stemmen hoorde toen ze bij de voordeur aankwamen, gromde Demetrius geërgerd: 'Gezelschap! Nog steeds?'
Het kon Christine niet schelen. Ze was alle slechte ervaringen in haar leven vergeten, zelfs het moeilijke moment waarop Demetrius de naam van Hala had uitgeroepen toen ze lagen te vrijen. Christine had haar vinger op de lippen van Demetrius gelegd en troostend gefluisterd: 'Shhh.' Het incident werd niet meer genoemd.
Voor Christine was angst vervangen door de hoop dat de Libanese vrouw snel vergeten zou zijn.
Met een gevoel van geluk en vermoeidheid na een avond van liefde voelde Christine nog altijd de zoetheid van de afgelopen paar uur. Ze legde haar hand op de arm van Demetrius en zei met een zachte, trillende stem zachtjes: 'Vergeet niet, lieveling, dat je me heb verteld dat al zit het leven vol leed, we onze zegeningen moeten koesteren en ons verdriet achter ons moeten laten.' Ze staarde op naar haar minnaar terwijl haar ogen zochten naar een teken van genegenheid.

Demetrius bestudeerde het Duitse meisje terwijl hij zich wederom afvroeg waarom vrouwen nog uren na de liefdesdaad de gloed van de liefde uitstralen terwijl mannen zich onmiddellijk op andere dingen richten. Hij glimlachte naar haar, gaf haar een knipoog en streelde met zijn vinger over haar neus.
Toen Demetrius de deur opendeed streek de hitte van de augustusavond langs hen heen en kolkte door de kamer. Hij was opgelucht te zien dat de wieken van de kleine elektrische fan draaiden, zelfs al deed de fan niet meer dan de warme lucht circuleren. Sinds het begin van de Israëlische invasie hadden de Israëliërs de ongelukkige burgers van West-Beiroet getreiterd door willekeurig hun elektriciteit af te sluiten. Voor het eerst in een maand deed de elektriciteit het weer in Shatila.
Het geluid van stemmen werd luider. Christine gluurde om de brede rug van Demetrius heen. Er zaten drie voor haar onbekende mannen op de vloer tegen sinaasappelkisten geleund. De vreemdelingen spraken allemaal tegelijk terwijl George Antoun, grootvader Mitri en Mustafa Bader zwijgend thee zaten te drinken en intens luisterden.
De mond van Christine werd droog toen ze zag dat de geüniformeerde mannen zwaar bewapend waren. Ze was gewend mannen met wapens in het kamp Shatila en in Beiroet te zien maar dit was de eerste keer dat ze wapens in het huis van de familie Antoun zag.
George Antoun was een man die geloofde in compromissen en vrede, niet in geweld en oorlog, en hij had van zijn huis in Shatila een toevluchtsoord gemaakt. Christine had nooit iemand gekend die de ijzeren regel van George, 'geen wapens toegestaan', had gebroken.
Wat was er gebeurd?
Nog voor Christine het kon vragen sprong de grootste van de drie vreemdelingen naar voren en sloot Demetrius in een felle omarming. 'Demetrius!' riep hij luid uit. 'Ik heb je gemist!'
Demetrius tilde de man op en draaide hem rond terwijl hij van dichtbij in zijn gezicht keek. 'Ahmed! Ben jij het echt?'
'Ah! Je weet nog wie ik ben, oude vriend?'
'Ahmed, jij bent een man die je niet makkelijk vergeet!'
Christine verstarde toen ze naar de emotionele hereniging keek. De man die Ahmed heette was bijna net zo lang als Demetrius maar slanker, bijna mager. Hij zag er onverzorgd uit maar Christine kwam tot de conclusie dat als hij er goedverzorgd uit zou zien, hij een zeer aantrekkelijke man zou zijn.
Ahmed wierp zijn hoofd achterover en lachte luidruchtig waarna hij Demetrius op armlengte hield en het gezicht van zijn vriend nauwgezet bestudeerde. De bruine ogen van Ahmed fonkelden. 'Mijn God!' zei hij.

'Kijk nou eens. Groter en knapper dan ooit. En ik heb gehoord dat je nu dokter bent! God heeft je gezegend, Demetrius! Ik wist dat hij dat zou doen.'
Toen wierp Ahmed een onverholen nieuwsgierige blik op Christine en liep zonder voorafgaande waarschuwing op haar toe. Hij pakte haar rechterhand en pompte haar arm in een begroeting op en neer terwijl hij Demetrius aanspoorde. 'Kom op, Demetrius, schaam je je te veel om me je vriendin voor te stellen?'
Onbewust trok Christine haar neus op en trok zich terug. Ahmed stonk. Demetrius klopte Ahmed op de rug en zei snel: 'Christine, dit is Ahmed Fayez, een oude vriend. Ahmed, dit is Christine Kleist, een van onze verpleegsters in de kliniek. Ze komt uit Duitsland.'
Christine fronste haar wenkbrauwen. Ze was meer dan alleen een verpleegster in de kliniek! Ze haatte de manier waarop Arabische mannen de geringste verwijzing naar een persoonlijke relatie met het andere geslacht vermeden. Ze raakte Demetrius op een bezitterige manier aan door haar arm rond zijn middel te slaan en hem naar zich toe te trekken, alleen maar om de mannen te laten zien dat ze meer was voor Demetrius dan hij wilde toegeven.
Ahmed trok verrast een wenkbrauw op en grijnsde breed naar het stel. Demetrius voelde zich in verlegenheid gebracht en verschoof zijn gewicht waardoor de hand van Christine naar beneden viel. Toen worstelden Ahmed en hij zich arm in arm naar de zitkamer en lieten zich als twee stoeiende jongens op de vloer vallen.
De oudere mannen glimlachten en staarden ernaar alsof ze hun eigen jeugd en zorgeloze gedrag herinnerden.
Christine stond zich vergeten en met een vreemd gevoel af te vragen wat ze moest doen. Misschien zaten Mary Antoun en Abeen Bader samen onder het naaien in de achterkamer te roddelen over de verdrietige gebeurtenissen van de dag; maar Christine had geen zin zich bij de vrouwen te voegen. Onopgemerkt keek ze de kamer rond. Mary had de meeste meubels al bedekt met zwarte doeken. De familie Antoun was in rouw. Er hingen zwarte doeken over alle schilderijen en voor de ramen en zelfs voor de grote spiegel die aan de langste muur van de zitkamer hing. Christine wist dat de familie Antoun nog meer ontbering moest verduren. Wanneer een Arabische familie in de rouw is wordt er niet naar de radio geluisterd of naar de televisie gekeken en worden er zelfs geen boeken gelezen. Dit zou een jaar zo doorgaan. De christenen vonden troost in de bijbel. De moslims vonden troost in de koran.
De restanten van de avondmaaltijd die bestond uit aubergines, plakken vlees, yoghurt, zwarte olijven en een klein rond pitabrood lagen in plas-

tic kommen in het midden van de tafel. Haar rammelende maag herinnerde Christine eraan dat zij en Demetrius zowel de lunch als het avondeten waren misgelopen. Nadat ze twee borden had opgeschept bracht ze er een naar Demetrius.
Hij pakte het bord van haar aan zonder haar een blik waardig te keuren en begon te eten terwijl hij nog steeds in een enthousiast gesprek met Ahmed gewikkeld was.
Christine had het gevoel dat de twee mannen het idee hadden dat ze alleen waren in de volle kamer. Omdat ze zich buitengesloten voelde ging ze zwijgend naast Demetrius zitten en begon aan het eten te knabbelen terwijl ze nauwgezet naar het gesprek van de mannen luisterde. Ze ontdekte al snel dat Ahmed en de andere twee bezoekers strijders waren van de Palestijnse bevrijdingsorganisatie.
'Waar was jij toen de Israëliërs Zuid-Libanon binnenvielen?' vroeg Demetrius.
Voor hij antwoord gaf hielp Ahmed zich eerst aan een stukje brood en een plak vlees van het bord van Demetrius. Onder het kauwen zei hij: 'Sidon.'
'En toen?'
Het gezicht van Ahmed werd somber. 'We werden teruggeslagen. We gingen de stad binnen en rustten uit in Sabra.'
Grootvader Mitri maakte een grove opmerking. 'Bah! Jullie strijders marcheren altijd de verkeerde kant op.'
Een beschaamde George Antoun schraapte zijn keel.
De strijders wierpen George een meelevende blik toe om hem te laten weten dat ze zich niet beledigd voelden.
Demetrius wendde zich weer naar Ahmed. 'Waar was je tijdens de belegering?'
'We bleven in Sabra.' Ahmed die van de ene man naar de nadere keek maakte een gebaar met zijn armen waarbij hij de handpalmen omhoog hield. 'Waar konden we anders heen?'
Het vluchtelingenkamp Sabra dat aan de zuidkant van de stad lag, grensde bijna aan Shatila. De beide kampen waren genadeloos gebombardeerd.
De oudste van de strijders, een man die Ali heette, sprak. 'Twee maanden lang leefden we in tunnels onder het kamp. We kwamen er alleen uit om tegen de Israëliërs te vechten.'
Christine wist plotseling waarom de mannen door zo'n vieze lucht werden omringd. Maar ze voelde ook hun trots over het feit dat ze een strijd hadden overleefd tegen een van 's werelds best uitgeruste en getrainde legers. Ze dragen het vuil als medailles, dacht ze. Terwijl ze stralend

naar de mannen glimlachte zei ze tegen zichzelf dat deze mannen helden waren, geen terroristen. De Israëliërs hadden ongelijk dat ze zo'n woord voor hen gebruikten.
Mohammed, de jongste van de drie strijders, zei: 'Slapen en vechten. Slapen en vechten. Dat was ons leven.'
Ali kreunde. 'Deze keer hadden ze ons bijna afgemaakt.'
Ahmed lachte even in een poging een van de ergste periodes in zijn leven luchtig opzij te wuiven. 'Nooit! De joden hebben al jarenlang hun handen rond onze keel. Ze kunnen ons niet afmaken, maar ze zijn bang om ons los te laten!'
Iedereen lachte.
Demetrius mompelde: 'We zitten allemaal als ratten in de val.'
'In de hoek gedreven, ja. Maar niet opgesloten, godzijdank,' antwoordde Ahmed. Hij verafschuwde opsluiting en had altijd tegen zichzelf gezworen dat hij zich liever van zijn leven zou beroven dat aan opsluiting toe te geven.
'Niets kon de joden tegenhouden,' herinnerde Mustafa zich.
Ze wisten allemaal dat de lichte wapens van de PLO geen effect hadden op de Israëlische straaljagers. En de Israëliërs hadden, om hun leven nog ellendiger te maken, in de hete maand juli de watertoevoer naar West-Beiroet afgesloten.
Ahmed en Demetrius bleven van hetzelfde bord eten. Christine fronste in nieuwsgierigheid. Hoewel de mannen van de PLO bij hun families in Shatila woonden en Demetrius de mannen altijd zonder vragen te stellen of er geld voor te vragen snel hielp, had Christine nooit geweten dat Demetrius een hechte vriendschap koesterde met een lid van de PLO. Demetrius was in het verleden, wanneer ze het onderwerp van de strijders aansneed, altijd van onderwerp veranderd met de woorden dat hij beter in staat was mannen te genezen dan te doden.
Eén keer, toen Demetrius in een spraakzame bui was, had hij Christine verteld dat hij het verlangen naar wraak van de strijders begreep, maar dat het bloederige ritueel waarbij joodse levens werden ingeruild voor Arabische levens niet het antwoord was. Naar zijn mening kon de oplossing alleen op een vreedzame manier worden bewerkstelligd. Demetrius had grimmig gezegd: 'Het vers in de bijbel over oog om oog verblindt iedereen alleen maar.'
Christine begon te vermoeden dat Demetrius bepaalde informatie over het verleden had achtergehouden. De opmerkingen van Ahmed versterkten haar vermoedens dat de twee mannen in hun jeugd het een of andere niet vertelde avontuur hadden beleefd.
Ahmed grijnsde en sloeg Demetrius steeds weer op zijn rug. 'George, je

had je zoon in Karameh moeten zien. Ik zweer voor Allah dat Demetrius Antoun in zijn eentje honderden joden kan vernietigen! Als hij soldaat was gebleven in plaats van dokter te worden zouden de joden nu niet in Beiroet zitten!'
Ali was het ermee eens. 'Het is waar. Ik zou liever een joodse tank met een stok te lijf gaan dan met twaalf man met Demetrius te worden geconfronteerd.'
Ahmed grijnsde nog breder en haalde zijn schouders op. 'Zie je wel? Ik ben niet iemand die liegt. Ali was er ook bij!'
Mohammed keek met een blik vol ontzag naar Demetrius. 'Er is mij verteld over je dapperheid,' zei hij.
Demetrius voelde zich duidelijk opgelaten. Hij veranderde snel van onderwerp en vroeg tussen neus en lippen door: 'Ahmed. Waar is Yassin? En Hawad?'
De grijns verdween van het gezicht van Ahmed toen hij zijn hoofd in verdriet afwendde. 'We zijn Hawad vorig jaar verloren. En Yassin stierf in Sabra.' Hij pauzeerde voor hij verder ging. 'Onze vriend werd gedood door een fosforgranaat. Yassin was een brandende fakkel.' De stem van Ahmed raakte opgewonden. 'Demetrius, de dag na zijn dood siste zijn vlees nog!'
Demetrius zat met open mond. Hij begreep hoe afgrijselijk de dood van de man was geweest. Tijdens een van de heftigste aanvallen van de Israëliërs was een jong stel met hun dochter naar de kliniek gekomen, een slachtoffer van een fosforgranaat. Demetrius had de baby in een bak vol water gedaan, maar de verbranding werd er niet door vertraagd. Ten slotte zei hij: 'Nee, ik kan niet geloven dat Yassin zo aan zijn einde is gekomen.'
Ahmed schudde langzaam zijn hoofd. Hij hoefde niet te zeggen wat ze allemaal wisten, dat de Israëliërs hadden ontkend dat ze fosforgranaten gebruikten, zelfs toen de internationale pers veel van dergelijke afgrijselijke doden bevestigde.
Demetrius keek naar zijn vader. 'Yassin redde mijn leven. In Karameh.'
Alle mannen zagen er aangeslagen uit, maar niemand zei iets.
Ten slotte nam Demetrius het woord en veranderde van onderwerp. 'Ahmed, in alle ernst. Is het echt nodig dat je het land verlaat?'
Ze wisten allemaal dat een van de belangrijkste voorwaarden bij de eisen van de Israëliërs was dat alle PLO-strijders uit Libanon zouden worden verbannen.
Ahmed ademde luidruchtig uit en zijn stem klonk schril. 'Kun je het geloven? Er is ons verteld dat we ons moeten wassen, ons haar moeten knippen, onze baarden moeten bijknippen en binnen een week klaar

moeten staan om te vertrekken.' Het gezicht van Ahmed kreeg een Messiaanse uitdrukking. 'We zijn door al onze Arabische broeders verraden. Nu dit.' Zijn armen wuifden in boze frustratie en zijn gezicht was verwrongen van ongeloof. 'De Libanezen willen ons weg hebben.'
'Wat zegt Abu Amar?' vroeg Mustafa.
Ahmed balde zijn hand tot een vuist en sprak met opeengeklemde kaken. 'Wat kan hij doen? Eén man tegen de verenigde krachten van de joden, de Amerikanen en de Libanezen! Als we niet instemmen met de vredesvoorwaarden zal West-Beiroet met de grond gelijk gemaakt worden.' Zijn stem daalde. 'We moeten wel weg als we de levens van onschuldige vrouwen en kinderen willen redden.'
De zes mannen raakten verwikkeld in een heftige discussie over het mogelijke lot van Yasir Arafat en de andere leden van de PLO. Wekenlang waren er geruchten geweest dat de PLO-strijders met hun leider gedwongen zouden worden uit Beiroet te vertrekken. Deze overeenkomst was bereikt tussen machtige landen die allemaal hun eigenbelang dienden en waarbij de Palestijnen de ongelukkige verliezers waren. De PLO was vele jaren een belangrijk deel van Beiroet geweest.
De Israëliërs hadden gewonnen, zowel op het land als op papier. Toen ze Libanon binnenvielen, het vriendelijkste Arabische buurland, was een van hun belangrijkste doelen het verdrijven van hun dodelijke vijand Abu Amar, voor de wereld bekend als Yasir Arafat.
Ali keek alsof hij ging huilen. 'Weer verbannen.'
George zuchtte diep. 'Hoe kun je een man verbannen die al verbannen is?'
Niemand beantwoordde die vraag.
Mustafa sprak: 'De joden zijn als hongerige tijgers. Ze zullen uiteindelijk alles opslokken.' Hij schudde droevig zijn hoofd. 'Met deze nederlaag is de weg naar Palestina nog langer geworden.'
De mannen zwegen somber.
Het gezicht van Ahmed vertoonde grote vermoeidheid, alsof hij wist dat de laatste strijd eindelijk was afgelopen en dat hij was verslagen. Er waren ook andere zorgen. Ahmed was bang dat hij nooit naar Libanon of Jordanië zou terugkeren. En hoe konden de Palestijnse burgers zich beschermen tegen hun vijanden wanneer hun strijders in de Arabisch wereld verstrooid waren? Yasir Arafat had Tunesië uitgekozen als zijn plaats van ballingschap en Tunesië was ver weg. Maar Ahmed veegde die gedachten voor nu opzij en keek naar Demetrius. 'Mijn vrienden en ik zijn groots geëerd. Wij zijn uitgekozen om met onze leider te vertrekken. We zullen maandag de dertigste uit Zarab vertrekken. Ben jij er dan ook, mijn vriend?'

Demetrius aarzelde geen moment. 'Ik zal er zijn.'
Ahmed knikte tevreden voor hij naar Christine keek. 'En neem je vrouw mee. Dit is een historisch moment.'
'Ze zal er ook zijn.'
Ahmed glimlachte en maakte een galant gebaar waarbij hij vanuit zijn middel boog en de hand van Christine kuste. Hij tuurde naar zijn vriend. 'Je bent een fortuinlijk man, Demetrius.' Zijn uitdrukking veranderde en werd serieuzer. 'Zorg goed voor haar. De jakhalzen wachten hun kans af.'
Demetrius knikte zwijgend en dacht dat dit niet het moment was om het onderwerp van hun kwetsbaarheid te berde te brengen. Trouwens, Demetrius dacht dat de PLO-strijders de gevaren hadden overdreven waarmee de Palestijnse burgers die in de vluchtelingenkampen achterbleven werden geconfronteerd. En waarom zouden ze het niet overdrijven?
Terwijl hij in de deuropening stond keek Ahmed alsof hij ging huilen. Toen hij zijn armen ophief om Demetrius een laatste omhelzing te geven merkte Christine tot haar verbazing dat zijn geur niet langer onaangenaam was.

Op 30 augustus 1982 zat Michel Gale gehurkt aan de rand van een verlaten betonnen locatie bij Zarab in Libanon. Terwijl hij een sigaret rookte keerden zijn gedachten terug naar de brief die hij die dag van zijn vader had ontvangen met het nieuws van Jordans laatste ongelukkige daad. Michel was woedend op zijn zuster dat zij hun ouders zo van streek maakte. Hij zei tegen zichzelf dat nadat zijn missie was volbracht hij naar New York zou reizen, zijn zuster zou zoeken en haar weer terug zou brengen naar Jeruzalem. Jordan had als kind al vaak de rust van de familie verstoord. Als volwassene was haar gedrag razend makend.
Hij inhaleerde boos voor hij zijn aandacht weer op de huidige stand van zaken richtte. Hij keek om zich heen en vroeg zich af hoeveel langer hij nog op zijn gehate vijand moest wachten.
Michel had de observatieplaats met hetzelfde oog voor detail gekozen als bij al zijn opdrachten. Zijn plaats naast de havenpoort bood hem een ideale voordelige positie van waaruit hij de mannen kon observeren die door de poort naar weer een ander verbanningsoord vertrokken. Michels slechte humeur nam af bij die gedachte. Hij lachte bijna hardop. De Palestijnse gangsters kregen eindelijk was ze verdienden!
Hij zat te wachten met een veldkijker in de ene hand en een kleine camera in de andere. Hij gebruikte de veldkijker om een grote vlieg dood te slaan die op zijn wang was neergestreken. Met een uitdruk-

kingsloos gezicht staarde Michel naar de massa mensen die zich aan beide zijden van de weg had verzameld. Zijn bovenlip zweette in de augustuszon. Zijn uniform rook naar sigarettenrook. 'Nog één dag,' mompelde hij binnensmonds. 'Nog maar één dag.'
Na een zomer van bittere gevechten, die in de wereld bekend stonden als Operatie Vrede voor Galilea en voor het Israëlische commando als Sneeuwbal, hadden ze de doelen bereikt van de Israëlische minister van Defensie, Ariel Sharon. De vijand was verslagen en hun strijders waren geïsoleerd en verspreid over acht Arabische landen. Negen dagen lang had Michel naar de verbanning van de PLO-strijders gekeken, had foto's genomen en de gezichten in zijn herinnering opgeslagen van mannen van wie hij dacht dat die in een toekomstige actie wellicht door de Israëliërs gedood moesten worden.
En vandaag, 30 augustus 1982, na tien jaar semi-autonomie in Libanon verliet een van de meest volhardende tegenstanders van Israël, Yasir Arafat, het land.
Michel keek onafgebroken naar de straat. De menigte werd rusteloos. Plotseling begonnen familieleden van de vertrekkende PLO-strijders, samen met een nieuwsgierige menigte Libanese burgers die zich aan de zijkanten van de straat hadden verzameld, te schreeuwen en te juichen. In één vloeiende beweging verschoof Michel de riemen van de camera naar zijn linkerschouder, bracht toen de veldkijker naar zijn ogen en keek naar het chaotische tafereel dat zich onder hem ontvouwde. Een konvooi jeeps en vrachtwagens reed in de richting van de haven. De mannen in de straat begonnen hun geweren en pistolen in de lucht af te vuren.
Yasir Arafat verliet de stad. Hij werd omgeven door diplomaten, internationale cameraploegen, PLO-guerrilla's en voorstanders van de Palestijnse zaak.
Michel, die erin was getraind tijdens actieve dienst zijn emoties te onderdrukken, keek afstandelijk naar de oplaaiende hartstochten om zich heen. De spiegelende lenzen reflecteerden de opwinding die in zijn ogen flikkerde. Hij wou dat Stephen deze dag van vernedering voor de Palestijnen had kunnen meemaken. Michel glimlachte heel even toen hij zichzelf eraan herinnerde dat Stephen waarschijnlijk medelijden met de vijand zou hebben gehad. Ondanks hun onenigheden kon Michel niet boos blijven op Stephen. Stephen Grossman was een man geweest die altijd bereid was geweest iemand te verdedigen die slecht werd behandeld. Misschien had de wereld juist dit soort mannen nodig.
Michel zette de gedachte aan Stephen uit zijn hoofd. Een eenheid Franse buitenlandse legionairs met heldere kakiuniformen aan en iden-

tieke zonnebrillen op hield de stuwende menigte tegen. De legionairs hadden harde gezichten en gespierde lichamen. Michel respecteerde de legionairs. Amerikaanse mariniers met grimmige gezichten omringden de leider van het Palestijnse volk.
Michel was boos toen hij zag dat het vertrek van Arafat in een feest was veranderd. De kleine man werd voorgegaan en gevolgd door juichende toeschouwers. Arafat glimlachte en wuifde naar de menigte waarbij hij deed alsof hij de overwinnaar en niet de verliezer was. Michel klemde zijn tanden opeen terwijl zijn gezicht vertrok van woede. In de ogen van Michel was Arafat het symbool van het kwaad en hij haatte de man en alles waar hij voor stond intens. Michel moest zijn hartstochtelijke verlangen Arafat te doden inbinden. Begin, de eerste minister van Israël, had het bevel gegeven niet te schieten. Hij had de Amerikaanse president Reagan beloofd dat Arafat werd toegestaan Beiroet levend te verlaten. Yasir Arafat had het geluk dat Michel Gale een man was die bevelen opvolgde.
Michel bestudeerde de bewegingen van Arafat. Hij had een doelbewuste tred terwijl hij langs de eregarde van de PLO liep. Hij pauzeerde om de PLO-banieren te groeten die voor hem omlaag werden gehouden. Toen werd hij door nerveuze bewakers haastig in een zwarte limousine geleid en naar de werf gereden. Niet lang daarna zou Arafat aan boord zijn van het Griekse lijnschip de *Atlantis* en voor altijd uit Libanon verdwenen zijn.
Er gleed een kille glimlach over de lippen van Michel terwijl hij zijn aandacht weer op de mistroostige menigte richtte. Hij vond dat Arafat de rol van overwinnende held goed had gespeeld, maar dat hij nu een stad verliet die hij tot een puinhoop had helpen maken. Of hij het nu toegaf of niet, Arafat werd het land uitgezet door de vijand die hij had gedreigd te vernietigen.
Nadat hij zijn zonnebril had afgezet en in zijn zak had gestopt liet Michel langzaam zijn veldkijker over de gezichten glijden en stopte plotseling toen hij het bekende gezicht van een vrouw zag. Ze werd omlijst door het zonlicht en was mooi tenger. Haar huid was ivoorwit. Ze droeg een vormeloze groene jurk en Michel vroeg zich af of ze haar rondborstige figuur probeerde te verbergen dat hij zich zo goed herinnerde. Haar donkere haar was strak naar achteren gebonden met een geel lint eromheen. Michel keek naar de vrouw die hem twee weken daarvoor, op de laatste dag van de bombardementen, beledigingen naar zijn hoofd had geslingerd. Michel had het kunnen weten, ze sympathiseerde met de Palestijnen.
Hij stond op het punt om de gezichten verder af te zoeken toen hij de

man zag die naast de vrouw stond. Hij was groot en krachtig gebouwd. Hij was ook knap. Michel pauzeerde om even met zijn ogen te knipperen. Hij voelde zich niet op zijn gemak. Deze man had iets vaag bekends. Hij zocht zijn herinnering af en vroeg zich af of hij misschien een PLO-strijder was die aan ontdekking had weten te ontsnappen en verbanning uit Libanon vermeed. Zich afvragend wat hij moest doen kneep hij zijn ogen samen en keerde zijn blik weer naar het stel, net toen de vrouw hem recht aankeek.

De ogen van Christine sperden zich wijd open toen ze hem herkende. Ze stootte Demetrius aan en wees naar de Israëlische soldaat. 'Demetrius! Kijk! Dat is de soldaat over wie ik je vertelde.'

Michel Gale verstrakte toen Demetrius Antoun in zijn richting keek. Hun ogen ontmoetten elkaar en ze staarden elkaar standvastig aan.

Christine was opeens bang. 'Demetrius, laten we gaan.' Ze begon aan zijn hand te trekken in een poging hem mee te krijgen.

Demetrius trok zich los van Christine en bleef de jood vrijpostig aankijken. Hoewel hij niet sprak zeiden zijn ogen genoeg: Michel Gale was de gehate vijand.

Christine trok wanhopig aan de hand van Demetrius. Demetrius, die niet wilde dat de jood dacht dat hij bang was, stond even stil op de drukke straat om de tijd te nemen het lint van Christine te schikken. Toen wreef hij liefdevol over haar wangen alvorens haar door de menigte te leiden.

Michel schrok op van verbazing. Het gebaar van de Arabier was zo menselijk, zo teder en zo onverwacht geweest dat Michel erdoor werd overvallen. Michel Gale had nooit gedacht dat een Arabische man iets anders kon zijn dan een terrorist.

Om de een of andere onbekende reden dacht Michel Gale lange tijd na over het Arabische stel.

19 Bloedbad

Bedroefde Palestijnen in het kamp Shatila hingen twee weken na de gedwongen evacuatie van de PLO-strijders lusteloos rond. Toen begonnen ze hun leven weer op orde te brengen. Gezonde mannen en tienerjongens haalden het puin weg en repareerden de door granaten beschadigde huizen. Afval werd van de straten gehaald. De voedselmarkten gingen weer open en gonsden van activiteit.
Demetrius Antoun repareerde met de hulp van zijn stafleden de gapende gaten in de muren van zijn kleine kliniek, verving gescheurde gordijnen, boende de met bloed bevlekte vloeren schoon, herstelde de elektriciteit en verving gebroken waterleidingen.
Met de terugkeer van energie keerde ook de hoop terug dat hun leven weer normaal zou kunnen verlopen. De PLO-strijders waren weg. De belofte van de Israëlische regering aan de Amerikanen dat er geen verdere aanvallen op vluchtelingenkampen zouden zijn leken oprecht. En de aanwezigheid van het Israëlische leger maakte een einde aan de Libanese burgeroorlog.
Sommigen zagen het einde van de burgeroorlog als een beloning voor het doorstaan van de Israëlische invasie.
Toen deed zich een onfortuinlijke gebeurtenis voor die uiteindelijk de ondergang van veel onschuldige Palestijnen betekende. Op 14 september 1982 begon Basjir Gemayel, de wilskrachtige en pas gekozen christelijk-maronitische president van Libanon om tien over vier in de ochtend aan een redevoering voor een groep jonge vrouwelijke activisten. Hij was nog maar net een paar minuten bezig toen een op afstand bediende bom ontplofte en het drie verdiepingen tellende gebouw waarin hij zich bevond in een ruïne veranderde.
Hoewel de bomaanval het werk was van een lid van de Syrische Nationale Partij, kregen de Palestijnen de schuld.

Demetrius Antoun voelde zijn maag ineenkrimpen toen zijn vader George onaangekondigd het kleine kamertje inliep dat dienst deed als het kantoor van de kliniek.

Wat nu weer? vroeg Demetrius zich af toen hij van zijn bureau opkeek. George Antoun, die er ouder uitzag dat zijn vierenzestig jaar, zei vermoeid: 'Zoon, een vreselijke ramp.'
Demetrius sloot direct het medische referentieboek dat hij had zitten lezen. 'Wat is er?' Demetrius ging staan terwijl hij werd overspoeld door angst. Zijn moeder of misschien zijn grootvader moest iets zijn overkomen. George had de kliniek van zijn zoon altijd vermeden. De aanblik van lichamelijk gewonden vroeg om een sterkere man dan hij beweerde te zijn.
'Er staan ons grote problemen te wachten,' kondigde George aan.
Demetrius knipperde een paar maal met zijn ogen. 'Pa! Alsjeblieft. Je martelt me.'
George sprak snel. 'Ik hoorde het nieuws op de radio. Ze vrezen dat Basjir Gemayel is vermoord!'
Demetrius sloeg met zijn hand tegen zijn voorhoofd. 'Nee!'
'Ja.' George pauzeerde. 'En, dat vraag ik je, wie zal de schuld krijgen?'
Demetrius had de situatie meteen door. Basjir Gemayel, een maronitische christen, was de commandant van de falangisten, een fascistische strijdkracht die in 1936 door de vader van Basjir was gevormd. Basjir geloofde dat de Palestijnen de oorzaak waren van de problemen in Libanon en hij had dit standpunt altijd openlijk verkondigd. Er waren veel geruchten rondgegaan dat Begin Basjir in zijn broekzak had en dat hij de Israëliërs had beloofd dat hij, als hij de verkiezingen zou winnen, alle Palestijnen zijn land uit zou zetten. En na jaren onwelkome bemoeienissen van de Palestijnen met Libanese zaken waren de ideeën van Basjir zeer populair bij de meerderheid van de Libanese bevolking. Drie weken daarvoor was hij tot president van Libanon gekozen. Als gevolg van zijn uitgesproken mening ten aanzien van de Palestijnen zagen de vluchtelingen de president als hun toegewijde vijand. Als Basjir iets was overkomen, zouden de Palestijnen hier de schuld van krijgen.
Demetrius herinnerde zich de jeugdigheid en vitaliteit van de vermoorde president, liep naar zijn vader toe en vroeg: 'Werd hij neergeschoten?'
George verschoof zijn voeten. 'Nee. Een bom. Het hoofdkwartier van de Falange in Ashrafiyeh was opgeblazen. Honderden mensen waren bijeengekomen om de president te horen spreken.' Hij keek snel om zich heen voor hij eraan toevoegde: 'Wie weet hoeveel er dood zijn.'
Demetrius boog zijn hoofd en probeerde na te denken. 'Hebben ze het lichaam geïdentificeerd?'
'Nee. Nog niet,' antwoordde George met een bedaarde stem. 'Maar als hij nog zou leven, zou hij dat dan niet laten weten?'

Demetrius knikte en wierp toen een blik op de grote klok die achter zijn bureau hing. Hij leunde over het bureau heen om het dikke medische boek op te pakken alvorens zijn witte jas uit te trekken. 'Het is bijna zes uur.' Hij klopte zijn vader op zijn rug. 'Ik ga Christine halen. We komen zo naar huis.' Bezorgd om het grijze gelaat van zijn vader hield hij stil en omarmde hij hem. 'Ga nu naar huis. Probeer je te ontspannen.'
Demetrius sloot de deuren van de kliniek en deed ze op slot voor hij op zoek ging naar Christine. Ze had het over een huisbezoek gehad om het verband te verschonen van Nabil Badram, een drie jaar oud Palestijns jongetje dat tijdens de laatste dagen van de Israëlische aanvallen beide benen was kwijtgeraakt. Het kind huilde van de pijn als hij werd vervoerd en Christine was er elke dag naartoe gegaan om hem het trauma om naar de kliniek te moeten te besparen.
Terwijl hij de kliniek uitliep bleef Demetrius maar aan Basjir Gemayel denken. Als Palestijn was hij opgelucht dat deze man dood was. Hij was de enige man in Libanon die de macht en het charisma bezat om de ontmoedigende taak van de verbanning van de Palestijnen te volbrengen. Maar als arts en als sociaal voelend mens voelde Demetrius medeleven voor het verlies van elk leven en voor het verdriet dat de familie van de dode man zou hebben.
Demetrius maakte zich zorgen over de voorspellingen van zijn vader. De Palestijnen zouden zeker een prijs betalen, maar welke prijs? De Israëliërs hadden al honderden Palestijnen gedood en de PLO was het land uit gedreven. Trouwens, zo zei hij tegen zichzelf, de Palestijnen als schuldigen was te voorspelbaar om te geloven.
Demetrius kwam Christine tegen toen ze het huis van Badram verliet. Hij legde de situatie onder het lopen uit. Ze vermeden omzichtig de kraters en granaatgaten die het pad hadden uitgehold. Ze zeiden geen van beiden veel en merkten dat de mensen die ook over de weg liepen doelbewust voortliepen en een enigszins gespannen houding hadden.
Het stel arriveerde net op tijd bij het huis van de familie Antoun om getuige te zijn van een familieruzie. George en grootvader Mitri luisterden naar het radionieuws en Mary protesteerde dat zulk gedrag schandelijk was ten tijde van hun rouwperiode.
'Geloof jij dat Amin Darwish de radio vanuit zijn graf kan horen?' vroeg Mary streng. 'Zo niet, dan smeek ik je deze zonde niet te begaan!'
Niemand was verbaasd toen grootvader opnieuw het protest van zijn schoondochter wegwuifde. Zijn hoge leeftijd maakte grootvader Mitri nog lastiger.
Ook George was koppig. 'Mary, dit is geen pleziertje! We moeten voor onze eigen veiligheid weten wat er gebeurt!'

Mannen zijn net kinderen, besloot Mary, die altijd een excuus verzinnen om te doen wat ze willen doen. Vastbesloten het laatste woord te hebben liep ze mopperend de kamer uit. 'Rouwen is geen picknick!' Ze zou het avondeten gaan maken en zich proberen te verzoenen met de zwakke aard van mannen.

Mary Antoun had sinds 1948 een reeks catastrofes te verduren gehad. Nu kon ze alleen de smart aanvaarden die, naar zij had besloten, van nature tot de Palestijnen kwam. En terwijl Mary de dood van iedere jongeman betreurde, gingen haar echte zorgen niet verder dan de veiligheid en het geluk van haar eigen zoon en man. Het feit dat haar familie zonder dood of verwondingen was ontsnapt aan de Libanese burgeroorlog en de Israëlische invasie maakte dat Mary het gevoel had dat Gods engelen haar geliefden beschermden. Tijdens de ergste granaataanvallen had Demetrius zich in het open veld bevonden om de gewonde strijders te verzorgen terwijl hij geen acht had geslagen op de hysterische waarschuwingen van zijn familie. Grootvader had erop gestaan dat hij met zijn kleinzoon bovengronds bleef met de woorden dat als God eerlijk was, hij de Israëlische bommen op een oude man zou richten die zijn leven al geleefd had en niet op een jonge man die nog jaren van beloftes voor zich had. George noch Mary kon een van beiden overhalen om dekking te zoeken. Mary had drie maanden lang in grote angst en verschrikking doorgebracht. Nu de oorlog voorbij was, was Mary gelukkiger dan ze in jaren was geweest. Haar mooie zoon leefde en was niet gewond geraakt.

Zonder iets te zeggen ging Demetrius naast zijn grootvader zitten en samen staarden ze naar de radio terwijl ze gespannen naar de nieuwslezer luisterden.

Christine slaakte een zucht. De man van wie ze hield maakte zich altijd zorgen om de een of andere crisis. Ze liep de keuken in en prikte wat olijven aan een stokje en pakte een stuk vers pitabrood.

Mary tikte het Duitse meisje op de hand. 'Het eten is zo klaar!'

Christine glimlachte zonder antwoord te geven.

De twee vrouwen waren sinds de avond van Amins dood nader tot elkaar gekomen.

Mary keek hoe Christine onder het deksel van alle potten gluurde die op de gasvlammen stonden te koken.

Omdat ze wist dat de oudere vrouw liever alleen in de keuken was, pakte Christine nog een handvol olijven en trok zich terug in de achterste slaapkamer. Toen ze de deur eenmaal had gesloten deed ze haar met bloed bevlekte jurk uit en trok een comfortabele broek aan. Met de voortdurende spanning en onrust in de stad had Mary erop gestaan dat

Christine in het kamp Shatila bleef en in de kamer van Demetrius sliep. Demetrius deelde nu de slaapkamer met zijn grootvader, net zoals hij had gedaan toen hij nog een kind was. Christine was verheugd over de regeling omdat ze dan meer tijd met Demetrius samen had.
Nadat ze haar handen en gezicht had gewassen voegde Christine zich bij de mannen in de zitkamer en gleed neer op een kussen in de buurt van Demetrius.
George had de radio afgestemd op de door de Falange beheerde Stem van Libanon. Ze zaten te luisteren naar hoe de nieuwslezer bleef volhouden dat Basjir Gemayel nog leefde, dat hij ongeschonden uit de puinhopen van de straat Sasseen was gelopen.
Christine glimlachte. 'Leeft hij nog?'
George fronste zijn voorhoofd. 'Ik denk het niet,' antwoordde hij.
'Als dat waar is, zou Basjir Gemayel zelf het woord hebben,' legde Demetrius uit.
Een sombere grootvader Mitri schudde zijn hoofd voordat hij met een benige hand op zijn dijbeen sloeg. Grootvader had een akelig gevoel over het geheel, maar hij kon het gevoel niet thuisbrengen, dus zei hij niets.
Mustafa en Abeen Bader arriveerden en gingen het huis zonder kloppen binnen. Abeen ging naar de keuken terwijl Mustafa ging zitten. 'Ik heb uit een goede bron vernomen dat de Libanese president alleen gewond is,' verklaarde hij. 'Hij ligt in het ziekenhuis.'
De nieuwsuitzending stopte. Er volgde een moment van stilte, toen begon er begrafenismuziek te spelen.
Demetrius sloeg zijn handpalmen tegen elkaar. 'Dat is het. Hij is dood.'
'Genoeg gezegd over jouw goede bron, Mustafa,' spotte grootvader.
Niemand durfde de toekomst te voorspellen maar de woorden van Demetrius deden de maag van Christine ineenkrimpen. 'De mannen van Basjir staan bekend om hun goede geheugen. Ze zullen hun leider wreken.'
Mary onderbrak hen. 'Kom en neem wat te eten.'
Alle grote schalen van Mary waren stukgegaan door de bombardementen. De familie moest hun maaltijd rechtstreeks uit de potten in plastic kommen scheppen.
Ondanks de heerlijke kip met ui op een bed van rijst en linzen vond de avondmaaltijd in het huis van de familie Antoun in een sombere sfeer plaats. Terwijl George naar de betrokken gezichten om zich heen keek veegde hij zijn mond af en zei: 'Zelfs te midden van onze beproevingen moeten we de moed zien te vinden vreugdevol te zijn.'
Iedereen luisterde stoïcijns naar hem toen Mary instemmend zei: 'George heeft gelijk. We leven. Godzijdank.'

Er volgde nog meer stilte. Niemand was vreugdevol. Ongetwijfeld vroegen sommigen zich af of ze, nu ze de Israëliërs hadden overleefd, misschien zouden worden gedood door hun Libanese broeders.

De volgende morgen om half zes zaten Demetrius en zijn vader vroeg koffie te drinken toen ze straaljagermotoren hoorden. De vliegtuigen vlogen veel te laag. De twee mannen wisselden een bedachtzame blik uit.
Toen Demetrius sprak, klonk zijn stem zo zacht dat George hem nauwelijks kon horen. 'Pa. Er staan vreemden voor de poort.'
George, die nooit aarzelde ten tijde van een crisis, haastte zich om zijn slapende vader en vrouw wakker te maken. 'Dat zijn geen vreemden,' schreeuwde hij. 'De Israëliërs zijn terug!'
Demetrius rende naar Christine. 'Kleed je aan! Snel! Je moet naar de schuilkelder!'
'Wat? Waarom?'
'De Israëliërs zijn weer terug!'
Christine kon het gewoonweg niet geloven dat de Israëliërs hun aanval weer hadden hervat. 'Waarom?' vroeg ze aan Demetrius door de gesloten deur terwijl ze haar nachtjapon uittrok en een jurk over haar hoofd trok.
Demetrius gaf geen antwoord. Hij hielp zijn moeder een paar waardevolle spullen bij elkaar te pakken om in een plastic zak te doen die ze mee kon nemen naar de schuilkelder.
Christine kwam de kamer uit en hinkte op een voet en vervolgens op de andere om haar schoenen aan te trekken waarna ze door de smalle hal liep. Toen ze de zitkamer binnenkwam zag ze hoe Mary Antoun voorzichtig een omlijste foto van Demetrius in haar zwarte handtas stopte.
Tegen de tijd dat ze klaar waren om hun huis te verlaten om de schuilkelders in te gaan hield het gillende gebulder van de vliegtuigen op.
Majida, de hoofdverpleegster in de kliniek van Demetrius kwam onverwacht aan. 'We hebben net een nieuwsbulletin gekregen,' vertelde ze. 'De Israëliërs beweren dat er nog 3.000 terroristen in de kampen zitten!'
De broer van Majida zat in Beiroet en bespioneerde de Israëliërs.
'Dat is absurd!' riep George uit.
'Er zijn hier geen strijders!' schreeuwde Christine die eerst naar Demetrius keek en vervolgens naar Majida. Ze was woedend! 'Dat kan ik bevestigen!'
Majida haalde haar schouders op. 'Dat is niet wat de joden denken. In het bulletin stond dat het Israëlische leger West-Beiroet binnenvalt om zijn missie af te maken.'

De mond van Christine viel open.
Demetrius liep naar de deur. 'Ik zal de kliniek opendoen. Er zullen slachtoffers zijn.'
Christine rende achter hem aan. 'Ik ga met je mee!'
Mary riep haar zoon na: 'Demetrius! Zoon! Wees alsjeblieft voorzichtig!' Mary herinnerde zich haar opluchting van nog geen dag daarvoor dat hij veilig was. Had zij het boze oog over haar zoon afgeroepen?
Demetrius draaide zich bij de deur om en wierp zijn moeder een snelle glimlach toe. 'Ga naar de schuilkelders als je de vliegtuigen hoort terugkomen.' Hij pauzeerde voor hij eraan toevoegde: 'En maak je geen zorgen, mij zal niets overkomen. Maar je kunt wel voor me bidden.' Net als de meeste Arabieren, of ze nu moslim of christen waren, geloofde Demetrius oprecht dat het moment van zijn dood al geschreven stond. Hij zou sterven op het moment dat God besloot dat hij moest sterven. Geen minuut eerder en ook geen minuut later.
Demetrius, Christine en Majida haastten zich naar de kliniek.
Eenmaal in de kliniek hielp Demetrius Christine en Majida met het in repen scheuren van witte lakens en maakten ze nette stapeltjes nieuw verband. Ze hadden de voorraden al geïnventariseerd en wisten dat ze gevaarlijk weinig van alles hadden behalve sulfa en medicijnen tegen verkoudheid. Demetrius was van plan geweest de voorraden de volgende week aan te vullen. Het was nooit bij hem opgekomen dat de Israëliërs hun aanvallen zouden hervatten. Iedereen in Libanon wist dat Begin Reagan de plechtige belofte had gedaan dat de aanval op West-Beiroet gestopt zou worden.
Ze wachtten en wachtten. Er gebeurde niets.
Drie uur later hoorden ze de eerste granaataanvallen. Luide explosies weerklonken uit West-Beiroet, op slechts een paar minuten van Shatila.
Twee verplegers, Anwar en Nizar kwamen zich bij de kliniek melden. Anwar was de oudere en kalmere van de twee maar vandaag beefde zijn stem. 'Mijn neef is net terug uit Oost-Beiroet. Hij zei dat de Israëliërs de kampen omsingelen.'
'Wat denk je dat er gebeurt?' vroeg Nizar aan Demetrius.
'Alleen God weet wat ze van plan zijn, Nizar.'
'Het is eerder de duivel die weet wat ze van plan zijn, zou ik zeggen,' voegde Christine er met een scherpe stem aan toe. Ze walgde van de Israëliërs.
Er arriveerden enkele patiënten in de kliniek. Het zou niet lang duren of er zouden er veel meer zijn, de meeste met verwondingen door de granaten.
De staf werkte tijdens de lunch tot ver in de middag door. De patiënten

werden tot een waas van bloed en beenderen. Met elk uur dat voorbij ging werden het nieuws en de verwondingen grimmiger.
Nadat één patiënt had gezegd dat hij door een tank het kamp in gejaagd was, ging Anwar polshoogte nemen. Hij keerde in paniek terug. 'Er staan allemaal Israëlische tanks rond het kamp!' Hij trok aan de arm van Demetrius. 'Dokter, wat moeten we doen?'
Demetrius ging door met het hechten van een klein gat in de nek van een vrouw. 'Doorwerken, Anwar,' antwoordde hij.
Christine hield haar adem in toen ze in de verte het geratel van machinegeweren hoorde. God! Wat gebeurt er? vroeg ze zich af. Trokken de Israëliërs vechtend het kamp binnen? De Palestijnen zouden machteloos staan. Door de uitzetting van de PLO-strijders waren de burgers in de kampen onbeschermd achtergebleven. Christine voelde hun acute gevaar.
De staf van de kliniek werd al snel overspoeld door patiënten met schotwonden. 'Sluipschutters,' mompelde een slachtoffer tegen Demetrius toen Demetrius de borstwond van de man begon te onderzoeken. 'Overal sluipschutters.' De man stierf voordat Demetrius zijn onderzoek kon afmaken.
Maha Fakharry, die nu over de zestig was, kwam de kliniek binnen. Ze strekte haar arm uit en zei dat ze was beschoten toen ze haar huis uitging. 'Demetrius,' kreunde ze, 'er bevinden zich gewapende indringers in Shatila. Zc schieten op vrouwen en kinderen!'
Demetrius stond als aan de grond genageld. Ten slotte riep hij: 'Nizar!'
Nizar kwam aanrennen en antwoordde: 'Ja, dokter.'
Angst woelde rond in de buik van Demetrius. 'Ga! Controleer mijn familie. Als ze thuis zijn zeg dan dat ze naar de schuilkelders rennen, niet lopen, rennen! Ga snel!'
Maha fluisterde tegen Demetrius: 'De mannen die op me schoten waren geen joden, maar Arabieren. Arabieren schoten op me.'
Demetrius vroeg zich af of Maha ijlde.
De nachtelijke uren trokken soms langzaam, soms razendsnel voorbij. Demetrius behandelde de ernstigste gevallen. De verpleegsters zorgden voor de minder zwaar gewonden. Hij at of dronk zes uur niet. Ten slotte stond hij toe dat Christine stukjes vlees en brood in zijn mond stopte terwijl hij de arm van een kind opereerde. Het kind was de onderarm kwijt en Demetrius moest verminkt weefsel en bot wegsnijden voordat de bloedstroom gestopt kon worden.
Demetrius zei tegen Christine: 'Hij heeft een transfusie nodig.'
'Er is geen bloed meer.'
'Dat weet ik.' Demetrius gedachten flitsten naar al het bloed op de vloer van de kliniek dat plassen vormde en verloren ging.

Het zweet stond op zijn gezicht.
Christine veegde zijn gezicht af met een wit verband.
Demetrius was bijna klaar met de arm van het kind toen de oppervlakkige ademhaling stopte. Het kind was gestorven.
De schouders van Demetrius zakten in wanhoop naar voren. Hij keek Christine een lang moment aan voordat hij sprak. 'O, God!' Hij was bijna in tranen.
'Demetrius. Wat gebeurt er?'
'Ik weet het niet. Ik weet het gewoon niet.' Plotseling herinnerde hij zich zijn ouders. 'Heb je Nizar gezien?'
'Ja. Ik was vergeten het je te vertellen. Hij kwam een hele poos geleden terug. Hij vroeg me je te vertellen dat je ouders en grootvader niet thuis waren. Ze moeten naar de schuilkelders zijn gegaan.'
'Godzijdank.' Demetrius keek verdwaasd. 'Christine,' fluisterde hij, 'zeg het tegen niemand maar Maha Fakharry beweert dat de indringers Arabieren zijn.'
Voor Christine op dit schokkende nieuws kon reageren klonk er een geschreeuw van afgrijzen vanaf de voorkant van de kliniek. Demetrius rende naar de voorkamer, op de hielen gevolgd door Christine.
De wachtruimte van de kliniek stond vol bewapende soldaten.
Christine trok aan de arm van Demetrius. 'Joden!' fluisterde ze luid.
Demetrius zag al snel dat de soldaten beslist geen joden waren. Ze droegen groene militaire uniformen en spraken vloeiend Arabisch. Een magere man met een snor was duidelijk de leidinggevende. De man stapte op Demetrius af en porde hem met zijn machinegeweer. 'Wie heeft hier de leiding?'
Demetrius duwde de loop van het wapen naar beneden. Zonder dat hij probeerde zijn woede te verbergen, zei hij stoutmoedig: 'Ik ben de dokter. Dit is mijn kliniek. Wat wil je?'
Het hart van Christine sloeg een slag over toen ze de vastberaden uitdrukking op het gezicht van Demetrius zag. Hij toonde geen enkel teken van respect, geen spoor van angst, alleen een moorddadige razernij. Deze mannen zouden hem zeker doden!
'We zijn hier om je staf mee te nemen voor ondervraging. We verjagen de laatste terroristen.'
'Stomme ezel, er zitten hier geen terroristen! Verlaat mijn kliniek!' Demetrius stapte op de officier toe. 'Kun je niet zien dat we de gewonden behandelen. Deze mensen zullen sterven als we ze achterlaten.'
De soldaat pauzeerde en keek de kamer rond naar de ellendige en gewonde patiënten. 'Zijn het allemaal Palestijnen?' Een groot aantal

sjiïetische Libanezen woonde aan de rand van Shatila. Die arme Libanese burgers gebruikten vaak de diensten in het kamp.
'Het zijn allemaal mensen,' antwoordde Demetrius.
'Wijs de Palestijnen aan!'
Een van de verpleegster begon te spreken. 'Beantwoord die vraag niet!' schreeuwde Demetrius.
Vier van de vrouwelijke patiënten begonnen te jammeren.
'We willen alleen de Palestijnen,' herhaalde de soldaat. 'De Libanezen zijn vrij om te gaan.'
'Loop naar de hel,' schreeuwde Demetrius en vroeg toen snel: 'Wie precies ben je eigenlijk?' Demetrius begon het uniform van de mannen nauwgezet te bestuderen. Ze waren allemaal groen maar droegen geen insigne. De mannen waren beslist van Libanese afkomst, maar hij kon niet bepalen welke factie of organisatie ze vertegenwoordigden.
'Ik stel hier de vragen,' blafte de soldaat. Hij keerde zich tot zijn mannen. 'Breng al het medische personeel naar buiten. Laat de patiënten hier.' De soldaat wilde geen confrontatie in het zicht van patiënten die wellicht Libanees waren. Hij zou de patiënten naderhand ondervragen, zonder de tussenkomst van de dokter. Hij pauzeerde nog even en zei toen op een verzoenende toon: 'Jij en je staf moeten meekomen. Je wordt niet langer dan een uur vastgehouden. Dan kun je teruggaan om je patiënten te behandelen.'
Demetrius overwoog welke keuzes hij had terwijl hij op Christine neerkeek. Haar gezicht was lijkbleek maar hij kon niet uitmaken of dit door angst of woede kwam. Hij besloot mee te werken in de hoop dat de soldaat de waarheid sprak. Hij ademde diep uit. 'Goed.' Hij keek naar zijn patiënten. 'Kom nergens aan. En maak je geen zorgen, ik ben over een uur terug.'
Demetrius en Christine zwegen terwijl de soldaten hen uit de kliniek, door de straten het kamp uit dreven.
Demetrius probeerde de omgeving in te schatten, op zoek naar aanwijzingen die de ware toedracht zouden kunnen onthullen, maar het was vreemd stil in het kamp. Hij zag ingeslagen ruiten en gebroken deuren, maar geen mensen, dood of levend. Hij kwam tot de conclusie dat de bewoners van het kamp in de schuilkelders moesten zitten. In elk geval hoopte hij dat dit het geval was. Hij hoopte ook dat de indringers van een afvallige factie waren. De Israëliërs zouden hen zeker bestraffen als ze ontdekten dat deze mannen op onschuldige burgers schoten.
Christine beefde. Er was iets vreselijk fout. Waarom ondervroegen de soldaten hen niet in de kliniek? Waarom zouden ze al die moeite doen? Ze was ervan overtuigd dat ze zouden worden geëxecuteerd.

Ze keek op naar Demetrius en hij gaf haar een knipoog en een bemoedigende glimlach.
Nizar, Anwar en Majida liepen achter Demetrius en Christine. Iemand snikte. Ze hadden zich kunnen omkeren om te zien wie het was, maar dat zou onbeleefd zijn geweest. Het is waarschijnlijk Nizar, dacht Demetrius. Hij was jong, emotioneel en gauw bang. En ook had hij tijdens de afgelopen drie maanden vier familieleden verloren onder de aanvallen van de Israëliërs.
Na tien minuten lopen kwamen zij aan bij de ingang van Shatila. Er hingen tientallen rokende, etende en drinkende gewapende soldaten rond. De soldaat die de groep escorteerde zei dat ze moesten wachten. Hij liep de heuvel op en ging een zeven verdiepingen tellend gebouw binnen.
Demetrius staarde de man na. Toen de soldaat het gebouw binnenging keek Demetrius naar de bovenste verdiepingen van het gebouw. Er stonden Israëlische soldaten op het dak. Iedere soldaat staarde door een verrekijker naar het kamp Shatila. Demetrius voelde zich voor een raadsel geplaatst. Het leek alsof het gebouw werd gebruikt als commandopost voor de Israëliërs. Wat klopte er niet? Wisten de joden wat zich in het kamp afspeelde? Brachten deze Arabische soldaten rechtstreeks verslag uit aan de joden? Verward keek hij om naar het kamp. Als de joden erbij betrokken waren bevonden de bewoners van Shatila zich in ernstig gevaar.
Nizar, Anwar en Majida hielden hun hoofden gebogen en keken alleen naar de grond. Elk oogcontact met de soldaten zou verkeerd geïnterpreteerd kunnen worden.
Christine voelde zich beschermd door haar Duitse nationaliteit en observeerde de soldaat die hen bewaakte. Ze was verbaasd te zien dat enkele soldaten aantrekkelijke vrouwen waren. Ze was nog verbaasder toen twee van de vrouwelijke soldaten naar haar spuugden en riepen: 'Palestijnse hoer!'
Demetrius reageerde alsof hij in zijn gezicht was geslagen. Hij sprong naar voren en schreeuwde: 'Hou je vuile bek!'
Christine schreeuwde.
Demetrius begon een van de vrouwelijke soldaten heftig heen en weer te schudden terwijl hij schreeuwde: 'Schande! Je bent een schande voor je familie! Ga naar huis, naar je vader, waar je thuishoort!'
Vijf mannelijke soldaten snelden toe om de vrouw uit de greep van Demetrius te bevrijden. Terwijl ze werd weggeleid door een kameraad keek de vrouw over haar schouder om te zien of haar aanvaller was beteugeld. Ze vloekte luid en riep dat Demetrius een dolle hond was.
Demetrius werd nu omringd door wild kijkende soldaten die allemaal

hun geweren op zijn borst gericht hielden. Demetrius daagde de mannen uit en gebaarde met zijn hand naar de vrouwelijke soldaten. 'Willen jullie je vrouwen zo hebben? Hard en grof als Israëlische vrouwen?'
De soldaten verschoven hun voeten maar hielden hun wapens op Demetrius gericht.
'Ik heb eerder geweren op me gericht gehad,' zei Demetrius opstandig.
Christine ging dicht bij Demetrius staan. Ze sprak voor de eerste keer en schreeuwde in het Arabisch: 'Ik ben een Duitse. Dit is mijn verloofde! Laat hem met rust!'
De nieuwe informatie zorgde voor ongemak bij de Arabische soldaten en ze fluisterden enkele minuten onderling met elkaar waarbij ze eerst naar Christine keken en vervolgens naar Demetrius. Ze waren duidelijk onzeker over wat ze met een Duitse gevangene moesten doen.
Een van hen vroeg: 'Is je verloofde ook een Duitser?'
'Ja!' loog ze. 'Hij is Duitser!'
Demetrius duwde Christine opzij en brulde: 'Ik ben een Palestijn, jij zwijn!'
De gewapende mannen wilden hem maar al te graag doden, maar ze waren te bang voor hun commandant om een dergelijke actie zonder specifieke instructie uit te voeren.
Toen de soldaat die het bevel voerde terugkeerde, werd hem verteld welke nationaliteit Christine had. Hij voelde zich onmiddellijk niet op zijn gemak door deze informatie. Hij fronste en liep op en neer terwijl hij probeerde te beslissen wat de juiste actie was. Uiteindelijk trok hij aan de arm van Christine. 'Kom mee. Je zult naar je ambassade gebracht worden.' Hij keerde zich tot zijn soldaten. 'Breng deze vier naar het stadion voor ondervraging.'
Toen de soldaten probeerden Demetrius en de anderen in de andere richting af te voeren kreeg Christine het gevoel dat als ze nu werden gescheiden, ze Demetrius nooit meer te zien zou krijgen. Ze reageerde op de enige manier die mogelijk was. Ze schreeuwde, beet, schopte en krabde. Haar geschreeuw klonk zo luid en zo lang dat een paar van de jongere soldaten hun oren met hun handen bedekten.
De Arabische commandant probeerde haar mee te slepen, maar het lukte haar zich te bevrijden. Ze wierp zich tegen Demetrius aan en gilde: 'Nee! Nee! Nee!'
Demetrius hield haar dicht tegen zich aan. 'Christine!' fluisterde hij. 'Wees kalm, wees kalm.'
Er verscheen een Israëlische soldaat die in het Arabisch tegen de mannen schreeuwde: 'Wat gebeurt er hier? Dit is precies de situatie waarvoor ik jullie waarschuwde!' Hij keek ongemakkelijk om zich heen.

'Nog maar een paar ogenblikken geleden waren er hier buitenlandse journalisten!'
De Arabieren kregen duidelijk hun bevelen van de joden. De Arabieren staarden naar de grond, zich niet op hun gemak voelend door de boosheid van de Israëliër.
De ogen van Christine sperden wijd open. De jood was dezelfde soldaat die ze twee keer eerder had gezien: vanaf het balkon in Oost-Beiroet op 12 augustus en in Zarab, op de dag dat Arafat werd geëvacueerd.
De soldaat herkende haar niet en probeerde haar weg te trekken van Demetrius.
Demetrius hield Christine stevig met een hand vast. Met de andere hand pakte hij de arm van Michel Gale en verdraaide hem.
De pijn was intens; Michel dacht dat zijn arm zou kunnen breken, maar hij wist zijn gezicht strak te houden.
Michel Gale was een grote man en sterk door de jaren van militaire training, maar Demetrius Antoun was groter en sterk gespierd. Michel was verbaasd toen hij besefte dat de Arabier niet bang was. Hij was zelfs sterk genoeg om het te winnen bij een fysieke confrontatie. Michel voelde zich uitgedaagd en staarde terug in de ogen van de Arabier.
De Arabier Demetrius Antoun en de jood Michel Gale bleven elkaar aanstaren – twee mannen aan tegenovergestelde kanten van een wreed conflict. De confrontatie tussen de twee mannen deed iedereen sprakeloos staan.
Demetrius versterkte zijn greep terwijl hij eiste: 'Laat haar los.'
Michel was stomverbaasd over de kracht van de man. Hij trok wit weg en liet het meisje toen los.
Demetrius verslapte zijn greep en liet zijn hand langs zijn zij vallen.
Michel zwaaide zijn arm enkele malen heen en weer.
De Arabische commandant, die geen zichtbare reactie gaf op het tafereel waarvan hij net getuige was geweest, stelde Michel op de hoogte.
'Deze vrouw zegt dat ze Duitse is. De Palestijn is haar verloofde.'
Christine uitte met een gezicht dat nat was van de tranen en een boze, vastberaden stem een waarschuwing. 'Ik laat jullie hem niet meenemen. Als jullie dat doen zullen er consequenties zijn die jullie niet verwachten.' Ze besloot dat een leugen haar positie sterker zou maken. 'Mijn vader is een hoge functionaris in de Duitse regering. Als jullie deze mensen, wie dan ook, meenemen zal heel Europa over jullie wreedheid horen! Daar zal mijn vader voor zorgen!'
Michel gaapte het stel in verbazing aan omdat hij hen plotseling herkende. Hij had het dus fout gehad – de vrouw was niet Libanees, zelfs niet Palestijns, maar een Duitse! 'Een Duitse,' mompelde hij plotseling

verteerd door een conflict in emoties. De vrouw behoorde tot een ras dat hij na de Palestijnen het meeste haatte. Hij bekeek Christine nauwlettend terwijl hij nadacht over wat hij moest doen. Michel had van zijn meerderen de opdracht gekregen de media uit de buurt te houden terwijl de Libanezen de terroristen verjoegen. Dit meisje kon ernstige moeilijkheden veroorzaken. Hij nam zijn beslissing en keerde zich tot de soldaten. 'Neem hen mee,' zei hij waarbij hij een ronddraaiende beweging met zijn hand maakte. 'Allemaal, naar een veilige plek. Laat hen vrij nadat de missie is voltooid.' Hij wreef met de rug van zijn hand over zijn mond. 'Doe ze niets aan. Dat is een bevel.' Nadat hij nog eenmaal een blik op de gevangenen had geworpen, keerde hij zich om en begon weg te lopen.
Demetrius was niet tevreden. 'Ik moet terug naar Shatila. Ik moet voor mijn patiënten zorgen.'
Nog een verrassing. Michel keerde zich om en keek nog een keer naar Demetrius. 'Ben je arts?'
'Ja. En ik heb ernstig gewonde patiënten in mijn kliniek.'
Michel wist dat hij geen concessies meer kon doen. 'Je patiënten zullen het zonder je moeten doen, dokter,' zei hij scherp.
Christine, die voelde dat ze een vreemd soort greep op de jood had, smeekte: 'En zijn familie dan? Demetrius heeft bejaarde ouders in het kamp.'
Michel keek glimlachend neer op de kleine vrouw die hem op de een of andere vreemde manier raakte. 'Zijn ze terroristen?'
Christine zuchtte overdreven. 'Natuurlijk niet.'
'Als ze geen terroristen zijn,' stelde Michel haar gerust, 'dan heb je geen reden om je zorgen te maken.' Opnieuw keerde Michel zich om en liep weg. Zijn maag draaide door een onverklaarbare emotie. Hij wilde het Duitse meisje met zich meenemen om meer over haar te weten te komen, maar hij wist dat ze nooit mee zou gaan zonder de Arabische man en dat zou te riskant zijn. Terwijl hij over de vrouw nadacht besloot hij dat hij haar moed en vastberadenheid mocht. Het verbaasde hem geweldig dat hij moest toegeven dat hij de vrouw enorm aantrekkelijk vond, ondanks het feit dat ze een Duitse vrouw was die een relatie met een Palestijn had. De ergst denkbare combinatie!
Christine staarde naar de rug van Michel Gale. De jood had het leven van Demetrius gered, daar was ze zeker van. Sinds de Israëlische invasie van Libanon had ze zich de Israëlische soldaten voorgesteld als gedachteloze moordenaars – was dat wel zo?
Nu de crisis voorbij was omringden Majida, Nizar en Anwar Christine. Majida omhelsde haar en fluisterde: 'Dank je, Christine, voor het leven.'

De soldaten leidden de groep naar een ommuurd terrein waar ze samen werden opgesloten. Demetrius, Christine en de anderen konden de daaropvolgende twee dagen en nachten dat ze werden gevangengehouden het geratel van geweervuur en zware explosies horen.
Demetrius, die niet kon slapen, liep onrustig op en neer en maakte zich zorgen over zijn patiënten, zijn ouders en alle mensen die hij in het kamp Shatila kende. Hij was er zeker van dat er iets vreselijks in het kamp gebeurde.
De vrijlating kwam als een verrassing. Een Libanese man in een slordig kaki uniform ontsloot de deur. 'Jullie kunnen nu terug naar de hel,' zei hij op zakelijke toon.
Ze sprongen overeind. Ze wilden met spanning het lot van hun families weten.
Demetrius stak zijn hand naar Christine uit. 'Kom op, weg hier.' Hij trok haar sneller voort dat zij kon lopen. 'We gaan als eerste naar mijn patiënten, daarna gaan we naar huis.'
'Je familie zal ziek zijn van de zorgen.'
'Ja. Dat weet ik.'
Ze konden het gebulder en het gekletter van bulldozers horen lang voordat ze bij het kamp waren.
Demetrius rende bijna.
Christine kom hem nauwelijks bijhouden.
Hij rende en zij rende.
Toen ze het kamp binnengingen bleven ze als in een waas staan door wat ze zagen. Shatila zag er niet meer uit als Shatila. Huizen waren in stukken geblazen en er lagen puinhopen waar eens kantoren en winkels hadden gestaan. De bulldozers gingen door met de vernietiging.
Toen ze aankwamen waar eens de kliniek had gestaan kromp Christine van ellende in elkaar. Ze keek toe hoe een bleke Demetrius doelloos rondliep en tegen stukjes metaal en cement schopte op zoek naar een teken dat de Antoun-kliniek eens had bestaan. Er was niets meer over dan verbrijzeld cement.
Demetrius en Christine keken elkaar aan maar waren te perplex om iets te zeggen. Wat was er met hun patiënten gebeurd?
Plotseling pakte Demetrius, die zich het belangrijkste van alles herinnerde, de hand van Christine en trok haar mee de straat door naar het huis van de familie Antoun.
Christine struikelde en viel, maar Demetrius rukte haar overeind.
Ze waren buiten adem, gek van angst.
Demetrius bad stilletjes – God, laat ze nog leven.
Voorbij het gebied rond de kliniek leken de meeste huizen intact te zijn.

Demetrius begon hoop te krijgen toen hij zag dat de huizen van Darwish en Bader ongeschonden waren.
Christine uitte een lichte kreet van vreugde toen ze de prachtige, bekende grijze blokken van het huis van Demetrius zag.
Het gezicht van Demetrius was rood van spanning toen hij de deur door stormde. Hij riep: 'Pa? Ma? Grootvader?'
Het was griezelig stil in het huis.
Christine kwam langzaam achter hem aan en was vervuld van afgrijzen door wat ze zag. Het was een puinhoop! Het interieur van het huis was verwoest. Meubels lagen ondersteboven, spiegels waren gebroken en er lag overal eten. Er waren walgelijke teksten in zwarte verf op de muren geschreven. De lippen van Christine bewogen in stille fluistering terwijl ze de afgrijselijke woorden van haat las: 'Ik zal je zuster neuken! Dood aan alle terroristen! Palestijnse vrouwen schenken geen leven aan baby's, maar aan terroristen!'
Demetrius was in de achterkamer, nog altijd op zoek, en riep met een gespannen stem: 'Ma! Ik ben het, Demetrius! Waar ben je?'
Christine, die om zich heen keek, zag de zwarte tas van Mary Antoun, dezelfde tas die Mary en Demetrius hadden gepakt met de waardevolle familiebezittingen op de ochtend dat er weer werd aangevallen. De tas lag open. Hij was leeg en duidelijk achteloos neergesmeten door iemand die niet de eigenaar was. Christine uitte een lichte kreet van pijn. Plotseling was ze vreselijk bang. Trillend riep ze: 'Demetrius!'
Demetrius liep struikelend door de smalle hal. Hij stond stil en staarde naar de chaos om hen heen.
Christine wees naar de tas van zijn moeder.
Demetrius begon te beven.
Christine kwam naast hem staan en legde haar hoofd tegen zijn borst terwijl ze verlangde naar troost, zelfs nu ze probeerde hem te troosten.
'Ze moeten zijn beroofd voordat ze naar de schuilkelders gingen.'
Demetrius probeerde het, maar kon niet antwoorden.
Ze voelde met haar hand aan zijn gezicht. Zijn huid was ijskoud.
Ten slotte zei hij met een lage en verdrietige stem: 'Christine, ik ben bang dat er iets vreselijks is gebeurd.'
De maag van Christine kromp ineen terwijl ze tegen zijn borst aan zakte. Ze was bang Demetrius te vertellen over haar eigen angstgevoelens.
Demetrius, die leed onder een onvoorstelbare marteling, bedacht welke keuzen hij had. Hij sprak snel. 'We gaan eerst bij de Baders kijken en dan bij het huis van Amin. Daarna gaan we de schuilkelders afzoeken.'
Hij ademde zwaar uit voor hij somber zei: 'Als ze daar niet zijn, dan gaan we in de ziekenhuizen kijken.'

Ze keerden op hun schreden terug en renden naar het huis van Mustafa Bader.
Het huis was ongeschonden, maar er was niemand.
Demetrius noch Christine kon geloven wat ze zagen toen ze bij het huis van Amin kwamen. Iemand had op de foto's van Ratiba en op de kussens in de zitkamer gepoept.
Demetrius schudde zijn hoofd en liep vol walging achteruit. 'Waren deze mannen gek?'
Ze renden naar de schuilkelder die het dichtst bij het huis van de familie Antoun was. Het was donker en leeg in de schuilkelder. Overal verspreid lag afval en spatten bloed waaruit kon worden opgemaakt dat de schuilkelders recent waren gebruikt door grote aantallen inwoners van Shatila. Demetrius staarde nietsziend voor zich uit toen hij in het zonlicht terugkeerde. 'We gaan eerst in het Gaza-ziekenhuis kijken,' fluisterde hij.
Onderweg naar het ziekenhuis zagen ze de eerste groep lichamen die als brandhout langs de weg opgestapeld lagen.
Christine kon haar angst niet meer maskeren. 'Demetrius. Er is een slachting geweest.' Ze legde haar hand op haar voorhoofd en wankelde achteruit.
Demetrius kreunde terwijl hij tussen de lichamen door liep. Bij een jongeman waren zijn handen achter zijn rug vastgebonden. Hij was neergestoken. Een paar vrouwen en kinderen waren neergeschoten. De maag van een oudere man was opengesneden. Demetrius was geshockeerd toen hij een paar patiënten herkende die hij in de kliniek had achtergelaten. Het gebroken lichaam van Maha Fakharry lag over het lichaam van een dood kind. Maha moest voor haar leven gevochten hebben, want ze was wreed geslagen.
De moordenaars waren de dieren in Shatila niet vergeten. Een kat en drie kittens waren afgeslacht. Een gewond paard lag op zijn zij en leefde nog nauwelijks maar lag te stuiptrekken in zijn eigen bloed. Demetrius huilde toen hij het paard met een grote steen sloeg om het dier uit zijn lijden te verlossen.
De stank was ongelooflijk.
'Lieve God,' herhaalde Christine. 'Een slachting!'
Nadat hij de lichamen zorgvuldig had onderzocht, liep Demetrius naar Christine, pakte haar hand en leidde haar weg. 'We kunnen niets voor hen doen.'
Een straat verder van het afschuwelijke tafereel vonden ze nog een bloedbad. Demetrius, die de jurk met roze bloemen herkende die zijn moeder had gedragen toen hij haar voor het laatst had gezien, rende naar

de stapel lichamen die naast een muur lagen. 'Ma!' De jurk van Mary Antoun bedekte haar hoofd. Haar ondergoed was van haar lichaam gerukt.
Terwijl de tranen over zijn wangen stroomden rukte Demetrius de jurk van het gezicht van zijn moeder en bedekte haar naakte lichaam. Mary Antoun was met een bajonet in haar rug en zij gestoken.
Christine snikte hysterisch en wiegde op haar knieën heen en weer.
Grootvader Mitri lag op zijn buik, pal onder zijn schoondochter. Hij was in zijn oor geschoten.
Gek van verdriet begon Demetrius van het ene lichaam naar het andere te rennen. 'Pa!' Steeds opnieuw tuurde hij naar de verwrongen lichamen en keek soms vier of vijf keer naar ze. Ten slotte keek Demetrius naar Christine en uitte, terwijl hij zijn hoofd in verbijstering schudde, een hartstochtelijke kreet: 'Pa is er niet bij, Christine.'
'O, Demetrius!' huilde Christine en ging toen staan, waarbij ze over het lichaam van Mary Antoun struikelde. Ze huiverde toen ze zag hoe de omlijste foto van Demetrius in de hand van zijn moeder vastgeklampt zat. Zelfs bij de naderende dood had Mary Antoun alleen aan haar geliefde zoon gedacht. Christine veegde stukjes gebroken glas van de foto en hield hem tegen haar borst voor ze opnieuw op haar knieën zonk. 'God! Laat dit een slechte droom zijn!'
Mustafa Bader kwam de straat afrennen en gilde: 'Demetrius! Ben jij dat?'
Demetrius draaide zich razendsnel om. 'Mustafa!'
Mustafa was buiten adem. 'Demetrius, je moet komen. Snel! Je vader ligt in het Gaza-ziekenhuis. Hij leeft nog!'
Demetrius greep in uiterste angst de schouders van Mustafa beet en hield hem stevig vast. 'Mustafa, weet pa dat ma en grootvader dood zijn?'
Mustafa snikte. 'Ja. Ja. Hij was erbij. Hij was getuige van alles!' Mustafa huilde. 'Je vader kon hen niet redden, Demetrius.'

Het Gaza-ziekenhuis was overvol met gewonden en stervenden. Het bed met daarin George Antoun was weggestouwd in een kleine kamer die was bedoeld voor de opslag van medicijnen. Er zat een infuus in zijn arm. George was in zijn buik geschoten en voor dood achtergelaten. Als zijn vriend Mustafa hem niet had gevonden zou hij op de plaats van het bloedbad zijn overleden. George wist dat hij stervende was maar dwong zichzelf te leven, lang genoeg te leven om het lot van zijn zoon te leren kennen.
George Antoun was een man die met een vreselijk geheim leefde en hij

wist dat hij zijn zoon dat geheim moest vertellen voor hij stierf. George sloot zijn ogen. Hij spaarde zijn krachten.
Abeen Bader waaide George met een steek koelte toe. De arts had haar man verteld dat George nog maar weinig tijd had en ze wilde dat hij die zo comfortabel mogelijk doorbracht. Abeen was kapot. Mustafa had haar over het lot van Mary en grootvader Mitri verteld. Nu was Abeen bang dat hij zou terugkomen met het bericht dat ook Demetrius als vee was afgeslacht. De indringers hadden veel mensen vermoord, maar hun favoriete doelen waren jongemannen.
Ze hoorde snelle voetstappen. De deur zwaaide open en Abeen uitte een kreet.
Een met bloed doordrenkte Demetrius Antoun kwam de kamer binnenlopen.
Mustafa en Christine kwamen dicht bij het doodsbed staan.
'Pa! Ik ben het, Demetrius!' Demetrius boog zijn grote gestalte over zijn vader en wreef licht met zijn handen over het gezicht van George. Intussen namen zijn doktersogen hem nauwgezet op in een poging in te schatten hoe zwaar zijn vader gewond was. Hij kromp ineen toen hij zag hoe het bloed door het witte verband heen druppelde dat om het midden van Georges lichaam was gebonden.
George opende langzaam zijn ogen. 'Demetrius? Zoon, is je moeder ook hier?' George dacht dat hij misschien al dood was en al in de hemel samen met zijn zoon en vrouw.
'Nee, pa. Alleen ik ben er, Demetrius.'
George duwde zich een stukje omhoog in een poging de korte afstand tussen zijn zoon en zichzelf te verkleinen. 'Demetrius, je leeft?'
'Ja, pa. Ik leef nog.'
'Lof zijn God. Lof zij God. Je leeft.' Tranen vulden zijn ogen. Toen hun zoon niet van de kliniek was teruggekeerd hadden George en Mary uren in doodsangst doorgebracht, buiten zichzelf over zijn welzijn.
'Pa. Wind je niet op. Je moet herstellen.'
George herinnerde zich plotseling het geheim. Zijn ogen sperden zich wagenwijd open en een angstig moment dacht Demetrius dat zijn vader was gestorven.
George beet op zijn onderlip. 'Zoon. Ik moet je iets vertellen wat je niet prettig zult vinden.'
Demetrius smeekte: 'Pa. Nee. Later. Alsjeblieft, spaar je krachten.'
George bewoog langzaam zijn hoofd en keek om zich heen. Hij haalde zijn tong over zijn lippen. 'Is Mustafa hier?'
'Ik ben hier, George.' Mustafa stak zijn hoofd naast de schouder van Demetrius. 'Ik ben hier.'

‘Mustafa, kun je Abeen mee de kamer uit nemen en daar wachten?’
Mustafa voelde zich gekwetst. Hij maakte bijna deel uit van de familie Antoun. Toch knikte hij instemmend. ‘Als je dat wilt, zal ik gaan, George.’
Demetrius kwam tussenbeide. ‘Pa. Doe niet zo dwaas. Mustafa mag alles horen wat we tegen elkaar te zeggen hebben.’
George had de kracht niet om er tegenin te gaan. Hij knikte. Hij moest het geheim vertellen voor hij stierf. Alsof hij wist dat als hij het niet deed, hem een vreselijke straf door de hand Gods te wachten stond.
Hij keek zijn zoon recht in de ogen. ‘Demetrius, ik weet dat ik doodga. Je moeder is dood. Je grootvader is dood.’ Zijn stem brak. ‘Je zult nu alleen zijn.’
De lippen van Abeen trilden. ‘George, hij zal onze zoon zijn.’
Mustafa was het ermee eens. ‘Hij is onze zoon al.’
George glimlachte zwakjes en hoopte dat Demetrius troost zou vinden bij het echtpaar Bader. Toch moest Demetrius het weten, iedere man had het recht zijn afkomst te weten.
Als laatste daad van enorme liefde vergaarde George Antoun al zijn krachten voor zijn zoon in zijn stervende lichaam. Hij pakte de arm van Demetrius beet en probeerde overeind te komen.
‘Pa!’
George sprak met een scherpe stem toen Demetrius protesteerde. ‘Luister naar me. Ik wil nog één ding zeggen voor ik sterf. Laat me!’
Demetrius vocht tegen zijn tranen. ‘Oké, pa. Ik beloof het.’
‘Nu mag niemand me onderbreken,’ beval George. ‘Luister alleen naar wat ik te zeggen heb!’
Demetrius knikte. Zijn nieuwsgierigheid was gewekt.
De stem van George klonk krachtiger. ‘Demetrius, zelfs je moeder wist het niet. Je grootvader had een vermoeden, maar hij vroeg er nooit naar.’
Demetrius keek verward. ‘Wat is het, pa?’
De stem van George werd vriendelijker. ‘Zoon, je moeder wilde voor alles in de wereld een kind. Ze had tien miskramen tijdens de eerste zes jaar van ons huwelijk.’
Demetrius had deze informatie al vele malen gehoord en hij herinnerde zich zijn moeders woorden dat hij een geschenk van God was. Hem was altijd het gevoel gegeven dat hij het meest speciale kind ter wereld was.
‘Ja, pa. Dat weet ik.’
George haalde diep adem. ‘Aan het begin van 1948 had mijn vader drie zoons en een dochter. We hadden destijds veel te lijden. Toen we uit Palestina ontsnapten was ik het enige nog levende kind. Enkele maan-

den voor we naar Haifa vluchtten kregen we te horen dat er een bom was geëxplodeerd bij de poort van Jaffa in Jeruzalem. Die explosie doodde mijn twee broers en enige zuster, die in de stad aan het winkelen waren. Het was te veel voor pa om drie van zijn vier kinderen te moeten begraven, dus ging ik alleen.'
Demetrius pakte de hand van zijn vader en veegde teder de tranen van zijn vaders gezicht.
George friemelde nerveus aan het laken. 'Toen ik de begraafplaats verliet, was ik buiten mezelf.' Hij keek naar zijn zoon en zijn ogen smeekten hem om vergiffenis. 'Zoon, vergeet dat niet. Ik was mezelf niet.'
Demetrius was volledig in de war en vroeg zich af of zijn vader aan het hallucineren was. Maar hij glimlachte liefdevol naar zijn vader en beloofde: 'Maak je geen zorgen, pa. Ik zal het begrijpen.'
Er trok een even een trek twijfel over het gezicht van George. Hij hoopte dat het waar zou zijn. Na een onregelmatige zucht ging hij verder met zijn verhaal. 'Nou, ik ging naar het huis van mijn jongste broer om zijn weduwe te helpen enkele dingen te pakken. Hij woonde dicht bij een joodse buurt. Toen ik erheen liep begon een groep joden stenen naar me te gooien en grove opmerkingen te maken waarbij ze zeiden ik uit hun stad moest verdwijnen. Stel je dat eens voor. Hun stad.'
De ogen van George kleurden donkerder bij de herinnering aan die dag zo lang geleden. Een dag die meer dan één leven voor altijd veranderde. 'Ik besloot dat ik beter terug kon gaan want anders zou mijn vader geen enkele zoon meer over hebben om voor hem te zorgen.' Zijn stem begon te haperen. 'Zoon, ik kwam langs het huis van een vreemde en zag daar een vrouw op een binnenplaats. Ze zat alleen met een baby in haar armen te zingen. Ik stond daar en keek naar het gelukkige tafereel terwijl ik wist dat er Arabieren werden vermoord, uit hun huizen werden verdreven, hun land uit werden gezet en ik raakte buiten zinnen, ik was mezelf niet.'
Het gezicht van George weerspiegelde zielenleed. Beschaamd over wat hij moest bekennen keerden zijn ogen zich af van zijn zoon. 'Zoon, je pa verborg zich in de bosjes en wachtte. Er ging enige tijd voorbij. Toen legde de vrouw de baby in een kleine kribbe en ging naar binnen.'
De stem van George brak. 'Zoon. Ik greep die baby en zette het op een rennen.'
Demetrius had het gevoel alsof zijn lichaam verlamde.
Abeen hield haar adem in een keek met haar vingers op haar lippen naar haar man.
Mustafa staarde sprakeloos naar het gezicht van George.
Christine legde haar hand op de schouder van Demetrius, niet helemaal zeker van wat ze hoorde.

George rechtte zijn rug en keek zijn zoon vol in het gezicht. 'Demetrius, je bent de prachtigste zoon die een man zich kan wensen. Je moeder en ik hebben meer van je gehouden dan God.' Hij raakte zijn bevende lippen met zijn vingers aan. Hij sprak snel omdat hij het verhaal wilde afmaken voor God hem opeiste. 'Mijn zoon. Ik heb je gestolen. Je behoorde mensen toe die ik niet kende. Als ik dood ben,' smeekte hij, 'zoek deze mensen dan op. Vind je rechtmatige familie. Ik heb je geroofd.' Zijn stem ijlde weg. 'Ik heb je geroofd.'
Demetrius raakte met een lijkbleek gezicht de hand van zijn vader aan. Zijn stem was niet meer dan een fluistering. 'Waar is die plaats, pa?'
'Kijk in de documenten thuis. Je zult de naam van de straat in Jeruzalem vinden waar je oom leefde. Het huis waar ik je vond was een paar straten daarvandaan. Meer weet ik niet.'
Het werd stil in de kamer.
George Antoun sloot zijn ogen om ze vervolgens weer snel te openen. Hij begon opnieuw te spreken. 'Ik nam je mee naar huis, naar je moeder. Ik vertelde haar dat er een Arabische familie was omgekomen bij hetzelfde bombardement waarbij mijn eigen broers en zus waren gedood. Ik vertelde haar dat er niemand was om voor je te zorgen. Je moeder was zo gelukkig dat ze geen vragen stelde. We brachten je groot als onze eigen zoon.'
Christine legde haar beide handen in de nek van Demetrius. Ze waren ijskoud.
Er kwam een vreemde gedachte in Demetrius op. Hij moest zijn geloof weten. Palestijnen waren soennitische moslims of christenen. Was hij een soennitische moslim die als christen was opgevoed?
Demetrius dwong zichzelf ertoe zijn stem kalm te laten klinken. 'Was het een christelijke buurt, pa?'
Bij die gevreesde vraag begon George te snikken. Hij snikte zo luid dat de rode cirkel op zijn verband groter begon te worden.
Demetrius glimlachte zwakjes. 'Pa! Het is al goed. Maak je geen zorgen. Het geeft niet of ik een moslim of een christen ben.'
Abeen troostte de jonge man. 'Onze God is dezelfde.'
George trok zijn zoon naar zich toe en probeerde te fluisteren, maar hij had zijn stem niet meer onder controle zodat iedereen in de kamer het kon horen. 'Zoon. Mijn zoon, de straat waaruit ik je stal werd bewoond door joodse families.'
Het was doodstil in de kamer.
George, die naar zijn laatste adem hapte, opende zijn ogen en riep uit: 'Mijn zoon, mijn geliefde zoon, je bent als jood geboren.'

Deel drie
New York-Jeruzalem
1982-1983

Namenlijst

De familie Gale:
Jozef Gale (vader)
Ester Gale (moeder)
Michel Gale (zoon)
Jordan Gale (dochter)
Rachel Gale (zuster van Jozef)

De familie Kleist:
Friedrich Kleist (vader)
Eva Kleist (moeder)
Christine Kleist (dochter)

Demetrius Antoun (Palestijnse arts)
Anna Taylor (Amerikaans inwoonster van Jeruzalem)
John Barrows (Brits arts)
Gilda Barrows (vrouw van John Barrows)
Tarek (Arabische bode die voor Anna Taylor werkt)
Jihan (Arabisch dienstmeisje dat voor Anna Taylor werkt)

De overledenen
Ari & Leah Jawor (holocaust overlevenden: vrienden van Jozef & Ester Gale)
Helmet & Susanne Horst (ouders van Eva Horst)
Heinrich Horst (broer van Eva Horst)
Karl Drexler (voormalig SS-commandant van het getto in Warschau)
Mirjam Gale (dochter van Jozef & Ester Gale)
Daniël Stein (broer van Ester Gale)
Jacques Gale (broer van Jozef Gale)
John & Margarete Taylor (ouders van Anna Taylor)
George & Mary Antoun (ouders van Demetrius Antoun)

Proloog

The New York Times, 26 september 1982
Artikel van Thomas Friedman, correspondent van de *Times*

Beiroet: VS bevestigen de moorden

Op zaterdag om negen uur 's morgens ging een lid van de Amerikaanse ambassade het kamp Shatila binnen en stelde vast dat er een bloedbad had plaatsgevonden waarvan hij zijn superieuren op de hoogte stelde.
Ergens tussen laat in de middag van vrijdag en in de ochtend van zaterdag schijnt de militie in het kamp eendrachtig een wat slordige poging te hebben gedaan in elk geval een paar van hun sporen te verbergen.
Veel gebouwen werden met bulldozers over de lichamen erin geschoven. Sommige lichamen werden met bulldozers in enorme zandheuvels geschoven waarbij de armen en benen aan alle kanten uitstaken. Op sommige plaatsen maakte de militie keurige stapels puin en golfijzeren platen om de lijken te verbergen.
Het is ook mogelijk, te oordelen naar het aantal gebouwen waarvan de voorkant eraf gerukt was of waar door bulldozer enorme gaten in gemaakt zijn, dat de militie probeerde de vele gebouwen onbewoonbaar te maken zodat de overlevende bewoners er niet in kunnen terugkeren.
Mannen, vrouwen en jonge jongens werden door de militie bijeengedreven. Zo'n 500 tot 600, en mogelijk meer mensen werden bij elkaar gedreven en onder dreiging van geweren door de hoofdstraat van Shatila gemarcheerd waar ze werden gedwongen langs de weg te gaan zitten.
Naast hen lag een aantal lijken die al waren begonnen te vergaan.
Een aantal mannen werd met de handen boven het hoofd weggevoerd.
Sommigen werden achter zandstapels geleid. Er werden schoten gehoord. Toen de vrouwen begonnen te schreeuwen, werden sommige mannen teruggebracht om hen tot bedaren te brengen.
Volgens de waarnemer van de Verenigde Naties die tot dusver meer dan 300 lijken in Shatila heeft ontdekt, was het duidelijk uit de relatieve

staat van ontbinding dat sommige mensen al op donderdag waren vermoord en anderen aan het eind van zaterdagmorgen.
Sommige lichamen die werden aangetroffen waren al opgezwollen en begonnen te ontbinden.

20 Anna Taylor

Ester Gale hief beide handen boven haar hoofd en riep uit: 'Ik ben geen vrouw die ruzie met God maakt!'
Anna Taylor zat tegenover haar vriendin aan een kleine terrastafel. Ze luisterde glimlachend en dacht terug aan andere gelegenheden waarbij Esters religieuze overtuigingen blijkbaar de weg naar gezond verstand blokkeerden.
'Anna, wat kan ik doen?' Ester leunde, met haar ogen op haar vriendin gericht, verwachtingsvol naar voren.
Anna aarzelde niet toen ze zei: 'Doe niet zo dramatisch, Ester. Het inhuren van een privé-detective om je eigen dochter te zoeken is nauwelijks ruzie maken met God te noemen. Jordan is al meer dan een maand weg. Je hebt elk recht te weten waar ze zit.'
Ester zakte terug in haar stoel. 'Jordan zou razend zijn als ze ontdekte dat ze is gevonden door een detective die door haar ouders is ingehuurd. Misschien trekt ze zich nog verder van ons terug.'
'Dat ben ik met je eens. Maar kun je wel doorgaan met jezelf zo te kwellen?'
Opgaand in haar eigen gedachten staarde Ester uitdrukkingsloos langs Anna heen. Ze zaten nu bijna een halfuur aan de ronde metalen tafel op het dakterras van het huis van Anna in Jeruzalem koffie te drinken en over Jordan te praten. Toch was er nog niets opgelost.
Ester nipte opzettelijk langzaam aan haar koffie waarna ze het kopje zachtjes op het schoteltje zette. Haar stem klonk enigszins beschuldigend. 'Je klinkt net als Jozef. Hij is vastbesloten een detective in te huren om Jordan te vinden. Ik ben het gewoon niet eens met zijn idiote plan.'
'Wat vindt Michel ervan om een privé-detective in te huren?'
'Hetzelfde als zijn vader. Toen Michel gisterochtend uit Libanon terugkwam waren Jozef en ik van plan gisteravond zijn veilige terugkeer te vieren. In plaats daarvan hebben we de hele avond met zijn drieën ruzie gehad over Jordan en wat we zouden moeten doen.' Ester pauzeerde en wierp Anna een angstige blik toe. 'Ze denken allebei dat haar iets vreselijks is overkomen.'

Anna schudde onder het spreken langzaam haar hoofd. 'O nee, Ester, er is Jordan niets overkomen. Als dat zo zou zijn, zouden de Amerikaanse autoriteiten de Israëlische ambassade hebben ingelicht. Ze had gewoon wat tijd alleen nodig.'
Anna aanbad zowel Michel als Jordan Gale, maar ze had een speciale relatie met Jordan, een relatie zonder geheimen. Toch had Jordan het land verlaten zonder het ooit over haar reisplannen te hebben. Dat was niets voor haar. De pijn die ze voelde toen ze voor het eerst hoorde dat Jordan weg was kwam plotseling terug en ze hoopte dat haar stem die pijn niet zou onthullen. 'En waar is Michel nu?'
'Thuis aan het pakken. Hij zegt dat hij niets kan vieren als hij niet weet of zijn zuster in veiligheid is. Michel zegt dat als ik er niet mee instem iemand in te huren om haar te vinden, hij haar zelf zal gaan zoeken.' Ester leunde naar voren. 'O, Anna, wat moet ik doen?'
Na een korte stilte vroeg Anna: 'Wanneer gaat Michel naar New York?'
'Morgenavond.' Ester keek sceptisch. 'Zo'n verspilling van energie. Jozef en ik hebben hem herhaaldelijk verteld dat we niet geloven dat hij zijn zuster in zo'n grote stad kan vinden.'
De ogen van Anna lichtten op. Ze leunde naar voren en pakte Esters arm. 'Nou, ik heb een goed idee.'
Ester flapte eruit: 'Wat? Vertel het me, alsjeblieft.'
'Als we niets van Jordan horen voordat Michel morgen vertrekt, zou ik een discreet onderzoek kunnen regelen. Ik heb vrienden in New York die bij dit soort zaken vertrouwd kunnen worden. Jordan zou het nooit te weten komen.'
Door deze woorden ging Ester plotseling rechtop zitten. 'Dat is een prachtig idee!' Sinds de familie Gale bijna zesendertig jaar daarvoor in Jeruzalem was aangekomen, was Anna altijd een bron van kracht en steun voor hen geweest. Nu bood ze opnieuw troost waar er geen mogelijk leek. Ester kon zich niet voorstellen hoe het leven in Jeruzalem zou zijn geweest zonder de vriendschap van deze Amerikaanse vrouw. 'Zou je dat willen doen?'
'Ja, ik zei dat ik dat zou willen doen en ja, ik zal het doen.' De stem van Anna klonk warm en geruststellend terwijl ze het kopje van Ester opnieuw volschonk. 'Het is geregeld. We wachten nog een dag.' Ze glimlachte ondeugend. 'Als onze wegloopster dan nog geen contact met ons heeft opgenomen zullen we onze zoektocht beginnen!'
Ester ging abrupt staan. 'Ik moet gaan.'
'Nee. Alsjeblieft, drink eerst je koffie op voor je gaat.'
Ester depte voor een laatste keer haar lippen met het witte katoenen servetje en antwoordde lachend: 'Mijn man zegt altijd tegen me dat ik naar

jouw advies moet luisteren. Hij heeft natuurlijk gelijk. Ik moet hem dus onmiddellijk opzoeken en hem vertellen dat je me ervan hebt overtuigd dat hij gelijk had over wat we moeten doen.' Esters glimlach werd weemoedig. 'Jozef zal erg blij zijn.'
Anna stond op omdat ze begreep dat Ester direct weg wilde. Ze wist dat Ester geen rust zou kennen tot de kloof tussen hen was gedicht. Sinds de dood van haar eigen ouders had Anna nooit meer een stel gezien dat zo van elkaar hield als Jozef en Ester Gale.
Anna gaf Ester een arm en samen liepen de twee vrouwen de smalle trap af naar de villa. 'Zeg alsjeblieft tegen Michel dat hij niet moet vertrekken zonder eerst hier even langs te komen.'
Ester knikte. 'Ik zal hem eraan herinneren.' Ze pauzeerde en voegde er toen aan toe: 'Maar Michel zou nooit weggaan zonder eerst bij jou langs te gaan.' Ze leunde naar voren en kuste Anna eerst op de ene wang en vervolgens op de andere. 'Ik zal je vanavond bellen.'
Anna keek stil toe hoe Ester de bestrate weg overstak en kordaat in de richting van het huis van de familie Gale begon te lopen. Ze herinnerde zich nogmaals, zoals zo vaak na een van Esters bezoekjes, hoe ze Ester zoveel jaar geleden voor het eerst ontmoette.
Nadat de Tweede Wereldoorlog eindelijk ten einde was gekomen, ontvluchtten duizenden Europese joden die het was gelukt aan de vernietigingskampen van Hitler te ontkomen het continent in de hoop naar Palestina te kunnen: een thuisland dat nog niet door de wereld was erkend, maar dat hun in de bijbel was beloofd. Toen nerveuze Arabische inwoners eisten dat de Britse heersers over Palestina zouden voorkomen dat de joden het land binnenkwamen, reageerden de Britten door de toegang tot het kleine land zowel te land als ter zee te blokkeren. Toch wisten veel joden, zoals de familie Gale, de Britse autoriteiten te ontlopen. Jozef, Ester en Rachel Gale hadden vanuit Cyprus met een kleine open boot de Britse blokkade weten te omzeilen.
Toen de familie Gale in Palestina aankwam waren ze uitgeput, hongerig en arm. En hoewel de gezondheid van Jozef en die van Rachel goed was, was Ester er zo slecht aan toe dat ze de dood nabij was.
Anna en haar moeder Margarete hoorden verhalen over de ellendige omstandigheden van de joodse emigranten. Ze boden zich vrijwillig aan om de zieke joodse vluchtelingen te verplegen en Ester was een van de eerste patiënten van Anna geweest.
Toen Anna Ester voor het eerst zag, dacht ze dat ze in het gezicht keek van een van honger stervend, kaal kind. Toen ze hoorde dat Ester vijfentwintig was, drie jaar ouder dan zijzelf, stond ze perplex. Esters hele lichaam, dat leed onder ernstige ondervoeding, bezat geen enkele haar

meer en was bedekt met zwerende plekken. Verzwakt en verdwaasd werd ze achtervolgd door het verlies van haar familie en riep zwakjes hun namen.
Ondanks de instructies van de kampdokter geen tijd te verspillen aan vluchtelingen die ongeacht de verzorging die ze kregen zouden sterven, zag Anna Esters herstel als haar opdracht. Vastbesloten de Poolse vrouw weer in goede gezondheid te krijgen, verpleegde ze Ester lange dagen en nog langere nachten achtereen. Haar inspanningen en gebeden werden beloond. Langzaam en in het begin nauwelijks waarneembaar herwon Ester haar gezondheid en levenskracht. Binnen een paar maanden veranderde zij van een mager figuur dat nauwelijks op een menselijk wezen leek in een ongelooflijk mooie vrouw.
Anna wist dat haar doorzettingsvermogen het leven van de joodse vrouw had gered. Ook Ester wist dit. Sinds die eerste dagen waren de twee vrouwen de intiemste vriendinnen geworden en de ongetrouwde Anna werd beschouwd als een lid van de familie Gale.
Anna keerde zich langzaam om en liep terug naar het terras. Ze keerde terug naar haar stoel en beboterde een stuk versgebakken brood terwijl ze zich zorgen maakte om Jordan en hoopte dat ze in veiligheid was.
Jordan Gale was niet zichzelf geweest sinds de afgrijselijke dood van haar verloofde Stephen Grossman.
Anna staarde naar de lege stoel aan de andere kant van de tafel. Plotseling kwam er een onaangenaam idee in haar op. De tragedie van anderen had haar leven bepaald. Ja, dat was waar. Vanaf Johnstown in Pennsylvania met een overstroming die haar vader als wees achterliet tot aan de niet aflatende catastrofes waardoor het volk van Palestina werd getroffen, had tragedie de mensen gegrepen van wie ze hield.
Onverwacht werden haar gedachten vervuld van de herinnering aan haar moeder en vader. Misschien had het idee van tragedie hun gezichten, hun stemmen, hun lach opgeroepen.
Ze keerde terug naar het brood op het bord en liet een ogenblik haar ellebogen op de tafel rusten. Er had zich een laagje zweet op haar voorhoofd gevormd. Ze veegde haar gezicht even af met het servetje. Het beeld van haar ouders was teruggekomen en flitste voor haar gezicht waardoor ze werd gedwongen terug te denken aan de twee meest respectabele mensen die ze ooit had gekend.
John en Margarete Taylor hadden zich na vreselijke tegenslagen tot Jeruzalem aangetrokken gevoeld.
John Taylor was op 31 mei 1889, de datum van de rampzalige overstroming van Johnstown in Pennsylvania, tien jaar geweest. Hij was het kind van een rijke zakenman en woonde samen met zijn familie in een

chique buurt in Pittsburgh, ver boven het kunstmatig aangelegde meer en de dam die in de vallei boven Johnstown was aangelegd. Hij zou volledig aan de tragedie zijn ontsnapt als zijn vader geen rijk man was geweest.

Johns vader, Horace Taylor, was een visser en een enthousiast sportman. Hij en gelijkgestemde rijke zakenmensen in Pittsburgh bouwden zomerhuisjes bij de vis- en jachtclub Southport die in de bergen ten noorden van Johnstown lag. De dam die het meer creëerde dat werd gebruikt voor recreatie en sport van de club was verwaarloosd. Dreigende voortekenen begonnen zich te manifesteren dat de dam onbetrouwbaar was, maar er werden geen reparaties uitgevoerd. Niemand dacht er zelfs over na wat er met de kleine steden onder de dam zou kunnen gebeuren als hij ooit zou doorbreken.

Op die noodlottige dinsdag had Horace Taylor een afspraak met een prominente zakenman in Johnstown. Aangezien het gezin Taylor vakantie hield in hun huisje bij de club besloot Horace zijn vrouw en drie van zijn vier kinderen op de korte trip mee te nemen. Het kind dat in het vakantiehuis achterbleef was John Taylor, die in bed moest blijven vanwege een lichte verkoudheid.

De lichamen van de familie Taylor waren nooit teruggevonden, want toen de dam brak bevond het gezin zich ergens in de loop van een 100 meter hoge muur van water die door de vallei stortte. Horace Taylor, zijn vrouw Patricia en hun drie jongste kinderen stierven die dag samen met nog 2.200 mensen in de overstroming van Johnstown.

John Taylor was op tienjarige leeftijd alleen in de wereld. De zakenmanager van zijn vader nam de jongen in huis. John was te jong om de implicaties van de hebzucht van de man te begrijpen en zelfs toen hij volwassen was, geloofde hij oprecht dat de zakenmanager van zijn vader een betrouwbaar man was, die heel goed in staat was de zaken van zijn vader te bestieren en hem daarmee vrijstelde om zijn opleiding af te maken.

Maar toen John afstudeerde werd hij geconfronteerd met een schokkende ontdekking. John had geen cent! Nog erger, hij had grote schulden.

De zakenmanager zwoer bij hoog en bij laag dat de vader van John na zijn dood zijn zaak had achtergelaten met een enorme stapel rekeningen en lege opslagplaatsen. John werd een lijst van zijn pas ontdekte schulden overlegd.

Tijdens deze in alle andere opzichten deprimerende periode in zijn leven ontmoette John Margarete Frey. Zij en haar moeder, die weduwe was, waren uit een dorpje in het Eifelgebergte in Duitsland naar Ame-

rika geëmigreerd. Berooid vestigden ze zich in Pittsburgh omdat ze hadden gehoord dat daar werk te vinden was. Ze vonden werk als dienstmeisjes in het huis van een rijke bankier.
John Taylor en Margarete Frey ontmoetten elkaar tijdens een feestje dat de bankier gaf. Hoewel de schulden van John een grote last vormden, bleef hij voor de vrienden en zakenkennissen van zijn vader een veelbelovende jongeman. Hij had een verfijndheid van manieren die iemand uit de armere klasse nooit zou kunnen hebben. In de ogen van de bankier was John een gunstige kandidaat om met zijn dochter te trouwen. Maar in plaats daarvan werd John verliefd op het Duitse dienstmeisje!
Toen John haar ten huwelijk vroeg zei hij tegen Margarete: 'Ik beschouw mezelf als de gelukkigste man ter wereld als ik je hart kan bezitten en zo niet, dan overleef ik het misschien niet.'
John Taylor stelde zijn leven in dienst van Margarete Frey. Hij maakte een eind aan zijn banden met de rijke, afkeurende vrienden van zijn vader uit de betere kringen. Omdat hij wist dat een geëmigreerd Duits dienstmeisje nooit zou worden geaccepteerd in zo'n groep, nam hij zijn lot in eigen handen.
Hun liefdesverhaal werd een prachtig verhaal.
Vol religieuze overtuiging en gedesillusioneerd in Amerika zocht het stel hun lot als missionarissen in het Heilige Land. Ze boekten een overtocht op een schip naar Istanbul en reisden vanuit die weidse oriëntaalse stad over land door Turkije en Syrië naar Palestina.
Die reis werd een schijnbaar eindeloze beproeving. John en Margarete trokken op de ruggen van ezels door het sombere landschap en waren gedwongen zich wanhopig aan de arme dieren vast te klampen terwijl ze probeerden hun weg te vinden in het rotsachtige, bergachtige land van Palestina. Elke dag zakte hun geestdrift verder. Palestina bleek een wild, grimmig en bijna onbewoonbaar land te zijn! Toen hun weg zich kruiste met die van een karavaan bedoeïenen fluisterde John tegen Margarete: 'De inwoners lijken op hun land; net zo ongetemd als wilde beesten!'
Om de moed op te brengen hun reis voort te zetten brachten John en Margarete zich regelmatig in herinnering dat hun geliefde Christus over deze zelfde smalle paden had gelopen. De overtuiging dat hun voeten op de bodem liepen van een edel land, een heilig land dat door hoogten was beroerd die de wereld nauwelijks had gekend, sterkte hun vastbeslotenheid. Anders zouden ze zeker hun missie hebben opgegeven en naar Amerika zijn teruggekeerd.
Gelukkig verzachtte de aanblik van het onvergetelijke Jeruzalem hun angsten en wiste alle pijn en ontberingen van hun reis weg. De prachti-

ge, ommuurde stad was zelfs nog mooier dan ze ooit hadden gedroomd. De geschiedenis van Jeruzalem was er een van doodstrijd en triomf, want in de regio was de religie sterker dan de staat waardoor een instabiliteit werd gecreëerd die een opeenvolging van overwinnaars voortbracht.
Toen John en Margarete in 1905 in Palestina arriveerden bevond dit land zich onder de heerschappij van de Ottomanen, wat sinds 1517 het geval was geweest. Na de dood van de eerste sultan, een man die met zachte hand had geregeerd, was het land gebukt gegaan onder harde decreten die vanuit Istanbul door de opeenvolgende sultans werden opgelegd. In het jaar dat John en Margarete Jeruzalem tot hun thuis maakten stond de vierhonderd jaar durende heerschappij van de Turken op instorten. Onder de dunne vernislaag van de Palestijnse beschaving waren partijpolitieke gevoelens ontstaan.
Nadat ze zich in de heiligste der heilige steden hadden gevestigd wijdden John en Margarete zich aan de prediking, het onderwijs en de verzorging van de armen, waarbij ze het respect van zowel de armen als rijken in heel Palestina verwierven.
Margarete gaf door de jaren heen geboorte aan drie dochters. En terwijl John en Margarete hoop verspreidden en steun boden aan vreemden in nood, stimuleerden ze de verbeelding van hun dochters met verhalen uit de bijbel en boden ze hun kinderen de warmte en vrede van een gelukkig gezin. Ze leerden hun kinderen compensatie in het paradijs te verwachten, een troostende geestelijk premie die ze voor het leven zouden meedragen.
De grote liefde van John en Margarete voor elkaar bleef door alle beproevingen heen standhouden en hun kinderen hoorden hen nooit hatelijke woorden wisselen.
Toch hadden John en Margarete Taylor hun onvolmaaktheden.
De zondagsdiensten van John waren te lang, wat resulteerde in een gemeente van slapende Arabieren. Niettemin gaven de christelijke Arabieren toe dat hun eigen religieuze leiders te twistziek waren om welbespraakt te zijn en gingen ze, tot aan de dood van John Taylor, trouw naar zijn zondagsdiensten.
Het sterke karakter van Margarete spotte met de plaatselijk traditie waarin de vrouw een tweederangs positie had, wat de Arabische mannen vaak stoorde, waardoor ze de stoutmoedige westerse vrouw wantrouwend bekeken. Margarete gaf een keer een jonge bedoeïenenleider op zijn kop omdat hij zijn dochters een opleiding verbood. De leider nam John terzijde en stelde de dominee voor dat zijn vrouw een strengere aanpak nodig had, dat een mooie vrouw haar mond moest houden.

John had hier snel op geantwoord dat hij geloofde dat een te gehoorzame vrouw gewoon niet interessant was, waarbij hij de leider op zijn eigen vrouw wees, een verlegen vrouw die te bang was in de aanwezigheid van een man ook maar één woord te zeggen. De leider ging beledigd weg en kwam enkele maanden niet meer terug in het huis van het echtpaar Taylor.
Anna lachte hardop bij de herinnering en haar wangen kleurden roze van genoegen bij de gedachte aan haar vaders enorme trots op zijn vrouw. Ze duwde haar stoel terug, stond op en begon op het dakterras heen en weer te lopen terwijl ze naar de ontzagwekkende stad staarde waar ze was geboren en haar hele leven had gewoond.
Jeruzalem: een stad die haar inwoners grote smart had gebracht sinds een hoopvolle hand de eerste steen van de eerste woning had gelegd. Anna bedacht dat de man die deze steen naast de bron Gihon had gelegd, zich moest hebben voorgesteld dat de omringende heuvels hem en zijn familie tegen rovende bendes zouden beschermen. Helaas lag het gekozen land op een verhoging en werd het al snel een drukke markt die krioelde van handelaren en karavaans die een felle concurrentie creëerde, die herhaaldelijk moord en onverbiddelijke oorlogen voortbracht.
Anna stopte met ijsberen en staarde naar de schoonheid van de oude stad. Het Jeruzalem voor Anna's ogen was een gigantische stad die zich onbeheersbaar uitbreidde en zich in alle richtingen verspreidde. Terwijl ze door de ijle ochtendlucht staarde luisterde ze naar de stadsgeluiden: het ongeduldige geluid van claxons, het gehuil van een eenzame hond, de harde stemmen van mannen en vrouwen die hun goedkope waren aanprezen in de bazaar dichtbij. Wat was de stad veranderd! Toen Anna een kind was woonden er slechts weinig mensen buiten de oude stadsmuren, maar nu stonden de heuvels vol stenen woningen met de onberispelijke, besprenkelde tuinen van de joden die overgingen in het zand en struikgewas van Arabische gronden. In de begindagen, lang voordat de heftigheid van de zionisten eind negentiende eeuw reden tot paniek gaf voor de Arabische bevolking, hadden de joden en de Arabieren in vrede naast elkaar geleefd zonder hun angst of woede op elkaar bot te vieren. Maar uiteindelijk begonnen de joden en Arabieren elkaar vanwege de toenemende joodse immigratie als bedreiging te zien tot er ten slotte bloed op de straten vloeide en de aarde van de heuvels doordrenkte. De joden en Arabieren vielen nu al honderd jaar naar elkaar uit tot hun geweld gewoon was geworden en bijna als iets noodzakelijks voelde, alsof de joden en de Arabieren de een of andere enorme behoefte in elkaar vervulden.

In de achtenvijftig jaar van haar leven had Anna drie oorlogen overleefd en meer vrienden verloren dan ze op haar vingers kon natellen. Elke keer dat er een poging tot vrede werd gedaan werd deze ongedaan gemaakt en begon er weer een ronde van mortiervuur en exploderende granaten. Ligt er een vloek op de stad van God? vroeg ze zichzelf dan af. Ze wist nog steeds het antwoord op die vraag niet.
Voetstappen onderbraken Anna's gedachten. Ze keerde haar hoofd om om te zien wie er aan kwam. Tarek, de oude Arabische bediende die eens voor haar ouders had gewerkt, kwam haar richting op. 'Er is net een brief uit New York gekomen!' riep hij met zijn schorre stem.
Ze gebaarde met haar vinger dat Tarek haar de brief moest geven.
Een snelle blik onthulde dat haar naam en adres in het opvallende handschrift van Jordan Gale waren geschreven. Anna greep de brief en liep terug naar de tafel waar ze ging zitten en ruimte vrij maakte.
Tarek liet haar alleen.
Anna glimlachte terwijl ze de brief licht met een vinger aanraakte waarbij ze de ruwheid van het goedkope papier voelde en zich afvroeg welke emoties het bericht zou oproepen.
Ze opende de brief met een ontbijtmes, haalde diep adem terwijl ze de brief uit de envelop haalde en vouwde het lijvige document open.

26 september 1982

Liefste Anna,
Eindelijk heb ik de moed gevonden mijn geplaagde land te verlaten. Sinds de dag waarop Stephen werd begraven heb ik geaarzeld of ik weg zou gaan. Voor mij is Israël zonder Stephen een Israël zonder leven.
Anna, ik had graag afscheid van je komen nemen maar ik was bang dat mijn vastbeslotenheid zou verdwijnen door jouw kalme stem en unieke vermogen een nuchter oordeel te geven over wat jij liefdevol aanduidt met 'een puur emotioneel besluit'.
Ik ben blij dat ik de benauwdheid en monotonie van Jeruzalem heb verlaten. Ik was vergeten hoe mooi het is op te gaan in een miljoenenstad. Maar New York was niet mijn eerste stop. Je zult verbaasd zijn te weten dat ik een omweg via Parijs heb gemaakt en ook naar Polen en Tsjecho-Slowakije ben geweest.
Twee weken lang zwierf ik door de Poolse dorpen en steden om zelf het land te zien dat het graf werd van mijn voorouders Gale en Stein. Stel je voor hoe verbaasd ik was toen ik ontdekte dat de Polen de joden nog altijd haten! Terwijl ik op zoek was naar het huis van de familie Stein in Warschau werden mij hatelijke blikken toegeworpen en werd ik zelfs be-

dreigd! Een walgelijke man die beweerde dat hij eens als boodschappenjongen voor grootvader Stein had gewerkt, durfde zelfs te zeggen dat het jammer was dat mijn moeder aan het gas ontsnapte!
Polen is nog altijd een enge plaats voor een jood.
Ondanks de heftige weerstand ontdekte ik het oude huis van moeder. De grote villa was vervallen en moet gerestaureerd worden, maar ik kon zien dat de familie Stein voor de oorlog behoorlijk rijk was. Bij het zien van het grootse oude huis kreeg ik het gevoel dat ik bedrogen was en ik werd eraan herinnerd dat Michel en ik nu nooit het genoegen zouden kennen van liefdevolle grootouders.
Vanaf Polen ging ik de grens over naar Tsjecho-Slowakije. Helaas kon ik, zelfs niet met de hulp van een groot aantal Praagse autochtonen, ook maar een spoor vinden van een Jawor of een Rosner; het leek wel alsof Ari en Leah vanuit het niets naar Jeruzalem zijn gereisd!
Na Tsjecho-Slowakije ging ik naar New York. Ik heb hier een appartement gehuurd, ben aangenomen als model en heb twee vrienden gemaakt. Ik ben zelfs net terug van een klein feestje en heb voor het eerst in mijn leven te veel gedronken. Misschien dat het laatste drankje mijn tong heeft losgemaakt, want ik voel de behoefte iemand deelgenoot te maken van mijn gedachten, en wie kan die iemand beter zijn dan jij, mijn liefste Anna? Aangezien je niet hier bent, zal ik het via deze brief moeten doen.
Anna, sinds de dag dat ik wegliep bij mijn ouders heb ik veel over het jood-zijn nagedacht of misschien moet ik zeggen het Israëlische jood-zijn, aangezien wij Israëlische joden aanzienlijk verschillen van onze Amerikaanse of Europese neven en nichten. Het is een enorm probleem als je een Israëlische jood bent, wat jij wel moet weten, aangezien je getuige bent geweest van onze strubbelingen vanaf het eerste moment dat we Palestina in zwermden en het land ons rechtmatige thuis noemden en het de Palestijnen ontzegden. In deze gedachtegang heb ik geprobeerd te beredeneren waarom we zijn geworden wat we zijn.
Heb geduld, hier komt het!
Voor niet-joden zijn de joden een verbijsterend ras. Sinds ze meer dan tweeduizend jaar geleden uit Israël zijn verbannen, hebben de joden zich over de hele wereld verspreid en waar ze ook waren, geleefd als onwelkome indringers. Omdat ze niet in de bestaande bevolking werden opgenomen keerden de joden zich tot elkaar en ontwikkelden sterke familie- en gemeenschapsbanden. De joden, die als mensen een nauwe band vormden, putten kracht uit het antisemitisme. In veel landen werd de joden via de wetgeving verboden land te bezitten. Deze discriminerende praktijk had één positief effect: de joden werden intellectuelen en ontwikkelden een blijvende traditie waarin de kinderen een hoge opleiding kregen. Ze

werden dokters en advocaten, verwierven hoge posities binnen de universiteiten en wetsystemen. Wat de joden zich nooit hebben gerealiseerd is dat juist de dingen die ze deden het erger voor hen maakte. Ik besef nu dat de Europeanen de joden haatten omdat ze de top bereikten binnen hun beroep. Het beviel de Europeanen niet dat de joden leraren, dokters en musici werden, want ze stopten ze liever in getto's en namen liever wetten aan om hen arm te houden. Toen die wetten niet konden voorkomen dat de joden op hun plaats bleven, werden ze door de Europeanen vermoord!
De joden, die pogrom na pogrom te verduren kregen, vochten nooit terug tegen hun onderdrukkers maar wachtten in plaats daarvan tot de pogroms zouden stoppen en vertelden hun kinderen dat de tirannie altijd eindigde; dat vechten het leed alleen zou verlengen.
De holocaust veranderde die manier van denken. Voor de holocaust waren de joden denkers, mensen van vrede. Na de holocaust werden deze zelfde zachtaardige mensen die tegen geweld hadden gepredikt, strijders, klaar om het Britse rijk te bevechten en zo nodig de hele Arabische wereld, voor een klein stukje land dat ze het hunne konden noemen.
Ik heb mezelf duizenden keren afgevraagd of de holocaust goed is geweest. Voor die zes miljoen joden die stierven en voor degenen die het overleefden is het antwoord een zeer beslist 'nee'. Toch zou er zonder de holocaust vandaag de dag geen thuisland voor de joden zijn. De joden zouden nog altijd over de wereld zwerven en in land na land lijden onder grote onrechtvaardigheden. Uit een afgrijselijk lijden kwam de vervulling van het Woord Gods. Bestond het doel van de holocaust uit niets meer dan Gods plan om zijn kinderen terug te brengen naar Israël? De onderdanige Europese joden zouden zonder de vernietigingskampen en gaskamers zeker nooit de moed hebben gevonden hun weg terug naar Israël te vechten. De holocaust plaveide de weg voor mannen als mijn vader die zijn zoon Michel opvoedde tot een strijder!
Door die gedachte word ik herinnerd aan de eerste keer dat mijn moeder me ooit in een militair uniform zag. Ik had net eindexamen gedaan en was opgeroepen voor mijn dienstplicht van eenentwintig maanden. Terwijl mijn vader nerveus was en zich niet op zijn gemak voelde bij het zien van zijn dochter met een geweer, staarde moeder me bewonderend aan. Ze kneep haar ogen samen alsof ze in de verte keek en ik wist dat moeder zich een tafereel moest herinneren uit haar verleden dat niets met het heden te maken had. Nadat ze een ogenblik had nagedacht omhelsde ze me en zei tegen me dat ze zo trots was op de zelfverzekerdheid van haar kinderen.
Ik knikte en deed alsof ik het begreep omdat ik wist dat haar woorden iets te maken hadden met haar tragische verleden, maar toch niet wilde dat

haar gedachten naar een onderwerp zouden afdwalen dat altijd eindigde in diepgaand verdriet en depressiviteit. Alhoewel vader en moeder het nauwelijks over de holocaust hadden, heb ik altijd de last van die dode familieleden op mijn schouders voelen drukken.
Moeder wees me erop dat de joden die in Israël waren geboren, deden alsof ze de ruimte die ze betraden, bezaten, terwijl veel Europese joden, de overlevenden van langdurige discriminatie en misbruik, op een bescheiden manier liepen, onzeker over wie ze waren of waar ze behoorden. Moeder zei dat de pogroms, de getto's en de holocaust op een of andere manier het zelfvertrouwen uit die joden hadden geknepen die in Europa aan de dood waren ontsnapt en hen lieten zitten met een gevoel van angst. (Behalve mannen als mijn vader natuurlijk, mannen die zwellen van moed bij het eerste teken van gevaar!)
Ik werd overrompeld door de woorden van mijn moeder, want hoewel vader er altijd op had gestaan dat Michel en ik aan niemand angst toonden, had moeder zich altijd onplezierig gevoeld door de militaire sfeer in Israël, met de angst dat een dergelijke omgeving zou resulteren in ongevoelige, harteloze kinderen. Dus voor het eerst ooit was moeder niet afkerig van onze militaire aanblik.
Anna, ik was er maar heel kort trots op dat ik het Israëlische militaire uniform mocht dragen. Toen ontmoette ik een soldaat die Ari Begin heette. (Let wel, geen familie van onze huidige eerste minister Begin!)
Anna, ik begrijp dat iedereen denkt dat de dood van Stephen voor mij de aanzet is geweest om de Arabieren in een ander licht te zien. Michel heeft eens geklaagd dat ik de Arabieren die mijn geliefde hebben gedood, zou moeten haten in plaats van excuses te bedenken voor hun moorddadige aanvallen. Toen ik hem vertelde wat voor de hand lag, namelijk dat joodse onrechtvaardigheid Arabische onrechtvaardigheid oproept, keek hij me aan alsof ik totaal gek geworden was. Michel Gale is een man die zijn gevoelens niet laat beïnvloeden door de feiten.
Terug naar de reden waarom ik tot een compromis met de Arabieren wil komen. De dood van Stephen heeft mijn eens aarzelende stem bevrijd. Maar mijn geschil met het misbruik van de joodse macht begon lang daarvoor; op de dag dat ik Ari Begin ontmoette.
Ik zal niet in details treden, maar deze Ari was een man die gevangen zat in haat. Haat jegens de Arabieren natuurlijk. Hij was een nogal lange man met een grote toef zwart haar waarvan hij trots beweerde dat die recht overeind ging staan als hij een Arabier zag. Hij beweerde iets ongebruikelijks: dat hij een collectie Arabische oren had! Deze soldaat begon opzettelijk met jonge Arabische mannen te vechten zodat hij tijdens het gevecht een stuk van hun oor af kon bijten. Als hij terugkwam van een leger-

patrouille zocht hij in zijn zakken en haalde dan een of twee bebloede oorlellen tevoorschijn en prikte die gerafelde stukken oor vervolgens opgewekt op een klein bord.
Op een dag, toen ik me moedig voelde, vroeg ik Ari waarom hij Arabische oren verzamelde. Hij grijnsde en antwoordde dat hij wilde dat iedere Arabische bastaard de angst en het stigma moest kennen gekenmerkt te zijn als een opgejaagd man, zoals de joden dat in de hele geschiedenis zijn geweest.
Op dat moment kon ik alleen maar een beeld voor me zien van kil kijkende nazi's met aan riemen trekkende Duitse herders waarvan de nekharen overeind stonden en die gromden naar hulpeloze joodse vrouwen en kinderen.
God verhoede dat onze toekomst niets meer is dan een bende Ari Begins die weerloze Arabieren martelen.
Anna, ik ben bang dat we door het voortbrengen van zulke mannen onze eigen ziel gehard hebben.
Ik heb net op de klok gekeken en moet zo meteen naar mijn werk. Ik heb niet het gevoel dat het me is gelukt mijn kolkende gedachten en emoties duidelijk te ordenen. De feiten zijn nogal eenvoudig: wij joden waren eens de goeden. Nu zijn we de slechten.
Naar mijn mening bewijst onze invasie in Libanon dat we ons gevoel voor goed en slecht zijn kwijtgeraakt. Wie kan ontkennen dat het ego van de joden is gegroeid samen met de Israëlische grenzen?
Gisteren hoorde ik vage geruchten van een bloedbad in het vluchtelingenkamp Shatila in Beiroet. Vandaag stond er een vier pagina's tellend artikel in de New York Times met details over de slachting. Anna, toen ik de misselijkmakende details las kon ik alleen maar denken: Michel Gale is in Beiroet. Michel Gale verafschuwt Arabieren.
Ik kan niet geloven dat Jozef en Ester Gale zijn gered uit de ene slachting om een leven voort te brengen dat een andere slachting toebrengt.
Anna, ik was van plan vader en moeder te schrijven, maar die brief moet wachten. Bel ze en laat hen weten dat ik veilig ben.
Een kus voor jullie allemaal.
Liefs, Jordan.

PS: Probeer je geen zorgen over mij te maken. Ik heb jaren naar dit moment toegewerkt. Ik weet nog dat je me eens vertelde dat elk einde wordt gevolgd door een begin. Ik heb het sterke gevoel dat New York de start is van een nieuw begin voor Jordan Gale.

Anna's gelaatstrekken stonden strak terwijl ze de brief netjes opvouwde en weer in de envelop stak. Hoewel ze enorm opgelucht was dat het meisje in veiligheid was, had de brief van Jordan haar vreselijk pijn gedaan. Zou het jongste kind van Jozef en Ester nu haar leven aan de andere kant van de oceaan slijten, weg van iedereen die van haar hield?
Anna, die zich Jordan als kind herinnerde, zei tegen zichzelf dat Jordan vanaf het eerste moment vastbesloten was geweest haar eigen zin te krijgen. Nu vroeg ze zichzelf af: was de recente vlucht van Jordan uit Israël niet meer dan een voortzetting van de mysterieuze hartstocht die de onbedachtzame beslissingen van het meisje haar hele leven lang had aangevuurd? Als dat zo was, was Anna bang dat het Jordan op een ellendige manier niet zou lukken haar geluk te vinden.
Terwijl ze over Jordan nadacht en zich herinnerde hoe het charmante, roodharige meisje voor het eerst in hun leven kwam, raakte Anna in gedachten verzonken en zei tegen zichzelf dat Jordan Gale op zoveel manieren op haar vader leek.
Anna staarde gedachteloos over het balkon naar de heilige stad terwijl ze terugdacht aan de biologische vader van Jordan, de hartstochtelijke en dappere Ari Jawor.

21 New York, december 1982

Christine Kleist week terug en bleef in het gekmakend onleesbare gezicht van Demetrius kijken. Ze dacht vaak dat hoe meer Demetrius wist, hoe minder hij haar vertelde. Toch werd haar wrevel over hem overschaduwd door haar vreugde over wat hij haar net had verteld. Haar donkerbruine ogen fonkelden van vreugde. 'Liefste! Dat is prachtig nieuws!' Onverwachts stroomden er tranen over haar gezicht. 'Wanneer ga je beginnen?'
De ogen van Demetrius wendden zich af van de starende blik van Christine. Zijn antwoord klonk afwezig. 'Word niet zo emotioneel, Christine. Het is een lage positie. Het salaris stelt niet veel voor.' Hij keek haar met een halfslachtige glimlach aan. 'Vergeet niet dat ik maar een assistent word in een onderzoekslaboratorium.'
Christine wilde dat Demetrius gelukkig was, maar sinds die laatste sombere dagen in Beiroet had haar minnaar iets sombers gekregen. Ondanks het feit dat ze samenleefden, stonden zij en Demetrius zo ver van elkaar af als mensen maar konden.
Ze vocht tegen die mistroostige gevoelens en glimlachte breed. Ze wist dat er veel met hun toekomst fout kon gaan, maar vandaag was een goede dag! Zij had de afspraak in Bellevue geregeld en een weerspannige Demetrius ervan doordrongen dat het ziekenhuis Bellevue de beste plaats was voor een medisch talent. Bellevue was het oudste opleidingsziekenhuis in de Verenigde Staten en stond alom bekend om de internationale staf.
Demetrius haalde zijn schouders op en zei bijna als iets dat nu bij hem opkwam: 'De positie komt volgende maand vrij, maar...'
Toen Demetrius probeerde te praten weigerde Christine te luisteren. 'Een positie als assistent in het Bellevue ziekenhuis is slechts een begin!' onderbrak ze hem. 'Als je eenmaal de kans krijgt je kennis te tonen, zul je worden gepromoveerd. En zodra je je graad heb gehaald, mag je patiënten behandelen.' Haar rood aangelopen gezicht zag er triomfantelijk uit.
Demetrius raakte tegenwoordig snel geïrriteerd. Hij legde een vinger op haar lippen. 'Christine. Niet doen, alsjeblieft.'

De vrolijkheid van Christine verdween. Ze kreeg een spijtige uitdrukking op haar gezicht en sprak kalmerend. 'Het spijt me, Demetrius. Ik vergat het even.' De dag daarvoor had ze Demetrius nog beloofd dat ze zou stoppen te proberen zijn leven te regelen. Het bleek moeilijk om zich aan die belofte te houden. Ze wilde niets meer dan hun leven op zo'n manier organiseren dat Demetrius zich gedwongen zou voelen met haar te trouwen. Duwde ze te hard door? 'Het zal niet meer gebeuren,' zei ze ellendig en verontschuldigend.
Demetrius glimlachte gespannen naar haar voor hij zich omdraaide en zijn sleutels in een klein rieten mandje op het dressoir liet vallen.
Hij voelde zich in toenemende mate ongemakkelijk met hun relatie. Christine vond elke dag een andere manier om toespelingen op hun huwelijk te maken. Hij wilde Christine niet kwetsen maar een huwelijk was het laatste waar hij aan dacht. Hij troostte zich met de gedachte dat hij haar nooit had misleid. Christine Kleist was een lieve vrouw, maar hij had voor haar nooit dezelfde intense passie gevoeld als voor Hala Kenaan. Omdat hij die hartstochtelijke liefde kende zou hij zich nooit met iets minders tevreden stellen. Hij had een paar keer geprobeerd zijn gevoelens aan Christine uit te leggen, maar zij was geen vrouw die luisterde naar wat ze niet wilde horen. Nu bleef Christine, ondanks zijn eerlijkheid, proberen hun relatie tot iets te maken wat deze nooit zou worden.
Hun ogen ontmoetten elkaar in de spiegel terwijl hij zijn overhemd begon los te knopen en ze bleven elkaar enkele seconden aanstaren.
De angsten van Christine verteerden haar als een onwelkome onthulling. Niets ontwikkelde zich zoals ze had gehoopt.
Demetrius besloot dat het morgen een goede dag zou zijn om Christine te vertellen dat hoewel hij verliefd op haar was, hij niet van haar hield. In plaats dat hun relatie in intensiteit toenam, was deze gaan haperen en toen uit elkaar gevallen. Hij verbrak de ongemakkelijke stilte en dwong zichzelf speelsheid in zijn stem te brengen. 'O, ik vergat je wat te vertellen. We zijn uitgenodigd voor een feestje vanavond.'
'Een feestje?' Er stond verrassing op het gezicht van Christine te lezen. Ze kenden niemand in New York.
'De arts die me aannam, John Barrows, zei dat hij en zijn vrouw een klein partijtje hebben met een paar buren. Toen hij hoorde dat we nog maar drie weken in het land waren, stond hij erop dat we kwamen.'
Christines gezicht trok wit weg. Ze verhief haar stem en haastte zich toen naar de spiegel en staarde naar haar eigen spiegelbeeld. 'Demetrius! Kijk naar me!' Ze begon heen en weer te draaien en aan haar haar te trekken. 'Zo kan ik niet uitgaan!'

Demetrius knipperde met zijn ogen en staarde haar een paar seconden aan voor hij begreep dat ze zich zorgen maakte over haar uiterlijk. Hij kwam naast haar staan, draaide haar aan haar schouders naar zich toe en tilde met een vinger haar kin op. Met een geamuseerde glimlach zei hij: 'Waar maak je je zorgen over? Je zult er de mooiste vrouw zijn.'
Christine Klein was een ongewoon mooie vrouw.
Ze gromde onverstaanbaar. In het kamp Shatila had ze weinig tijd gehad om zich over haar uiterlijk druk te maken. Als het haar lukte haar gezicht schoon en haar haar gewassen te houden, had ze geluk. Maar sinds ze in New York waren aangekomen was Christine zich acuut bewust geworden van het feit dat waar ze ook ging vrouwen bewonderende blikken op haar minnaar wierpen. Ze was zich zeer bewust geworden van zichzelf en probeerde er op haar best uit te zien.
Demetrius leunde naar voren en kuste haar even op het voorhoofd. 'Ik ga nu douchen.' Hij wierp een blik op de klok op het nachttafeltje. 'Je heb ruimschoots de tijd. We hoeven er pas over twee uur te zijn.'
Christine liep naar de kleine slaapkamerkast. 'Goed. Ik zoek iets leuks uit om aan te trekken.' Terwijl ze de hangertjes heen en weer schoof begon ze te neuriën terwijl ze op haar hielen heen en weer wiegde in een poging te beslissen wat ze aan zou trekken.
Demetrius trok zijn kleren uit, rolde ze op tot een bal en gooide ze in een houten wasmand. Hij gooide een blauwe handdoek over zijn schouder en liep de badkamer in. Hij trok het douchegordijn opzij, ging op de rand van de badkuip zitten en draaide de kranen open om de temperatuur te regelen. Toen hij zich iets herinnerde wat John Barrow tegen hem had gezegd, verhief hij zijn stem boven het geluid van het stromende water en riep: 'Liefje, hij zei vrijetijdskleding!'
'Goed,' schreeuwde Christine.
Demetrius zuchtte diep en luid toen hij over de rand onder de douche stapte. Hij stond met gesloten ogen heel stil onder de douche. Hij zeepte zijn lichaam in en stond lange tijd bewegingloos terwijl hij probeerde niet te denken. Demetrius Antoun was een diepongelukkige man, ongelukkiger dan hij ooit was geweest in een leven dat overspoeld was door ellende. Woede over de vroegtijdige dood van zijn familie tezamen met het zien van zijn stervende vader en de herinnering aan zijn schokkende onthulling, gaven hem alle reden zich wanhopig te voelen.
Kort nadat hij zijn zoon had bekend dat hij als jood was geboren, staarde George Antoun met een lege blik naar het plafond en haalde twee keer hortend adem voor hij de naam van zijn vrouw Mary riep. Kort daarna stierf George een ratelende, bloederige en pijnlijke dood.
De dagen die volgden op de dood van zijn vader waren een waas van

ellende geweest. Nu al zijn familieleden dood en begraven waren en zijn kliniek was verwoest, had Demetrius troost gezocht bij Mustafa en Abeen Bader. Of de subtiele verandering in hun houding nu echt was of alleen in de verbeelding van Demetrius bestond, het echtpaar Bader leek zich niet op zijn gemak te voelen en bleef wat afstandelijk in hun genegenheid voor de man van wie ze eens beweerden dat ze van hem hielden als van hun eigen zoon. Hun eens hechte relatie was plotseling bezwaard met onuitgesproken dingen en de gesprekken verliepen niet meer zo soepel en vrij als dat het geval was onder de vluchtelingen die werden verbonden door liefde, verbanning, oorlog en dood. Demetrius voelde meer dan eens de beschuldigende ogen van Mustafa in zijn rug alsof hij van de ene dag op de andere zijn Arabische huid had afgelegd en plotseling een gehate jood was. Hoewel het echtpaar Bader nooit openlijk vijandig tegen hem was en enkele malen Demetrius zelfs het advies had gegeven de woorden van zijn stervende vader te vergeten en hem vermaanden om niemand in het kamp de waarheid over zijn afkomst te vertellen, konden ze de woorden van de stervende George Antoun niet negeren. Demetrius Antoun was een jood. Ook konden ze niet vergeten dat Demetrius jaren daarvoor, tijdens het meningsverschil tussen George, Mustafa en Amin over zijn toekomst, had geweigerd tegen hun vijand te vechten met de bewering dat hij een aparte vrede met de joden had gesloten. Die haastige woorden achtervolgden de jonge man nu. Demetrius had eens 's avonds laat, toen ze dachten dat hij sliep, Mustafa Abeen aan die woorden horen herinneren waarbij hij zijn vrouw vroeg of het mogelijk kon zijn dat een man op geheimzinnige wijze door zijn eigen bloed werd aangetrokken zonder te weten wat zijn familiebanden zijn.
Demetrius voelde zich verbitterd toen hij zich herinnerde hoe het stel de volgende morgen zichtbaar opgelucht was geweest toen hij hun vertelde dat hij uit Beiroet weg zou gaan. De vader van Christine had een bezoekersvisum voor Demetrius verkregen om met haar naar Duitsland te reizen. Hij was van plan geweest een korte reis te maken omdat hij het gevoel had dat hij een tijd weg moest van het geweld in Libanon, maar hij kon nooit vergeten dat Mustafa en Abeen al met hem omgingen alsof hij weg was, zelfs nog voordat hij was vertrokken. Hij had hun een paar ansichtkaarten gestuurd en hun zijn adres in Duitsland en in New York gestuurd, maar het stel had nooit gereageerd. Hun zwijgen maakte Demetrius duidelijk dat hij nooit zou kunnen terugkeren naar het enige thuis dat hij ooit had gekend.
Het bezoek aan Duitsland was een hele verbetering geweest. De ouders van Christine bleken een zachtaardig, onschuldig stel te zijn dat vurig

van hun enige kind hield. Het echtpaar Kleist wilde duidelijk dat hun dochter kreeg wat haar gelukkig maakte, maar ze bleken gespannen en somber in de aanwezigheid van haar Arabische minnaar. Friedrich Kleist probeerde Demetrius zich meer welkom te laten voelen door de joodse politiek in Palestina te bekritiseren, maar Christine had Demetrius verteld dat haar vaders schuldgevoelens als nazi door de jaren heen waren uitgegroeid tot een grote bewondering voor de joodse staat. Demetrius wist uit de woorden van Christine dat haar vader zijn ware mening over de joden verkeerd weergaf omdat hij geloofde dat een Arabier elke kritiek op hun joodse vijanden zou waarderen. Door een dergelijke misleiding, hoe goed bedoeld ook, voelde Demetrius zich nog ongemakkelijker.
Na slechts een week van vreemde pogingen tot een gesprek vroeg een verstandige Christine aan haar vader een van zijn vrienden te bezoeken, een prominent man in de Duitse regering en een hechte vriend van de Amerikaanse consul in Duitsland. Een paar dagen later was het paspoort van Demetrius voorzien van de nodige werkvisa voor de Verenigde Staten.
Amerika was een teleurstelling gebleken. Demetrius had, toen hij in de vluchtelingenkampen woonde en over het aantrekkelijke democratische land had gelezen, het idee ontwikkeld dat Amerika het rijk van de toekomst was: het land waar waarheid en vrijheid niet alleen woorden waren en waar de burgers hun immigranten met liefde ontvingen. Nu hij nog maar een paar weken in de Verenigde Staten was, had hij ontdekt dat hoewel sommige burgers hartelijk en vriendelijk waren, het leven in Amerika niet was zoals hij zich had voorgesteld. De Amerikanen leken te worden verteerd door een zucht naar persoonlijke rijkdom, wat het hebben van hechte familiebanden en vrienden verstoorde.
Jaren daarvoor, toen Demetrius over zijn fantasie had gesproken een nieuw leven op te bouwen in Amerika en de gewelddadige erfenis van zijn eigen land de rug toe te keren, had George Antoun vaag geglimlacht voor hij had gezegd: ‘Bedenk één ding, mijn zoon. God geeft zijn geschenken niet aan één man of één land.’ Hij had het destijds niet begrepen, maar nu wist hij wat de woorden van zijn vader betekenden. Aangezien de volmaakte mens niet bestaat, bestaat ook het volmaakte land niet.
Nu kwelde hij zich met zijn vragen die niet beantwoord leken te kunnen worden: waar ben ik thuis? Waar hoor ik?
Christine verstoorde zijn gedachten door haar hoofd rond de deur te steken en te vragen: ‘Schat, zal ik het reddingsteam sturen?’
Demetrius schrok op en staarde haar een ogenblik met een lege blik aan. ‘Nog heel even!’

De stem van Christine klonk onmogelijk opgewekt. 'Ik controleerde alleen maar even.'
Hij reikte naar de shampoo. Terwijl hij zijn haar waste en uitspoelde werd hij getroffen door een beeld van bruine heuvels en groene valleien. Het beeld dat hij voor zijn geestesoog zag was dat van Palestina, het land dat hij jaren daarvoor heel even had bezocht. Hij begreep nu, door dat spookachtige beeld, dat hij een nuchter antwoord had gekregen op zijn eigen vraag. Demetrius Antoun kon niet ontsnappen aan zijn geboorteland. Zelfs al was hij die plaats ontvlucht, hij was nog altijd verbonden met het land dat hij had verlaten. Als Palestijn was het hem gelukt zich van Palestina los te maken. Als jood werd hij in de kloof teruggetrokken.
Plotseling werd hij overspoeld door de mogelijkheden van een nieuw leven. Hij bracht zichzelf in herinnering dat er ergens in zijn geboorteland een stel was dat hun zoon was verloren. Demetrius Antoun beloofde zichzelf dat hij op een dag op de een of andere manier een weg zou vinden om zich te herenigen met de man en de vrouw die hem het leven hadden geschonken.
Niet wetend wat hij anders zou moeten doen, bad Demetrius. 'God, help me; help me te gaan waar mijn lotsbestemming ligt.'
Korte tijd later verlieten Demetrius en Christine hun appartement in 16th Street en namen een taxi naar het patriciërshuis van John Barrow in 22nd Street.
Terwijl ze de trap naar het huis van Barrow opliepen konden ze het geluid van muziek horen in combinatie met luidruchtige roddel en gesprekken. Een exotisch mooie vrouw met een prachtige rode sari aan beantwoordde de klop op de deur en verwelkomde hen uitbundig. Ze stelde zich voor als Gilda, de vrouw van John Barrow, en instrueerde het stel zich in het feestgedruis te mengen terwijl zij doorging met haar plichten als gastvrouw.
Het appartement was ingericht volgens het thema India. Er hingen flarden ragfijne stof over de meubels en er hingen Hindoestaanse schilderingen aan de muren. Op de tafels stonden koperen schalen en potten. Er stroomde Indiase klassieke muziek uit de stereo.
Demetrius en Christine wisselden een glimlach van verrukking en verlangden ernaar dat de warmte en energie van het feest van het echtpaar Barrow hen zou terugbrengen naar hun levensritme. Geen van beiden kon zich herinneren wanneer ze zich voor het laatst zo vreugdevol hadden gevoeld.
Demetrius zag John Barrows aan de andere kant van de kamer, die hem verwelkomend toeknikte. De Britse arts hield een dikke groene stenen

Boeddha in zijn handen en vertelde er een buitensporig verhaal over. De kring luisteraars barstte in lachen uit.
Demetrius nam de kleine hand van Christine in zijn grotere hand en kneep er licht in. 'Ik was je vergeten te vertellen dat John Barrows niet alleen briljant is, maar ook een buitengewoon persoon.'
'Is dat zo?' zei Christine afwezig. Gefascineerd door hun omgeving staarde Christine naar een man met een donkere huidskleur die een Sikh tulband droeg en achter een rieten mand zat. De man blies gepassioneerd op een lang, dun muziekinstrument. Ze zag vol afschuw hoe een boos uitziende cobra op het Perzische tapijt balanceerde. Ze huiverde en staarde. Nadat ze zichzelf ervan verzekerd had dat de slang niet meer was dan een rubber namaakbeest zwierven haar ogen van de cobra naar de gezichten van de gasten van het echtpaar Barrows. Er klonken flarden van gesprekken en gelach in de kamer.
Er liepen een paar jongemannen door de kamer die glazen wijn en hapjes aanboden. Demetrius stak zijn hand uit, pakte een glas wijn van het dienblad en bood het Christine aan. 'Wil je iets drinken?'
'Niet nu. Later.'
Demetrius glimlachte en nam een slokje. 'Heerlijk.' Hij kneep weer even in de hand van Christine.
Ze keek Demetrius vragend aan en vroeg zich af wat zijn sombere bui had verdreven. Hij leek zich voor het eerst in maanden rustig te voelen. Welke transformatie had er plaatsgevonden sinds zo kort geleden toen hij onder de douche vandaan kwam? Christine worstelde met haar gedachten toen ze een starende blik voelde. Ze keek om en zag een lange man in de hoek van de kamer staan. Hij keek haar onverstoorbaar aan maar ze herkende hem direct. Ze hield haar adem in en pakte de arm van Demetrius zo stevig vast dat haar vingers wit werden.
Demetrius plukte haar vingers van zijn arm. Hij keek haar duister, bijna boos aan. 'Christine! Alsjeblieft!'
Christine, die dacht dat ze zich misschien vergiste, wierp opnieuw een blik op de man en keek toen snel weg. Nee, ze had zich niet vergist. Ze sloot haar ogen en slikte.
De man reageerde op haar angstige reactie met een diepe lach die boven het geluid van het feest uitsteeg.
Ze probeerde Demetrius dicht tegen zich aan te trekken om hem over de man te vertellen, maar precies op dat moment kwam John Barrows naar hen toe. Nadat hij zich aan Christine had voorgesteld nam John Demetrius met zich mee om naar een meubelstuk te kijken dat hij recent in Jemen had gekocht, waarbij hij vrolijk tegen Christine zei dat ze moest doen alsof ze thuis was.

Demetrius blikte over zijn schouder en wierp Christine een geamuseerde glimlach toe terwijl hij met zijn gastheer wegliep.
Christine wilde Demetrius volgen maar bleef als aan de grond genageld staan.
De man bewoog zich snel voort voor iemand van zijn grootte. Hij glimlachte en keek haar vertederd aan. Zijn stem klonk minzaam en gecultiveerd. 'Hallo, opnieuw.'
Christine staarde hem sprakeloos aan voor er een glinstering van woede in haar ogen verscheen. Ze flapte er snauwend uit: 'Jij!'
De man keek haar met een spottende glimlach aan. 'Weet je, ik ben blij te zien dat je veilig bent.'
Ze was zo verbaasd dat ze alleen maar kon herhalen: 'Jij!'
Michel Gale lachte hartelijk. 'Kom,' zei hij en leidde haar met zijn hand naar een hoek van de kamer.
Christine berustte erin, maar niet zonder enige aarzeling. Ze keek om zich heen in een wanhopige poging Demetrius te vinden, om hem het ongelooflijke nieuws te vertellen dat de Israëlische soldaat die ze op de dag van het bloedbad hadden gezien, op het feest was.
Michel pakte een glas van het dienblad en hield het haar voor. 'Hier.' Zijn vingers streken licht over de hand van Christine toen ze het aangeboden glas accepteerde. 'Je ziet eruit alsof je een drankje nodig hebt.' Hij keek haar vriendelijk aan. 'Maak je geen zorgen. Ik bijt niet.'
Christine, die dacht dat de alcohol misschien haar gedachten zou ophelderen nam een grote slok voor ze Michel recht aankeek. 'Wie ben jij?'
De man trok aan zijn sigaret terwijl hij haar recht aanstaarde. 'Laat me eens denken. Ik heet Michel Gale. Ik heb verlof van de Israëlische verdedigingsmacht en bezoek mijn zuster in New York.' Hij wierp een blik op zijn horloge en toen op de voordeur. 'Die, wil ik er graag aan toevoegen, meestal laat is.' Hij pauzeerde en nam haar waarderend op. 'En jij?'
Christine weigerde hem iets te vertellen. Haar stem had een scherpe beschuldigende klank toen ze fluisterde: 'Volg je ons?'
Michel lachte zachtjes. 'Nee. Ik volg jullie niet. Wanneer ben je uit Beiroet weggegaan?'
Christine was sprakeloos en werd overvallen door een gevoel van onwerkelijkheid. Ze bleef besluiteloos staan, niet wetend wat ze moest doen. Ze wisselden enkele ogenblikken een starende blik voor ze iets zei. De pauze stelde haar in de gelegenheid zich te herinneren dat deze man het leven van Demetrius had gered. Als Demetrius naar het stadion was gebracht, zoals de soldaat in eerste instantie had bevolen, zou Demetrius samen met de andere daarheen gebrachte Arabieren zijn ge-

dood. Ze hoorde later dat die Arabieren op wrede wijze door hun overweldigers waren vermoord. 'Als Demetrius je herkent, zal hij je vermoorden,' waarschuwde ze.
De wenkbrauwen van Michel schoten van verrassing omhoog. 'O?' Hij leek zich echter niet al te veel zorgen te maken en zijn mond verbreedde zich langzaam toe een sensuele glimlach.
'Ja!' Ze keek de kamer rond. 'Luister, Demetrius Antoun is geen man die zich zorgen maakt over de gevolgen.'
Michel was duidelijk in zijn nopjes met haar en niets van wat Christine zei kon zijn enthousiasme verminderen. Hij had vaak aan dit Duitse meisje gedacht en nu hij haar weer ontmoette had hij het gevoel dat het lot hen bij elkaar bracht. 'Maak je geen zorgen over mij,' zei hij tegen haar. 'Ik kan goed voor mezelf zorgen.'
'Ik maak me geen zorgen over jou! Ik maak me zorgen over Demetrius. Hij zal de gevangenis ingaan als hij jou vermoordt.' De stem van Christine klonk scherp. 'Luister naar me. Iedereen van wie Demetrius hield is tijdens het bloedbad vermoord.' Haar stem zakte tot een fluistering. 'Hij geeft de Israëliërs de schuld van hun dood.'
In een flits schoot de verknoeide aanval op Shatila door zijn hoofd. Hij keek haar strak aan. 'O, ik weet het wel!' zei hij sarcastisch. 'Arabieren vermoorden Arabieren en de joden krijgen de schuld!' Hij vroeg snel: 'Vertel mee eens, waarom zou het Israëlische leger de schuld op zich nemen voor de onverzadigbare Libanese lust tot wraak?'
Christine, die terugdacht aan de joodse soldaten die rond het kamp gelegerd waren en die de onschuldige Palestijnen hadden opgesloten en verdoemd, zwol van woede. 'Jullie zijn van hetzelfde slag!'
'Het spijt me dat te horen,' zei hij met een stem waarin ergernis te horen was. Michel had totaal geen berouw over de dode Palestijnen. Zijn blinde haat voor de Palestijnen was al te lang aangewend voor de zaak van een veilig joods thuisland. Toch besloot hij, omdat hij geen einde wilde maken aan de kans op een relatie met het Duitse meisje, verzoenend te zijn. 'Ik geef toe dat de missie vreselijk fout is gelopen.'
Het gezicht van Christine had een felle uitdrukking maar ze zei niets.
Zonder zijn ogen van haar af te wenden dronk Michel zijn glas leeg terwijl hij toegaf dat het Duitse meisje iets mysterieus had wat hem sterk aantrok. Opnieuw glimlachte hij. De geur van haar licht bloemige parfum zweefde tussen hen in. Michel raakte onwillekeurig de arm van Christine aan. Hij vond dat haar huid aanvoelde als fluweel.
Met een snel, zenuwachtig gebaar trok Christine haar arm terug. Ze opende haar mond om hem opnieuw te waarschuwen voor het gevaar van een woedende Demetrius maar sloot hem weer. Michel Gale viel

niet te waarschuwen. Christine glimlachte strak toen ze sprak. 'Wanneer je een gebroken schedel hebt, zeg dan niet dat ik je niet heb gewaarschuwd!' Christine zette met een klap haar wijnglas neer op het koperen blad en rechtte haar rug alvorens weg te lopen om zo snel mogelijk door de drukke kamer te verdwijnen.
Terwijl Michel naar de stijve rug van Christine staarde weerspiegelde zijn gezicht warme genegenheid en er speelde een kleine glimlach rond zijn mondhoeken. Hij had zich nog nooit zo tot een vrouw aangetrokken gevoeld! Michel voelde een golf van opluchting dat hij recent met Dinah had gebroken.
Het uitgesproken Britse accent van John Barrows trok Christine naar het balkon. Terwijl ze daar rondkeek en naar de gasten keek was ze opgelucht te zien dat Demetrius tegen de ijzeren leuning van het balkon stond en met belangstelling naar de Britse arts keek die zijn handen over een houten bank liet glijden.
Ze wilde zo wanhopig graag Demetrius vertellen dat ze weg moesten gaan dat ze niet oplette waar ze liep. Ze kwam in botsing met een kleine man die een blad met gekookte garnalen, rode saus en warme boter droeg. Christine zag tot haar ellende dat er een grote vlek op haar jurk zat, maar ze besefte snel dat ze nu een excuus had om Demetrius ervan te overtuigen het feest te verlaten.
Gilda Barrows kwam direct toesnellen toen ze zag wat er was gebeurd. 'O, nee! Rampzalig! Christine, kom met me mee!'
Christine schudde haar hoofd. 'Nee. Nee. Ik haal Demetrius wel. Hij kan me naar huis brengen.'
Gilda wuifde haar weg. 'Onzin. Je bent er net.' Nadat ze Christine nauwgezet had opgenomen, zei ze: 'We hebben ongeveer dezelfde maat. Kom mee.' Gilda pakte haar bij de hand en trok een weerbarstige Christine mee de trap op naar de ouderslaapkamer.
Ze keek van boven aan de trap naar beneden en zag een opvallende vrouw met golvend rood haar de kamer binnenkomen. Ze staarde intens rond alsof ze naar iemand op zoek was.
Hoewel ze totaal niet op Michel Gale leek, vertelde een plotselinge intuïtie haar dat de vrouw de zuster van de joodse soldaat moest zijn.

Jordan Gale had na haar komst in New York een appartement recht onder dat van het echtpaar Barrows gehuurd en Gilda was de eerste buurvrouw die ze had ontmoet. Ze mochten elkaar meteen en werden al snel goede vriendinnen.
Jordan glimlachte stralend naar niemand in het bijzonder. Hoewel Jordan Gale een vrouw was, die recent de mogelijkheid van geluk had

ontkend, had ze snel geleerd haar sombere filosofie te bedekken onder een vrolijk uiterlijk. Op zoek naar haar broer baande ze zich een weg door de volle kamer waarbij ze veel gasten van John en Gilda omarmde en kuste. Hoewel ze nog geen vier maanden in New York woonde, was Jordan heel bekend. In de week dat ze in de stad arriveerde, toen ze de salon van Elizabeth Arden op 5th Avenue verliet, was ze ontdekt door een van de meest vooraanstaande fotografen van New York. De man was gefascineerd geweest door de zich onderscheidende schoonheid van Jordan en plaagde haar met haar naam met de vraag of ze naar het land Jordanië was vernoemd. Ze antwoordde hierop dat hij een sukkel was omdat hij niet wist dat Jordan een gebruikelijke joodse naam was en niets te maken had met het land Jordanië, maar eerder met de Engelse vorm Yarden. De man had zich nog meer aangetrokken gevoeld tot deze vrouw omdat ze er niet op uit was hem te charmeren, want hij was verveeld geraakt door vrouwen die bereid waren alles te doen voor een kans op roem. De Israëlische vrouw vormde een verfrissende afwisseling. De man was smoorverliefd op haar geworden en haar carrière als covergirl schoot omhoog toen de invloedrijke fotograaf twee modetijdschriften onder druk zette om haar gezicht op de omslag te zetten.
Jordan was een mooie vrouw met haar overdadige bos rood haar, enorme groene ogen en volmaakte gezicht.
Kort nadat ze in New York was aangekomen had Jordan met obscene losbandigheid minnaars gestrikt en laten vallen, maar ze was al snel tot de conclusie gekomen dat iedere man met wie ze naar bed ging uitwisselbaar was met de vorige. Jordan ging genadeloos met haar minnaars om en liet een reeks mannen met gebroken harten achter. Omdat ze al snel genoeg had van de complicaties die voortkwamen uit het grote aantal gretige bewonderaars en nadat ze Gilda had toevertrouwd dat haar passie in verbittering veranderde, had ze Gilda ondeugend gevraagd of ze het gerucht wilde verspreiden dat Jordan hopeloos verliefd was geworden op een getrouwde man, een politiek figuur in haar eigen land Israël. Na verloop van tijd had het gerucht zich verankerd en zweeg Jordans telefoon.
Ze viel weer terug in haar rouw om de dood van Stephen, waarvan ze beweerde dat dit het enige was wat haar aan het leven bond. Behalve haar beste vriendin Gilda Barrows en haar broer Michel wist niemand in New York de waarheid over haar eenzame, ellendige leven.
Een aantrekkelijk meisje dat Clara heette, dat zo wanhopig graag met Michel Gale uit wilde dat ze hem constant in de gaten hield, gebaarde naar Jordan dat haar broer net het balkon op was gegaan. Jordan haastte zich om haar broer te vertellen waarom ze zo laat was. Ze wist dat

Michel nors en geïrriteerd zou zijn door haar late komst en haar lippen krulden zich in een plagende glimlach. Jordan vond dat haar broer te rigide was en ze sarde hem graag. Ze baande zich een weg door de menigte en liep door de schuifdeuren de knisperende decemberlucht in. Michel was in een levendig gesprek gewikkeld met een groep van zes of zeven man en Jordan werd korte tijd niet opgemerkt.
Ze pauzeerde en wachtte geduldig op het juiste moment om haar broer van de groep af te leiden.
Toen zag ze hem.
De ogen van Jordan sperden wijd open terwijl ze naar de knapste man staarde die ze ooit had gezien. Hij was lang, had een brede borst, was slank en hij had donkerbruin haar dat licht krulde. Ze vond het knappe gezicht van de vreemdeling bijna vrouwelijk mooi, maar hem werd dat lot bespaard door een krachtige, duidelijk gevormde beenderstructuur. Zijn ogen stonden wijd uit elkaar en hij had sensuele lippen, lippen die slechts gedeeltelijk werden bedekt door een volle snor. Jordan volgde volledig in trance de gesculptuurde lijn van zijn kaak tot aan zijn vierkante kin. Ze kneep haar handen tot vuisten om haar opwinding te onderdrukken.
John Barrows zag haar nog voor ze iets had gezegd. 'Jordan! We wachtten op jou!' John sloeg zijn arm rond haar schouders en trok haar de cirkel in.
Jordan tuurde over haar schouder omdat ze haar ogen niet van de vreemdeling af kon houden.
Er trok een vonk van nieuwsgierigheid over het gezicht van Demetrius. Hij vond de vrouw uitzonderlijk mooi.
Nadat ze begroetingen had uitgewisseld met de mannen die ze kende stond Jordan recht voor de verrukkelijke vreemdeling die zelfs nog langer was dan ze eerst had gedacht. Jordan was een lange vrouw en tot dan toe had alleen haar vader haar het gevoel kunnen geven dat ze klein was. Eén blik van de grijze ogen van Demetrius en Jordan was in de ban. Ze staarde de man openlijk aan. Toen ze werd voorgesteld lachte ze even van genoegen terwijl ze probeerde de gedempte spanning uit haar stem te houden. 'Wat fijn je te ontmoeten, Demetrius Antoun.' Ze vond het plezierig om zijn naam uit te spreken terwijl ze er geen blijk van gaf dat ze wist dat het onderwerp van haar aandacht duidelijk een Arabier was of dat dat haar interesseerde.
Demetrius' glimlach, die kuiltjes in zijn wangen bracht, kwam langzaam. Hij had een diepe stem met een licht accent. 'Juffrouw Gale. Het is me een genoegen.' Demetrius boog heel licht zijn hoofd. Hij voelde de aanwezigheid van Jordan van top tot teen, maar hij liet uiter-

lijk niets merken van haar plotselinge en onverwachte aantrekkingskracht op hem.
Dit ging voor Jordan niet op, wier gezicht duidelijk blijk gaf van haar gevoelens.
Het werd al snel een vreemde situatie en enkele mannen wisten niet of ze moesten blijven of weg moesten gaan. Uiteindelijk gingen ze uiteen en lieten ze John en Michel alleen met het betoverde stel.
Langzaamaan werd Jordan kalm, maar zij en Demetrius bleven elkaar aanstaren.
Michel vernauwde zijn ogen en keek eerst naar Demetrius en vervolgens naar Jordan. Het beviel hem niet wat hij zag. Jordan stelde zich te duidelijk beschikbaar. Michel dacht dat hij had kunnen lachen om de niets verhullende uitdrukking op haar gezicht. Als Jordan zijn zuster niet was geweest, was dat zeker gebeurd. Normaal gesproken had Michel weinig interesse in de mannen met wie zijn zuster uitging, maar Demetrius Antoun was een Arabier en wat Michel betrof was dit de enige nationaliteit die voor een Israëlische jood verboden was.
Hij had met opzet de Palestijn opgezocht en was niet bang voor de reactie die Christine had gevreesd. Hij wilde meer over het meisje te weten komen en erachter komen of ze met de Arabier was getrouwd. Hij was niet verbaasd dat de Arabier nauwelijks op hem reageerde toen hij aan hem werd voorgesteld. Michel wist dat hij er in burger en in een niet-militaire omgeving totaal anders uitzag en dat vrouwen zich meer dan mannen persoonlijke details herinneren. Demetrius Antoun had hem even vragend aangekeken maar was verder volmaakt beleefd geweest.
Jordan en Demetrius begonnen, geheel in elkaar opgaand, te praten.
Toen Jordan ontdekte dat hij een Palestijnse vluchteling was voelde ze een golf van vreugde, verrukt dat deze prachtige man uit haar eigen land kwam. Ze kon haar genoegen niet uit haar stem houden toen ze vroeg: 'En uit wat voor deel van Palestina kom je?'
Demetrius voelde opeens een wild verlangen zich naar voren te buigen en deze mooie vrouw hartstochtelijk op de mond te kussen. Zijn stem klonk bedrukt en gespannen. 'Mijn ouders woonden in Haifa. Tot 1948.'
Ze glimlachte naar hem en negeerde de implicaties van dat jaar. 'Haifa. Dat is mijn favoriete stad.' Ze raakte met opzet zijn arm aan. 'Mijn ouders wonen in Jeruzalem.' Haar stem klonk als een zacht gespin. 'Ben je daar wel eens geweest?'
Michel kreeg een boze uitdrukking op zijn gezicht. Bij het zien van zijn zuster die met een Arabier flirtte kwamen alle oude haatgevoelens die zich in de loop der jaren in hem hadden opgebouwd naar boven.

John, die zich hier scherp van bewust was, stond erop dat Michel zijn mening gaf over de uitgesneden bank uit Jemen die hij in een hoek van het balkon had geschoven.
Michel weigerde van zijn plek te komen terwijl hij probeerde een tactiek te bedenken waarmee hij zijn zuster bij de Arabier weg kon halen zonder een scène te creëren. Uit ervaringen in het verleden wist Michel dat Jordan zich niet liet dwingen. Het zou fout zijn dit nu te proberen en hij zou er niets mee bereiken. Zijn zuster was een sterke, koppige vrouw die er genoegen in schepte haar familie te choqueren.
John, die zich duidelijk niet op zijn gemak voelde bij de draaikolk van emoties om zich heen, verhief zijn stem en zei: 'Een kleine man in Jemen heeft deze bank gemaakt. Hij heeft het hout met een zakmes uitgesneden.' Hij klopte met zijn hand op de bank. 'Jordan, kom even zitten.'
Jordan en Demetrius glimlachten naar elkaar.
Jordan stapte op de bank toe waarbij de hiel van haar schoen per ongeluk in een opening van de houten vloer bleef steken.
Jordan struikelde.
Demetrius ving haar op in zijn armen.
Jordan handelde impulsief. Ze raakte heel lichtjes met haar hand het gezicht van Demetrius aan.
Op datzelfde moment kwamen Gilda en Christine naar buiten op zoek naar John en Demetrius.
Toen Christine Demetrius en Jordan in een omarming vastgeklonken zag kreeg ze een uitdrukking van verbijstering op haar gezicht alsof ze onverwacht werd bedreigd met een vlammenwerper. Ze wiegde heen en weer door de emotionele pijn.
De situatie verslechterde snel.
Overspoeld door jaloezie riep Christine uit: 'Demetrius! Wat doe je?' Ze gaf Demetrius geen tijd te reageren en richtte haar aandacht op Jordan. 'En wie is deze vrouw?'
Demetrius liet Jordan los en staarde naar Christine.
Jordan, die deze uitzonderlijk mooie vrouw zag en meteen voelde dat zij bij Demetrius Antoun moest horen, kon alleen maar hopen dat haar gezicht geen blijk gaf van haar teleurstelling. Jordan keek op naar Demetrius, die geen emotie toonde.
Vastbesloten om een beschamende scène te vermijden, strekte Demetrius zijn hand uit. Hij sprak zachtjes maar zijn woorden klonken als een bevel. 'Christine, ik wil dat je Jordan Gale ontmoet.'
Onder het praten raasden de gedachten door zijn hoofd. Hij wist dat hij met de ontmoeting van Jordan Gale op een keerpunt in zijn leven was

gekomen. Niettemin was hij fel gericht op privacy en niet van plan persoonlijke zaken bloot te geven aan mensen die hij nauwelijks kende. Hij en Christine zouden hun geschil in privacy regelen. Dan zou hij, ongebonden, Jordan Gale benaderen.
Alleen God wist wat er zou gebeuren als gevolg van de gebeurtenissen van deze avond.
Er volgde een afgrijselijke stilte terwijl Christine en Demetrius elkaar aanstaarden.
Ze begon zich steeds onprettiger te voelen en wenste met heel haar hart dat ze haar woorden terug kon nemen.
Jordan dacht een ogenblik dat de vrouw melodramatisch deed, maar veranderde toen van gedachten terwijl ze zichzelf voorhield dat als Demetrius Antoun haar man was, zij waarschijnlijk net zo zou reageren.
Gilda legde haar arm rond het middel van Christine. 'Christine, kom op. Wat is hier gaande?'
Michel vocht tegen de drang Christine in zijn armen te nemen. Er flitste een vreemde gedachte door zijn hoofd. Hij wenste dat hij de man was van wie Christine Kleist hield tot aan het punt van onbeheersbare jaloezie.
Christine ademde oppervlakkig en onregelmatig. Ze werd angstig heen en weer geslingerd tussen hoop en angst, hoop dat ze het mis had over wat ze had gezien en angst dat dit niet zo was. Toch wist ze dat ze het niet fout had. Ze kende Demetrius te lang om de situatie licht op te nemen. Hij was geen man die loog. Over niets. En hij was geen man die met andere vrouwen flirtte. Demetrius was in alles serieus. Die wetenschap beangstigde Christine, want ze wist dat er iets heel belangrijks in het leven van Demetrius was gebeurd in de korte tijd dat zij weg was geweest.
Er bleven vier beangstigende woorden door haar hoofd zweven. Ik ben hem kwijt! Ik ben hem kwijt! Terwijl ze Demetrius een blik van liefde en smart, vermengd met woede en een gevoel van verraad toewierp uitte ze een onderdrukte kreet voor ze zich uit Gilda's greep losrukte en vluchtte.
Er volgde een vreemde, geschokte stilte. Iedereen zweeg enige ogenblikken terwijl ze naar elkaar keken en vervolgens naar Demetrius en zich afvroegen of iemand begreep wat er was gebeurd.
Demetrius zette zijn glas op de leuning van het balkon. Hij voelde zich vreselijk opgelaten. 'Het spijt me. Christine is niet zichzelf.' Hij keek spijtig naar Jordan Gale voor hij begon weg te lopen.
Michel, die werd verscheurd tussen zijn verlangen om zijn zuster te beschermen en om achter Christine aan te gaan, nam een snelle beslissing.

'Laat mij maar gaan,' zei hij. 'Christine en ik kennen elkaar uit een andere tijd...' Zijn stem stierf weg. 'Een andere plaats' Michel staarde met een veelzeggende blik naar Demetrius. 'Waarom blijf je niet hier?' Hij wierp vervolgens een blik op zijn zuster. 'Bij mijn zuster.'
Michel was weg voor Demetrius kon protesteren.

22 De geliefden

Christine ontvluchtte overweldigd door emoties het patriciërshuis van het echtpaar Barrow. Ze rende het gebouw uit de stille straat op, niet wetend waar ze heen moest of wat ze moest doen. Nadat ze tegen zichzelf had gezegd dat Demetrius volkomen het recht had boos te zijn en wetend dat er geen grotere kwelling zou bestaan dan hem onder ogen te komen, keerde ze terug naar een lang vergeten gewoonte uit haar kindertijd: in plaats van een onaangename scène het hoofd te bieden, verborg ze zich. Ze zag een kleine rij struiken in het parkje recht voor de rij patriciërshuizen en rende erheen om tussen de struiken dekking te zoeken. Zwaar ademend ging ze op de grond zitten en sloot haar ogen.
'Christine,' riep een mannenstem vanaf de straat.
Ze gluurde door de dunne takken van het struikgewas en zag dat degene die riep Michel Gale was. Ze hield haar adem in.
'Christine!'
'Ga weg,' fluisterde ze, 'ga weg!'
Ze kromp ineen van afschuw toen ze een onbekende stem tegen Michel hoorde roepen: 'Zoek je een vrouwtje met lang donker haar?'
Haar ogen volgden het geluid van de stem en voor het eerst zag ze op nog geen meter afstand van haar een dakloze vrouw op een bank zitten. Ze hield haar adem in. Ging die vrouw Michel vertellen waar zij zich verborgen hield?
'Inderdaad. Heb je haar gezien?'
'Ze kroop onder die struiken daar.' De vrouw gebaarde in de richting van Christine.
Michel knipperde even met zijn ogen en keek toen in haar richting. Volmaakt beheerst begon hij naar de struiken toe te lopen.
Christine keek wild om zich heen, op zoek naar een ontsnappingroute. Recht achter de struiken stond een betonnen muur.
'Hebben jullie ruzie?' vroeg de vrouw.
'Zoiets ja,' antwoordde Michel droogjes.
Omdat ze wist dat ze in een belachelijke situatie betrapt zou worden legde Christine haar vingers op haar lippen en kreunde: 'O, nee.'

Michel hurkte neer zodat hij op ooghoogte kwam. Plotseling verscheen zijn gezicht door een opening tussen de bladeren. 'Hoi.'
Blozend probeerde Christine haar houding te bewaren. 'O, hallo.'
'Zal ik bij je komen zitten? Of kom je liever met mij mee?'
'O, ik weet het niet.' Ze keek om zich heen. 'Het is hier prettig.'
Michel knikte. 'Het ziet er comfortabel uit.'
'Ja.' Ze streek haar jurk glad. 'Dat is het ook.'
Michel zat een minuut zwijgend voor haar en stak toen zijn hand uit. 'Christine,' zei hij, 'kom met mij mee.'
Ze staarde hem in de ogen terwijl ze probeerde te beslissen of ze hem kon vertrouwen of niet.
Toen glimlachte hij. 'Kom, liefje. Kom met me mee.'
Ze pakte zijn hand aan.
Nadat hij haar vanonder de struiken vandaan had getrokken, veegde hij het zand van haar jurk.
Christine luisterde zwijgend toen hij voorstelde: 'Laten we naar jouw appartement gaan en je spullen pakken. Je kunt een briefje achterlaten.' Hij voegde eraan toe: 'Ik heb bedacht dat een reisje naar Florida wel leuk zou zijn.'
Een droevige Christine knikte. Ze wist dat haar relatie met Demetrius voorbij was. Ze staarde naar Michel Gale en werd getroffen door een nieuwe emotie. Plotseling gaf Michel haar een gevoel van veiligheid.
'Een reisje naar Florida klinkt goed,' antwoordde ze.
Michel hield een taxi aan. Ze zei weinig tijdens de rit door de stad, maar Michel hield haar hand stevig vast alsof hij haar met zijn wil de kracht wilde geven die ze nodig zou hebben.
Nadat ze haar koffers had gepakt, keek Christine nog eenmaal in het appartement rond. Ze had het gevoel alsof ze in een nachtmerrie leefde en wenste de ene minuut dat Demetrius binnen zou komen om haar ervan te weerhouden weg te gaan terwijl ze zichzelf er de volgende minuut aan herinnerde dat haar relatie met Demetrius altijd van één kant was gekomen.
'Je moet een briefje neerleggen.'
'Nee. Demetrius zal het begrijpen,' antwoordde ze met een door verdriet verstikte stem die Michels hart brak.

Tijdens de eerste dagen van haar gebroken romance kon Christine alleen maar aan Demetrius denken en voelde ze nog steeds zijn aantrekkingskracht.
Michel was ongelooflijk geduldig en luisterde naar haar voortdurende uitbarstingen van smart.

Naarmate de dagen verstreken werd Christine zich bewust van de charme van Michel Gale. Michel was knap en een bereisd man met een geweldig gevoel voor humor. Na de sombere aard van Demetrius begon ze het opgewekte karakter van Michel te waarderen. Ze had voor de verandering eens plezier.
Op een avond, terwijl ze in Joe's Stone Crab zaten te eten, een van de beroemdste restaurants van Miami, gaf Christine zichzelf toe dat haar verliefdheid op Demetrius begon te vervagen en werd vervangen door een sterke aantrekking tot Michel.
Michel scheen de verandering te voelen. 'Laten we gaan dansen,' stelde hij voor. 'Een langzame dans.'
Ze raakte licht zijn gezicht aan en antwoordde: 'Nee. Ik heb een beter idee. Laten we naar het hotel teruggaan.'
Hij keek haar lang aan en betaalde toen de rekening.
Terug in het hotel was Michel als een hongerig man. Toen hij eenmaal van aangezicht tot aangezicht met Christine in de kamer stond streek hij met zijn handen door haar haar en naar beneden over haar nek en rug. 'God. Christine.'
Ze begon zijn overhemd los te knopen. 'Michel.'
Hij kuste haar nek en schouders. 'Ik heb je gewild vanaf de eerste dag dat ik je zag.'
Ze lachte zachtjes. 'Ik walgde van je.'
'Ik heb je vanaf de eerste minuut aanbeden.' Hij kuste haar op de lippen, eerst langzaam, toen met een intensiteit die hen beiden naar adem deed happen.
Michel greep haar schouders beet, staarde in haar gezicht en zei: 'Ik hou van je, Christine Kleist.'
'Hoe kan een jood van een Duitse houden?' zei ze plagend.
Tussen de kussen door fluisterde Michel: 'Christine, kun jij van een jood houden? Deze jood?'
Christine week even terug en staarde naar hem op met een volkomen verwarde blik. Ten slotte zei ze vol ongeloof: 'God, Michel. Ik kan het niet geloven, maar ik geloof dat ik van je ga houden.'
Michel keek haar met intens genoegen aan en kuste haar neus, haar wangen, haar lippen. Hij tilde haar van de vloer en droeg haar naar het bed, legde haar neer en kuste haar steeds opnieuw terwijl hij met beide handen naar haar lichaam reikte.
Twee weken later, toen Michel weer terug moest naar Israël, nam hij Christine met zich mee en stelde haar voor aan zijn ouders. Hij kondigde aan dat Christine het meisje was met wie hij wilde trouwen.
Christine was stomverbaasd bij de ontdekking dat haar genegenheid

voor Demetrius Antoun slechts een vage herinnering was geworden en dat haar relatie met Michel Gale alles werd wat ze altijd had gewild.

Jeruzalem, april 1983

Er heerste een kilte in de kamer toen Jozef Gale het verhaal van Christine Kleist bevestigde. 'Ja, kind. Ik zal de naam nooit vergeten.' Zijn stem beefde van woede terwijl hij de woorden met nadruk uitsprak. 'Kolonel Karl Drexler.' Jozef kreeg een felle uitdrukking terwijl hij Christine recht in de ogen keek. 'Alleen de doden zijn kolonel Drexler vergeten.'

Christine leunde met een slap lichaam in haar stoel achterover. Ze sloeg beschaamd haar ogen neer. Een vreselijk verdriet weerspiegelde zich op haar gezicht toen ze fluisterde: 'O, nee. Ik had gehoopt dat het niet waar was.' Ze legde haar hoofd in haar handen en wiegde heen en weer.

Ester Gale leunde naar voren. Haar gezicht was grauw en ziekelijk en haar ogen hadden een verbijsterde uitdrukking. Ester hield zich met grote moeite in. Het Duitse meisje ging de geloofwaardigheid te boven!

Michel zat onderuit gezakt in zijn stoel. Zijn stem klonk hees en vol ongeloof. 'Dit is te vreemd, te vreemd.' Hij keek naar Christine en vroeg verontwaardigd: 'Christine, waarom heb je me niets verteld?'

Christine zweeg. Ze wilde Michel vertellen dat ze haar vermoedens niet had willen onthullen tot ze absoluut zeker was, maar bij het zien van de irritatie op zijn gezicht zei ze niets.

Anna Taylor keek gespannen naar het tafereel en zette zich schrap voor de moeilijke avond. Ze wierp een blik op Christine en voelde boosheid op de Duitse bezoekster. Anna's moeder had vaak gezegd dat een ramp via de mond komt en deze avond was het overvloedige bewijs van de wijsheid van Margarete Taylor. Het eenvoudige feit dat Michel verloofd was met de dochter van een nazi was al zwaar genoeg, maar dit laatste feit was eenvoudigweg te schokkend!

Er gingen enkele seconden voorbij. Uiteindelijk hief Christine haar hoofd op en wendde zich tot Jozef en Ester. Ze sprak met een schorre, bevende stem. 'Het spijt me. Kunnen jullie me ooit vergeven?'

De boze uitdrukking op het gezicht van Jozef verzachtte. Toen hij naar het aangedane gezicht van het meisje keek werd hij herinnerd aan de cirkel van de oorlog die zich verbreedde en generaties trof die nog niet waren geboren. 'Jou vergeven? Liefje, er valt jou niets te vergeven.'

Christine voelde het medeleven van de oudere man voor haar omstandigheden. Tranen van schaamte vulden haar ogen toen de verreikende daden van de nazi's weer terugkeerden om haar te achtervolgen. Toen ze naar het knappe, vriendelijke gezicht van Jozef keek vroeg ze zich

af hoe de Duitse burgers van haar ouders generatie ooit hadden kunnen rechtvaardigen zo'n man uit te roeien.
De schok van Ester werd erger waardoor ze moeizaam ademde. De grijze kleur, het duistere ritme van die dag, de stank van de dood keerden allemaal bij haar terug bij alleen het noemen van het getto van Warschau en de SS-soldaten.
Jozef keek intens naar zijn vrouw. Hij haastte zich aan Esters zijde, legde zijn handen op haar gezicht en vroeg: 'Lieveling, is alles goed met je?'
Ester zei niets maar ze pakte de handen van haar echtgenoot beet en knikte vervolgens dat ze in orde was.
Anna liep naar Ester en raakte de schouder van haar vriendin geruststellend aan. Onder het sterke uiterlijk van Ester ging de fragiele kern schuil van een lang rouwende moeder. Niemand wist dit beter dan Anna.
Jozef keek Christine verbijsterd aan. 'Ben je absoluut zeker van wat je zegt?'
Christine slikte moeizaam voor ze antwoordde. Ze wist dat de informatie die ze onthulde accuraat was, maar nu vroeg ze zich af of ze er wel goed aan had gedaan de familie Gale te vertellen dat zij de dochter was van Friedrich Kleist, een SS-bewaker van het getto van Warschau. Was haar relatie met de familie Gale nu onherstelbaar veranderd door de bekendmaking van wie zij was? Christine wilde geen bron van pijn voor Michel worden, een herinnering aan gebeurtenissen die zijn ouders diep hadden gekwetst. Als dat zo was, zou hij dan zijn eigen weg gaan en alles vergeten wat er tussen hen gezegd was? Christine voelde een koude rilling over haar lichaam gaan, alsof ze net haar eigen grafschrift had gelezen.
Omdat ze vier paar doordringende ogen op haar gezicht voelde branden ging Christine verder en beantwoordde mat de vraag van Jozef. 'Ja, ik weet dat ik het goed heb. Mijn vader heeft het verhaal zo vaak tegen me herhaald. Eerder vandaag, toen Michel me vertelde over hoe de familie van zijn moeder om het leven kwam, wist ik de details nog voor hij het over hen had.' Ze keek ter bevestiging naar Michel.
'Ze heeft gelijk,' antwoordde Michel. 'Christine vertelde me dingen over het getto van Warschau die ik niet eerder had gehoord.' Na een stilte zei hij: 'Maar ik had er geen idee van dat ze het over mijn eigen familie had.'
Net als de grote meerderheid van de joden die aan Hitler waren ontsnapt hadden Jozef en Ester hun kinderen alleen de basisfeiten verteld: dat hun familie tijdens de holocaust was omgekomen. De Israëlische kinderen die in Israël opgroeiden en opgingen in de overleving van hun jonge

land stonden te ver weg van de gaskamers en de dodenkuilen om de volledige gruwel van het uiteindelijke lot van de Europese joden te voelen. Michel voelde voor het eerst in zijn leven een scherp verlies. Hij voelde zich ook licht geërgerd door het feit dat een Duits meisje als dochter van nazi's meer over de holocaust wist dat een joodse zoon van overlevenden.

Christine glimlachte even verontschuldigend naar Michel en hoopte dat hij nog van haar hield.

Michel glimlachte terug. Alles was in orde.

Ze schraapte haar keel en richtte haar aandacht weer op Jozef. Ze zocht haar herinneringen af om er zeker van te zijn dat ze de feiten goed had. 'Zoals ik vertelde was mijn vader een SS-bewaker in het getto van Warschau. Hij was getuige van de onuitsprekelijke misdaden die tegen jullie familie werden begaan.' Haar stem daalde. 'Vader zei dat hij nooit eerder een man had gezien die met de felheid van Jozef vocht. Hij zei dat er acht SS-mannen voor nodig waren om je te verslaan voor ze bij je vrouw en kind konden komen.' De stem van Christine verstikte. 'Hij is die afgrijselijke avond nooit vergeten.'

De woorden van Friedrich Kleist die door zijn dochter werden geuit stortte als een beangstigende lawine door de kamer.

Michel keek met een nieuw begrip naar zijn vader terwijl hij trots bedacht dat de moed van Jozef Gale even groot was als zijn zachtmoedigheid.

Jozef haalde diep adem terwijl hij zijn ogen sloot en zijn middelvinger over zijn lippen legde. Jozef dwong verdrongen herinneringen weer naar boven en herleefde de vreselijkste nacht in zijn leven, een nacht die hij de afgelopen veertig jaar had geprobeerd te vergeten. Begraven beelden van Duitse gezichten die er allemaal hetzelfde uitzagen stroomden zijn hoofd binnen.

'Mijn vader zei dat je zijn leven redde,' voegde Christine eraan toe. 'Aan het einde van de oorlog. Weet je dat nog?'

Jozef gromde en ging rechtop staan. Zijn herinnering werd plotseling geprikkeld door de woorden van het meisje en riep een bepaald Duits gezicht naar boven. Van die kleine herinnering ging het bewustzijn van Jozef opeens razendsnel verder. Hij herinnerde zich de man en zijn daad. Een individuele daad die deze bepaalde man uittilde boven de grove handelingen van de SS-bewakers. Hij sprak langzaam, niet in staat het verbazingwekkende toeval te geloven. 'Friedrich Kleist. Die SS-bewaker is jouw vader?'

Christines stem klonk opgewonden. 'Ja! Ja! Herinner je je hem?'

Jozef liet zich zwaar in zijn leunstoel vallen en staarde recht naar

Michel. Voor het eerst wilde hij dat zijn zoon alles zou weten. Zijn gezicht had een gemartelde uitdrukking, hoewel zijn woorden langzaam en nadrukkelijk klonken. 'Michel, dit gebeurde aan het einde van de oorlog. Een jaar of iets langer nadat Daniël en ik uit de transporttrein naar Treblinka ontsnapten. We hadden in de Poolse bossen geleefd met de partizanen met wie we dat jaar vochten, treinen opbliezen, vrachtwagentransporten. Je moeder woonde nog bij een Poolse boerenfamilie. Het was te gevaarlijk haar daar weg te halen.
Toen slopen Daniël en ik op een nacht Warschau in om informatie te verzamelen over een wapenkonvooi. Toen we daar waren begon het Russische leger plotseling de Duitsers terug te dringen. Daniël en ik bleven in Warschau omdat we wisten dat het einde van de Duitse bezetting nabij was. We hoorden dagenlang de Russische kanonnen. Nu de Russen zo dichtbij waren stond heel Warschau in woede op tegen de Duitse honden.' Jozef wierp een blik naar Christine. 'O, sorry.'
Christine wuifde met haar hand. 'Geeft niet. Ik begrijp het.'
'De Polen hadden zich misrekend. Ze dachten dat de Russen aan hun strijd zouden meedoen. In plaats daarvan lieten de Russen de Polen in de steek.' Jozefs lippen verstrakten van boosheid. 'De Russische tanks bleven aan de andere kant van de rivier de Wisla en verroerden zich niet.' Jozef keek een ogenblik bedachtzaam. 'Pas nadat Warschau met de grond gelijk was gemaakt en een kwart miljoen Poolse strijders en burgers waren omgekomen trokken de Russen de stad binnen.'
Er kwam een vage herinnering bij Michel naar boven. 'Werd toen Daniël gedood?'
Jozef fronste. Naar zijn idee had zijn leven altijd een onvergeeflijke herinnering geleken aan de dood van Daniël Stein. Hij sprak met een vlakke stem. 'Ja. Toen stierf Daniël. Nadat hij de dodentransporten, de aanvallen van het verzet en de Poolse opstand had overleefd, werd Daniël door een Russische soldaat geëxecuteerd. Hij verheelde zijn fout door zijn superieur te melden dat Daniël een Duitse soldaat was die vermomd ging in burgerkleding.'
Het was heel stil in de kamer.
Op ingehouden toon zei Anna: 'We kunnen allemaal iets te drinken gebruiken.' Ze liep de keuken in.
Jozef ging verder. 'De overlevenden van het Poolse verzet spoorden de vluchtende Duitse soldaten op die haastig een weg zochten naar hun vaderland. Ik weet de exacte details niet meer, maar ik herkende inderdaad je vader. En ik spaarde zijn leven.' Jozef keerde zijn hoofd naar zijn vrouw en keek haar liefdevol aan. 'Ik spaarde zijn leven om één reden, slechts één reden: Friedrich Kleist redde het leven van Ester.' Hij keek

weer naar Christine. 'Je vader waarschuwde Daniël. Hij vertelde hem dat kolonel Drexler Friedrich het bevel had gegeven om de familie Stein op de volgende trein naar Treblinka te zetten.' Hij pauzeerde voor hij eraan toevoegde: 'Om te worden vergast.' Michel hield zijn adem in. 'We hadden weinig tijd om ons voor te bereiden. Alleen Ester was gered. Ze werd het getto uitgebracht in de vuilniswagen en bracht de rest van de oorlog door bij een Poolse familie op het platteland.' Jozef dacht het ondenkbare. 'Zonder Friedrich Kleist had Ester hier vandaag niet gezeten.' Hij pauzeerde voor hij met duidelijke genegenheid naar zijn zoon keek, 'en ook Michel niet.'

Terwijl Christine de schokkende informatie verwerkte zag ze een beeld van het gezicht van Friedrich Kleist in een flits voor haar. In Christines gedachten had haar vader door zijn leven te riskeren om dat van een jood te redden zijn schuld afgelost en was voor het eerst zijn nazi-verleden kwijtgescholden.

Net toen Anna uit de keuken met drankjes de kamer binnen kwam lopen ontsnapte er een gesmoorde kreet uit Esters mond.

Iedereen keek haar met stomme verbazing aan.

Tot dat moment had Ester gezwegen maar de getuigenis van Jozef was te veel voor haar geweest. Ze sprong overeind, snelde naar Christine toe en pakte haar arm vast.

De ogen van Ester vervulden Christine met doodsangst.

Esters stem klonk als een oerkreet. 'Heeft je vader je ook verteld wat er met mijn baby is gebeurd?'

Christine trok lijkbleek weg terwijl ze naar het gekwelde gezicht van Ester keek.

Jozef liep met uitgestrekte armen naar zijn vrouw en hield haar dicht tegen zich aan. 'Ester, niet doen. Doe jezelf dit niet aan, lieveling.'

Ester, die haar stille rouw van veertig jaar de vrije teugels gaf worstelde om zich uit haar mans greep los te maken. Ze wierp zichzelf op de vloer aan de voeten van Christine, legde haar armen in haar schoot terwijl de woorden over haar lippen stroomden in een smeekbede aan het Duitse meisje om het zich te herinneren. 'Mirjam was onze baby, nog geen drie jaar oud met blond haar en blauwe ogen. Jozef was verteld dat onze baby voor adoptie naar Duitsland was gestuurd. De Duitsers ontvoerden veel Poolse baby's met een lichte huidskleur. Heeft je vader je dat verteld?'

Christine was over haar toeren en beefde terwijl ze haar gedachten afzocht naar goed nieuws waarmee ze Ester Gale kon troosten. Ze wist niet wat ze moest doen, dus loog ze, in de hoop dat haar vader het mysterie van de verdwenen baby kon ontrafelen. 'Mijn vader heeft er niets

over gezegd, maar hij moet het zeker weten.' Haar stem stierf weg. 'Hij moet het zeker weten, maar hij heeft het me niet verteld.'
Ester legde haar hoofd in de schoot van Christine en huilde bittere tranen. 'Mirjam, mijn baby.'
Vervuld van ontzag door de diepte van zijn moeders pijn sprong Michel overeind. 'Moeder, huil niet.' Hij trok aan de schouders van zijn moeder. 'Moeder, alsjeblieft.'
Anna was woedend. Er was niets wreders in een oorlog dan een moeder van haar kind te scheiden. Waarom had het Duitse meisje het verleden opgerakeld? De gevoelens van Christine konden haar niets meer schelen. Haar lippen krulden cynisch omhoog toen ze zei: 'Maak je er een gewoonte van mensen te herinneren aan dingen die ze zijn vergeten?'
Christines hele lichaam schokte.
Michel verdedigde haar. 'Anna. Je hoeft niet zo tegen Christine te praten. Ze probeert alleen te helpen.'
Ester keek Anna doordringend, bijna beschuldigend aan. 'Vergeten? Anna, de herinnering aan mijn baby raakt me als een kogel, elke seconde, elke minuut.' Ester keek weer naar Christine. 'Je moet je vader bellen.' Ze keerde haar hoofd om en staarde naar Jozef. 'We zullen de ouders van Christine voor een bezoek uitnodigen.' Haar stem verhief zich van opwinding. 'Hij zal ons vertellen waar we naar Mirjam moeten zoeken!'
Jozef strekte zijn handen uit en trok zijn vrouw overeind. 'Ester. Ester. Liefste, er zijn al te veel jaren voorbijgegaan.'
De tranen stroomden over haar wangen. Ze schudde haar hoofd en haar smekende stem was nauwelijks hoorbaar. 'Alleen om haar te zien, Jozef, haar aan te raken, te weten dat mijn baby niet heeft geleden, te weten dat mijn baby leeft.'
Jozef slaakte een diepe zucht en staarde met een trieste blik in zijn ogen in die van Ester. Hij wilde, net als zijn vrouw, niets liever dan hun geliefde baby nog één keer zien. Maar hij wist dat de kans dat Mirjam het had overleefd heel klein was. Ondanks wat kolonel Drexler had beweerd had de man meer dan waarschijnlijk Mirjam en haar blinde neefje David weggestuurd om vergast te worden. Maar zelfs al was Mirjam naar Duitsland gestuurd en daar geadopteerd, er waren tijdens de laatste oorlogsjaren veel Duitsers gestorven. Naar Jozefs idee waren ze Mirjam voor altijd kwijt.
Ester kon niet ophouden. 'Ik weet wat je denkt. Mirjam heeft een Duitse moeder. Ons kind zal zich ons niet herinneren. Maar Jozef! Jozef! We moeten het proberen!'
Jozef smeekte zijn vrouw: 'Bouw niet op deze hoop, Ester. Niet weer.'

Ester had na de oorlog jarenlang brief na brief naar de Duitse autoriteiten geschreven en verschillende bureaus de opdracht gegeven blonde joodse baby's op te sporen die vanuit bezette gebieden voor adoptie naar Duitsland waren verscheept. Esters pogingen waren op niets uitgelopen. Er was geen enkel spoor van Mirjam Gale of de blinde jongen David Stein.

Na een zoektocht van twintig jaar had Ester haar pen neergelegd. Maar ze had elke dag voor het kind gebeden, gebeden dat de kleine Mirjam niet te bang was geweest, gebeden dat Mirjam een vriendelijk thuis had gevonden, gebeden dat Mirjam de oorlog had overleefd, gebeden dat Mirjam nu een volwassen vrouw was met eigen kinderen.

Ester schreeuwde tegen Christine: 'Bel je vader! Bel hem!'

Overweldigd door de kracht van Esters emoties kwam Christine overeind. 'Michel?'

Michel keek op zijn horloge. 'Hoe laat is het in Duitsland?'

'Hoe laat?' schreeuwde Ester. 'Wat doet de tijd ertoe? Maak hem wakker!'

Christine rende naar de telefoon.

Michel volgde haar.

New York

Jordan inhaleerde diep. Ze hield van de geur van oude boeken. De openbare bibliotheek van New York had kilometerslange boekenplanken vol met boeken. Ze liet haar vingers over een vergulde glazen kast glijden die enkele onbetaalbare manuscripten bevatte. Ze was opgevoed met een waardering voor boeken en er was haar eens verteld over de uitgebreide bibliotheek die in de holocaust van haar moeders familie was gestolen. Ze sloot even haar ogen en visualiseerde het oude familiehuis in Warschau terwijl ze zich de rijkdom van haar moeders leven probeerde voor te stellen voor alles verloren ging.

Ze vroeg zich nu af wat er met die boeken was gebeurd. Was de gekoesterde bibliotheek van Mozes Stein vernietigd tijdens de opstand in Warschau of bevonden de oude boeken zich nu in het bezit van de nakomelingen van de nazi's? Wat jammer, dacht ze bij zichzelf.

Nadat ze een aangenaam uur in de bibliotheek had doorgebracht, liep ze naar buiten en ging zo zitten dat ze zeker wist dat ze makkelijk te zien was wanneer Demetrius uit een van de grote toegangsdeuren van het gebouw naar buiten kwam. Demetrius had uren in de bibliotheek doorgebracht.

Ze begon te gapen en voelde zich een beetje slaperig. Ze hield haar hand voor haar mond en dacht wat een heerlijke middag het was om lui rond

te hangen. Het weer was perfect: de zon scheen helder, er was een wolkeloze blauwe lucht en een warme aprilbries. Zelfs de vogels leken hun paringsgezang vandaag resoluter te zingen.
Jordan glimlachte toen ze naar een gelukkig stel keek dat op een van de grote terrassen zat. De jonge man en de vrouw omhelsden elkaar hartstochtelijk en dit bracht haar in herinnering dat vogels niet de enige wezens waren die in hun gedachten paarden.
Ze zuchtte luid en ging op in haar favoriete afleiding: denken aan Demetrius Antoun. Vanaf het begin van hun spetterende affaire had Jordan ingezien dat Demetrius geen gewone man was en dat zo'n relatie zelden meer dan één keer in het leven voorkwam. Demetrius had dezelfde kwaliteit en goedheid en integriteit die haar bij Stephen hadden aangetrokken, maar Demetrius werd omgeven door een verrukkelijk waas van passie en mysterie dat ze had gemist bij haar eerste liefde. Ze was nog nooit gelukkiger geweest, zelfs niet op haar gelukkigste dagen met Stephen.
Ze herinnerde zich de brief in haar tas en de gedachte nam haar heel even in beslag. Ze had hem die ochtend van haar ouders in Jeruzalem ontvangen. De brief betrof Christine Kleist, de vroegere vriendin van Demetrius en bracht nieuws dat ze niet met Demetrius wilde delen. Christine was verloofd met haar broer! Hoe dat paste in Jordans plannen met Demetrius was een lastige gedachte. Ze troostte zichzelf met het idee dat het nieuws niet alleen slecht was, maar ook goed, afhankelijk van hoe je de informatie opnam. Nu hoefde ze zich niet langer druk te maken over het schuldgevoel dat Demetrius duidelijk had omdat hij haar had pijn gedaan.
De brief was niet het enige geheim dat Jordan voor Demetrius had. Ze had hem nog niet verteld dat ze geadopteerd was. In het begin van hun relatie was ze gewoon vergeten om het hem te vertellen. Ze beschouwde Jozef en Ester Gale als haar echte ouders. Ze dacht zelden aan Ari Jawor of Leah Rosner. Eén keer had ze het er bijna uitgeflapt maar toen schoot haar de houding van Arabieren te binnen ten aanzien van adoptie. Alle Israëlische Arabieren die Jordan kende waren achterdochtig tegenover iedereen die geen bloedverwanten had, in de overtuiging dat je zonder de kennis van ouders of grootouders het kind niet echt kon kennen of vertrouwen. Ze had snel besloten dat ze Demetrius eerst aan Jozef en Ester Gale zou voorstellen. Ze zou hem later over Ari en Leah Jawor vertellen. Ze had Jozef en Ester maar enkele keren gevraagd naar het lang geleden gestorven stel dat haar het leven had geschonken. Ze sloot haar ogen en leunde met haar hoofd tegen haar opgetrokken knieën alsof ze nadacht over wat haar was verteld.

Ari Jawor en Leah Rosner hadden iedereen in de gaskamers verloren. Ze waren de enige overlevenden van twee grote Tsjecho-Slowaakse joodse families. Ze hadden elkaar ontmoet toen ze naar het vernietigingskamp Auschwitz werden gebracht. Toen de oorlog voorbij was hadden ze hun weg gezocht naar Palestina en zij aan zij gevochten en tussen de gevechten door hun trouwbeloften afgelegd. Er gingen jaren voorbij voordat Leah zwanger werd. In 1955, toen Leah trots aankondigde dat ze een baby verwachtte, wachtte het stel de geboorte van hun kind vol geluk af.
Drie maanden voordat Jordan werd geboren werd Ari gedood tijdens een geheime missie in Syrië. Na de dood van Ari gaf Leah gewoon op en verloor haar zin in het leven. Toen ze zich realiseerde dat ze tijdens de bevalling zou kunnen sterven, smeekte ze Ester Gale – haar dierbaarste vriendin – om haar baby als haar eigen baby op te voeden. Leah was uren na de bevalling inderdaad gestorven en Jordan behoorde toe aan Jozef en Ester. Het echtpaar Gale bracht haar groot als hun eigen kind en waren de beste ouders die een kind zich ooit zou kunnen wensen.
Ze haalde haar schouders op en zette alle gedachten aan haar natuurlijke ouders opzij waarbij ze zichzelf eraan herinnerde dat ze Demetrius verder alles, zowel goed als slecht, had verteld over het geluk van voor de oorlog van de Europese families Gale en Stein tot aan de tragische dood van een oudere zuster en broer.
Jordan vond al snel haar vreugdevolle stemming terug.
Eerder die dag was Jordan, samen met enkele andere modellen, ingehuurd voor het showen van de laatste zomermode voor een lokaal tijdschrift. Ze had een groot deel van de ochtend doorgebracht tussen de gebeeldhouwde leeuwen en Corinthische zuilen van het rijkelijk versierde marmeren gebouw. Een paar dagen daarvoor had ze Demetrius net zo lang gesmeekt tot hij ermee had ingestemd haar bij de foto-opnamen te bezoeken. Ze wilde alles delen met de man van wie ze hield.
Ze glimlachte weer waardoor ze meer dan een waarderende blik won van een paar jongemannen die lagen te zonnen en te lezen of hun lunch gebruikten. Ze lette er niet op maar dacht in plaats daarvan dat toen Demetrius bij de opnamen verscheen iedereen precies zo had gereageerd als zij stilletjes had voorspeld. De opgewonden fotograaf had, nadat hij één blik op Demetrius had geworpen, haar gegarandeerd dat hij haar nieuwe minnaar een lucratieve carrière als model kon bieden. De drie andere modellen bij de opnames hadden uitbundig met de nieuwkomer geflirt, ongevoelig voor de aanwezigheid van Jordan en het gebrek aan reactie van Demetrius. Omdat hij al snel verveeld raakte met wat hij een frivole manier van de kost verdienen vond en door de eindeloze

foto's die overgedaan moesten worden en de fluitconcerten van voorbijgaande jongemannen naar de modellen had Demetrius verontschuldigend naar Jordan geglimlacht voor hij zijn toevlucht in de bibliotheek had gezocht.
Hij was nog steeds in het gebouw, hoewel hij een keer tijdens de fotosessie was teruggekomen om Jordan te vertellen dat hij van plan was alle tijd te nemen die ervoor nodig was om een boeiend geschrift over de joodse geschiedenis te lezen dat hij had ontdekt. Jordan had niet geklaagd. Ze was blij met het feit dat Demetrius probeerde meer over haar joodse afkomst te weten te komen. Ze zei tegen zichzelf dat zijn nieuwsgierigheid een veelbelovend teken was dat hij hun relatie net zo serieus nam als zij.
Ze begon een liefdesliedje te neuriën.
Er gingen een paar minuten voorbij waarna Demetrius via de middelste ingang van het gebouw het zonlicht in kwam kuieren.
Het hart van Jordan, die wachtte tot hij haar zou zien, klopte als een razende van opwinding.
Demetrius was met zijn gedachten ergens anders. Hij had de eerste stap gezet in het vinden van zijn joodse familie door in de bibliotheek de buurten in Jeruzalem te onderzoeken. Hij hield een lijst van locaties en straten in zijn hand die tijdens de turbulente jaren veertig door zowel Arabieren als joden werden bevolkt. De documenten die hij in het huis van George Antoun in Shatila had gevonden waren moeilijk te ontcijferen. Hij zou moeten blijven zoeken.
Toen hij zag dat Jordan naar hem keek trok er een lichte verbazing over zijn gezicht. Hij was er zeker van geweest dat ze naar haar appartement was teruggegaan. Demetrius, die nog niet zover was de waarheid over zijn afkomst te vertellen, wist niet zeker wat hij met de vellen papier moest doen. Hij bleef abrupt staan, vouwde ze zorgvuldig op en stopte ze in zijn broekzak.
Een nieuwsgierige Jordan staarde nadrukkelijk naar de papieren maar vroeg niets. Ze had geleerd dat Demetrius erg terughoudend was.
De verwarde blik van Demetrius verdween. Hij begroette haar met een glimlach. 'Daar ben je!'
Toen Jordan ging staan pakte Demetrius haar beide handen in de zijne. 'Sorry! Ik wist niet dat je wachtte!' Hij kneep in haar hand. 'Vergeef je het me?'
Zich koesterend in de sensaties die zijn aanraking creëerde vergat Jordan alles. Met een roze gezicht van geluk wierp ze hem een betoverende glimlach toe. 'Ik vond het niet erg, liefje. Nadat de sessie voorbij was heb ik binnen een poosje gewacht.' Ze vertelde hem iets wat hij niet

wist. 'Heb ik je al verteld dat ik eens als bibliothecaresse heb gewerkt? Ik was nog maar zestien. Ik liep weg van huis en kreeg een baan in een bibliotheek in Tel Aviv. Het duurde een week voordat pap me vond.' Ze wierp haar hoofd naar achteren en lachte.

Demetrius lachte met haar mee. 'Jij? In een bibliotheek?' Dat was wat hem beviel aan Jordan Gale. Ze was op een grappige manier volkomen onvoorspelbaar en zat vol verrassingen. Hun wederzijdse aantrekkingskracht was zo overweldigend geweest en de daaruit voortvloeiende relatie zo vervullend dat Demetrius het gevoel had alsof hij haar al heel lang kende. Hij herinnerde zichzelf er vaak aan dat ze elkaar nog maar vier maanden daarvoor hadden ontmoet.

De ogen van Jordan zwierven over het drukke gebied. 'Toen ben ik naar buiten gegaan en in de zon gaan zitten. Het was fijn voor de verandering eens wat rond te hangen en niets te doen.'

'Rondhangen klinkt inderdaad fijn,' zei Demetrius plagend.

Jordan trok Demetrius naar zich toe en wreef op een suggestieve manier haar lichaam tegen het zijne. Ze keek hem recht in de ogen. 'Doe een wens.' Haar lippen gingen in een verleidelijke glimlach uiteen.

Demetrius sloot zijn ogen en plaatste zijn lippen op Jordans wang en liet ze daar even om haar geur op te kunnen snuiven. Zijn stem liep over van beloftes toen hij zei: 'Neem me mee naar jouw appartement en ik zal je laten zien wat ik wens.'

Jordan wreef met een open hand over zijn borst voor ze zijn hoofd naar haar lippen trok. Ze raakte met haar tong licht zijn oor aan voor ze fluisterde: 'Wens ingewilligd.'

Met een stem die hees van verlangen klonk, bekende Demetrius zijn gedachten. 'Jordan Gale, je bent de meest sensuele vrouw die er bestaat.'

Jordan was ongeduldig. 'Laten we gaan!'

Hand in hand renden ze met twee treden tegelijk de trappen af.

'Laten we een taxi nemen,' stelde Jordan voor. Ze wierp haar minnaar een slinkse glimlach toe. 'Ik kan niet wachten.'

Demetrius grijnsde en keek toen naar links en naar rechts. 'Goed.' Niet lang daarna kwam er een versleten uitziende gele taxi de stoep op rijden en Jordan lachte even toen Demetrius tegen de chauffeur zei: 'Zo snel je kunt, zonder de wet te overtreden.' Terwijl Jordan zich tegen Demetrius' schouder nestelde, raasde de taxi naar het appartement van Jordan in 22nd Street.

Ze renden giechelend als kleine kinderen de trap op.

Toen ze deur van het slot wilde doen liet Jordan de sleutels drie keer vallen.

Toen ze eenmaal in het appartement waren haastten ze zich elkaars kle-

ren uit te trekken waarbij ze af en toe stopten om elkaar koortsachtig te kussen.
Iemand klopte op de deur.
'Verdomme! Ik wil wedden dat Gilda ons hoorde binnenkomen,' fluisterde Jordan. Ze woonde op de verdieping onder het appartement van het echtpaar Barrows en de twee vrouwen dronken vaak samen thee aan het eind van de dag.
Demetrius zei met een hese stem: 'Laat maar.' Toen trok hij Jordan stevig tegen zich aan en tongzoende haar zo lang alsof er geen einde aan zou komen.
Het aanhoudende kloppen bleef doorgaan.
De handen van Jordan krulden zich om zijn nek en toen in zijn haar.
De deur bleef gesloten.

Uren later lag Jordan diep te slapen.
Demetrius liep zachtjes op haar slapende lichaam toe alvorens zich voorover te buigen en haar lippen licht met zijn lippen te beroeren. Jordan bleef slapen maar haar lippen vormden een vage glimlach. Hij staarde een minuut naar haar, trok toen het laken tot onder haar kin, verliet de kamer en ging via de draaitrap naar de zitkamer op de onderste verdieping van Jordans appartement. Door de openingen tussen de gordijnen zag hij dat het nog donker was. Hij begon naar Jordans sigaretten te zoeken. Demetrius was begonnen te roken sinds hij Jordan had ontmoet. Hij zocht in de eetkamer en op het aanrecht en zag uiteindelijk het randje van een pakje sigaretten uitsteken onder Jordans verkreukelde blouse op de grond.
Geluidloos deed hij zijn broek aan en liep met de sigaretten en een aansteker in zijn hand naar het balkon. Leunend tegen de reling stak hij een sigaret aan. Hij sloot zijn ogen en inhaleerde diep waarbij hij de rook zo lang in zijn longen hield tot het begon te branden. Hij ademde uit en keek toen zonder iets te zien naar het grote appartementengebouw tegenover dat van Jordan.
De nacht had een ongemakkelijk stilte die overeenstemde met zijn gemoed. Hij wist al enige tijd dat hij heel veel van Jordan Gale hield. En hij wist dat hij met deze relatie eindelijk volwassen was geworden. Hij hield van Jordan vanwege haar vriendelijke, gulle aard, haar intelligentie, haar scherpe humor, maar was zich er tegelijkertijd van bewust dat dit betoverende meisje op een zeer onaangename manier egocentrisch en koppig kon zijn en regelmatig opzettelijk grof was tegen mensen die ze niet mocht. Toch hield hij van haar.
Demetrius werd geconfronteerd met een belangrijke beslissing en hij

wist dat hij deze alleen moest nemen, zonder de prikkelende aanwezigheid van de vrouw van wie hij hield. Hij wilde niets liever dan Jordan vragen met hem te trouwen. Maar voor hij die stap kon zetten moest hij in zichzelf kijken om er zeker van te zijn dat zijn intense verlangen achter zijn afkomst te komen hem niet in deze relatie geworpen had. Hij voelde zich al schuldig genoeg over Christine. Hij wilde niet ook Jordan kwetsen.

En als hij met haar trouwde, zou hij het haar dan kunnen vertellen? Er had zich nooit een goed moment voorgedaan om de waarheid te bekennen: dat de Arabische man van wie Jordan hield eigenlijk een jood was. Hoe zou Jordan reageren wanneer ze hoorde dat Demetrius niet degene was die ze dacht die hij was?

De drukkende last van dat geheim woog zwaar op hun relatie. Hij moest haar de waarheid vertellen want Jordan maakte al vaak opmerkingen over de invloed die zijn wisselende stemmingen op haar hadden; stemmingen waarvan ze moest weten dat die voortkwamen uit de onuitgesproken omstandigheden van zijn leven.

Als hij haar vertelde dat hij eigenlijk twee mannen in hetzelfde lichaam was, een Arabier en een jood, zou ze hem dan ooit nog geloven?

Demetrius werd opeens geraakt door de absurditeit van zijn situatie. Hij begon te lachen. Hij lachte zo hard dat hij dacht dat hij misschien Jordans buren wakker zou maken. Hij boog zich voorover en dempte zijn gelach door zijn hand op zijn mond te leggen waardoor het lachen klonk als snikken.

Jordan stapte het balkon op. 'Demetrius. Is alles in orde?' vroeg ze ontsteld.

Demetrius, wiens emoties kolkten, trok zijn wenkbrauwen samen en staarde glimlachend en fronsend tegelijk naar Jordan. Zijn onverwachte woorden waren het bewijs dat het gezonde verstand blind is wanneer het wordt geconfronteerd met hartstocht. Hij kalmeerde zichzelf en wierp de vraag eruit die hij al weken had willen stellen. Hij durfde zichzelf geen minuut meer te gunnen om na te denken en shockeerde zichzelf in dezelfde mate waarin hij Jordan verraste. 'Liefste. Ik stond me net af te vragen of je met me wil trouwen.'

Jordan staarde hem sprakeloos aan.

Demetrius haalde nauwelijks adem in afwachting van het antwoord.

Jordan stond er als verlamd bij. Ze had over dit moment gedagdroomd sinds het allereerste begin van hun relatie. Er raasden een miljoen gedachten door haar hoofd. Als ze met Demetrius Antoun trouwde, zou haar familie verscheurd zijn. Jordan wist dat een man als Michel, die afkerig stond tegen het aanvaarden van Arabieren als vrienden, nooit zou

accepteren dat hij een Arabier als zwager had. Haar broer zou zich moeten aanpassen. Maar nationaliteiten en familieproblemen terzijde geschoven waren zij en Demetrius elkaars tegenpolen. Zij was emotioneel, Demetrius was analytisch. Zij was open, Demetrius was gesloten. Zij hield van feesten, Demetrius hield van rustige avonden met een paar vrienden. Zij genoot van het vertellen van moppen en het uithalen van grappen, Demetrius was te serieus om een mop te herkennen als een mop wanneer hij er een hoorde. Toch putten ze, ondanks hun tegenstellingen, kracht uit elkaar en Jordan wist dat Demetrius net zo wanhopig intens van haar hield als zij van hem.
Ze keek in het afwachtende gezicht en wist dat ze, ongeacht alle solide argumenten tegen de relatie, eenvoudigweg niet zonder hem kon leven. Een innerlijke stem drong bij haar aan en zei tegen Jordan dat ze ondanks hun duidelijke verschillen een gelukkig huwelijk zouden hebben.
Demetrius klonk bezorgd. 'En? Wil je met me trouwen, of niet?'
Jordans smeulende groene ogen gaven Demetrius het antwoord nog voor ze sprak. 'Natuurlijk trouw ik met je, lieveling.' Ze hield haar hoofd schuin en glimlachte ondeugend. 'Eigenlijk had ik het jou gevraagd als je nog veel langer had gewacht.'
Demetrius dacht er nog net aan om zijn sigaret op de reling van het balkon te doven. Hij strekte zijn armen uit. 'Kom hier.'
Jordan liep naar hem toe en ze hielden elkaar heel stevig vast.
Hij tilde haar in zijn armen en droeg haar naar de slaapkamer.
Onder het vrijen nam Demetrius haar gezicht in zijn handen en fluisterde: 'Mijn vrouw?'
'Ja, mijn liefste, ja!

23 Een bezoek aan Jeruzalem

Na de oorlog van 1967, toen de Israëlische regering de rol van bezetter aannam, werden de politieke verschillen die het land verdeelden zichtbaarder. Hoewel Menachim Begins partij de Likoed een onwrikbaar standpunt aannam over de kwestie van een groter Israël en weigerde de bezette gebieden terug te geven, voelden veel Israëlische burgers zich steeds minder op hun gemak met de regering als veroveraar en keurden de Likoed-partij af als zijnde extreem. De impopulaire invasie in 1982 van Libanon vergrootte de politieke scheuring binnen Israël. Na het bloedbad in de vluchtelingenkampen Shatila en Sabra marcheerden er honderden Israëlische burgers door de straten van Jeruzalem om hun oppositie tegen de acties van de regering te demonstreren.
Eerste minister Begin formeerde als reactie op de publieke druk de commissie Kahan om het bloedbad in Beiroet te onderzoeken. De commissie kwam tot de conclusie dat de regering Begin de mogelijkheid van geweld had moeten voorzien toen de falangisten van de vermoorde Basjir Gemayel de kampen binnentrokken. De commissie deed de aanbeveling de minister van Defensie Ariel Sharon uit zijn functie te ontheffen. Geconfronteerd met dergelijke harde kritiek werd Begin steeds vijandiger en verklaarde dat hij vervolgd werd.
De tegenstanders van Begin beweerden dat de eerste minister een 'holocaustcomplex' had en voorspelden dat de fanatieke haat van Begin voor de Arabieren zijn land tot de ondergang zou voeren.
Dit was de stemming onder de Israëliërs toen de voormalige SS-bewaker van het getto in Warschau, Friedrich Kleist, met zijn vrouw Eva op 6 juni 1983 in Israël arriveerde. Later op diezelfde dag arriveerden Jordan Gale en haar Arabische verloofde Demetrius Antoun ook in het land om de familie van Jordan op de hoogte te brengen van hun verloving.

Friedrich en Eva Kleist hadden nu spijt van hun beslissing geld uit te sparen om vanuit Frankfurt via Londen naar Israël te vliegen. De Britse vlucht vanaf het vliegveld Heathrow in Londen naar het vliegveld Ben Goerion in Israël zat vol Amerikaanse toeristen. Het typische geluid van

onderdrukt gelach en levendige gesprekken bubbelde op uit de opgewonden vakantiegangers, maar met name één vrouw had een luide, raspende, kakelende lach en ze had bijna constant gelachen sinds het vliegtuig van Heathrow was opgestegen.
Elke keer dat de vrouw lachte raakte Friedrich geïrriteerder. Hij maakte een ongeduldige beweging met zijn hoofd en zei tegen zijn vrouw: 'Dit is werkelijk onuitstaanbaar!' Zijn woorden gingen verloren in het algehele rumoer.
Eva zuchtte overdreven. Friedrich was zichzelf niet.
De waarheid was dat Friedrich in totale verwarring was geraakt vanaf het moment dat zijn dochter hem had gebeld met het schokkende nieuws dat ze zich in het huis bevond van het joodse stel door wier herinnering Friedrich de afgelopen veertig jaar werd achtervolgd. Ze had vijf weken geleden gebeld maar voor Friedrich voelde het nieuws zo vers als een open wond.
Eva keek zwijgend naar haar man. Ze had geprobeerd hem van de reis te weerhouden maar toen ze had begrepen dat Friedrich vastbesloten was het joodse stel onder ogen te komen en desnoods alleen naar Jeruzalem zou gaan, had ze haar koffers gepakt. Ze maakte zich nu zorgen over haar man in de overtuiging dat het heel goed mogelijk was dat Friedrich een zenuwinzinking zou krijgen. Alles aan het gedrag van Friedrich suggereerde immense opgewondenheid. Hij haalde veel te diep adem. Hij verschoof nerveus in zijn stoel. Als hij niet door het ene na het andere tijdschrift bladerde keek hij met ongeduldige opstandigheid naar de Amerikanen.
Eva klopte Friedrich op zijn hand. 'Kalmeer.'
Friedrich keek met grimmige intensiteit naar zijn vrouw. Hij haalde een paar keer diep adem en wierp haar een vreemd soort scheve glimlach toe. 'Sorry.' Toch had hij iets gespannens in zijn uitdrukking.
Een rustig gezicht dat wanhopige gedachten verborg, zei Eva tegen zichzelf. 'Friedrich, je hoeft dit niet te doen,' zei ze afkeurend tegen hem.
Hij trok zijn schouders op en keek haar doordringend aan. 'O, Eva, maar dat moet ik wel, dat moet ik wel.'
Eva knikte. De tijd voor praten was voorbij, zei ze tegen zichzelf. Sinds 1945, het jaar dat hij uit Polen was teruggekeerd, was het niet helemaal goed gegaan met Friedrich.
Toen Friedrich opstond om naar het toilet te gaan leunde Eva met haar voorhoofd tegen het vliegtuigraam en staarde met een nietsziende blik somber naar de wolken onder haar en herinnerde zich de laatste keer dat ze totaal geluk had gekend. Taferelen uit het verleden speelden door

haar hoofd, scherp en duidelijk. Het jeugdige gelaat van een mooi meisje kwam als in een droom uit de diepten van haar herinnering naar boven.
In 1940 was Eva Horst negentien jaar oud. Net als veel Berlijners was de familie Horst muzikaal en koesterden ze zich in de culturele rijkdom van hun stad. Susanne Horst speelde piano en Helmet Horst was een enthousiast violist. Terwijl de jonge Eva lessen voor beide instrumenten volgde, voelde ze zich meer op haar gemak met de viool en begon al snel daar al haar energie in te stoppen om net zo vaardig te worden als haar vader. De jongere broer van Eva, Heinrich, gaf de voorkeur aan de trompet.
In april 1940, toen Eva van Wilhelm Furtwangler de bevestiging ontving dat ze als violiste was aangesteld bij het Berlijnse filharmonisch orkest nam een trotse Helmet zijn familie mee op een speciaal uitje naar het populaire café Unter den Linden. Friedrich zat nog niet in de SS en was met zijn verloofde meegegaan voor de speciale viering.
Eva, die uitkeek naar een grote toekomst bij het filharmonisch orkest en vol verwachting was over haar aanstaande huwelijk, zag een gouden tijd op zich wachten.
Hoe kon ze ooit vermoeden dat haar een ramp boven het hoofd hing?
In het begin had alles zo juist geleken. De nazi's leken alleen het belang van Duitsland voor ogen te hebben. Na hun vernederende nederlaag in 1918 was de Duitse economie ingestort en heerste er een enorme inflatie waardoor de meeste Duitsers berooid waren. Hitler werd gekozen, hun leven begon te verbeteren. Hitler gaf de Duitsers banen, werk en respect voor Duitsland. Hun trots Duitser te zijn was teruggekeerd.
Tijdens de zomer van 1939 lukte het de propagandamachine van de nazi's de Duitsers ervan te overtuigen dat de Polen wreedheden begingen tegen Duitsers die in Danzig woonden. De Duitsers geloofden oprecht dat de Polen de huizen van Duitsers in brand staken en onschuldige Duitsers vermoordden. Geconfronteerd met dergelijke wandaden begon Duitsland zich te mobiliseren. Wat konden ze anders doen? Toen de Duitsers Duitsland beschermden door Polen aan te vallen bemoeiden Engeland en Frankrijk zich met de oorlog en kwamen tussenbeide in een interne kwestie waarvan de nazi's beweerden dat Frankrijk en Engeland hier niets mee te maken hadden.
In december 1941 traden Eva en Friedrich in het huwelijk. Na een korte huwelijksreis in het hotel Adlon, het meest exclusieve hotel van Berlijn, werd Friedrich naar het oostfront gestuurd als bewaker van het getto in Warschau.
Vanaf die tijd ging hun leven bergafwaarts.

Als reactie op de luchtoorlog boven Londen waren de Britten begonnen met vergeldingsluchtaanvallen op Berlijn, maar konden in het begin geen ernstige schade toebrengen. De Duitse regering had op slimme wijze de grote stad vermomd door nepsteden te bouwen aan de rand van de stad en gebouwen te bedekken met beschilderde netten waardoor die gebouwen leken op parken. Tot 1943 vormden de bombardementen slechts een ongemak, maar die situatie veranderde abrupt toen de Britse vliegtuigen werden uitgerust met grotere motoren waardoor ze grotere bommen konden vervoeren. Berlijn wankelde onder de aanvallen van 1943 die dreigden de stad te verwoesten.
Eva had het geluk dat ze voor het Berlijnse filharmonisch orkest speelde aangezien de musici van het grootste orkest waren vrijgesteld van elke vorm van militaire of staatsdienst. Terwijl haar ouders en broer puin ruimden speelde Eva viool. De nazi's wisten dat de Berlijners de grootste ongemakken zouden ondergaan maar in opstand zouden komen als hun culturele activiteiten stopgezet zouden worden.
Eva zag Friedrich zelden tijdens de oorlog. Tijdens zijn korte verloven verscheen hij onaangekondigd in hun appartement in Berlijn. Een keer, toen een bezorgde Friedrich haar toevertrouwde wat er met de joden gebeurde, geloofde Eva niet dat dit waar was. Hoe kon dit waar zijn? De Duitsers waren een geciviliseerd volk! Friedrich had het fout! De joden werden gebruikt als arbeiders, niet meer dan dat! Nadat Friedrich naar Polen was teruggekeerd bleven er geruchten rondgaan over de *Endlösung* voor de joden, maar Eva bleef ervan overtuigd dat het niet waar was.
In 1945 werden de vijftien jaar oude Heinrich en de vijftig jaar oude Helmet opgeroepen voor volledige militaire dienst. Eva realiseerde zich voor het eerst dat hun wereld in elkaar stortte toen Helmet en Heinrich, samen met andere jonge jongens en oudere mannen, langs sombere burgers door de straat de stad uit marcheerden om het Duitse oostfront te verdedigen tegen het oprukkende Russische leger. De herinnering aan die dag bracht nog altijd tranen in haar ogen. De aanblik van een jonge Heinrich die een felgele leren schooltas droeg met extra ondergoed en eten, een tas die het jaar daarvoor zijn schoolboeken had bevat, was een meelijwekkend beeld dat voor altijd in het geheugen van Eva gegrift stond.
Het vreselijke einde van een periode van twaalf jaar die was begonnen als een glorieuze nazi-heerschappij kwam snel. Berlijn lag in puin met 80.000 dode inwoners. Tijdens de laatste strijd om Berlijn werden 30.000 burgers gedood. Susanne Horst was een van de 30.000. Heinrich en Helmet Horst keerden nooit meer terug van het oostfront. Jaren later

vernam Eva van een voormalig gevangene van de Russen dat haar vader en broer naar Siberië waren vervoerd. Zowel Helmut als Heinrich kwam na jaren hard werk in de Russische kolenmijnen om het leven.
Alleen achtergebleven woonde Eva in een gat in de grond dat eens de kelder van hun appartement was geweest. Ze werd gevangengenomen door de overwinnende Russen en wreed verkracht, keer op keer. Hoewel haar ervaring slechts een was van duizenden soortgelijke ervaringen, zou ze de herinnering aan haar schaamte en lijden voor eeuwig met zich meedragen.
Na weken zoeken in de verwoeste stad vond een uitgemergelde Friedrich eindelijk Eva terug. Friedrich had lang daarvoor zijn uniform afgelegd en Eva vond het moeilijk de vreemdeling in de vieze, gescheurde burgerkleding in overeenstemming te brengen met de SS-soldaat in het elegante uniform met wie ze was getrouwd. De man die uit Polen terugkeerde was totaal anders dan de man met wie ze was getrouwd. Friedrich was niet langer een trotse Duitser. In plaats daarvan schaamde hij zich diep voor zijn Duitse afkomst. Eva en Friedrich kwamen al snel in conflict door hun meningen over de oorlogsschuld van Duitsland. In tegenstelling tot Friedrich geloofde Eva dat de oorlog niet de schuld van Duitsland was geweest. Net als vele Duitsers weigerde ze de waarheid toe te geven en gaf ze de geallieerden de schuld voor de huidige problemen in Duitsland waarbij ze op een makkelijke manier vergat waarom Duitsland was aangevallen en vernietigd.
Zelfs nadat de afgrijselijke waarheid over de vernietigingskampen was onthuld, vond Eva excuses voor de Duitsers. Hoe hadden ze de waarheid kunnen weten? Het nieuws in Duitsland was alleen nazi-propaganda geweest. Vanaf het begin van de oorlog was het de burgers verboden, op straffe des doods, naar buitenlandse nieuwsbronnen te luisteren. Wat kon de individuele Duitser doen? Eén persoon tegen het hele systeem? Hoe hadden ze het doden van de joden kunnen tegenhouden, zelfs als ze het hadden geweten? Dat gold ook voor Friedrich, die in het leger zat. Een militair moest bevelen opvolgen. Hoe kon hij als Duits soldaat niet gehoorzamen?
Eva Kleist sloot haar gedachten af voor het verleden. Net als de meeste Duitse vrouwen probeerde ze de oorlog te vergeten en ging in plaats daarvan door met de drukte van het leven. Duitsland moest, nu er zoveel mannen dood waren, worden gered door de vrouwen. Eva's kracht overweldigde Friedrich en hij werd stil en teruggetrokken. Tijdens een van hun frequente ruzies beschuldigde Eva hem er een keer van dat hij al dood was.
Na de geboorte van Christine richtten Friedrich en Eva zich op de be-

scherming van hun kind. Geplaagd door de toenemende harde heerschappij van hun Russische overwinnaars wisten ze slechts twee maanden voor de bouw van de muur in 1961 met succes te ontsnappen naar West-Berlijn.
De jaren daarop waren niet makkelijk geweest. Friedrich had uiteindelijk werk weten te vinden maar alleen met de hulp van zijn vroegere SS-kameraden. In de Amerikaanse sector van Berlijn waren gewezen leden van de SS tot hoge administratieve functies gestegen in de plaatselijke regering. Friedrich werd beloond met een goede baan in de gemeenteraad van West-Berlijn.
Hoewel Eva haar best deed om Christine op te voeden met trots op haar Duitse afkomst, zodat ze begreep dat andere nationaliteiten altijd jaloers waren geweest op de Duitse organisatie en vermogens, leek het meisje meer op haar vader dan op haar moeder. Christine, die de complicaties binnen het huwelijk van haar ouders en de geheimen die ze voor haar hadden wilde begrijpen, had geprobeerd achter de waarheid te komen van hun nazi-verleden en keerde zich vervolgens tegen alles wat Duits was. Het meisje was naar het buitenland gevlucht en had zich het lot aangetrokken van een donker ras, hetgeen Eva nooit had kunnen begrijpen. Eerst had ze een relatie met een Arabier en nu hadden ze te horen gekregen dat Christine verloofd was met een jood! Was er dan geen enkele manier meer waarop ze hun enige kind konden bereiken?
Eva klakte met haar tong. Ze hadden meer kinderen moeten hebben. Ze nam de schuld voor de vergissing op zich. Nadat ze was verkracht, was ze ineengekrompen bij de gedachte dat een man haar zou aanraken, zelfs Friedrich. Hij had begrip getoond, te veel begrip. Hun seksleven had gesputterd en was uiteindelijk volledig uitgedoofd met een Friedrich die beweerde dat hij liever zijn genot opgaf dan dat zijn vrouw in tranen raakte. Eva had haar gevoelens nooit geuit, had Friedrich nooit verteld dat hij door had moeten gaan om te proberen haar te bereiken. Dat ze mettertijd genezen zou zijn geweest, als hij het maar was blijven proberen. Friedrich had haar gevoelens nooit gekend en zo waren ze steeds verder uit elkaar gegroeid. Na de geboorte van Christine hadden zij en Friedrich net zo kuis samengeleefd als broer en zus, met niets meer tussen hen dan de liefde voor hun dochter.
De stewardess verraste Eva toen ze haar op de schouder tikte. 'De captain bereidt de landing voor. Doe alstublieft uw gordel om.'
Friedrichs gezicht stond strak. Toen hij de bezorgde blik van zijn vrouw zag maakte hij een verrassende opmerking. 'Eva, zodra dit voorbij is moeten jij en ik proberen een nieuw leven op te bouwen.'

Eva verstijfde en glimlachte vervolgens toen er een aangename gedachte in haar opkwam. Misschien kon Friedrich met deze reis de mysterieuze droefenis overwinnen die gedurende de voorgaande veertig jaar hun geschillen had aangewakkerd. Zou hij, als deze beproeving voorbij was, eindelijk vrede vinden? Eva glimlachte opnieuw naar haar man. Als dat toch eens zo was.
Friedrich leunde naar haar toe en kuste haar kort en totaal onverwacht op de wang toen de wielen van het vliegtuig de landingsbaan raakten.

De heldere glans in de ogen van Demetrius Antoun vervaagde toen Jordan fluisterde: 'Wacht tot Michel hoort dat zijn neef of nicht half Arabisch zal zijn!' Ze grinnikte van plezier.
Demetrius keek de vrouw van wie hij hield ongerust aan. Je wist nooit wat je met Jordan kon verwachten.
Drie weken daarvoor was Demetrius er niet op voorbereid geweest, en zelfs verbijsterd, toen Jordan ontdekte dat ze zwanger was. Op één zorgeloos moment na waren ze altijd voorzichtig geweest.
Nadat ze enkele uren over hun situatie had nagedacht zei Jordan tegen haar verloofde hoe blij ze was. Ze hielden van elkaar. Ze waren toch van plan te trouwen. De zwangerschap zorgde er alleen voor dat de huwelijksdatum vervroegd werd.
Demetrius was minder blij, om twee redenen. Hij zat in een moeilijke financiële situatie. Hoewel John Barrows begrip had getoond en had aangeboden de functie voor Demetrius in het Bellevue ziekenhuis in New York aan te houden tot hij terug was, voelde Demetrius scherp aan dat de vriendschap van Jordan met Gilda Barrows de reden was waarom John hiertoe had besloten. De tweede reden van zijn ongenoegen was zijn Arabische achtergrond. Hoewel hij niets liever dan kinderen met Jordan wilde werd hij nog altijd beïnvloed door zijn conservatieve Arabische overtuigingen: een zwangerschap zou niet voor het huwelijk moeten komen.
Niettemin had God voor hem besloten. Ze zouden zo snel mogelijk trouwen.
Omdat ze had besloten dat ze haar ouders persoonlijk moest vertellen dat ze zwanger was en in Israël met Demetrius zou trouwen, had Jordan erop gestaan dat hij met haar meeging naar Jeruzalem. Het was verbazingwekkend makkelijk geweest om een visum te krijgen. Jordans beste vriendin uit haar schooltijd had de leiding over de afdeling in de Israëlische ambassade in Washington die de visa verstrekte. Hoewel de vrouw de verloofde van Jordan afkeurde, had ze aan Jordans smeekbeden toegegeven. Ze hoopte dat de realiteit van een huwelijk met een

Arabier tot haar zou doordringen als ze eenmaal terug was in een land dat over dergelijke betrekkingen zijn wenkbrauwen optrok.
De gebeurtenissen speelden zich snel achter elkaar af en Demetrius vond het moeilijk te geloven dat hij met een jet over de Atlantische oceaan vloog op weg naar Palestina. Hoewel hij tegen zichzelf zei dat hij op weg was naar nieuwe onzekerheden zou deze reis totaal anders zijn dan zijn vroegere bezoek met Ahmed Fayez en andere PLO-strijders. Demetrius zou nu een legaal bezoeker van het verloren land van zijn vader, Mustafa Bader en Amin Darwish zijn.
Terwijl het leek alsof Jordan zich geen zorgen maakte over de mogelijke reactie van haar familie over haar aanstaande huwelijk met een Arabier, voelde Demetrius zich niet op zijn gemak. Hij had nog een zorg. Hij had de moed nog niet gevonden Jordan te vertellen dat hij als jood was geboren en hij vroeg zich nu af of hij niet te lang had gewacht. Of het geheim nu met hem het graf in moest gaan. En Christine... Tijdens de taxirit naar het vliegveld had Jordan het schokkende nieuws verteld dat Christine en Michel Gale verloofd waren. Christine was in Jeruzalem bij de familie Gale! Had Christine de vertrouwelijkheden onthuld die ze over zijn leven kende? Die vreselijke mogelijkheid deed Demetrius' maag ineenkrimpen. In een poging zijn gedachten op iets anders te richten dwong hij zichzelf een boek open te slaan. Maar met de talloze gedachten over het verleden en de toekomst die door zijn hoofd kolkten begreep hij niets van wat hij las.
In deze beginfase van haar zwangerschap voelde Jordan zich slaperig. Ondanks haar opwinding over de wending die haar leven had gekregen, legde ze haar hoofd op de schouder van Demetrius en sliep gedurende bijna de hele, tien uur durende, vlucht van New York naar Parijs.
In Parijs veroorzaakten de Palestijnse documenten van Demetrius een lange vertraging terwijl hij een grondige veiligheidscontrole onderging door achterdochtige agenten van de El Al, werknemers van de Israëlische luchtvaartmaatschappij. Uiteindelijk werd Demetrius na een urenlange ondervraging en een volledige fouillering door drie agenten toegestaan aan boord van het El Al vliegtuig te gaan.
Jordan was woedend. De agenten konden toch zeker zien dat Demetrius niet meer was dan hij beweerde te zijn, een Arabische man die met zijn joodse verloofde reisde. Of was dat misschien het echte probleem? De agenten hadden duidelijk boos gekeken toen Jordan verklaarde dat ze met een Arabier ging trouwen. Demetrius had niets gezegd op de bezwaren en wrede opmerkingen van de agent maar een gespannen ogenblik lang hadden zijn ogen zich vernauwd. Demetrius Antoun was de meest trotse man die Jordan kende. Ze wist dat hij de kleinering die

Israëlische joden in een autoritaire positie de Arabieren vaak toebrachten niet zou accepteren. Maar wat nog belangrijker was, was dat Jordan niet wilde dat er iets zou gebeuren waardoor Demetrius zou terugkomen op zijn beslissing met een jodin te trouwen.
Ze staarde naar zijn gezicht, maar zoals gebruikelijk viel daar niets op af te lezen en Jordan had er geen idee van wat zijn ware gevoelens waren. Zonder na te denken sloeg ze haar armen om hem heen en kuste ze hem zonder zich iets aan te trekken van wat anderen dachten.
Ze kreeg uit alle richtingen afkeurende blikken toegeworpen en Jordan lachte hooghartig naar iedereen toen ze aan boord van het vliegtuig gingen.
De uren verstreken als minuten. Na de landing op het vliegveld Ben Goerion en het ondergaan van een tweede ondervraging over wat Demetrius in het land te zoeken had, regelde Jordan een privé-taxi om hen de vijfenveertig kilometer van Lod naar Jeruzalem te brengen.
Een opgewonden Jordan, die onverwacht gelukkig was om weer in Israël te zijn, babbelde levendig tegen haar minnaar terwijl ze verschillende bijbelse plaatsen aanwees.
Hoewel hij probeerde belangstelling te tonen bevond Demetrius zich een beetje in een waas. Deze gedachte bleef in zijn hoofd gaan: dat Demetrius Antoun na vijfendertig jaar verbanning eindelijk thuis was gekomen.

Ester Gale keek intens en onderzoekend naar Friedrich Kleist in een poging deze man te plaatsen te midden van de zee van strenge nazigezichten die ze zich herinnerde van die vreselijke nacht zo lang geleden in het appartement van de familie Stein in Warschau. Niets aan Friedrich Kleist kwam haar bekend voor, hoewel ze werd geraakt door zijn grootte. In de herinnering van Ester waren de SS-troepen die de joden hadden bewaakt reuzengroot geweest. Ondanks zijn robuuste bouw was de Duitse man in haar salon slechts iets groter dan gemiddeld. Hij had dun, grijs haar, holle wangen en een ronde kin. Ze probeerde haar verbazing te verbergen over het feit dat de voormalige SS-bewaker een opvallend gemiddelde verschijning was, hoewel ze wel aan zichzelf moest toegeven dat Friedrich Kleist prettig en gevoelig overkwam.
Jozef Gale stond doodstil terwijl hij diep in gedachten de Duitser van top tot teen opnam. Leeftijd had de verschijning van de man veranderd, maar hij herkende vaag iets aan de vader van Christine. Na een volle vijf minuten besloot Jozef dat Friedrich Kleist de man was die hij beweerde te zijn. Hij bedekte zijn gevoelens van verbitterde woede met een verwelkomende glimlach. Hij stak zijn voormalige vijand hoffelijk de hand

toe terwijl hij zichzelf eraan herinnerde dat Friedrich Kleist door Ester te redden hen allen had gered.
Friedrich Kleist had een verontruste uitdrukking op zijn gezicht en zijn handen fladderden. Hij had Jozef Gale bij de eerste blik herkend. Hier stond de Franse jood die Friedrich zich maar al te goed herinnerde! Hij stapte aarzelend naar voren en pakte de hand van Jozef en klampte zich eraan vast alsof hij bang was dat hij om zou vallen.
Eva Kleist, die iets schuin achter haar man stond, keek met een speciale nieuwsgierigheid naar de joden van de familie Gale. Deze mensen hadden, al was het niet door hun eigen toedoen, haar eigen leven op een onaangename manier veranderd. Ze wilde vriendelijk zijn maar ze glimlachte geforceerd.
Michel keek met zijn arm rond het middel van Christine geslagen gespannen naar zijn moeder. Ondanks de roze wangen zag Ester er angstig bleek uit. Hij wist dat zijn moeders emoties zich op een hoogtepunt bevonden en dat ze vocht om niet de enige vraag eruit te gooien die echt belangrijk was. Waar is baby Mirjam?
De ogen van Christine vulden zich met tranen. Haar vaders wens was eindelijk waarheid geworden. Misschien kon Friedrich Kleist na deze ontmoeting de vrede vinden waarnaar hij zo lang had gezocht.
Terwijl de hand van Friedrich die van Jozef nog altijd vastklampte staarden de beide mannen elkaar aan.
De ogen van Ester waren op de voormalige SS-bewaker gefixeerd.
Eva bewoog zich ongemakkelijk.
Niemand sprak.
Een vrouwenstem die vanuit de andere kamer klonk bood hun een ontsnapping uit de vreemde stilte. 'Jozef, we zijn zo klaar!'
Jozef legde zijn gasten uit: 'Mijn zuster Rachel en onze vriendin Anna maken wat te eten en te drinken klaar.'
'Ja. Jullie moeten uitgeput zijn. Ga zitten.' De stem van Ester haperde maar ze behield haar zelfbeheersing terwijl ze naar de meest comfortabele stoelen wees.
Christine ging dicht bij haar vader zitten. 'We zijn naar Jaffa geweest om iets te gaan eten,' zei ze tegen Jozef en Ester.
'O, hemeltje,' zei Ester verwijtend. 'Rachel en Anna hebben het grootste gedeelte van de dag gekookt.'
'We hebben alleen een snack gegeten,' zei Michel snel ter geruststelling van zijn moeder.
Michel en Christine hadden het echtpaar Kleist met z'n tweeën op het vliegveld opgehaald omdat ze het erover eens waren dat het het beste was voor hun respectieve ouders dat ze elkaar in het huis van de

familie Gale zouden ontmoeten. Wie kon weten wat voor emoties er los zouden komen? Terwijl ze stonden te wachten tot haar ouders door de douane waren hadden ze besloten dat een rustpauze Friedrich en Eva zou verfrissen, die zeker uitgeput moesten zijn na hun reis vanuit Duitsland via Londen naar Israël. De oude havenstad Jaffa lag maar vijftien kilometer van het vliegveld en ze hadden die omweg genomen om Friedrich en Eva naar een van de favoriete restaurants van Christine te brengen: het Aladin in de oude stad Jaffa.
Binnen enkele minuten na hun aankomst in Jaffa wisten ze dat ze zich hadden vergist. Hoewel Eva Kleist belangstelling veinsde voor de schilderachtige schoonheid van het kleine gebouw met de koepel dat ten tijde van de Romeinen een badhuis was geweest, had Friedrich er als bevroren bij gezeten en nauwelijks het eten aangeraakt dat zijn dochter had besteld. Hoewel hij blij was zijn enige kind te zien en enkele gebaren van genegenheid naar haar maakte, maakte Friedrich duidelijk dat hij gekomen was voor Jozef en Ester Gale.
Na een kort en gespannen gesprek stelde Michel voor dat ze het restaurant zouden verlaten en naar Jeruzalem zouden rijden. Eenmaal in de auto had het echtpaar Kleist zwijgend naar buiten gekeken en nauwelijks gereageerd op de zwakke pogingen van Michel en Christine om een gesprek te voeren. Na de eerste paar kilometer legde het viertal de rest van de reis in stilte af.
Nu hij zich in de aanwezigheid van Jozef Gale bevond was Friedrich alles vergeten wat hij van plan was geweest te zeggen. Hij staarde naar zijn schoot.
'Jaffa is een liefelijke stad,' zei Ester in een poging de man op zijn gemak te laten voelen.
Eva stemde in. 'Ja. Christine vertelde me dat de stad was gevestigd voor de zondvloed en was vernoemd naar de zoons van Noach.' Ze pauzeerde. 'Het is moeilijk voor te stellen dat zulke bijbelse verhalen waar zijn.'
Iedereen knikte.
Er klonk een chagrijnige stem uit de keuken. 'Anna, ik zei toch dat je er niet zo veel suiker in moest doen!'
Jozef keek ongemakkelijk naar de deuropening. Zijn zuster was met de jaren prikkelbaarder geworden. Hij had gewenst dat Rachel er niet bij was maar toen ze over het bezoek van de familie Kleist hoorde had ze erop gestaan de reis te maken vanaf de kibboets Degania Alef. De enige vier mensen van wie Rachel oprecht hield waren Jozef, Ester, Michel en Jordan Gale, en Rachel greep elke mogelijkheid aan om zich in hun levens te mengen.

Rachel woonde al sinds 1948 niet meer in het huis van Jozef. Dat noodlottige jaar had zich een familietragedie voorgedaan die resulteerde in een verbitterde ruzie tussen Jozef en zijn zuster. Rachel was beledigd vertrokken en had zich gevestigd in Degania Alef, de eerste van alle kibboetsen, die zich aan de kust van het meer van Galilea bevond. Drie jaar lang zag Rachel haar broer en zijn familie niet, maar nadat ze haar verontschuldigingen had aangeboden voor haar harde woorden, nam ze weer deel aan familiebijeenkomsten. Michel en Jordan hadden in hun jeugd zomers bij Rachel doorgebracht, die de leiding had over de boekhouding van de kibboets.

Rachel had nooit een minnaar gehad. Helaas voor iedereen die haar kende, had Rachel zich neergelegd bij de rol van vrijgezel.

Een drukke Rachel kwam de keuken uit. Ze balanceerde met een blad vol glazen versgeperste citroensap. Ze was weinig veranderd sinds de dag dat ze in Palestina was aangekomen. Ze was nog altijd plomp en alledaags.

Anna Taylor volgde haar met een blad vol versgebakken koekjes.

De vrouwen keken allebei nors. Rachel had Anna nooit gemogen en had het idee dat de Amerikaanse vrouw zich haar positie binnen de familie had toegeëigend. Wat nog belangrijker was, was dat ze Anna de schuld gaf van de familietragedie in 1948 waardoor broer en zuster van elkaar vervreemd waren geraakt. Maar de bron van die ruzie was een verboden onderwerp bij Jozef en daarom kon Rachel nooit zeggen hoe zij er precies over dacht. Toch liet Rachel nooit een kans lopen om ruzie te zoeken met de Amerikaanse vrouw; net als een zweer die niet met rust gelaten kon worden.

Hun stijve ruggen en starre gezichten waren een duidelijk teken dat de twee vrouwen ruzie hadden gehad.

Michel probeerde zonder succes een grijns te onderdrukken. Al vanaf zijn jeugd was hij getuige geweest van de kibbelpartijen tussen de twee oudere vrouwen.

Nadat ze de gasten hadden bediend gingen Anna en Rachel ieder in een andere hoek van de kamer zitten.

Jozef leunde naar voren terwijl hij nog altijd naar Friedrich keek. Hij zei niets, maar de uitdrukking op zijn gezicht eiste een verslag van de Duitser.

Friedrich, die aan een koekje knabbelde, verzamelde moed. Nadat hij zijn glas limonade op een tafeltje had geplaatst, schraapte hij zijn keel en keek hij naar Jozef. Zijn stem klonk zacht en hees maar onder het praten nam zijn stem in kracht en intensiteit toe. "Toen Christine belde om te zeggen dat ze jou had gevonden, was ik zo opgelucht. Ik heb vele

keren aan je familie gedacht.' Hij knikte in de richting van Ester. 'Ik was getroost te horen dat je was herenigd met je vrouw, al werd me verteld dat ze vreselijk heeft geleden.' Hij trok een grimas.
De harde, intense blik van Jozef verloor even zijn vastheid. 'Ja. Esters overleving is een wonder. Ik weet niet of Christine het je heeft verteld, maar nadat je Daniël Stein waarschuwde dat de familie naar Treblinka zou worden gedeporteerd, werd mijn vrouw verborgen gehouden door een Poolse boer. Bijna drie jaar lang bracht Ester haar dagen door in een ondergrondse schuilkelder en kwam alleen 's nachts buiten. Helaas kreeg de Gestapo slechts vier dagen voordat de Duitsers zich uit Polen terugtrokken een tip dat de boer joden verborg. Agenten van de Gestapo martelden de vrouw van de man tot de boer de schuilplaats van de joden onthulde. Toen schoten de agenten hun machinegeweren leeg in de kelder. Van de negen joden die zich daar verborgen hielden overleefde alleen Ester het.' Jozef wierp een blik op zijn vrouw. 'Ester was bewusteloos geraakt door haar verwondingen. De Duitsers lieten haar voor dood achter.' Met half gesloten ogen voegde Jozef eraan toe: 'De boer, zijn vrouw en hun drie zoons werden daarop geëxecuteerd, waarna Ester gewond achterbleef, op een zak aardappelen na zonder eten.' Er verscheen een mengeling van genegenheid en angst in de ogen van Jozef toen hij naar zijn vrouw staarde. 'Toen ik Ester vond, was ze bijna dood. Ik weet niet hoe ze het volhield, maar ze deed het.' Jozef schudde zijn hoofd in een poging het beeld van Ester van zich af te schudden zoals ze eraan toe was op de dag dat hij haar slappe lichaam uit de grof gegraven schuilkelder trok. 'Als ik een dag later was gekomen, had ik haar waarschijnlijk verloren.' Hij zweeg even voor hij uitlegde: 'Hetzelfde moment dat de Duitsers de stad verlieten ging ik op zoek naar de boerderij. Mijn zwager was een slimme man want ik zou anders niet hebben geweten waar ik zou moeten zoeken.' Jozef staarde bedachtzaam naar zijn handen. 'De nacht voordat Daniël de overeenkomst sloot met de boer, voor we hem zijn betaling in diamanten gaven en voor we Ester het getto uit smokkelden, dwong Daniël de man een kaart te tekenen waarop de locatie van de boerderij werd aangegeven. De boer voelde zich niet op zijn gemak met het idee dat iemand de locatie van zijn huis zou weten, maar Daniël hield vol.' Jozef keek weg. 'Daniël en ik leerden de kaart uit ons hoofd waarna we hem verbrandden omdat we wisten dat als een van ons met de kaart werd gepakt, Ester ten dode opgeschreven zou zijn.' Zijn gezicht stond strak. 'Ester verliet het getto in een vuilniswagen. De bestuurder was omgekocht om bij een vooraf afgesproken locatie langzamer te rijden.' Hij wachtte even. 'Natuurlijk zijn alle anderen van de familie

Stein omgekomen. Toen Daniël en ik terugkwamen van onze ontmoeting met de boer was het appartement van de familie Stein leeggehaald. Iedereen was meegenomen.' Jozef maakte een draaiende beweging met zijn wijsvinger om aan te geven dat de dierbaren in de schoorstenen van Treblinka in rook waren opgegaan. 'De week daarop lukte het Daniël en mij, nadat we op een transport waren gezet, uit de trein te ontsnappen.'
De ogen van Friedrich waren roodomrand. 'Ik heb vreselijke nachtmerries over de familie Stein.' Hij wierp een snelle blik op zijn vrouw. 'Ik heb Eva vele keren verteld dat de geesten van die ongeleefde levens me elke nacht bezoeken.'
Eva, die niet wilde dat iemand dacht dat Friedrich om vergiffenis smeekte ging recht overeind zitten. 'Ik heb tegen Friedrich gezegd dat alle mensen in die duistere periodes nachtmerries hadden.' Ze wuifde met haar hand door de lucht. 'Dat is alleen maar natuurlijk.'
Iedereen in de kamer keek Eva verbijsterd aan.
Christine voelde zich duidelijk beschaamd en vroeg zichzelf af waarom haar moeder het lijden van de joden wilde bagatelliseren. Ze was opgelucht en dankbaar dat de familie Gale te beleefd was om haar moeder op haar nummer te zetten. Ze glimlachte naar Jozef Gale.
Michel wierp een blik op zijn moeder, bezorgd om wat voor effect het moeilijke gesprek op haar had, maar zag al snel dat er niets voor haar bestond behalve Friedrich Kleist.
Friedrich schraapte zijn keel. 'Ik kwam om je te vertellen dat ik diepe spijt heb van wat er die nacht in het getto is gebeurd.' Er kwamen tranen in zijn ogen terwijl hij heel rustig, maar met vurigheid zei: 'Ik zoek geen vergiffenis. De zonden die tegen jullie familie zijn begaan, zijn onvergeeflijk. Jullie hebben volkomen het recht alle Duitsers te haten.' Hij haperde even. 'Ik wil alleen zeggen dat de onuitsprekelijke misdaden die de Duitsers tegen jullie en alle joden begingen me spijten.' Friedrich voelde dat het een onmogelijke taak was de onvoorstelbare daden uit te leggen die door gewone Duitsers waren begaan en voegde er met een ontmoedigde stem aan toe: 'Ik weet nu dat de misdaad van het zwijgen het begin was van de ondergang van Duitsland.'
Jozef keek triest maar hij bleef doordringend staren. Was Friedrich Kleist hier voor zichzelf of voor hen? Hij besloot om het de man niet makkelijk te maken en reageerde niet.
Friedrich strekte zwijgend een bevende hand uit en wees naar drie hutkoffers bij de ingang tot het huis. 'Ik geef jullie iets terug dat jullie toebehoort.'
Ester haalde luid adem terwijl ze naar de hutkoffers staarde. Ze dacht

alleen aan Mirjam en vroeg zich af of de Duitser de as van haar baby terug kwam geven.
Jozef was perplex. 'Wat heb jij wat ons toebehoort?' vroeg hij luid.
Friedrich stond op en liep naar de grootste hutkoffer. Terwijl iedereen met open mond van verbazing toekeek opende hij de koffer en begon boeken op de grond op te stapelen.
Rachel keek met stomheid geslagen naar haar broer. 'Boeken?'
Stomverbaasd antwoordde Jozef niet. Hij had geen idee wat de Duitser van plan was.
'Nadat kolonel Drexler me stuurde om jullie bibliotheek op te halen,' legde Friedrich uit, 'liet hij alle boeken naar zijn huis in Berlijn transporteren. Toen de oorlog voorbij was zocht ik zijn vrouw op.' Hij keek met een veelbetekenende blik naar Jozef. 'Ik vertelde mevrouw Drexler dat haar man was omgekomen in de strijd om Warschau en dat hij werd getroffen door een granaat waardoor hij direct dood was.'
Er flitste een blik van waardering over het gezicht van Jozef. Hij had nooit iemand bekend dat hij de SS-officier had doodgeslagen. Zelfs niet aan Ester. Sommige dingen konden beter ongezegd blijven.
'Toen ik in het huis van Drexler was, herkende ik een stapel dozen. Ik kende die dozen heel goed, want ik had ze ingepakt. Ik zei tegen de vrouw van de kolonel wat er in die dozen zat en vroeg haar wat ze van plan was ermee te doen. Ze zag dat ik die boeken wilde hebben. Als beloning voor het feit dat ik haar over de omstandigheden van de dood van de kolonel op de hoogte had gebracht, gaf ze de boeken aan mij.' Hij liet zijn handen liefkozend over een van de boeken glijden. 'Ik hield de collectie in goede conditie in de hoop dat ik op een dag de kans zou krijgen ze aan de eigenaar terug te geven.' Voor het eerst sinds hij het huis van de familie Gale had betreden, leek hij bijna gelukkig. 'Ik heb een selectie van de boeken meegenomen.' Hij keek met onmiskenbare trots de kamer rond. 'Ik wilde jullie laten zien dat ik goed voor jullie bibliotheek heb gezorgd. Als Eva en ik weer terug zijn, zullen we jullie de rest van de collectie sturen.'
Jozef en Michel gingen rond de boeken staan, knielden op de grond neer en onderzochten de boeken uit de verloren gegane bibliotheek van Mozes Stein.
Jozef keek naar zijn zoon. 'Michel, dit zijn de boeken van je grootvader.'
Michel keek heel bedachtzaam. Hij pakte een voor een de boeken op en las de titels hardop voor. '*Decamerone. Charlemagne. Montaigne. Rollins Ancient History. De Republiek. Rousseaus Bekentenissen.*'
Michel opende *Rousseaus Bekentenissen* en las: 'Voor mijn mooie en

briljante dochter, Ester.' Michel leek bijna te stikken in zijn volgende woorden. 'Je liefhebbende vader, Mozes Stein. 2 april 1937.'
Ester keek verdrietig en zwijgend toe.
Friedrich zei niets meer maar kon zich niet losmaken van de boeken. Hij had zo lang op dit moment gewacht en voelde zich nu zo trots dat hij het verloren erfgoed van de familie Gale had hersteld.
Maar Friedrichs tevredenheid was van korte duur.
Ester staarde hem met brandende ogen aan. Ze was niet langer in staat zich te beheersen en riep fel: 'Ik moet weten wat er met mijn baby is gebeurd!'
Friedrich kromp van verrassing ineen.
Ester ging staan en staarde hem met gefixeerde, bijna bange ogen aan.
Jozef pakte zijn vrouw bij de schouders. 'Ester. Dat komt wel. Ga zitten, liefste.'
Voor het Duitse stel zou arriveren had Ester Jozef beloofd dat ze hem het onderwerp Mirjam zou laten aanroeren. Het was haar niet gelukt zich aan haar belofte te houden.
Ester keek voortdurend naar het gezicht van Friedrich in een poging te raden naar het nieuws dat ze zo meteen zou horen.
Jozef haalde Ester over te gaan zitten voor hij zich tot Friedrich wendde. 'Heb je enige informatie over ons kind? Kolonel Drexler zei dat ze naar Duitsland werd gedeporteerd voor adoptie. Misschien weet je nog waar in Duitsland ze naartoe werd gestuurd, een stad, een gebied misschien?'
Friedrich rolde zijn ogen omhoog, sloeg een kruis en mompelde een stil gebed. Zijn gezicht vervormde totaal toen hij werd overweldigd door een innerlijke walging. Hij werd vreselijk bleek en zijn lippen trilden.
Jozef begreep uit de reactie van Friedrich wat er was gebeurd. Met een vlakke stem verklaarde hij wat hij plotseling wist. 'Mirjam is dood.'
Friedrich bewoog even zijn hoofd als indicatie dat Jozef gelijk had.
Ester kreunde: 'Nee.'
De ogen van Jozef straalden verdriet uit. Rustig vroeg hij: 'Hoe? Wanneer?'
Er rees een pijnigend beeld in Friedrich op. De onverdraaglijke herinneringen, vergezeld van een diep schaamtegevoel brachten hem aan het huilen.
Iedereen staarde naar hem, niet in staat iets te zeggen.
Friedrich huilde stuiptrekkend en hapte naar adem.
Christine rende naar hem toe. 'Papa.'
Friedrich schudde zijn hoofd. Hij had de martelende behoefte het echtpaar Gale alles te vertellen, maar hij wist dat de waarheid gelijk was aan wat er was gebeurd: wreed, afgrijselijk, onzegbaar. Hij duwde zijn

dochter opzij en zijn stem klonk smekend. 'Stel me die vraag niet. Alsjeblieft, troost je alleen met het feit dat je kind niet meer lijdt.'
De ogen van Jozef schitterden en een waanzinnige uitdrukking van pijn verwrong zijn gezicht. Zijn stem klonk dringend. 'Je moet het ons vertellen. Niets is erger dan niet weten. We moeten weten hoe ons geliefde kind is gestorven.'
Toen Friedrich niet reageerde smeekte Jozef: 'In godsnaam, man, heb medelijden!'
De ogen van Christine ontmoetten die van Friedrich. 'Papa, je moet.'
Friedrich probeerde de beheersing over zijn emoties terug te vinden. Hij veegde over zijn gezicht en snoot zijn neus voor hij half tegen zichzelf mompelde en zich hierbij nauwelijks realiseerde wat hij zei. 'Goed. Ik zal het jullie vertellen. Nadat we die avond het appartement hadden verlaten probeerde ik zo goed mogelijk de baby's te troosten. Maar de twee kinderen hadden zich in slaap gehuild.' Friedrich wendde zich rechtstreeks tot Jozef Gale. 'Ik heb die kinderen nooit wat aangedaan. Ik wil dat je dat weet.'
'Ik geloof je,' antwoordde Jozef. 'Ga nu verder.'
'Niemand deed ze in het begin iets. De volgende morgen kwam Mozes Stein naar de gevangenis Pawiak. Hij gaf zichzelf aan en kondigde aan dat we de kinderen aan zijn familie moesten teruggeven.' Friedrich schudde langzaam zijn hoofd. 'Die oude man geloofde echt dat de kinderen vrijgelaten zouden worden. Ik probeerde de kolonel over te halen de baby's te laten gaan, maar nee. De kolonel haatte Mozes Stein. Hij zei zoiets dat de oude jood een luxeleven had geleid en alles van arische slachtoffers had gestolen.'
Friedrich keek naar Jozef, gespannen wachtend op een teken dat hij genoeg had onthuld.
'Ga verder,' zei Jozef tegen hem.
Friedrich zuchtte. 'Goed, kolonel Drexler had minstens nog vier of vijf joodse kinderen in de gevangenis zitten. Kinderen die zouden worden geëxtermineerd.' Hij sprak snel. 'Kolonel Drexler was krankzinnig. Dat heb ik altijd gedacht. Maar na die dag twijfelde ik niet meer.' Friedrich wreef met een bevende hand over zijn glinsterende voorhoofd terwijl hij ter bevestiging naar Jozef keek.
Jozef was het met hem eens maar moedigde hem aan door te gaan. 'Ja. Dat weet ik. Volkomen krankzinnig. Samen met nog vele andere Duitsers. Maar ga nu verder.'
'Hij gaf opdracht alle kinderen naar de kamer naast die van Mozes Stein te brengen. De kamers werden gescheiden door een glazen wand.' Friedrich keek omlaag en stikte duidelijk bijna in de woorden die hij

niet wilde uitspreken. 'Kolonel Drexler kreeg een vlaag van moordende razernij. Hij liet de meest wrede honden op de kinderen los.' Friedrich keek met tegenzin naar Ester. 'Je vader werd gedwongen toe te kijken terwijl de honden...'
Er ontsnapte een vreselijke kreet aan de lippen van Ester. Elke menselijkheid was weg in deze oerkreet. Er leek geen einde aan te komen en degenen die ernaar luisterden werden vervuld van absoluut afgrijzen door de onverdraaglijke pijn die erachter schuil ging.
Jozef probeerde zijn vrouw in zijn armen te nemen.
Anna en Rachel haastten zich aan Esters zijde.
Michel zat als versteend door wanhoop over het verdriet van zijn moeder.
De voordeur vloog open. Jordan Gale kwam gevolgd door Demetrius Antoun de kamer binnenrennen.
Jordan duwde iedereen opzij in een poging bij haar moeder te komen. 'Moeder! Wat gebeurt er? Moeder!'
Ester bleef schreeuwen terwijl ze met haar armen om zich heen sloeg.
Jordan schudde haar door elkaar. 'Moeder! Ik ben het, Jordan!'
Toen ze weer genoeg bij zinnen was om Jordan te herkennen spoten er druppels speeksel uit haar mond terwijl ze schreeuwde: 'Dochter! Dochter! Mirjam is dood. Mirjam is dood.' Ester snikte ontroostbaar en de pijn die ze voelde was net zo heftig als op de dag dat Mirjam werd meegenomen.
Jozef nam zijn vrouw in zijn armen en droeg haar naar hun slaapkamer. Jordan greep Demetrius' hand beet en volgde Jozef waarbij ze de deur achter zich dichttrok.
Iedereen in de kamer was in tranen.
Het hele lichaam van Friedrich schokte door zijn stuiptrekkende gesnik. Hij hield zijn gezicht in zijn handen en kreeg met moeite zijn woorden eruit. 'Vanaf die dag heb ik het gehaat Duitser te zijn!'
Eva veegde de tranen uit haar ogen. Het beeld was afschuwelijk. Toch sprak ze opnieuw omdat ze nog altijd de behoefte voelde dat ook het lijden van de Duitsers werd erkend. 'Ook wij Duitsers hebben geleden.'
Bij het horen van deze woorden nam een vijandige Rachel Gale Eva Kleist van top tot teen op en was even te geschokt om te antwoorden. Deze Duitse vrouw ging te ver door over het lijden van de Duitsers!
Omdat ze voelde dat ze het middelpunt van de aandacht vormde, de kern van joodse afkeer, probeerde Eva het uit te leggen. 'Ik ben mijn hele familie kwijtgeraakt, ons huis was verwoest, onze steden lagen in puin en...'

'Klaag niet!' onderbrak Rachel haar boos. 'Jij kunt niet klagen!'
Michel gebaarde naar zijn tante dat ze moest zwijgen.
'Vertel me niet wat ik kan zeggen, Michel!' schreeuwde Rachel tegen haar neef terwijl ze zich haar eigen verdriet herinnerde, een verdriet dat ze jarenlang opgekropt had. Ze keek woedend naar Eva Kleist. 'Wil je weten wat leed is? Ik zal je vertellen wat leed is! Van onze hele familie overleefden alleen Jozef en ik het. We hebben onze moeder, vader en twee broers verloren. Onze ouders werden vergast in Auschwitz! Michel? Alleen God weet hoe Michel stierf. We hebben nooit meer een spoor teruggevonden van die zachtaardige man. En Jacques! Alleen God in de hemel kan je vergeven voor wat jouw volk Jacques aandeed!'
Rachels woorden buitelden over elkaar heen. 'Mijn broer was een verzetsheld, de dapperste man die ik ooit heb gekend. Weet je wat de Gestapo met mijn mooie, dappere broer deed?' Rachel schreeuwde nu en de aderen in haar nek waren opgezwollen. 'De celmaat van Jacques heeft het overleefd. Hij vertelde ons over de nachtmerrie waarin mijn broer leefde. De Gestapo martelde Jacques wekenlang, trokken zijn nagels eruit, verbrandde zijn lichaam, maar mijn broer vertelde hun niets! Omdat Jacques niets onthulde besloten ze dat Jacques misschien onschuldig was en beloofden dat hij mocht blijven leven.' De stem van Rachel zakte een octaaf. 'O! Wat wilde mijn broer graag leven. Hij wilde leven om zijn broer Jozef te zien, wilde de nederlaag van het kwaad vieren. Ze beloofden Jacques dat hij zou blijven leven!' schreeuwde ze. 'Ze hielden hem jaren gevangen en schoten hem neer op de dag dat ze uit Frankrijk vertrokken. Ze lieten hem zijn eigen graf graven, pestten hem onder het graven en schoten hem toen door het hoofd. Waag het niet het ooit nog te hebben over het leed van de Duitsers!'
Eva ging staan en haar stem klonk vermoeid maar ook licht geërgerd. 'Friedrich, laten we gaan. Ik heb je gezegd wat er voort zou komen uit je vriendelijkheid.'
Maar Friedrich Kleist gaf niet toe. 'Nee. Eva, deze mensen moeten dit soort dingen zeggen.' Hij pauzeerde even. 'En ook heb ik het nodig dit te horen.' Hij keek vriendelijk naar Rachel. 'Wat je ook wilt zeggen, je hebt er zeker het recht toe.'
Bij het zien van het door wroeging geteisterde gezicht van Friedrich en te weten dat haar gehate vijand zichzelf erger strafte dan welke rechtbank of welk tribunaal ook zou kunnen, voelde Rachel hoe jaren van verbitterde woede in een keer in rook opgingen en er ruimte kwam voor verpletterende smart. Ze liet zich mompelend en snikkend op de grond vallen. 'Had Jacques nog maar geleefd. Had Jacques...'

Anna knielde neer bij haar oude vijandin. Ze nam Rachels hoofd op haar schoot en riep: ‘O, Rachel, het spijt me zo, het spijt me zo.’
‘Had Jacques...’
Tranen stroomden glinsterend over Anna’s wangen en vielen op de grond.

24 Het mysterie van baby Daniël

Demetrius zat rustig aan de tafel op het dakterras van Anna Taylor. Terwijl hij wachtte tot zijn gastvrouw zich bij hem zou voegen voor de ochtendkoffie werden zijn gedachten in beslag genomen door de schokkende gebeurtenissen van de voorgaande avond. Zelfs in het kalme licht van een nieuwe dag kon Demetrius nog steeds niet geloven dat hij op zo'n ongelukkig moment in Jeruzalem was aangekomen.

Hij kende slechts weinig details van de vreselijke ramp die de nu door smart getroffen familie Gale was overkomen. Hem was niets meer verteld dan dat de vader van Christine eindelijk het mysterie had opgelost van Mirjam, het kind van Ester en Jozef Gale dat sinds de Tweede Wereldoorlog was vermist, en dat dit onuitsprekelijk afgrijselijk was geweest.

Een paar ogenblikken nadat ze bij de woning van de familie Gale waren aangekomen had Jordan hun familiearts laten komen die binnen enkele minuten arriveerde en een sterk kalmeringsmiddel voor Ester Gale had meegenomen. Nadat Ester in een diepe slaap was gevallen, waren Jordan en Demetrius bij haar weggegaan om Jozef met zijn vrouw alleen te laten. Toen ze de woonkamer betraden werden ze geconfronteerd met nog een heksenketel die was ontstaan in de tijd dat ze rond de moeder van Jordan hadden gezeten. Rachel huilde en riep om haar dode broer Jacques. Anna Taylor waaide Rachel koelte toe met de bladzijden van een opengeslagen tijdschrift. Christine zat op de vloer en hield haar snikkende vader in haar armen terwijl Michel om hen heen liep. Eva Kleist was nergens te bekennen.

Toen de arts de toestand van Rachel en Friedrich zag, besloot hij ook hun een kalmeringsmiddel te geven. Michel droeg Rachel naar zijn slaapkamer terwijl Demetrius Friedrich overeind trok en Jordan naar haar slaapkamer volgde. Demetrius legde de voormalige SS-bewaker met Christine aan zijn hand vastgeklampt op het bed van Jordan. Toen ze eenmaal gerustgesteld waren dat geen van de drie patiënten in gevaar verkeerde, hadden Demetrius en Jordan zich bij Anna, Michel en Christine in de zitkamer gevoegd.

Demetrius stond tegenover Christine, en de voormalige minnaars wisselden een korte blik van verwarring en angst. Michel en Jordan keken ongemakkelijk toe, maar Demetrius en Christine namen al snel hun vreemde houding tegenover elkaar aan – zwijgend als vreemden voor elkaar.
Alle vijf de mensen in de kamer wilden ontsnappen uit de pijnlijk emoties die in hun harten lagen en aangezien alle drie de slaapkamers in de woning bezet waren ontstond er een drukte van vragen en suggesties over waar te slapen.
Nadat de dokter ieder van zijn patiënten had onderzocht bracht hij een bezorgde Christine ervan op de hoogte dat Friedrich Kleist de eerstkomende twaalf uur zou slapen. Christine uitte haar wens terug te gaan naar het hotel waar haar ouders verbleven, waarbij ze tegen Michel zei dat ze moest kijken hoe het met haar moeder ging, die met smeulende ogen van onderdrukte woede het huis had verlaten.
Michel knikte instemmend en nam zonder iets tegen Jordan en Demetrius te zeggen, of zelfs hun aanwezigheid te erkennen, Christine bij de hand en leidde haar het huis uit.
'Michel, ga jij op straat slapen?' riep Jordan hem na.
Michel wachtte met tegenzin in de deuropening en keerde zich toen om.
'Hou je niet bezig met waar ik verblijf, Jordan,' zei Michel kil terwijl hij de deur achter zich dichtsmeet.
'Lul!' schreeuwde Jordan tegen de dichte deur.
Demetrius wist niet wat hij moest zeggen. Hij voelde zich zichtbaar niet op zijn gemak met de uitbarsting van Jordan tegen haar broer. Een Arabier zou liever God verzaken dan een familielid aanvallen. En Arabische families zochten geen toevlucht tot schelden, wat de omstandigheden ook waren.
Anna keek boos naar Jordan. 'Hou op! Je gedraagt je als een klein kind!'
Jordan was totaal niet beledigd. 'Nou, hij is een lul,' hield ze vol terwijl ze ondeugend naar Anna grijnsde.
Demetrius vond dat Jordan bij haar moeder moest blijven. 'Ik kan ook in het hotel logeren,' bood hij aan. 'Vertel me waar het is.'
'Nee! Dat wil ik niet hebben!' Jordan maakte zich zorgen dat Christine wellicht zou proberen de hotelkamer van Demetrius binnen te sluipen in de hoop hun liefdesrelatie weer aan te wakkeren. Omdat ze weinig over de relatie tussen Michel en Christine wist, ging Jordan ervan uit dat het Duitse meisje nog altijd van Demetrius hield.
'Logeer maar in mijn huis,' zei Anna. 'Ik heb genoeg ruimte.'
Demetrius stemde met tegenzin toe toen hij zag dat Jordan zich bij die regeling meer op haar gemak voelde. Hij keek met iets van verbijstering

naar Jordan. Zou ze mogelijk nog steeds jaloers zijn op Christine? Al verwachtten ze een kind en waren ze bezig hun huwelijk te plannen? Niet bereid tegen Jordan in te gaan over waar hij zou slapen haalde hij even zijn schouders op en kwam tot de conclusie dat een man de gedachten van een vrouw toch nooit zou begrijpen.
'Ik slaap wel op een stretcher naast moeders bed,' zei Jordan tevreden. Nadat hij Jordan welterusten had gekust en zijn persoonlijke bezittingen had gepakt vergezelde Demetrius Anna naar haar huis.
Anna, die de gecompliceerde relatie van Jordan met de Arabische man niet begreep, zei weinig tijdens de vijftien minuten durende wandeling naar haar villa. Ze wist niets meer dan wat Michel haar had verteld, dat Jordan haar opstandigheid tegen alles wat joods was tot een irrationeel extreem had gevoerd door een verhouding te beginnen met een Palestijnse Arabier. Naar de mening van Michel was de affaire van Jordan met de Arabier niets meer dan een manier om tegen haar familie te rebelleren. Anna moest op haar lip bijten om zich ervan te weerhouden Michel te vragen of zijn verloving met de dochter van een nazi dezelfde betekenis had.
Anna haalde diep en opgelucht adem en feliciteerde zichzelf ermee dat ze niet was getrouwd. En dat ze geen kinderen had. Hoeveel ze ook van Michel en Jordan hield, er waren momenten dat ze haar ongelooflijk ergerden!
Wat een avond! Ze waren allemaal verbaasd geweest door het onverwacht verschijnen van Jordan en Demetrius. Het enige goede aan die vreselijke avond was dat de heksenketel had voorkomen dat Michel en Jordan in een van hun alles verterende verbale gevechten waren beland. Anna had nooit eerder een broer en een zus gezien die het over zo veel onderwerpen zo oneens waren als Michel en Jordan terwijl ze wist dat hun liefde voor elkaar oprecht was. Eén ding waaraan Anna niet twijfelde was dat de ontmoeting tussen Michel en Jordan pijnlijk onaangenaam zou zijn geweest als Jordan en Demetrius op een ander tijdstip waren gekomen.
Toen ze zijwaarts een blik op Demetrius wierp zag ze dat hij diep in gedachten verzonken was. Ze bleven in stilte doorlopen.
Nadat ze haar gast zijn verblijf had getoond trok ze zich terug, waarbij ze bij zichzelf dacht dat de ochtend een beter tijdstip was om Demetrius Antoun te leren kennen.
Demetrius ging niet direct naar bed. In plaats daarvan opende hij de openslaande deuren en stapte op een klein balkon dat aan de gastsuite grensde. Er was geen licht op het balkon en Demetrius keerde zich verrast om toen hij het getjilp van een vogel hoorde. Hij kneep zijn ogen

samen en tuurde in de duisternis. Een felgele zangvogel zat doodstil in een kleine kooi. Terwijl Demetrius het kleine wezen medelevend aankeek werd hij plotseling overspoeld door een lang vergeten herinnering. Vanaf de tijd dat hij leerde praten had de jonge Demetrius zijn ouders gesmeekt om een gele zangvogel. Zijn vader had hem voor zijn zesde verjaardag trots een gele zangvogel gegeven. Een lachende Demetrius probeerde de kooi te omarmen. 'Ik noem deze vogel Melodie,' kondigde hij aan. 'Ze gaat vast zingen!'
Weken later produceerde de vogel nog geen enkele noot. Melodie was een vreugdeloos wezentje. Ze zat eenzaam uren achtereen in haar kooi met kleine, verlangende oogjes naar de blauwe lucht te kijken. Zelfs nadat Demetrius Melodie zaad met honing had gegeven bleef de terneergeslagen vogel zwijgen.
Een verwarde Demetrius stelde zijn grootvader de vraag die hem al dagen bezighield. 'Grootvader, denk je dat Melodie verdrietig is?'
'Wie weet wat er in het hoofd van een vogel omgaat?' antwoordde grootvader.
Demetrius knielde op één knie neer en keek intens naar Melodie. 'Is ze verdrietig omdat ze in een kooi vastzit?'
Grootvader staarde lange tijd naar de vogel voor hij antwoordde: 'Misschien, Demetrius. Vogels horen te vliegen.'
'Moet ik haar vrijlaten, grootvader?'
Grootvader keek zijn kleinzoon nauwlettend aan. 'Als je haar vrijlaat, heb je geen huisdier. Vergeet niet dat het je drie jaar heeft gekost om je vader ervan te overtuigen deze gele vogel te kopen.'
'Ja, dat weet ik.' Demetrius stak een vinger door de tralies en probeerde Melodie aan te raken. De vogel keerde hem de rug toe. Demetrius opende het deurtje van de kooi. 'Vlieg, Melodie, vlieg weg,' zei hij zachtjes.
Toen de verwarde vogel bleef zitten staren wees grootvader naar een stokje dat op de grond lag. 'Misschien moet ze een beetje aangemoedigd worden.'
Demetrius raapte het stokje op en porde er zachtjes de vogel mee waarbij hij haar uit de kooi duwde. Melodie vloog weg en landde op het dak van het huis van de buurman. Ze uitte een opgewonden getjilp.
Nu hij de vogel voor het eerst hoorde, lachte Demetrius van verrukking.
'Het was goed dat je haar vrijliet,' zei grootvader tegen hem.
Demetrius, die direct spijt had dat hij geen huisdier meer had, zocht naar geruststelling. 'Echt waar, grootvader?'
Grootvader gaf een ogenblik geen antwoord. Toen hij uiteindelijk sprak, klonk hij aarzelend en keek hij bezorgd. Zijn woorden waren ver-

warrend voor zijn jonge kleinzoon. 'Demetrius, je eigen grootvader leeft in een kooi.'
'Je zit niet in een kooi, grootvader!' protesteerde Demetrius.
Grootvader Mitri zweeg even voor hij met een sombere stem uitlegde: 'Leven in Libanon betekent voor sommigen misschien vrijheid, mijn jongen, maar voor een man in ballingschap is elke plaats als een kooi.'
Demetrius zweeg.
Nadat hij de tijd had genomen om zijn pijp aan te steken sprak grootvader Mitri opnieuw. 'Vergeet één ding niet, Demetrius, geloof nooit dat je het beter kunt dan de natuur. Geen enkel wezen Gods zou in een kooi moeten leven.'
De vogel op het balkon tsjilpte opnieuw en de verre herinnering vervaagde. De gedachte aan Melodie knaagde aan Demetrius' geweten. Zonder zichzelf de tijd te gunnen na te denken besloot hij vertroebeld door hartstocht het kooideurtje open te zetten. 'Vlieg, vogeltje, vlieg.'
De gekooide vogel vloog direct uit de kooi. Terwijl hij toekeek hoe de opgewonden vogel van tak naar tak sprong in de boom vlakbij, fluisterde Demetrius: 'Dat was voor jou, grootvader.' Er verscheen een gelukkige uitdrukking op zijn gezicht.
Hij rookte eerst een sigaret voor hij naar zijn kamer terugging en zich voorbereidde om naar bed te gaan. Voor hij in slaap viel bracht hij zichzelf in herinnering dat hij niets meer was dan een uitgeputte overlevende. Hij was zonder de familie van wie hij had gehouden en die hem had grootgebracht, maar hij herinnerde zichzelf er snel aan dat hij was ontsnapt uit het gekooide leven van verbanning dat duizenden mede-Palestijnse vluchtelingen ondergingen. Hij was niet alleen ontsnapt, maar de een of andere onbekende macht had ook een deur geopend voor de terugkeer van de verloren zoon. Morgen zou hij beginnen met de zoektocht naar zijn ware ouders.
Demetrius zakte weg in een tevreden, gezonde en ongestoorde slaap.
Het geklets van de dienstmeisjes van Anna en de geur van versgebakken brood maakten hem de volgende morgen vroeg wakker. Terwijl hij onder de douche stond, was een briefje naast zijn bed gelegd met het verzoek om zich om acht uur op het balkon bij Anna Taylor te voegen voor koffie en broodjes. Toen hij het briefje las, werd Demetrius diep geraakt. In zijn jeugd had Mary Antoun de gewoonte gehad briefjes naast zijn bed achter te laten om hem ergens aan te herinneren. Demetrius wilde niet blijven stilstaan bij de gedachten aan zijn liefdevolle moeder en wreef met zijn vingertoppen over het dure papier terwijl hij peinsde over deze vrouw: Anna Taylor. De vriendin van Jordan leek een verfijnde dame. En ze had zeker gevoel voor etiquette. Hij kleedde zich haastig aan.

Hoewel er niemand te zien was, was de tafel reeds gedekt toen Demetrius het terras op stapte. Nadat hij wat leek lange tijd alleen had gezeten keek hij op zijn horloge. Het was precies acht uur. Op datzelfde moment hoorde hij het knerpen van snelle voetstappen op het terras. Hij volgde het geluid met zijn ogen. Demetrius ging direct staan toen Anna kwiek naar hem toe liep.
'Demetrius,' zei Anna. 'Goedemorgen.'
Hij knikte. 'En een goedemorgen voor jou, juffrouw Taylor.' Hij trok een stoel terug zodat ze naast hem kon zitten.
Anna, die voor het eerst goed naar de jonge man keek, glimlachte opgewekt. 'Ik hoop dat ik je niet heb laten wachten.' Tijdens de dramatische gebeurtenissen van de avond ervoor had Anna Demetrius Antoun nauwelijks opgemerkt.
Hij leunde naar haar toe en duwde voorzichtig haar stoel naar de tafel. 'Nee, maak je geen zorgen,' antwoordde hij. 'Ik heb genoten van het prachtige uitzicht.' Hij wuifde met zijn hand in de richting van de stad voor hij Anna nauwlettend aankeek. Hij hoopte dat hij de vrouw niet gestoord had met zijn onverwachte aanwezigheid.
Anna zag zijn blik van vriendelijke bezorgdheid.
'Heb je goed geslapen?' vroeg Demetrius.
'Nauwelijks,' antwoordde Anna. De donkere kringen onder haar ogen benadrukten de ongelukkige gebeurtenissen van de voorgaande avond. Ze glimlachte opnieuw naar Demetrius. Anna besloot snel dat de nieuwe vriend van Jordan haar beviel. Hij had een zachtmoedig aura en een charme die opvallend afwezig was in de Israëlische geharde jongeren.
'De koffie komt eraan,' zei ze.
'Prachtig,' merkte Demetrius op terwijl hij ging zitten. Omdat hij stil was bij mensen die hij niet kende zei hij verder niets meer en staarde in plaats daarvan naar de stad Jeruzalem.
Anna was opgelucht. Niets ergerde haar meer dan nutteloos geklets. Ze staarde doordringend naar de gelaatstrekken van Demetrius en dacht bij zichzelf dat de jongeman van Jordan ongelooflijk knap was. Ze had altijd gezegd dat de twee Gale-mannen de knapste waren die ze ooit had gekend, maar ze moest toegeven dat Demetrius nog knapper was dan Jozef of Michel. Ze kon de lichamelijke aantrekkingskracht die Demetrius op Jordan had heel goed begrijpen, ondanks het feit dat hij een Arabier was.
In tegenstelling tot haar joodse buren en vrienden die vochten om de staat Israël te waarborgen, had Anna geen vooroordelen tegen de Arabieren. Ze was met Arabische speelkameraadjes opgegroeid en haar hele leven lang was het huis van de familie Taylor gevuld geweest met

Arabische bedienden. Hoewel ze haar gevoelens nooit had geuit en haar meest hechte vrienden joden waren, voelde Anna zich over het algemeen meer op haar gemak bij Arabieren dan bij joden. Haar eigen vader had vaak gezegd dat Arabische volwassenen op vele manieren net kinderen zijn. De Arabieren die Anna had gekend waren goedgezind geweest en dronken liever thee en roddelden liever dan dat ze legers organiseerden en vochten. Ze had het idee dat dit verklaarde waarom de joden in militair opzicht altijd leken uit te stijgen boven de Arabieren in Palestina. De zionisten uit het door oorlog verscheurde Europa hadden iets hards en waren bereid hun toekomst te bouwen op de uitroeiing van een ander volk. De Palestijnse Arabieren waren zachtaardig en niet zo doelgericht als hun joodse buren.
Anna was benieuwd naar Demetrius. Ze herinnerde zich iets wat Michel had verteld. De familie van Demetrius had deel uitgemaakt van de tragische Palestijns-Arabische exodus die zich tijdens de oorlog van 1948 voordeed. Was hij verbitterd geraakt na zoveel jaar verbanning in Libanon? En als dat het geval was, hoe zou hij die verbittering dan ooit kunnen overwinnen om een verbintenis met een joodse aan te gaan?
Demetrius was in gedachten verzonken, bijna afwezig, toen hij langs Anna heen naar de verschillende uitzichten op Jeruzalem keek. Hij voelde zich onherroepelijk tot de glimmende stad aangetrokken en voelde dat de wereld van Jordan nu zijn wereld was. Uiteindelijk zei hij met een smachtende stem: ‘Ik heb nooit kunnen dromen dat Jeruzalem zo mooi is.’
Anna keek even naar de stad en stond op het punt antwoord te geven toen ze werden onderbroken door de komst van Tarek en Jihan. Tarek droeg een grote pot koffie en Jihan volgde met een blad vol versgebakken pasteitjes en broodjes.
‘Ah! Tarek en Jihan! Eindelijk!’ zei Anna opgewekt terwijl ze een kleine ruimte midden op de ronde tafel vrijmaakte.
Demetrius bekeek het stel met nieuwsgierige afstandelijkheid. Ze liepen beiden heel langzaam en voorzichtig. Jihan volgde Tarek stap voor stap als een schaduw. Toen Demetrius Jihan in de ogen keek kromp hij ineen maar herstelde zich snel. De ogen van de vrouw waren melkachtig van kleur en Demetrius wist zonder het te vragen dat Jihan blind was. Hij ging staan om haar te helpen.
‘Niet doen!’ zei Anna duidelijk beledigd.
Demetrius ging onmiddellijk zitten. Hij liep rood aan. ‘Het spijt me.’
Anna klopte hem op de hand om hem op haar manier te vertellen zich geen zorgen te maken.
Nadat Tarek Anna had begroet keek hij met onverholen belangstel-

ling naar Demetrius. Toen zette hij de koffiepot op tafel en ging weg. Jihan begon net zo vaardig als iemand die kon zien de twee kleine kopjes vol te schenken. Demetrius keek nauwgezet toe. Er werd geen druppel gemorst.
Anna wendde zich naar Demetrius. 'Op de twee dagen na dat ze vrienden in Bethlehem bezoekt bedient Jihan mij altijd.' Anna voegde er niet aan toe dat het ritueel een grote bron van trots voor de blinde vrouw was.
Toen gebeurde er iets vreemds en onverwachts. Terwijl Jihan langs Demetrius liep trok ze wit weg en stopte. Ze maakte een bijna onhoorbaar geluid achter in haar keel.
Demetrius en Anna wisselden een verwarde blik voor ze verbaasd naar Jihan keken.
'Jihan? Voel je je niet lekker?' vroeg Anna verontrust.
Demetrius voelde zich niet op zijn gemak. De nietsziende ogen van Jihan waren standvastig op zijn gezicht gericht. Ze begon vreemd te lachen en haar voeten in een cirkel te bewegen. Een ogenblik dacht hij dat de vrouw zou gaan dansen.
'Jihan! Wat is er toch?' riep Anna met een hoge stem uit. 'Tarek! Kom snel!'
Tarek arriveerde zo snel dat Demetrius besefte dat de man uit het zicht achter de trap moest hebben gezeten.
Jihan wreef tegen die tijd haar handen tegen elkaar en lachte luid terwijl ze nog altijd in de richting van Demetrius staarde. Net toen ze zich met uitgestrekte handen op Demetrius wilde werpen greep Tarek haar van achteren vast en begonnen ze te worstelen.
Terwijl Anna Tarek de instructie toeriep Jihan een kalmeringsmiddel te geven en haar in bed te stoppen trok hij krachtig de blinde vrouw met zich mee. Jihan begon ademloos en onsamenhangend tegen Tarek te praten. Demetrius noch Anna kon een woord begrijpen van wat ze zei.
Anna stond met open mond haar hoofd te schudden. 'Wat heeft dit te betekenen?'
Demetrius geloofde dat Jihan gek moest zijn en hij was opgelucht dat de vrouw niet gewelddadig was geworden. 'Wat een vreemde vrouw,' zei hij ten slotte.
Anna bleef verbijsterd haar hoofd schudden. 'Ik moet bekennen dat ik geen idee heb wat er gaande was.'
Demetrius probeerde zijn gevoel van ongemak van zich af te schudden. 'Hoelang is ze blind?' vroeg hij. Hij dacht dat Jihan wellicht recent blind was geworden en dat de depressie daarover haar misschien naar een zenuwinzinking leidde.

De vraag kwam hard aan bij Anna. Ze liet zich in haar stoel vallen en keek Demetrius met zoveel wroeging aan dat hij spijt had dat hij de vraag had gesteld.

Anna boog haar hoofd. ‘Toen Jihan bij onze familie kwam wonen had ze haar gezichtsvermogen nog. Dat was vele jaren geleden.’

‘Wat gebeurde er?’

Anna zei zo lang niets dat Demetrius dacht dat ze hem geen antwoord ging geven. Toen ze eindelijk sprak klonk haar stem heel laag, alsof ze tegen zichzelf sprak. ‘Ik ben bang dat ik schuldig ben aan de blindheid van Jihan.’ Anna beefde bij de herinnering aan de ramp van jaren geleden. ‘Ik was toen nog maar een kind en ik speelde onbewust een rol in de duistere impulsen die de blindheid van Jihan veroorzaakten.’

Demetrius kon een vreemde en onaangename nieuwsgierigheid niet onderdrukken. ‘Wat bedoel je toch?’

Anna zocht zijn gezicht gretig af maar zei niets. Haar hele lichaam tintelde. Om een reden die ze niet thuis kon brengen voelde ze zich gedwongen de jonge man het afgrijselijke verhaal te vertellen, toch wist ze dat ze zich in zou moeten houden. Slechts vier mensen kenden de waarheid over de blindheid van Jihan en die vier mensen waren Jihan, Anna, Jozef en Ester Gale.

Demetrius wachtte in stilte met een hart vol vage, onplezierige voorgevoelens. Na de afgelopen avond verlangde hij weinig naar het horen van nog meer verdriet, toch voelde hij dat Anna behoefte had hem een belangrijke herinnering toe te vertrouwen.

Anna werd gegrepen door een sterk instinctief gevoel en pakte de hand van Demetrius beet. ‘Ik weet niet waarom, maar ik heb het sterke gevoel dat ik je het verhaal van Jihan moet vertellen.’

Demetrius antwoordde niet, maar knikte. Mensen leken altijd zijn vertrouwen te zoeken. Misschien lag de reden hiervan in zijn medische opleiding die hem had geleerd ieder individu hoog te achten. Hij zuchtte en leunde achterover in zijn stoel terwijl hij nauwlettend luisterde.

Anna keek Demetrius standvastig en intens aan terwijl ze sprak. Toen ze over de herinneringen uit het verleden vertelde had ze een bijna kinderlijke uitdrukking op haar gezicht. Haar stem werd licht alsof ze sprak over gelukkige, zorgeloze tijden in plaats van over een vreselijke tragedie die vele levens in duisternis had gehuld.

‘Ik herinner me de dag als gisteren! Ik was net elf jaar geworden en speelde in de achtertuin. Toen ik geschreeuw en gegil hoorde rende ik naar de voorkant van het huis en zag ik een jonge bedoeïenenvrouw die zich aan de jurk van mijn moeder vastklampte. Ik stond als aan de grond genageld bij de aanblik van het jonge meisje met de kleurrijke

kleding aan. Ze had lang zwart haar en een olijfkleurige huid en om eerlijk te zijn dacht ik dat ze rechtstreeks uit de bladzijden van de bijbel was gekomen.
Mijn aandacht werd toen getrokken door een menigte mannen die probeerden langs mijn vader te komen. Een van de mannen was de vader van Jihan.' Anna ademde luid door haar neus uit. 'En tot op de dag van vandaag zie ik nog het leerachtige gezicht van die man. Hij schreeuwde zo intens dat de plooien in zijn gezicht door zijn woede werden geaccentueerd. Hij riep naar zijn dochter dat ze het nest van ongelovigen moest verlaten en haar lot moest aanvaarden zoals dat was neergelegd door Allah. De mannen van Jihans familie zochten wraak op het arme meisje en dreigden haar in een put te gooien. Ze beweerden dat Jihan was betrapt in een compromitterende houding met een neef. En ze waren van plan haar te doden. "Eremoorden" noemen ze dat. De moord op vrouwen om de familie-eer te herstellen. Godzijdank had vader lang genoeg in Palestina geleefd om te weten dat in de geest van een Arabische man een compromitterende houding niets meer hoefde te zijn dan een onschuldig gesprek. Dus beschermde hij Jihan.
Jihans vader vertrok uiteindelijk, maar niet voor hij naar zijn dochter riep dat ze in zijn ogen dood was. Het was Jihan verboden terug te keren naar de stam van haar vader.'
Anna nam een slok koude koffie voor ze verderging.
Demetrius zag dat haar handen beefden. Hij was gefascineerd door het verhaal en hij hoopte dat Jihans vader niet was teruggekeerd om zijn dochter te verminken.
Anna veegde haar bovenlip af met een servet. 'Vanaf die tijd woonde Jihan bij ons.' Ze keek Demetrius opnieuw geagiteerd aan. 'Toen gebeurde er een ongeluk waardoor Jihan blind werd. En ik was daar schuldig aan.'
Demetrius leunde naar voren en liet zijn ellebogen op de tafel rusten.
'Een paar maanden later speelde ik een dwaas spelletje met een Arabische vriendin, een spelletje dat ik "Jihan" noemde. Ik gaf mijn vriendin de rol van Jihan terwijl ik het stuk speelde van Jihans vader die terugkwam om zijn dochter te straffen. Zonder de mogelijke schade van mijn woorden te begrijpen schreeuwde ik dat Jihan had gezondigd en dat een rechtvaardige God vergelding wilde.' Anna zei ernstig: 'Vergeet niet dat ik werd grootgebracht in een devoot christelijk gezin. Alles draaide om God. Ik zei in elk geval tegen mijn jonge vriendin dat haar zonde op aarde moest worden gestraft of dat ze anders in de hel zou verbranden. Ik kwam zo echt over dat mijn vriendin ineenkromp van angst en langs me heen snelde om zich in het huis te verbergen.'

Anna bewoog zich onrustig. 'Ik wist echt niet dat Jihan in de buurt onder een boom een dutje lag te doen. Ze gaf blijk van haar aanwezigheid door kreten van afgrijzen over mijn harde woorden. Niets van wat ik zei of deed kon Jihan troosten, die ervan overtuigd was dat ze in de hel zou verbranden.
Ik zag Jihan nauwelijks tot aan de volgende zondagsdienst. Vader was die dag uitzonderlijk hartstochtelijk toen hij de woorden las. "Als uw rechteroog u kwaad doet, haal het eruit en werp het weg want het is beter voor u wanneer een van uw ledematen sterft zodat niet uw hele lichaam in de hel terechtkomt." Vele Arabieren in de gemeente huilden van afgrijzen, ook Jihan.'
Demetrius wist meteen wat Anna hem ging vertellen. Hij sloeg een kruis.
Anna schudde verdrietig haar hoofd. 'Ik had aan het eerdere incident moeten denken!'
Demetrius bracht haar snel in herinnering dat ze toen nog maar een kind was.
Anna glimlachte zwakjes. 'Na de dienst merkte niemand van ons dat Jihan er tijdens het middageten niet was. Later die middag sloop ik het huis uit en ging het opslaggebouw binnen om een doos speelgoed te zoeken die mijn moeder van een kerk in Engeland had ontvangen. Het speelgoed was gestuurd om aan de kinderen van de armen te geven. Ik wilde één bepaald stuk speelgoed en ik dacht dat als ik dat uit de doos zou halen niemand het zou merken.
Terwijl ik naar het gebouw liep werd ik verrast door een vreemd jammerend geluid dat uit het gebouw kwam. Nadat ik er een ogenblik naar had geluisterd besloot ik dat het van een gewond dier was.' Ze pauzeerde voordat ze uitlegde: 'In die tijd was het gebruikelijk dat Arabieren hun oude of gewonde dieren naar een leeg gebied in de stad brachten waar ze verhongerden. Mijn zusters en ik redden de arme beesten soms. Dus zocht ik voorzichtig in het donkere gebouw om het dier te vinden. In plaats daarvan ontdekte ik Jihan. Een ogenblik was ik opgelucht maar ik realiseerde al snel dat Jihan vreselijk van streek was. En ik zag dat ze iets achter haar rug hield.'
Er liep een rilling door Anna. 'Ik eiste dat ze liet zien wat ze in haar handen had. Ze zei niets. Toen ik naar haar toe liep stak Jihan eerst in haar ene oog en vervolgens in haar andere. Ze had een scherpe punt aan een stok gemaakt!'
Het beeld was afgrijselijk. Demetrius kromp ineen. 'Grote God!'
'Geen van beide ogen kon worden gered. Vader gaf zichzelf de schuld van de tragedie en herhaalde keer op keer dat hij had moeten weten dat

Jihan labiel was en ontvankelijk voor religieuze vurigheid. Vader verklaarde vele keren dat als hij in zijn dertig jaar in Jeruzalem iets had geleerd, dit wel was dat de Arabieren alles letterlijk opvatten.'
Anna herinnerde zich plotseling dat haar gast een Arabier was. 'O, vergeef me, Demetrius.'
Hij glimlachte snel naar haar. 'Maak je geen zorgen. Het is waar wat je zegt.' Hij glimlachte nog breder. 'Iedere Arabier die ik heb gekend vat elk woord letterlijk op.'
Anna klopte hem op zijn hand voor ze verder ging met haar verhaal. 'Niemand van ons herstelde geheel van het incident, maar door de jaren heen leerde Jihan met haar blindheid leven. Ik kan je vertellen, Demetrius, dat Jihan werd bevrijd door haar blindheid. Ze was niet langer verlegen en begon volksliederen van de bedoeïenen te zingen. Ze trad zelfs een paar keer op. Ze roddelde met de andere vrouwen. Jihan begon een speciale genegenheid te krijgen voor jonge kinderen en werd een favoriete oppas bij de vriendinnen van mijn moeder.' Anna was heel stil voor ze zei: 'Jihan was absoluut geweldig met kinderen.'
'Wat vreselijk voor je,' zei Demetrius die Anna vriendelijk aankeek.
'Ja. Jihans aanwezigheid laat de pijnlijke herinnering nooit vervagen. Toch ben ik verantwoordelijk voor haar welzijn en zou ik haar nooit kunnen wegsturen.'
Nadat ze enkele minuten stil naast elkaar hadden gezeten had Demetrius het gevoel dat er niets meer te zeggen viel. Bij de herinnering aan wat er de voorgaande avond was gebeurd, veranderde hij van onderwerp. 'Ik hoop dat de moeder van Jordan zich beter voelt.'
Anna sprak met moeite. 'Ik ben bang van niet. Stel dat je wordt verteld dat je kind aan stukken is gescheurd door honden! Dat beeld zal Ester elke resterende minuut van haar leven blijven achtervolgen.'
Demetrius, die dacht aan Jordans zwangerschap, zei: 'Ik kan me de pijn van het verlies van een kind niet voorstellen.'
'En stel dat je twee baby's verliest?' zei Anna.
'Dat is waar. Jordan vertelde me dat er ook een oudere broer stierf.'
Anna kneep haar lippen samen terwijl ze een broodje van de schaal pakte.
'Wat een ongeluk,' mompelde Demetrius.
Anna kon zichzelf er net toe brengen ja te zeggen. Ze bleef lange tijd stil waardoor Demetrius zich realiseerde dat ze het moeilijk vond verder te praten. 'En Rachel Gale geeft mij de schuld.'
'Jou?'
Anna staarde met een wit weggetrokken gezicht van verdriet naar Demetrius. 'Als Jordan je de details nooit heeft verteld, moet je het haar

niet kwalijk nemen. Ze weet weinig over het incident, behalve dat een oudere broer stierf jaren voordat zij werd geboren. Het onderwerp is absoluut verboden terrein.'

Demetrius, die heel graag wilde weten waarom zijn gastvrouw de schuld kreeg voor de dood van Jordans broer, raakte haar arm aan. 'Wil je het me alsjeblieft vertellen?'

Anna voelde een steek van spijt dat ze het onderwerp had aangeroerd. Ze keek Demetrius smekend in de ogen. 'Begrijp alsjeblieft dat je dit met niemand binnen de familie Gale bespreekt. Het nieuws over baby Mirjam heeft al hun harten gebroken.' Na een peinzend moment voegde ze eraan toe: 'Ze hoeven niet te worden herinnerd aan baby Daniël.'

'Daniël,' herhaalde Demetrius zachtjes.

Anna's stem klonk vlak. 'De jongen zou Daniël worden genoemd naar een van de broers van Ester. Zes dagen nadat hij was geboren en twee dagen voor de *Brit*-ceremonie waarbij hij zou worden besneden en zijn naam zou krijgen, raakten ze hem kwijt.'

Demetrius drong bij Anna aan door te gaan. 'Door een kinderziekte?'

Anna was een ogenblik in de war omdat ze even was vergeten dat Jordan alleen verteld zou hebben wat ze wist. Ze wuifde met een hand naar Demetrius omdat ze het onderwerp wilde laten vallen. Ze was duidelijk van streek. Met een verwrongen gelaat zei ze: 'Wat doen de details ertoe? De baby was verloren, dat is alles.'

Het flitste door Demetrius heen dat hij vreselijk onbeleefd was. 'Het spijt me zeer. Vergeef me alsjeblieft.' Hij zou het een andere keer aan Jordan vragen. Hij kwam overeind. 'Ik moet gaan kijken hoe het met Jordan is.' Hij glimlachte geruststellend naar Anna. 'Maak je geen zorgen, niets van wat je me hebt toevertrouwd zal worden verder verteld.'

'Dank je daarvoor.' Ze pauzeerde en drong toen aan: 'Je moet eerst nog een kop koffie drinken voor je vertrekt.'

Demetrius weigerde. 'Nee, dank je. Ik drink wel koffie met Jordan. En als haar moeder zich beter voelt zal ik Jordan vragen of ze me naar de buurt van mijn vaders broer wil brengen. Ik wil die buurt graag zien.'

Anna werd weer iets opgewekter. 'En waar is die buurt?' vroeg ze.

'Ik weet het adres nog niet exact. Ik vraag wel rond in de buurt. Maar mijn oom woonde in Musrara.'

Anna staarde hem bevreemd aan. 'Musrara? Woonde je familie daar?'

'Ja. De broer van mijn vader. Hij werd in 1948 gedood.' Demetrius kneep zijn ogen samen voor hij zijn blik van het gezicht van Anna afwendde. 'De poort van Jaffa werd gebombardeerd. Mijn vader verloor beide broers en zijn enige zuster in de explosie.'

Anna keek Demetrius nog steeds bevreemd aan.

Licht nieuwsgierig vroeg Demetrius: 'Waarom vraag je dat?'
Anna was duidelijk aangedaan door emoties. 'Neem alsjeblieft Jordan niet mee daarnaar toe,' zei ze niet op haar gemak. 'En breng het onderwerp Musrara niet ter sprake bij de familie Gale.'
'Waarom zeg je dat?'
Anna zat diep in gedachten verzonken een volle minuut doodstil. Ten slotte hief ze haar hoofd op en zei tegen Demetrius: 'Goed. Ik zal het je vertellen. Musrara is de buurt waar Jozef en Ester eerst woonden toen ze naar Palestina kwamen. Daar werd hun baby Daniël meegenomen.'
Demetrius luisterde vol ongeloof. 'De baby werd meegenomen?' vroeg hij. 'Uit hun huis in Musrara?'
Anna knikte bijna in tranen.
Demetrius verraste haar door haar ruw bij haar arm te pakken en vol afgrijzen te fluisteren: 'Je moet me alles vertellen, alles!'
Anna kromp ineen maar haar woorden kwamen snel. 'Ik heb je het al verteld. De baby werd meegenomen. En ik kreeg van Rachel de schuld.'
'Waarom kreeg jij de schuld?'
'Ik wilde helpen. Dat was alles. Ik had erop aangedrongen dat Ester Jihan in huis zou nemen. Jihan kon geweldig met baby's omgaan. Ester was zwak en nog niet volledig hersteld van de oorlogsjaren. Ze had hulp nodig bij de verzorging van de twee kleine jongens. Rachel was zo moeilijk en Ester wilde niet tegen haar schoonzus ingaan.' Anna wachtte even en verhief toen haar stem. 'Ik probeerde alleen te helpen, maar begrijp je het niet? Had ik Jihan maar niet bij Ester opgedrongen! Begrijp je dat niet?' Anna legde haar hoofd in haar handen en haar stem brak. 'De kleine Michel hoestte erg en Ester was met hem naar de dokter gegaan waarbij ze Jihan met de baby op het terras had achtergelaten. De sluipschutters waren gestopt en Ester vond dat ze Daniël veilig bij Jihan kon laten. Jihan liet de baby slechts een ogenblik alleen. Iemand moet hebben staan kijken en wachten. Maar hoe kan een blind meisje een indringer zien? Jihan legde Daniël in zijn kribbe toen ze naar binnen ging om zijn fles te halen. Toen Jihan terugkwam had iemand de baby uit de kribbe gestolen!'
Anna keek naar het gezicht van Demetrius. 'Het mysterie van wat er is gebeurd, heeft ons elk moment vanaf die dag allemaal achtervolgd. Met een dreigende oorlog was Jeruzalem een chaos, toch zocht iedere beschikbare man en vrouw elke centimeter van de stad af. Er is nooit een spoor van die baby gevonden. Het was alsof hij in rook was opgegaan.' Ze schudde langzaam haar hoofd. 'Ester Gale stierf bijna van verdriet.'
Demetrius was lijkbleek geworden. Hij kon alleen nog de woorden van zijn stervende vader horen. 'Zoon, je pa verborg zich wachtend achter

de struiken. Er ging enige tijd voorbij. Toen legde de vrouw de baby in een kribbe en ging naar binnen. Zoon, ik greep de baby en rende weg.'
Door de implicaties van wat hij had gehoord wankelde hij achteruit.
Anna zweeg en staarde intens naar Demetrius. Ze zag iets in zijn ogen wat ze niet eerder had gezien. Hij had de angstige blik van een gewond, in het nauw gedreven dier.
Net toen Anna wilde opstaan om Demetrius aan te raken klonken er luide kreten vanuit de villa. Tarek rende via de trap naar Anna. 'Mevrouw! Jihan heeft een aanval.'
Anna aarzelde terwijl ze van Tarek naar Demetrius keek en weer terug. Tarek wuifde met zijn armen in de lucht en riep uit: 'Ze heeft schuim op haar mond als een dolle hond!'
Verscheurd tussen blijven en weggaan bleef Anna heen en weer kijken tussen Tarek en Demetrius.
Demetrius keek haar met een angstige, gefixeerde blik aan.
Tarek riep haar opnieuw. 'U moet komen! Snel!'
'Demetrius!' riep Anna uit, 'wacht hier. Ik ben zo terug!'
Demetrius antwoordde niet. Hij was te ontsteld om te spreken.

25 Ontknoping

Alle gesprekken verstomden direct toen Anna buiten adem het huis van de familie Gale binnenrende. Haar ogen zochten gespannen de kamer af. 'Is Demetrius hier?' vroeg Anna luid.
Iedereen wisselde vragende blikken voor Jordan verbijsterd antwoordde: 'Nee, Anna. Hij sliep toch vannacht bij jou thuis?'
Anna's stem klonk schel. 'Ja! Natuurlijk! En we dronken vanmorgen koffie samen. Toen was er een noodgeval met Jihan en moest ik Demetrius even alleen laten. Toen ik terugkwam was hij weg!' Ze pauzeerde en haalde diep adem. 'Ik bad dat hij hier zou zijn.'
'Hij is een volwassen man, Anna,' snauwde Rachel, 'raak niet zo opgewonden.'
'Hij is waarschijnlijk gaan wandelen,' opperde Jozef.
Jordan was het er niet mee eens. 'Met een koffer?'
Michel luisterde met toegeknepen ogen en samengeknepen lippen. Hij zei niets hoewel zijn gedachten door zijn hoofd raceten. Wat was Demetrius Antoun van plan? Was hij een terrorist? Had hij Jordan gebruikt om Israël binnen te komen? Michel had de Arabier nooit vertrouwd.
'Heb je overal gekeken?' vroeg Christine. 'In de villa? Op het terrein?'
'Ja, uiteraard!' zei Anna scherp. 'We hebben alles afgezocht. Toen we hem niet konden vinden ben ik onmiddellijk hierheen gegaan.'
Bezorgd keek Jordan naar haar vader en stamelde: 'Het is niets voor Demetrius om zo weg te lopen.'
Jozef wendde zich tot Anna. 'Leek hij van streek?' Hoewel hij bijna veertig jaar in Israël woonde had Jozef de geest van een Arabier nooit begrepen. Nog geen week daarvoor had een oudere Arabier in de oude stad Douq Ester hem getreiterd met de opmerking dat hij wenste dat de joden naar Duitsland terug zouden gaan zodat de Duitsers hun goddelijke missie konden voltooien. Had de onenigheid van gisteravond tussen Duitsers en joden op de een of andere vreemde manier invloed gehad op Demetrius?
Anna leek in gedachten op te gaan en antwoordde niet.

Jordan herhaalde de vraag van haar vader. 'Nou? Zag het eruit alsof Demetrius ergens door van streek was, Anna?'
'Hij was nogal emotioneel, Jordan,' zei Anna uiteindelijk. Ze keek bezorgd. Anna, die wist dat het noemen van baby Daniël nog meer opwinding in het huishouden van Gale zou veroorzaken, vertelde niet dat ze het met Demetrius daarover had gehad. 'En, echt, ik begrijp niet waarom ons gesprek Demetrius zo van streek maakte, aangezien het niets met hem te maken had.' Anna wilde er nog wat aan toevoegen maar hield haar mond.
Jordans angstige ogen rustten op het gezicht van Anna. Net toen Jordan haar mond opende om Anna te vragen te herhalen wat precies er tussen haar en Demetrius was gezegd, kwam Michel geïrriteerd tussenbeide. 'Jordan, in godsnaam! Begrijp je het dan niet? Je Arabische minnaar is met opzet verdwenen!'
'Michel, waar heb je het over?' vroeg Jordan verbijsterd.
De overweldigende walging die Michel voelde voor de minnaar van Jordan barstte los. 'Demetrius Antoun kreeg wat hij wilde en verdween toen.' Michel benadrukte zijn opmerking met een onaangename glimlach.
Jordan huiverde zichtbaar. Nog altijd bevend en met een haperende stem mompelde ze: 'Zeg zoiets niet, Michel. Het is niet waar. Demetrius zou zoiets nooit doen.' Ze maakte een gebaar van verbijstering met haar handen en haar stem klonk vol angst. 'Papa, dit raakt kant nog wal. Ik weet zeker dat Demetrius iets is overkomen.'
Christine was diep in gedachten verzonken en haar voorhoofd vertoonde rimpels. Ze geloofde dat ze Demetrius beter kende dan wie ook en ze vermoedde dat zijn plotselinge verdwijning iets te maken had met George Antoun en het geheim van Demetrius' geboorte. Ze vroeg zich af of Demetrius, eenmaal in Israël, misschien tot de ontdekking was gekomen dat hij zijn joodse verleden niet onder ogen kon komen. Misschien was hij de grens over gevlucht naar Libanon.
Rachel keek ineengedoken in haar stoel van Anna naar Jordan naar Jozef en toen weer naar Anna. Rachel bleef ongewoon stil en mengde zich niet in de crisis maar ze begreep dat er iets heel vreemds gebeurde en luisterde nauwgezet.
Jordan, die steeds verontruster werd, wendde zich smekend tot haar vader. 'Papa, we moeten hem zoeken! Geloof me alsjeblieft! Demetrius zou nooit zonder uitleg weggaan. Er is iets mis!'
Christine, die naar het angstige gezicht van Jordan keek, staarde haar verbaasd aan toen ze voor het eerst besefte dat Jordan niets over de bekentenis van de stervende George Antoun wist. Ze schoof onrustig op haar stoel.

Michel stikte bijna van woede, walging en verontwaardiging. 'Wat ben je toch een dwaas, Jordan,' sputterde hij. 'Begrijp je het dan niet? Jouw Arabier heeft je alleen lang genoeg gebruikt om Israël binnen te komen, meer niet.'
Jordan had meer dan genoeg gehoord van haar broer. Haar angst en verwarring veranderden in boosheid. Haar groene ogen schoten vuur toen ze zich snel naar haar broer wendde. 'Neem dat terug, Michel! Ik meen het!'
Michel was blij dat de Arabier uit hun leven was verdwenen en wilde dat hij voor altijd weg bleef. 'De man heeft je gebruikt, Jordan,' snauwde Michel. 'Hij heeft misbruik gemaakt van zijn relatie met Christine om een visum voor Amerika te krijgen en heeft vervolgens jou gebruikt om Israël binnen te komen!'
Een geschokte Christine protesteerde. 'Michel! Waar haal je dat idee vandaan? Dat is gewoonweg niet waar.' De Demetrius Antoun die Christine kende was te eerzaam voor iets dergelijks. Ze trok zachtjes aan zijn arm. 'Michel, geloof me wanneer ik zeg dat je het fout hebt wat betreft Demetrius.'
Voor het eerst dat ze elkaar hadden ontmoet keek Michel boos naar de vrouw van wie hij hield. 'Als jij iets anders gelooft, Christine, dan ben je net zo'n grote dwaas als mijn zuster.' Michel was zich bewust van het feit dat zijn eigen zuster, samen met de vrouw die hij van plan was te trouwen, verblind was door genegenheid voor een man die Michel bitter begon te haten.
Jordans hart klopte zo heftig dat ze niets kon zeggen. Er was Demetrius iets vreselijks overkomen en in plaats van haar te helpen zat Michel zo vol haat voor Arabieren dat hij een onschuldige man aanviel. Haar broer kende de waarheid niet en had zich toch opgeworpen als aanklager en rechter.
Michel werd overspoeld door een kwellende behoefte om Jordan en Christine duidelijk te maken wat voor man Demetrius Antoun werkelijk was. 'Wat kan het iemand schelen dat hij weg is?' sneerde Michel spottend. 'Hij is toch maar een smerige Arabier!'
'Michel!' schreeuwde Anna.
Woedend door de woorden van haar broer verloor Jordan haar zelfbeheersing. Met een verwrongen gezicht rende ze op haar broer toe en begon onder het uiten van korte kreten met beide vuisten op zijn borst te slaan.
Michel bleef enkele seconden roerloos staan en pakte toen Jordans handen die hij ruw wegduwde.
Een afgrijselijk moment dacht Christine dat het stel elkaar zou gaan slaan. Ze sprong overeind. 'Michel!' schreeuwde ze. 'Hou op!'

‘Genoeg!’ schreeuwde Jozef die zijn zoon met één hand opzij schoof en met zijn andere Jordan optilde. Jozef trok zijn dochter naar de andere kant van de kamer, weg van haar broer.
Hoewel ze sinds hun kindertijd niet meer fysiek hadden gevochten zag Michel er fel en uitdagend uit alsof hij Jordan zou kunnen gaan slaan.
Rachel trok aan het oor van haar neef. ‘Michel! Schande!’ schreeuwde ze.
Een ontzette Anna keek met haar hand voor haar mond toe hoe het drama zich ontvouwde. Het was duidelijk dat niemand meer zijn of haar emoties onder controle had. Ze was bang om te vertellen waarover Demetrius en zij het hadden gehad, maar wist dat ze wel iets moest vertellen. Misschien dat een van de aanwezigen met die informatie het mysterie van Demetrius’ verdwijning kon oplossen. Anna wist gewoon niet hoe ze het incident ter sprake moest brengen zonder de herinnering aan baby Daniël weer op te rakelen.
Jordan huilde smartelijk. ‘Papa! We moeten hem vinden! Alsjeblieft, papa.’
‘Wat is er gaande?’ riep Ester Gale die na het horen van alle commotie uit haar bed was gekomen.
Jordan, die bitter snikte, wierp zichzelf in de armen van haar moeder. ‘Moeder! Demetrius is verdwenen!’
Ester hield van haar twee overlevende kinderen met de intensiteit van een vrouw die onder monsterachtige, onuitsprekelijke omstandigheden haar twee andere had verloren. Niets wekte de woede van Ester meer dan wanneer ze zag dat Jordan of Michel op een of andere manier gekweld werden. Hoewel Ester niet blij was geweest toen ze had gehoord dat haar zoon van plan was met het kind van een nazi te trouwen, of dat haar dochter omging met een Arabier, zou ze haar kinderen nooit dat verbieden waarvan ze beweerden dat het hen gelukkig maakte. Ester bekeek het gezicht van Jordan grondig. ‘Dochter, stop met huilen,’ zei ze zachtmoedig. ‘Vertel me wat er met je jongeman is gebeurd.’
Jordan kon geen woord uitbrengen door haar gesnik.
Nadat ze teder haar armen rond Jordan had geslagen en haar op de bank had neergezet droogde Ester de tranen van Jordan en keek toen verontwaardigd de kamer rond. ‘Wil iemand me alsjeblieft vertellen wat er met mijn kind aan de hand is?’
Jozef sprak snel. ‘Anna stond op het punt het ons te vertellen, liefste.’ Hij keek naar Anna. ‘Anna, ga alsjeblieft verder. Wat heeft Demetrius van streek gemaakt?’
Jordan kwam overeind.
Anna zuchtte zwaar. ‘Ik zal jullie natuurlijk alles vertellen wat ik weet,’

zei Anna terwijl ze dicht bij Ester en Jordan ging zitten. Met een ongelooflijke mengeling van emoties vertelde Anna over het incident van die ochtend met Jihan. Ze vertelde met tegenzin over het plan van Demetrius om het huis van zijn overleden oom te bezoeken. Het gezicht van Anna werd somber toen ze zei: 'Ik vertelde Demetrius om Jordan niet mee te nemen naar de buurt Musrara. Toen vroeg hij naar de reden hiervan.' Ze wierp een blik op Jozef. 'Het spijt me, maar ik moest hem wel iets vertellen over jullie verloren zoon. Ik vertelde hem over het mysterie van Daniël. Dat jullie baby uit jullie huis werd gestolen en nooit meer is teruggevonden.' Anna trok een grimas. 'Demetrius raakte overstuur over jullie verloren zoon. Ik moet toegeven, Jozef, dat ik volkomen verbijsterd was door zijn gedrag.'
Rachel was enorm geroerd door de herinneringen die Anna opriep, maar ze probeerde haar gedachten bij de zaak die aan de orde was te houden. 'Is Demetrius een extreem geëmotioneerde man?' vroeg Rachel aan haar nicht. De meeste Arabieren voelden heel scherp de pijn van een ander en huilden snel, maar die neiging alleen verklaarde niet waarom de man dusdanig op het droevige verhaal had gereageerd. Demetrius Antoun was per slot van rekening een arts en was zeker gewend aan allerlei soorten tragedies.
'Ja, dat wel,' mompelde Jordan. 'Demetrius is zeer teder van hart maar niet in zo'n extreme mate.' Jordans onderlip begon te trillen en ze was bijna weer in tranen. Ze keek verward naar haar moeder. Dit was voor het eerst dat Jordan over haar ontvoerde broer hoorde. 'Ik begrijp het gewoon niet! Ik dacht dat Daniël was gestorven. Is hij gestolen?'
Ester klopte op Jordans hand. 'Later. Ik zal het je later vertellen, liefje. Je vader en ik zijn nu niet in staat de tragedie uitgebreid te vertellen.' Jordan knikte en legde toen haar hoofd op haar moeders schouder en begon te snikken.
Hoewel de woorden van Anna de herinnering had wakker geschud aan hun verloren zoon gaf Jozef noch Ester enig teken van hun gevoelens. Ook zij waren verbijsterd over de reactie van Demetrius op de verdwijning van hun zoontje. Het stel wisselde een korte, maar verwarde blik.
Omdat hij wist dat zijn vader hem flink op zijn nummer zou zetten als hij weer wat zei, vouwde Michel zijn armen over elkaar en zweeg.
Christine, die probeerde te analyseren wat ze net had gehoord, huiverde. De impact van Anna's woorden begon tot haar door te dringen. Niet in staat haar gedachten voor zich te houden trok ze aller aandacht toen ze haar hoofd beetpakte en begon te mompelen: 'O, mijn God! O, mijn God!'

Jozef was de eerste die wat zei. 'Wat is er?'
Jordan rechtte haar rug en staarde haar aan. 'Weet jij iets hierover, Christine?' vroeg Jordan beschuldigend.
Met haar hoofd nog in haar handen keek Christine rond naar haar toehoorders. 'O, mijn God!'
Jordan voelde hoe het bloed door haar hart werd gepompt.
'O, mijn God, Michel!' zei Christine met bevende stem. 'Demetrius heeft te horen gekregen wie hij werkelijk is!'
Alle leden van de familie Gale, inclusief Anna, werden overspoeld door verwarring.
Jozef probeerde haar te kalmeren. 'Meisjelief, beheers je en vertel ons waar je het over hebt.'
Christine beefde van top tot teen. Ze keek verbijsterd rond. 'O, mijn God! Dit kan niet waar zijn!'
Michel trok Christine dicht tegen zich aan en schudde haar licht door elkaar. 'Christine, je zegt niks zinnigs! Nu! Vertel ons waar je het over hebt!'
Christine slikte moeilijk voor ze zich tot Jozef Gale wendde. 'Is er bij u in 1948 een jongensbaby gestolen?'
Vechtend tegen zijn emoties hield Jozef zijn stem standvastig. 'Ja, Christine. Je hoorde wat Anna net zei.'
'Was deze baby nog geen week oud?'
Jozef knikte met stijgende verwarring.
'En werd hij slechts een paar dagen na de explosie bij de poort van Jaffa gestolen?'
Toen Jozef geen antwoord gaf schreeuwde Ester: 'Ja!'
'En heeft een vrouw de baby in een kribbe gelegd en hem alleen gelaten op een klein terras?'
Anna antwoordde fluisterend: 'Jihan.'
Jozef stond als verstijfd met open mond te luisteren omdat hij wist wat hij te horen zou krijgen, maar het nog niet wilde geloven.
Michel was volkomen van de kaart. Hoe kon Christine alles over zijn familie weten?
Ester leunde naar voren.
Rachel zat met haar mond open zwaar te ademen.
Jordan, die wild werd van ongeduld, drong bij Christine aan meer te vertellen. 'Wat heeft dit met Demetrius te maken, Christine?'
Christine wist nu zeker dat Demetrius de verloren zoon van Jozef en Ester Gale was. Ze kon zien aan de ingehouden uitdrukking in de ogen van Jozef dat hij het begreep. Ze legde zacht haar hand op de schouder van Jozef en zei zonder haar stem te verheffen: 'Ik zal je vertellen wat ik

weet. Hoewel Demetrius Antoun door Palestijnse Arabieren is opgevoed, is hij geboren uit joodse ouders.'
Jordan hapte luid naar adem.
Na een korte pauze ging Christine verder. 'Ik was erbij toen George Antoun, de Arabische vader van Demetrius, op zijn sterfbed in Shatila bekende dat Demetrius was gestolen uit een joods huis in Jeruzalem. Dit gebeurde in dezelfde week dat de poort van Jaffa werd opgeblazen. George ging naar Jeruzalem om zijn twee broers en ene zusje te begraven die bij de explosie waren omgekomen. Een van zijn broers woonde in de buurt Musrara. Toen George probeerde daarheen te gaan werd hij aangevallen door een joodse bende. Overweldigd door verdriet en woede over de politieke situatie in Jeruzalem en alle joden hatend, raakte George tijdelijk zijn verstand kwijt en stal een joodse baby, een jongetje, dat nog maar een paar dagen oud was. Hij vluchtte met de baby naar Haifa. Toen de familie Antoun gedwongen werd naar Libanon te vluchten, namen ze het kind mee en voedden hem op als hun eigen zoon. Ze hadden geen andere kinderen.' Er rolden tranen over de wangen van Christine terwijl ze eerst naar Jozef en toen naar Ester keek. 'Vanmorgen heeft Demetrius ontdekt dat hij jullie verloren zoon is.' Haar stem klonk heel zacht. 'En dat is de reden waarom Demetrius is weggelopen.'
'Hou op! Hou op! Hou op!' Jordan maakte zich los van haar moeder en rende naar haar vader. 'Het is niet waar, het is niet waar! Vertel me dat het niet waar is, papa!'
Allerlei gedachten raasden door het hoofd van Jozef. Hij herinnerde zich de gespannen maar vreugdevolle dag zo lang geleden dat hun tweede zoon was geboren. Hij herinnerde zich duidelijk het bezoek van Ari met het nieuws van de terroristische aanval die Arabieren het leven had gekost. Hij herleefde die momenten van angst dat de joden van Jeruzalem zwaar zouden betalen voor de irrationele daad van de Irgun. Hij zuchtte luidruchtig. Het was nu zeker dat hij en Ester de ultieme prijs hadden betaald voor het opblazen van de poort van Jaffa. Hij wierp een blik op Michel. Arabische wraak had hen allen beroofd. Michel had een broer verloren, Rachel een neef. Maar het ergste van alles was dat de baby Daniël was beroofd van zijn familie en zijn afkomst. Een onschuldige joodse baby die was grootgebracht met de overtuiging dat hij een Arabier was.
Jozef keerde zich langzaam om naar zijn vrouw. Ester hield haar beide handen voor haar boezem ineengeklemd. Ze keek bedroefd naar haar man. Ester had altijd geloofd dat haar baby was gestolen om vermoord te worden. Was het jongetje aan wie zij vijfendertig jaar geleden het leven had geschonken echt nog in leven? Was baby Daniël grootge-

bracht door Arabieren? Bevond haar zoon zich nu binnen haar bereik?
Michel stond op. Het was chaos in zijn hoofd. Een lang vergeten herinnering prikkelde hem, het geluid van een huilende baby die te snel was gekomen en gegaan. Plotseling zag hij een helder beeld van een lege kribbe en radeloze ouders. Hij zei peinzend met een bijna kinderlijke stem: 'Heeft iemand de baby gestolen?'
Ester schoot achteruit en keek op naar Michel. Dat waren precies de woorden die de jonge Michel had gesproken op de dag dat Jozef hem op de hoogte bracht dat zijn broertje weg was.
Anna keek naar Michel maar zag hem niet. Ze herinnerde zich de woorden die Jihan had gezegd voor de medicijnen begonnen te werken, woorden die Anna had geweten aan het getier van een vrouw die haar verstand had verloren. Anna mompelde hardop: 'Jihan vertelde me dat Demetrius Daniël was. Ze bleef herhalen dat de baby leefde, dat de baby teruggekeerd was. Het mysterie van baby Daniël is opgelost!' Anna sprak met verwondering. 'Jihan heeft hem zeker op de een of andere manier herkend, Jozef, op de een of andere manier wist ze dat Demetrius baby Daniël was.' Anna schudde heftig haar hoofd in een poging haar gedachten helder te krijgen. Ze keek naar Ester en fluisterde: 'Lieve God! Jihan had gelijk!'
Ester knikte en strekte toen haar hand uit om tot haar man te gebaren en haar stem klonk vreemd rustig. 'Jozef, let op je dochter. Ze gaat zo flauwvallen.'
Jordan wankelde.
Jozef en Michel renden tegelijk naar haar toe. Michel legde haar op de bank en tikte op haar wangen. 'Jordan!'
Christine rende naar de keuken om een koude doek te halen.
Anna en Rachel hielden elkaar stevig vast terwijl de tranen over hun wangen stroomden. De afgelopen vierentwintig uur waren ongelooflijk moeilijk voor beide vrouwen geweest.
Toen Jordan haar ogen opende mompelde ze: 'Mammie! Dit kan niet waar zijn.'
Ester knielde naast haar neer. 'Shhhh, liefje.' Ester nam Jordan aandachtig op. Ze had nog nooit zo'n uitdrukking op een mensengezicht gezien. Haar dochter was volledig uitgeschakeld door pijn.
Jordan snikte stilletjes. 'Mammie, je begrijpt het niet. Je kunt het niet begrijpen. We houden van elkaar.' Haar stem brak. 'Mammie, ik krijg het kind van Demetrius.'
Met haar handen licht op het gezicht van haar dochter keek Ester op naar haar man. 'Heb je dat gehoord, Jozef? Onze dochter krijgt een baby.'

Jozef knielde naast zijn dochter neer en nam haar handen in de zijne.
'Het komt allemaal goed, liefje.'
Er verscheen een vreselijke uitdrukking op het gezicht van Jordan toen ze uitriep: 'Demetrius weet niet dat ik geadopteerd ben! Hij is weggelopen en nu zullen we hem nooit meer vinden!'
'Stil maar, stil maar. Nee, nee, maak je geen zorgen. Je vader zal hem vinden.'
'We moeten Demetrius vinden, we moeten hem vinden! Demetrius moet nu denken dat ik zijn zuster ben!'
Jozef was het met haar eens. 'Ja. De jongen moet er vreselijk aan toe zijn.'
Michel staarde onzeker naar zijn vader. 'Geloof je dat Demetrius Antoun je zoon is?'
Jozef sprak met een onnatuurlijk klinkende stem. 'Ja, Michel. Hoe ongelooflijk het ook mag klinken, ik voel dat Demetrius Antoun mijn zoon is.' Zonder zijn ogen van zijn oudste kind af te wenden pauzeerde hij even voor hij verder ging. 'En, Michel, Demetrius is jouw broer.'
Michel bevond zich in een vreselijke draaikolk van emoties en zijn gezicht vertrok, maar hij sprak met een kalme stem. 'Als je dat gelooft dan zal ik hem vinden. Ik zal iedereen in mijn eenheid vragen te helpen als het nodig is. Op wat voor manier ook, ik zal hem vinden.'
Jozef ging staan, pakte de arm van Michel en keek hem met zijn grote, grijze ogen aan en zei: 'Ja, Michel, ga en vind hem.'
Ester ging staan en staarde naar Jozef. Hoop flikkerde in haar ogen. 'Kan dit waar zijn, Jozef?'
Jordan steunde op haar ellebogen voor ze haar voeten op de vloer zette en overeind kwam. Ester pakte haar hand en de vrouwen gingen samen rond Jozef en Michel staan.
Jordan sloeg haar armen rond Michels nek. 'Vind hem, Michel, alsjeblieft, vind hem,' smeekte ze zachtjes. 'Ik kan niet meer leven als je hem niet vindt.'
De schok van het nieuws dat haar lang verloren zoon nu gevonden was maakte dat Ester zich aan haar man vastklampte. Met glinsterende ogen keek Ester langs de brede schouders van haar man naar het gezicht van haar zoon. 'Vind je broer, Michel. Vind je broer en breng hem thuis,' zei ze.
Michel Gale merkte niet eens zijn eigen tranen op.

Demetrius was verbaasd bij de ontdekking dat het huis er nog stond en er bijna net zo uitzag als de beschrijving die hij zo vele malen van zijn vader en grootvader had gehoord. Met een ondoorgrondelijk gezicht

staarde Demetrius naar het kleine, aantrekkelijke huis dat eens zijn familie had toebehoord. De nieuwe eigenaren hadden er een nogal ruime veranda aangebouwd maar verder was alles zoals Demetrius het zich herinnerde. De poort was nog altijd roze en de witte stenen van het hoofdgebouw schemerden in het vervagende zonlicht. Lieflijke limoen- en citroenbomen groeiden langs de randen van het grasveld.
De vingers van Demetrius streelden de grote huissleutel in zijn broekzak terwijl hij een beeld opriep van het interieur van het huis. De studeerkamer van George bevond zich links van de hal en de familiekamer lag er rechts van. De slaapkamer van zijn ouders lag naast de studeerkamer en de kleine kamer van grootvader lag tussen de keuken en de achteringang. Demetrius klemde de sleutel in zijn hand en vroeg zich af of deze de deur nog altijd zou ontsluiten. Hij glimlachte bijna bij de gedachte aan de nieuwe bewoners van het huis van zijn vader en hoe ze zouden reageren als hij als een ongenode gast naar binnen wandelde.
Zijn gedachten waren ontsproten uit wanhoop. Nadat hij had ontdekt dat hij de verloren zoon van Jozef en Ester was en, wat het pijnlijkste was, de broer van Jordan, werd Demetrius verteerd door de meest duistere wanhoop. Zonder na te denken over wat hij moest doen of waar hij heen moest, had hij doelloos door de straten van Jeruzalem gelopen waarbij hij afwissend God vervloekte en God ervan beschuldigde dat Hij vreselijke rampen had veroorzaakt vanaf het moment dat Hij hem het leven had geschonken. Omdat hij wist dat hij Jeruzalem moest verlaten, dat hij Jordan niet onder ogen kon komen met de informatie die hij nu bezat, nam hij een taxi naar het treinstation en kocht een kaartje voor de eerstvolgende trein die de stad verliet. Als door het lot bepaald ging de trein richting Haifa. Toen hij de schok over de bestemming van de trein te boven was, raakte hij bijna verrukt over het idee dat hij naar de stad van zijn Arabische ouders reisde. Toen hij eenmaal in de trein zat doorzocht Demetrius zijn koffer en haalde hij de gekoesterde landakte en de huissleutel van het huis van de familie Antoun in Haifa te voorschijn. Hij was nu dankbaar dat hij de tijd had genomen deze belangrijke dingen uit zijn verwoeste huis in Shatila te halen.
De treinreis van Jeruzalem naar Haifa verliep martelend langzaam maar gaf hem ruim de tijd om na te denken. Hij was moe en had genoeg van het leven dat hem was gegeven. Hij was banger dan hij zich ooit kon herinneren. Met dat laatste stukje informatie was hij nu echt een man zonder familie of een land. Tranen van woede kwamen in zijn ogen en even had hij de boze gedachte dat George Antoun schuldig was aan dit dilemma. Vanwege zijn Arabische vader was alles wat normaal was hem ontzegd. George had hem als een Arabier grootgebracht en vervol-

gens elke mogelijkheid vernietigd om een Arabisch leven te leiden door zijn ware afkomst te onthullen. De bekentenis van George op zijn sterfbed had de weg bereid voor twee onverzoenbare tegenstanders, een Arabier en een jood, die bezit hadden genomen van zijn gestolen zoon. Demetrius zat rustig na te denken over zijn Arabische vader. Bij de herinnering aan de goede en vriendelijke man die hem had grootgebracht kon Demetrius niet lang boos blijven. Hij herinnerde zichzelf eraan zijn vader niet te veroordelen, maar in plaats daarvan de verantwoordelijkheid voor zijn ellendige situatie te leggen bij het geweld en de waanzin die een heel land opzweepte. Die gekte creëerde een fatale keten van omstandigheden die een bange en woedende man tot de grenzen van geciviliseerd gedrag dreven. Door een kind mee te nemen dat een ander toebehoorde had George een vreselijke misdaad begaan die hem de rest van zijn leven had achtervolgd. Maar als hij prijs stelde op zijn vrijheid en op het welzijn van zijn vrouw en vader, was er nadat hij het joodse kind eenmaal had ontvoerd, geen weg terug meer.
Demetrius besloot George Antoun niet te beschuldigen.
Zijn gedachten gingen naar Jordan. Hij zonk opnieuw in wanhoop. Demetrius, bang voor de afschuw en eenzaamheid die zouden beginnen op het moment dat hij de realiteit accepteerde, vocht om zijn emoties te beheersen. Hij wist dat hij zijn hart en geest voor altijd moest sluiten voor de liefde die hij met Jordan had gedeeld. Nu was elke gedachte aan hun noodlottige relatie onverdraaglijk. Hij kon zichzelf niet toestaan over Jordan te dagdromen zonder onbeheersbaar opgewonden te worden.
Sigaret na sigaret rokend staarde hij uit het raam naar de veranderende en pittoreske uitzichten op de rotsachtige heuvels van Jeruzalem en de groene valleien van het platteland. Hij zag Arabische bedoeïenenherders hun kudden hoeden en in gedachten contrasteerde hij die aanblik met de moderne gebouwen in de steden van Israël. De drastische veranderingen die de vastbesloten Europese joden hadden aangebracht in het oude land waren wonderen die opgemerkt moest worden.
Toen de conducteur aankondigde dat de trein Gallim, het treinstation van Haifa, binnenreed glinsterden Demetrius' ogen van opwinding. Eindelijk was hij aangekomen in de geliefde stad van zijn Arabische ouders, George en Mary Antoun.
Vanaf de eerste aanblik werden de herinneringen aan Beiroet wakker geroepen. De stad Haifa leek griezelig veel op de Libanese hoofdstad. Haifa was uitgehouwen in de beboste berghelling van de berg Carmel. Huizen en kantoren zaten van boven af de berg tot aan de Middellandse Zee aan de helling vastgeplakt. Voorzover hij kon zien, leken de stranden van wit zand.

Toen Demetrius de taxichauffeur de naam van zijn vaders buurt opgaf reageerde de man met een woordenvloed die een gids waardig zou zijn dat Haifa op drie niveaus was gebouwd en dat de buurt waar hij naartoe wilde Hadar Hacarmel heette. Hij lag in het centrum van Haifa. Als de taxichauffeur verbaasd was geweest dat zijn passagier bij een klein park recht voor het opgegeven adres uit wilde stappen, gaf hij daar geen blijk van.
Demetrius zat drie uur lang in het park en bestudeerde het huis waarvan hij het gevoel had dat het nog altijd deel uitmaakte van zijn leven. Omdat hij de vrouwen en kinderen in de tuin niet aan het schrikken wilde maken, wachtte Demetrius geduldig tot de heer des huizes thuis zou komen.
Laat in de middag ging een joodse man van middelbare leeftijd zonder te kloppen het huis binnen. Demetrius, die geen moment aan de mogelijke consequenties dacht, tilde zijn tas op en liep het park uit, de straat over en door de poort naar de voorkant van het huis. Met koortsachtige verwachting keek hij om zich heen. Wat hij zag was zo bekend dat hij zich opgewekter begon te voelen. Nadat hij zijn tas op het geplaveide looppad had neergezet nam hij de sleutel in zijn hand en klopte licht op de voordeur.
Een kleine jongen van ongeveer vijf jaar deed open.
Demetrius glimlachte nerveus. ‘Is je vader thuis?’
Het kind werd verlegen, keerde zich toen om en riep: ‘Papa, er is een man voor je.’ De jongen liet de deur open staan.
Hoewel hij brandde van nieuwsgierigheid om snel binnen te kijken bleef hij rustig staan en haalde hij diep adem om zichzelf moed in te pompen. Hij verlangde wanhopig naar een vriendelijk gezicht.
Een kleine, magere man die er afgetobd uitzag, liep door de kleine hal naar Demetrius. Hij bleef op enige afstand staan en staarde de bezoeker kil en kalm aan. ‘Ja? Wat wil je?’ vroeg hij.
Demetrius glimlachte hoopvol en zei: ‘Mijn ouders hebben hier ooit gewoond. Ik vroeg me af of ik binnen mag komen om hun huis te zien.’ Omdat hij wilde bewijzen wie hij was hield Demetrius hem de sleutel voor die aan het versleten blauwe lint bungelde. ‘Hier is de sleutel.’ Hij zocht in de zak van zijn overhemd. ‘En ik heb de akte.’
De man, die een dergelijk verzoek niet verwachtte, was een ogenblik in de war en onzeker. Hij staarde zonder iets te zeggen intens naar Demetrius. Wat was het motief van de Arabier? Dacht hij dat hij het huis van zijn vader kon opeisen?
Demetrius, die wanhopig graag de studeerkamer wilde zien waar zijn vader had gewerkt en de rozentuin die zijn moeder had verzorgd, pro-

beerde de man gerust te stellen. 'Alstublieft, meneer, u moet weten dat ik geen oneerbare bedoelingen heb. Mijn ouders zijn recent overleden,' stamelde hij. 'Ik verlang niets meer dan het huis van binnen te zien waar ze hebben gewoond en in de tuin te lopen die mijn moederde koesterde.'
De man was bleek geworden maar hij maakte een beweging met zijn hoofd die Demetrius interpreteerde als een positief teken.
Aangemoedigd vervolgde Demetrius: 'George en Mary Antoun woonden in dit huis. De familie verliet Haifa in 1948, toen ik nog een kind was. Mijn ouders hebben het vaak over hun huis gehad.' Demetrius liep iets naar voren. 'Mag ik alstublieft naar binnen? Heel even maar?'
De joodse eigenaar maakte een aarzelend gebaar met zijn handen. Heel even overwoog hij om de Arabier binnen te laten. De man was goed gekleed en gedroeg zich hoffelijk. Hij herinnerde zichzelf er plotseling aan dat hij niet dwaas moest zijn, dat de man een terrorist kon zijn, en veranderde zijn positieve reactie. Hij haastte zich om de deur te sluiten voor de Arabier binnen kon komen. 'Ga nu weg, of ik bel de politie!' zei hij dreigend.
De deur sloot met luid gekraak.
Demetrius knipperde van verbazing met zijn ogen. Totaal ontredderd stond hij met de sleutel bungelend aan zijn hand voor de deur. Hij wilde nog een keer aankloppen maar toen hoorde hij het geluid van opgewonden stemmen. Een vrouw tuurde door het raam aan de voorkant en schreeuwde: 'Hij is er nog steeds!' De stemmen klonken steeds paniekeriger. Hij hoorde een vrouw in de telefoon tegen de politie roepen: 'Kom! Snel! Een grote man, een Arabier probeert in ons huis in te breken!'
Omdat hij besefte dat hij niets meer was dan een indringer in het huis van zijn vader, hing Demetrius de grote sleutel aan de deurgreep, pakte zijn tas en liep langzaam weg.

Epiloog

Dinsdag, 10 juni 1983

Liefste Jordan,
Is er een erger onvergelijkbaar drama in de geschiedenis van de mens dan de joodse baby die is gestolen en opgevoed in een Arabisch land? Een man die gelooft Arabier te zijn en leeft voor de nederlaag van zijn gehate joodse vijand om alleen tot de ernstige ontdekking te komen dat hij is wat hij het meest haat? Ik geloof het niet.
Bied alsjeblieft mijn verontschuldigingen aan Anna aan voor mijn onverklaarbare vertrek. Ze moet hebben gedacht dat Demetrius Antoun een zeer onbeschoft gast was. Hoe kon de arme vrouw hebben kunnen weten dat haar tragische verhaal van het onopgeloste mysterie van Daniël Gale de donder en bliksem in mijn ziel teweegbracht?
Jordan, ik heb vaak mijn drukkende geheim willen delen. Ik heb de woorden in mijn hoofd doorgenomen en met mijn tong geoefend, maar steeds opnieuw werd mijn wil door duizenden angsten ingeperkt. Omdat ik bang was dat mijn verhaal niet geloofwaardig was en me niets anders dan haat zou brengen, gaf ik toe aan de verleiding en stelde het kwellende onderwerp uit. Als laatste uitvlucht beloofde ik mezelf dat ik je het verachtelijke geheim in Israël zou vertellen, na ons huwelijk, maar dankzij God kwam het lot tussenbeide en heeft ons gered van een rampzalig huwelijk.
Jordan, dit is de moeilijkste zin die ik ooit heb geschreven. Je moet het kind laten aborteren. Snel!
Ik wou dat ik je de magie van troostende woorden kon bieden, maar het enige wat ik kan bedenken is dat ik mijn eigen leven zou geven voor een moment met jou als we niet waren wat we zijn.
En nu, vaarwel, vaarwel. En vergeet nooit dat ik...

Totaal van streek legde Demetrius snel zijn pen neer. Hij kon zijn brief niet afmaken. Lange tijd staarde hij naar de dichtgetrokken gordijnen voor de hoge ramen van zijn suite in het American Colony hotel in Oost-Jeruzalem. Hij luisterde een ogenblik zonder adem te halen. Het

verre geluid van een auto drong de kamer binnen. Toch voelde hij dat er iemand in de buurt was. Hij luisterde opnieuw. Hij vroeg zich af of hij overgevoelig was geworden. Sinds hij de avond ervoor zijn intrek in het hotel had genomen, had hij alleen koffie gedronken, sigaretten gerookt en nagedacht. Hij tilde het halflege kopje op en nam een slok waarna hij het kopje terugzette op het koperen dienblad.
Zijn verbeelding liep uit de hand, zei hij tegen zichzelf. Hij klemde zijn tanden opeen, drukte zijn vingers tegen zijn oogleden en ging op in zijn gedachten. Morgen zou hij over de Allenby-brug naar Jordanië gaan. Vanuit Jordanië zou hij verder reizen naar Libanon. Van daaruit zou hij proberen naar Tunis te reizen om Ahmed Fayez te zoeken. Zijn oude vriend Ahmed zou hem nooit wegsturen, vooral niet op dit moment van grote nood, ook al waren zijn aderen gevuld met joods bloed.
Hij haalde diep adem, legde zijn kin in zijn handen en staarde naar de woorden die hij had geschreven terwijl hij zich afvroeg hoe het met Jordan ging. Hij besloot dat het goed met haar zou gaan. Ze had haar familie. En misschien zou de wetenschap dat hij de verloren zoon was een band scheppen tussen haar en Michel. Misschien zou Michel de Arabieren nu anders gaan zien.
Hij pakte de onafgemaakte brief op en las de woorden door. Terwijl hij las kwam er een grote vermoeidheid over zijn gezicht waardoor hij eruitzag als een man die zichzelf van binnenuit opvreet.
Een geluid, een bons tegen de deur, onderbrak zijn gedachten. Dit geluid was echt en had niets te maken met zijn eerdere, verbeelde angsten. Demetrius verhief zonder een geluid te maken langzaam zijn grote gestalte uit de bureaustoel. Hij liep stil naar de deur maar bleef verrast staan toen hij de deurgreep zag bewegen.
Aan de andere kant draaide Michel Gale de sleutel om die hij van een angstige hotelmedewerker had geconfisqueerd. Hij opende de deur en liep de kamer binnen. Hij droeg zijn militaire uniform.
'Michel!' Een schok golfde door het lichaam van Demetrius en zijn mond zakte open.
Michel zei niets, maar zijn ogen brandden van emotie. Het was hem gelukt zijn broer te vinden! De legervrienden van Michel hadden nauwgezet elk hotel in zowel Oost- als West-Jeruzalem afgezocht tot ze ontdekten dat er een ongebruikelijk lange en krachtig gebouwde Arabier in het American Colony hotel in de Nabulstraat logeerde. De mannen omsingelden het hotel en plaatsten een bewaker bij de deur van Demetrius tot Michel er zou zijn.
Een kort moment vroeg Demetrius zich af of Michel gekomen was om hem in elkaar te slaan. Terwijl Demetrius zich schrap zette voor een

aanval gebeurde het onverwachte. Michel glimlachte. Toen citeerde hij uit de bijbel. 'Gij zult de waarheid verstaan, en de waarheid zal u vrijmaken.'
Demetrius slikte. Hij kende het vers goed: Johannes 8:32. Maar hoe kon in 's hemelsnaam een jood uit het Nieuwe Testament citeren?
Michel glimlachte nog breder en legde uit: 'Onze inwonende christen, Anna, zei dat ik dat tegen je moest zeggen.'
Demetrius knikte, nog altijd totaal in de war.
'Maar ik geloof dat je maar één ding hoeft te horen, Demetrius.'
Demetrius vond zijn stem terug. 'En wat is dat?' zei hij met schorre stem.
'Dat Jordan geadopteerd is. Ze is niet je zuster.'
'Wat zei je?'
Michel sprak snel. 'Nadat jij werd ontvoerd gebeurde er iets met moeder. Misschien was het lichamelijk, misschien geestelijk, maar ze kon geen kinderen meer krijgen. Ik was voorbestemd enig kind te zijn. Toen stierf Leah Jawor, een goede vriendin van de familie, tijdens de bevalling. De vrouw had verder geen familie meer, dus liet ze de baby aan ons na.' Bij de gedachte aan zijn zuster glimlachte Michel liefdevol. 'Niet dat ze ons daarmee een gunst bewees!' Hij pauzeerde voor hij er lachend aan toevoegde: 'De echte moeder van Jordan was een ramp, net als Jordan.' Hij lachte. 'Maar maak je geen zorgen. Jordan zorgt ervoor dat de familie Gale nederig blijft.'
Het gezicht van Demetrius was volledig veranderd. Zijn lippen trilden en er verschenen tranen in zijn ogen. Hij wilde de bemoedigende woorden van Michel nog een keer horen. 'Dus Jordan is niet mijn zuster?' vroeg hij ademloos.
Er bleef een glimlach op het gezicht van Michel bij de aanblik van zijn pas gevonden broer. 'Nee, Demetrius. Ze is niet je zuster.' Hij pauzeerde en glimlachte toen opnieuw. 'Maar ik ben je broer.'
Demetrius kon geen woord uitbrengen.
Met uitzonderlijke energie stapte Michel op Demetrius toe en pakte hem stevig vast. 'Ik ben gekomen om je mee naar huis te nemen,' fluisterde hij.

Twee legervrienden van Michel brachten de familie Gale op de hoogte van het feit dat Demetrius was gevonden en dat de twee jongens snel thuis zouden zijn. Christine, die begreep dat de familie privacy nodig had, dwong Anna en Rachel om met Christine en haar ouders in het huis te wachten. Jozef, Ester en Jordan zaten stijf op stoelen met een rechte rugleuning in de voortuin. Terwijl de ouders van Demetrius en Jordan rustig met hun ogen op de weg gericht zaten te wachten fluisterden

Anna en Rachel opgewonden en tuurden om beurten door de ramen van de zitkamer. Hoewel ze niet konden deelnemen aan de hereniging van de familie, zouden ze wel kijken. Christine zat rustig tussen haar ouders in, die volledig waren overweldigd door het emotionele huishouden dat ze bezochten.
Plotseling klonk het geluid van een naderende auto.
Esters gezicht stond strak terwijl ze naar voren leunde en luisterde. 'Is dat een militair voertuig?'
Jozef stond op. 'Ja.'
Jordan hield haar handen stijf ineengeklemd. Haar hart klopte zo heftig dat ze de kraag van haar blouse op zag springen in het ritme van haar hartslag.
De jeep remde hard en stopte. Michel stapte aan de bestuurderskant uit en liep om het voertuig heen. Hij opende het portier en pakte zijn broer bij de arm. De twee mannen liepen zij aan zij terwijl ze naar hun ouders en Jordan staarden.
Jordan begon naar de mannen toe te lopen en vervolgens te rennen. 'Demetrius!' riep ze uit. Ze sprong in zijn armen en begroef haar gezicht in zijn schouder terwijl ze fluisterde: 'Demetrius. Demetrius.'
Michel stapte opzij.
Te emotioneel om iets te zeggen hield Demetrius Jordan dicht tegen zich aan.
Binnen waren Rachel en Anna hysterisch van vreugde. Rachel kuste Anna zelfs. 'Zonder jou zouden we de jongen nooit hebben gevonden!' mompelde ze.
'Het was Jihan, ik zweer het je!' antwoordde Anna.
Een opgewonden Christine kon zich geen minuut langer meer beheersen. Ze pakte haar ouders bij de handen en leidde hen naar het raam. Huilend hielden ze elkaar stevig vast terwijl ze naar de ontroerende hereniging keken.
Jozef en Ester konden zich geen seconde langer beheersen en snelden voorwaarts. Terwijl ze het gezicht van Demetrius streelde zag Ester de ogen in het gelaat van haar zoon. Met een haperende, hese stem zei ze: 'Jozef, onze zoon heeft jouw prachtige grijze ogen.'
Jozef, die naar de olijfkleurige huid en het gevoelige gezicht van zijn zoon keek, voelde hoe het verleden opeens bovenkwam. 'Ik geloof dat onze zoon meer op jouw kant van de familie lijkt, liefste,' zei hij.
Op dat moment sprongen de tranen in de ogen van Michel. Hij voegde zich bij zijn familie en sloeg zijn armen om zijn broer, zijn zuster en zijn ouders en trok iedereen in een kleine cirkel waardoor ze als één bij elkaar stonden.

Spontane woorden van vreugde en viering kwamen in Jozef op, die naar de hemel staarde en uitriep: ‘Gezegend zijt Gij, Heer onze God, Heerser van het universum die goed is en goed doet.’
Als een prachtige droom stond daar de familie Gale uit Israël, als symbool van wat de familie Gale uit Frankrijk en de familie Stein uit Polen eens waren geweest.